De pers over David Baldacci

'Baldacci slaagt erin een mooie spanningsboog op te bouwen.' – VN'S DETECTIVE & THRILLERGIDS

'**** Fraai aan deze thriller is vooral het aantal plotwendingen. Net als je denkt dat je nu wel door hebt hoe het zit, gebeurt er weer iets waardoor je op een heel ander spoor wordt gezet.' – HDC MEDIA

'De boef is buitenlands, de held stoer, de actie heftig: dat Amerikaanse recept levert vaak toch fijn leesvoer op.' – TROUW

'De auteur heeft zijn naam gevestigd als schrijver van uitstekende thrillers. Ook nu weer slaagt hij erin een spannende intrige te verweven met overtuigende menselijke karakters.' – NBD BIBLION

'Een absolute aanrader.' – MEN'S HEALTH

'Als het gaat om actie, is Baldacci een van de besten.' – NU.NL

'Familiewaarden en politiek versmelten in een intrigerend verhaal.'
– DE TELEGRAAF

'Weer een typische Baldacci, die de lezer vanaf het begin het verhaal intrekt. De spanning is meteen voelbaar. En dat gaat tot aan de laatste bladzijde door. Een echte aanrader!' – WEST-FRIESLAND OP ZONDAG

David Baldacci

De provocatie

A.W. Bruna Uitgevers B.V., Utrecht

Oorspronkelijke titel
Zero Day
© 2011 by Columbus Rose, Ltd.
Published by arrangement with Lennart Sane Agency AB.
Vertaling
Hugo Kuipers
Omslagbeeld
© Mark Owen / Arcangel Images
Omslagontwerp
Studio Jan de Boer
© 2011 A.W. Bruna Uitgevers B.V., Utrecht

ISBN 978 90 229 9902 8
NUR 332

Derde druk, maart 2012

MIX
Papier van
verantwoorde herkomst
FSC
www.fsc.org
FSC® C013683

Dit boek is gedrukt op papier dat het keurmerk van de Forest Stewardship Council (FSC) mag dragen. Bij dit papier is het zeker dat de productie niet tot bosvernietiging heeft geleid. Een flink deel van de grondstof is afkomstig uit bossen en plantages die worden beheerd volgens de regels van FSC. Van het andere deel van de grondstof is vastgesteld dat hiervoor geen houtkap in de laatste resten waardevol bos heeft plaatsgevonden. Daarom mag dit papier het FSC Mixed Sources label dragen. Voor dit boek is het FSC-gecertificeerde Munkenprint gebruikt. Dit papier is 100% chloor- en zwavelvrij gebleekt en wordt geleverd door Arctic Paper Munkedals AB, Zweden.

Ter nagedachtenis van mijn moeder
En voor Charles 'Chuck' Betack, mijn vriend

•1•

Het scheelde niet veel of de wolk kolenstof die Howard Reed diep in zijn longen had gekregen werd hem zozeer te machtig dat hij zijn postauto langs de kant van de weg moest zetten om over te geven op het verbrande schrale gras. Maar hij hoestte en spuwde en bedwong zijn maag. Reed drukte het gaspedaal verder in en reed met grote snelheid langs de aan- en afvoerwegen, waar kiepwagens overheen denderden en zwart gruis als brandende confetti de lucht in werd geslingerd. Diezelfde lucht was vergeven van de zwaveldioxide doordat een berg steenkoolafval in brand was geraakt, zoals vaak gebeurde. Die zwevende deeltjes reageerden met de zuurstof in de lucht en vormden zo zwaveltrioxide, dat zich op zijn beurt vasthechtte aan watermoleculen. De krachtige stof die daardoor ontstond zou later als giftige zure regen op aarde terugvallen. Niets van dit alles was een beproefd recept voor een gezond milieu.

Reed hield zijn hand stevig op het speciale mechanisme, en zijn achttien jaar oude Ford Explorer met gammele uitlaat en trillende versnellingsbak bleef op het gebarsten asfalt. Zijn postauto was van hem zelf, en was zodanig aangepast dat hij op de passagiersplaats kon zitten om vlak naast de brievenbussen op zijn route te kunnen stoppen. Dat werd voor een deel mogelijk gemaakt door een apparaat dat eruitzag als de ventilatorriem van een auto. Zo kon hij vanaf de rechterkant van de auto sturen, remmen en gas geven.

Nadat hij postbode op het platteland was geworden en vanaf de 'verkeerde kant' van de auto had leren rijden, had Reed naar Engeland willen gaan om zijn aangeleerde handigheid in de praktijk te brengen in een land waar iedereen links reed. Hij had gehoord dat die gewoonte nog uit de tijd van de toernooien dateerde. De meeste mensen waren rechtshandig, en tijdens zo'n steekspel wilde een man zijn zwaard of lans zo dicht mogelijk bij zijn tegenstander houden. Zijn vrouw had tegen hem gezegd dat hij niet goed snik was en in een vreemd land waarschijnlijk zou verongelukken.

Hij reed langs de berg, of beter gezegd, de plaats waar de berg ooit had gestaan, voordat de Trent Coal & Exploration Company die met springstoffen te lijf was gegaan om bij de diepliggende rijke steenkoollagen te kunnen komen. Het was daar nu grotendeels een maanlandschap, woest en ledig en vol kraters. Dat proces werd dagbouw genoemd. Reed zag er geen bouw in, louter afbraak.

Maar dit was nou eenmaal West Virginia, en de steenkoolwinning leverde de meeste goedbetaalde banen op. Daarom vond Reed het niet zo erg als er een damwand brak van een bassin met in water opgeloste vliegas en de drab zijn huis binnenstroomde. En ook niet als het drinkwater zwart werd en naar rotte eieren smaakte. Of dat er meestal van alles in de lucht zat wat niet goed verenigbaar was met menselijk leven. Hij klaagde niet over de enige nier die hij nog had, of over de schade die zijn lever en longen hadden opgelopen doordat ze aan al die giftige elementen waren blootgesteld. Wanneer hij klaagde, zou hij als antisteenkool en dus antibanen worden beschouwd. Dat kon Reed er echt niet bij hebben.

Hij sloeg een weg in voor zijn laatste bestelling van die dag. Het was een pakje waarvoor moest worden getekend. Hij had gevloekt toen hij zijn lading post ophaalde en het zag. Als er een handtekening moest worden gezet, moest hij persoonlijk contact met iemand hebben, terwijl hij nu alleen maar zo gauw mogelijk naar de Dollar Bar wilde, waar een glas bier op maandag maar een kwartje kostte. Hij zou op zijn eigen versleten kruk aan het eind van de mahoniehouten tapkast zitten en proberen te vergeten dat hij ook nog naar huis moest, waar zijn vrouw de alcohol in zijn adem zou ruiken en hem dat de eerstvolgende vier uur betaald zou zetten.

Hij reed het grindpad van het huis op. Dit was ooit een vrij goede buurt geweest. Nou ja, als je terugging naar de jaren vijftig. Die tijd was voorbij. Er was geen sterveling te bekennen. Bij de huizen was niemand te zien, alsof het twee uur 's nachts was in plaats van twee uur 's middags. Op zo'n warme zomerdag als vandaag zouden de kinderen onder tuinsproeiers door moeten rennen of verstoppertje moeten spelen. Maar dat deden kinderen tegenwoordig niet meer, wist Reed. Ze zaten in kamers met airconditioning en speelden daar zulke gewelddadige, bloederige videogames dat Reed zijn kleinkinderen had verboden ze mee te brengen naar zijn huis.

Bij de huizen zag je nu alleen nog rommel en vuil geworden plastic speelgoed liggen. Oeroude, roestige pick-uptrucks stonden op betonnen oprijlanen. De goedkope gevelbeplating van de huizen was losgeraakt, alle houtoppervlakken waren dringend aan een verfbeurt toe en daken begonnen in te zakken alsof God er vanboven op drukte. Het was triest en deprimerend, en Reeds verlangen naar bier werd er alleen maar door vergroot, want zijn eigen buurt zag er precies zo uit als deze. Hij wist dat een paar bevoorrechte mensen rijk werden door de steenkool, maar niemand van die mensen woonde daar in de buurt.

Hij haalde het pakje uit de bak in de auto en sjokte naar het huis. Dat was vervallen en had beplating van vinyl. De deur was hol en van spinthout, wit en beschadigd. Er zat een deur van gewoon vensterglas voor. Een rolstoelhelling van multiplex leidde doorgebogen naar de stoep. De struiken voor het huis waren uit hun krachten geschoten en zieltogend. Hun takken drukten tegen de zachte gevelbeplating, die ook al was doorgebogen. Er stonden twee auto's op het grind voor zijn zwarte Ford: een Chrysler-busje en een nieuwe Lexus.

Hij keek even vol bewondering naar de Japanse auto. Zo'n wagen kostte waarschijnlijk meer dan hij in een jaar verdiende. Vol eerbied raakte hij de blauwe metallic lak aan. Hij zag een zonnebril aan het spiegeltje hangen. Er lag een aktetas op de achterbank met daarnaast een groen jasje. Beide auto's hadden een nummerbord uit Virginia.

Hij liep door en nam niet de rolstoelhelling maar het trapje, dat uit drie blokken beton bestond. Hij belde aan en hoorde het geluid ergens in het huis.

Hij wachtte. Tien seconden. Twintig. Zijn ergernis nam toe.

Hij belde opnieuw aan.

'Hallo? De post! Ik heb een pakje waarvoor getekend moet worden.' Zijn stem, die hij gedurende zijn werkdag nauwelijks had gebruikt, klonk hemzelf vreemd in de oren, alsof iemand anders tegen hem praatte. Hij keek naar het platte pakje van ongeveer vijfentwintig bij twintig centimeter. Het bonnetje voor de handtekening zat eraan vast.

Kom op, het is smoorheet en de Dollar Bar roept mijn naam.

Hij keek naar het etiket op het pakje en riep: 'Meneer Halverson?'

Reed kende de man niet, maar hij herkende de naam wel van eerdere post die hij daar had bezorgd. Sommige postbodes op het platteland raakten bevriend met hun klanten. Zo'n postbode was Reed nooit geweest. Hij dronk liever bier dan dat hij een praatje maakte.

Hij belde opnieuw aan en klopte op het glas. Twee venijnige tikken met zijn knokkels. Hij veegde een zweetdruppel weg die over zijn roodverbrande nek liep. Zo'n nek kreeg je als je de hele dag in de felle zon naast een open autoraam zat. Zijn oksels stonken van het zweet en maakten vlekken in zijn overhemd. Als hij zijn raam open had, deed hij de airco niet aan. Dat zou verspilling van benzine zijn, en die was al duur genoeg.

Hij verhief zijn stem. 'Hallo, ik ben de postbode. Ik heb een handtekening nodig. Als ik het pakje weer meeneem, ziet u het waarschijnlijk nooit terug.'

Hij zag golven van hitte schitteren in de lucht. Hij was een beetje duizelig. Hij werd veel te oud voor dit alles.

Hij richtte zijn blik op de twee auto's. Er moest iemand thuis zijn. Hij stapte bij de deur vandaan en hield zijn hoofd naar achteren. Er keek niemand naar hem door de ramen van de twee dakkapellen. Een daarvan stond open, waardoor het net schele ogen leken. Hij klopte opnieuw aan.

Eindelijk hoorde hij iemand naar de deur komen. Hij zag dat de houten deur een paar centimeter openging. De geluiden kwamen dichterbij en hielden toen op. Als Reed niet hardhorend was geweest, zou het hem zijn opgevallen hoe vreemd die geluiden klonken.

'Postbode. Ik heb een handtekening nodig,' riep hij.

Hij likte over zijn droge lippen. Hij zag het glas bier al in zijn hand. Proefde het.

Doe die deur nou eens open.
Hij zei: 'Wilt u uw pakje?'
Het kan me geen moer schelen. Ik gooi het gewoon in een ravijn. Dat zou de eerste keer niet zijn.
Eindelijk ging de deur een beetje verder open. Hij trok de glazen deur naar zich toe en stak zijn hand uit met het pakje erin. 'Hebt u een pen?' vroeg hij.
Toen de deur nog wat verder openging, knipperde Reed met zijn ogen. Er was niemand. De deur was uit zichzelf opengegaan. Toen keek hij omlaag en zag een dwergcollie naar hem opkijken. De lange snuit en het harige achterdeel van de hond bewogen heen en weer. Blijkbaar had hij met zijn snuit de deur open-geduwd.
Reed was geen typische postbode. Hij hield van honden en had er zelf ook twee.
'Hé daar, jongen.' Hij knielde neer. 'Hé daar.' Hij krabde over de oren van de hond. 'Is er iemand thuis? Wil je tekenen voor dit pakje?'
Toen Reed de nattigheid in de vacht van het dier voelde, dacht hij eerst dat het hondenpis was en trok hij meteen zijn hand terug. Toen keek hij naar zijn hand-palm en zag de rode, kleverige substantie die van de vacht van de collie was ge-komen.
Bloed.
'Ben je gewond, jongen?'
Hij onderzocht de hond. Hij vond nog meer bloed, maar zag geen wond.
'Wat krijgen we nou?' mompelde Reed.
Hij stond op en legde zijn hand op de deurknop. 'Hallo? Is daar iemand? Hallo?'
Hij keek achter zich en wist niet wat hij moest doen. Hij richtte zijn blik weer op de hond en verbeeldde zich dat die melancholiek naar hem terugkeek. En Reed vond nog iets anders vreemd. De hond had niet één keer geblaft. Zijn ei-gen twee beesten zouden veel herrie hebben gemaakt als er iemand naar zijn deur kwam.
'Shit,' mompelde Reed. 'Hallo?' zei hij met luide stem. 'Is er iets aan de hand?'
Hij schuifelde het huis in. Het was warm. Hij trok zijn neus op toen er een onaangename geur tot hem doordrong. Als hij niet zo'n last van allergieën had gehad, zou de geur nog veel onaangenamer zijn geweest.
'Hallo. Er zit bloed op uw hond. Is er iets aan de hand?'
Hij deed nog een paar stappen door het halletje en keek om de hoek naar de kleine huiskamer.
Even later klapte de houten voordeur zo hard tegen de muur dat de knop een putje in het gipsplaat maakte. De glazen deur werd hard opengetrapt en vloog tegen de metalen leuning aan de linkerkant van de veranda, zodat het glas in stukken sprong. Howard Reed sprong van de bovenste tree in het zand. Zijn

hakken groeven zich in en er ging een huivering door hem heen. Toen liet hij zich op zijn knieën zakken en kotste alles uit wat hij in zijn maag had. Hij stond op en strompelde naar zijn auto, hoestend, kokhalzend en schreeuwend van angst als iemand die opeens krankzinnig was geworden.

En dat was ook zo.

Howard Reed zou die dag niet in de Dollar Bar komen.

·2·

John Puller keek uit het raam naar de staat Kansas, die zo'n duizend meter beneden hem lag. Hij boog zich dichter naar het raam van het vliegtuig toe en keek recht omlaag. De aanvliegroute naar vliegveld KCI van Kansas City voerde hen over Missouri en in westelijke richting naar Kansas. De piloot vloog een eind om en zette toen weer koers naar de staat Missouri om daar te landen. Het toestel vloog nu boven federaal terrein. In dit geval was dat federale terrein een gevangenis, of beter gezegd verscheidene gevangenissen, zowel federaal als militair. Daarbeneden zaten duizenden gedetineerden in hun cel te peinzen over het verlies van hun vrijheid, velen van hen voor altijd.

Puller kneep zijn ogen halfdicht en hield zijn hand erboven tegen de felle schittering van de zon. Ze vlogen over de oude USDB, de United States Disciplinary Barracks, ook wel het Kasteel genaamd. Meer dan honderd jaar lang hadden daar de ergste delinquenten uit de strijdkrachten gezeten. Terwijl het oude Kasteel eruitzag als een middeleeuws fort van natuursteen en baksteen, leken de nieuwe USDB net een scholengemeenschap. Dat wil zeggen: tot je de twee vierenhalf meter hoge omheiningen zag die de drie driehoekige gebouwen van twee verdiepingen omringden.

De federale gevangenis Leavenworth lag zes kilometer naar het zuiden.

In de USDB zaten alleen mannen. Vrouwelijke militaire gedetineerden werden ondergebracht in de marinegevangenis in San Diego. De gedetineerden in de USDB waren door de krijgsraad veroordeeld wegens schending van de Uniform Code of Military Justice. In de USDB zaten alleen gedetineerden die minstens vijf jaar hadden gekregen of veroordeeld waren voor misdrijven tegen de nationale veiligheid.

De nationale veiligheid.

Daarvoor was John Puller gekomen.

Het landingsgestel kwam omlaag en het toestel daalde af naar het vliegveld van Kansas City. Het was een soepele landing.

Een halfuur later stapte Puller in zijn huurauto en reed bij het vliegveld vandaan. Hij ging pal naar het westen, in de richting van Kansas. Het was erg warm; er stond geen zuchtje wind. De heuvels waren groen en glooiend. Puller zette de airconditioning van de auto niet aan. Hij gaf de voorkeur aan echte lucht, of die nu warm was of niet. Hij was exact een meter negentig. Dat wist hij omdat zijn werkgever, de Amerikaanse landmacht, zijn personeel erg goed kon meten. Hij woog ook honderddrie kilo. Volgens de normen van de landmacht was hij op zijn vijfendertigste eigenlijk ongeveer vijf kilo te zwaar. Maar niemand die naar hem keek zou dat denken. Als er al een grammetje vet op de man zat, zou je een microscoop nodig hebben om het te vinden.

Hij was langer dan de meeste infanteristen en bijna alle andere Army Rangers met wie hij had gediend. Dat had voordelen en nadelen. Zijn spieren waren lang en soepel als kabels, en met zijn lange armen en benen had hij veel hefboomkracht en kon hij langdurig veel gewicht torsen. Daar stond tegenover dat hij een veel groter doelwit vormde dan de gemiddelde infanterist.

Hij had in zijn schooltijd vrij goed football gespeeld en zag eruit alsof hij nog steeds opgesteld kon worden. Het had hem altijd aan de buitengewone snelheid en behendigheid ontbroken die nodig waren om tot het hoogste footballniveau door te dringen, maar dat was ook nooit zijn ambitie geweest. John Puller had altijd maar één carrière gewild: het uniform van het Amerikaanse leger dragen.

Vandaag was hij niet in uniform. Dat droeg hij nooit als hij naar de USDB ging. De kilometers gleden aan zijn raam voorbij. Hij kwam langs een bord voor het Lewis and Clark Trail en even later kwam de blauwe brug in zicht. Hij stak hem over en was nu in de staat Kansas. Om precies te zijn: in Fort Leavenworth.

Hij passeerde de hoofdcontrolepost, waar de militairen zijn papieren bekeken en het kenteken van zijn auto noteerden. De bewaker salueerde voor adjudant Puller en zei met afgemeten stem: 'Dank u. U kunt doorrijden.' Puller reed door. Met een nummer van Eminem op de radio reed hij over Grant Avenue en keek naar wat er was overgebleven van het oude Kasteel. Hij zag resten van het baldakijn van draad boven de vroegere gevangenis. Dat was daar aangebracht om ontsnapping per helikopter te voorkomen. Het leger hield overal rekening mee.

Na nog drie kilometer kwam hij bij de USDB. Ergens op de achtergrond toeterde een trein. Een Cessna die van het militaire vliegveld Sherman opsteeg, vocht met zijn brede snuit en forse vleugels tegen de zijwind. Puller parkeerde en liet zijn portefeuille en de meeste van zijn andere persoonlijke bezittingen in de auto achter, ook zijn standaardwapen, de SIG P228, die door het leger de M11 werd genoemd. Dat pistool had hij met munitie in een harde koffer ingeleverd voordat hij in het vliegtuig stapte. Hij mocht zijn wapen altijd bij zich dragen, maar het leek hem geen goed idee om gewapend een gevangenis binnen te lopen, of hij dat nu mocht of niet. En hij voelde er ook niets voor om het pistool in een kluisje achter te laten als hij eenmaal binnen was. Om voor de hand liggende redenen mocht niemand een wapen meenemen naar plaatsen waar gedetineerden kwamen.

Het scanpoortje werd bemand door een verveelde, jonge MP. Hoewel Puller wist dat het niet mogelijk was, zag de soldaat eruit alsof hij regelrecht uit het rekrutenkamp op deze post was gezet. Puller liet zijn rijbewijs en militaire papieren zien.

De potige MP met bolle wangen keek naar de badge en de identiteitskaart en zag dat John Puller agent was van de CID, de Criminal Investigative Division. Midden op de badge stond een ineengedoken adelaar met zijn kop naar rechts. De vogel had grote klauwen die de bovenkant van het schild omklemd hielden. Het enige oog dat te zien was, keek dreigend, en de grote snavel kon elk moment toeslaan. De MP salueerde en keek toen op naar de lange, breedgeschouderde man.

'Bent u hier officieel, adjudant?' vroeg hij.

'Nee.'

'John Puller junior? Bent u familie van...'

'Mijn vader.'

De jonge MP keek hem vol ontzag aan. 'Ja, adjudant. Doet u hem de groeten van mij, adjudant.'

In het Amerikaanse leger liepen veel legendarische strijders rond, en John Puller senior stond bijna helemaal boven aan de lijst.

Puller passeerde de metaaldetector. Die piepte. De MP bewoog een draagbare detector over hem heen. Zoals altijd. Het apparaat piepte bij zijn linkeronderarm.

'Titaniumstaaf,' zei Puller.

Het apparaat ging opnieuw af bij zijn linkerenkel.

De MP keek onderzoekend op.

Puller zei: 'Schroeven en plaat. Ik kan mijn broekspijp optillen.'

'Als u dat zou willen doen, adjudant.'

Toen Puller zijn broekspijp weer liet zakken, zei de bewaker verontschuldigend: 'Ik doe alleen mijn werk, adjudant.'

'Ik zou je op je donder geven als je dat niet deed, MP.'

De soldaat keek hem met grote ogen aan. 'Hebt u dat in een gevecht opgelopen, meneer?'

'Ik heb het niet zelf gedaan, als je dat bedoelt.'

Puller pakte zijn autosleutels uit de schaal waarin hij ze had gelegd en schoof zijn rijbewijs en andere papieren weer in het borstzakje van zijn overhemd. Hij tekende het bezoekersregister.

De zware deur ging met een zoemer open en hij liep de bezoekerskamer in. Er waren drie andere gedetineerden die bezoek hadden. Kleine kinderen speelden op de vloer, terwijl mannen zachtjes met hun vrouw of vriendin praatten. Kinderen mochten niet op de schoot van hun vader zitten. Aan het begin en eind van het bezoek was één omhelzing, kus of handdruk toegestaan. Handen mochten niet beneden de taille komen. Tijdens het bezoek mochten een bezoe-

14

ker en de gedetineerde wel elkaars hand vasthouden, en alle gesprekken moesten met normale stem worden gevoerd. Je mocht alleen praten met de gedetineerde voor wie je was gekomen. Je mocht een pen of potlood meebrengen, maar geen verf of tekenkrijt. Die regel, dacht Puller, was ingevoerd nadat iemand er een grote bende van had gemaakt, waarschijnlijk een kind. Maar het was een domme regel, vond hij, want een pen of potlood kon gemakkelijk in een wapen veranderen, terwijl dat met tekenkrijt veel moeilijker was.

Puller bleef even staan kijken. Een vrouw, zo te zien de moeder van een gedetineerde, las de man voor uit de Bijbel. Je mocht boeken meebrengen, maar je mocht ze niet aan de gedetineerde geven. En je mocht ze ook geen krant of tijdschrift geven. Je mocht geen voedsel meebrengen, maar je mocht wel iets voor je gedetineerde kopen uit de automaten die daar stonden. Ze mochten zelf geen artikelen kopen. Misschien zou dat te veel op een normaal leven hebben geleken, dacht Puller, en dat was niet de bedoeling van een gevangenis. Er kwam meteen een eind aan het bezoek als de bezoeker de kamer verliet. Er was één uitzondering op die regel, maar Puller zou daar nooit gebruik van kunnen maken: borstvoeding. Daar was boven een kamer voor.

De deur aan de andere kant van de kamer ging open en er kwam een man in een oranje overall binnen. Puller keek naar hem.

De man was lang, maar toch net iets kleiner dan Puller, en hij was slanker gebouwd. Zijn gezicht leek op dat van Puller, al had hij donkerder en langer haar. Er zaten vleugen wit in die Puller niet had. Beide mannen hadden een vierkante kin, een smalle neus die een beetje naar rechts stond en grote, regelmatige tanden. In de rechterwang zat een kuiltje en hun ogen leken bij kunstlicht groen en bij daglicht blauw.

Puller had ook nog een litteken dat vanaf de linkerkant van zijn hals naar zijn rug liep, en nog meer littekens op zijn linkerbeen, rechterarm en bovenlijf, zowel aan de voor- als aan de achterkant. Al die littekens waren het gevolg van ongewenste voorwerpen die met gewelddadige snelheid in zijn lichaam waren geschoten. De andere man had niets van dat alles. En zijn huid was wit en glad. In de gevangenis kon je niet zonnen.

Pullers huid was ruw geworden door felle hitte en wind en minstens zo slopende kou. De meeste mensen zouden zeggen dat hij er ruig uitzag. Niet knap. Niet leuk om te zien. Op betere dagen kon je misschien zeggen dat hij er aantrekkelijk of in elk geval interessant uitzag. Hij zou nooit op de gedachte komen zich over zulke dingen druk te maken. Hij was soldaat, geen fotomodel.

Ze omhelsden elkaar niet. Ze gaven elkaar even een hand.

De andere man glimlachte. 'Goed je te zien, broer.'

De gebroeders Puller gingen zitten.

'Afgevallen?' vroeg Puller.

Zijn broer Robert leunde in zijn stoel achterover en sloeg zijn lange been over zijn knie.

'Het eten is hier niet zo goed als bij de luchtmacht.'

'Het is het best bij de marine. De landmacht komt met grote afstand op de derde plaats. Maar dat komt doordat ze bij de luchtmacht en de marine watjes zijn.'

'Ik hoorde dat je adjudant bent geworden. Geen sergeant meer.'

'Dezelfde baan. Een beetje meer loon.'

'Zoals je het wilt?'

'Zoals ik het wil.'

Ze zwegen. Puller keek naar links, waar een jonge vrouw hand in hand zat met een andere gedetineerde en hem foto's liet zien. Twee kleine vlaskoppen speelden bij de voeten van hun moeder op de vloer. Puller keek zijn broer weer aan.

'Advocaten?'

Robert Puller veranderde van houding. Hij had ook naar het jonge stel gekeken. Hij was zevenendertig, was nooit getrouwd geweest en had geen kinderen.

'Die kunnen niets meer voor me doen. Pa?'

Pullers mond vertrok een spier. 'Hetzelfde.'

'Ben je bij hem geweest?'

'Vorige week,' zei hij.

'Artsen?'

'Net als jouw advocaten: ze kunnen niet veel meer doen.'

'Doe hem de groeten van me.'

'Hij weet het.'

Een woedende blik. 'Dat weet ik. Ik heb dat altijd geweten.'

Roberts stemverheffing leverde hem een lange, strakke blik van de stevig gebouwde MP bij de muur op.

Met zachtere stem zei Robert: 'Maar doe hem evengoed de groeten van me.'

'Heb je iets nodig?'

'Niets wat jij me kunt geven. En je hoeft niet te blijven komen.'

'Dat is mijn eigen keuze.'

'Het schuldgevoel van de jongere broer.'

'Het weet-ik-veel van de jongere broer.'

Robert bewoog zijn handpalm over het tafelblad. 'Het valt hier wel mee. Het is beter dan Leavenworth.'

'Natuurlijk. Evengoed is het een gevangenis.' Puller boog zich naar voren. 'Heb je het gedaan?'

Robert keek op. 'Ik vroeg me al af waarom je me dat nooit eerder hebt gevraagd.'

'Ik vraag het nu.'

'Ik heb daar niets over te zeggen,' antwoordde zijn broer.

'Denk je dat ik een bekentenis uit je los probeer te krijgen? Je bent al veroordeeld.'

'Nee, maar je bent van de CID. Ik weet hoeveel je voor gerechtigheid voelt. Ik wil niet dat je met je eigen belangen of met je ziel in de clinch komt te liggen.'

Puller leunde achterover. 'Ik houd dingen gescheiden.'

'Als zoon van John Puller weet ik daar alles van.'

'Je beschouwde het altijd als een last.'

'En is het dat dan niet?'

'Het is wat je er zelf van wilt maken. Jij bent slimmer dan ik. Je had dat zelf moeten uitknobbelen.'

'En toch zijn we allebei het leger in gegaan.'

'Jij volgde de officiersopleiding, net als pa. Ik ben geen officier.'

'En je zegt dat ik slimmer ben?'

'Jij bent atoomgeleerde. Een specialist op het gebied van paddenstoelwolken. Ik ben maar een zandhaas met een badge.'

'Met een badge,' herhaalde zijn broer. 'Ik denk dat ik nog van geluk mag spreken dat ik levenslang heb gekregen.'

'Ze hebben hier niemand meer geëxecuteerd sinds 1961.'

'Ben je dat nagegaan?'

'Ja.'

'Nationale veiligheid. Hoogverraad. Ja, ik mag van geluk spreken dat ik levenslang heb gekregen.'

'Heb je ook het gevoel dat je geluk hebt?'

'Misschien wel.'

'Dan heb je in feite mijn vraag beantwoord. Heb je iets nodig?' vroeg hij opnieuw.

Zijn broer probeerde te grijnzen, maar hij kon de spanning die erachter zat niet verborgen houden. 'Hoor ik soms iets definitiefs in die vraag?'

'Ik vraag het alleen maar.'

'Nee, ik red me wel,' zei hij met doffe stem. Het leek wel alsof alle energie van de man in rook was opgegaan.

Puller keek zijn broer aan. Ze scheelden twee jaar en waren als jonge jongens en later ook als jonge mannen onafscheidelijk geweest, maar nu had hij het gevoel dat er een muur tussen hen was verrezen, een muur die veel hoger was dan wat

17

er om de gevangenis heen stond. En daar kon hij niets aan doen. Hij keek naar zijn broer, maar tegelijk zat zijn broer daar niet meer. Die was vervangen door een persoon in een oranje overall die de rest van zijn leven in dit gebouw zou zitten. Ach, misschien wel tot in de eeuwigheid. Puller achtte het leger ertoe in staat daar iets op te vinden.

'Een tijdje geleden is hier iemand vermoord,' zei Robert.

Puller wist dat. 'Een trustee, een gedetineerde die als hulpbewaker fungeerde. Doodgeslagen met een honkbalknuppel op het recreatieveld.'

'Dat ben je nagegaan?'

'Ja. Kende je hem?'

Robert schudde zijn hoofd. 'Ik zit op drieëntwintig-één. Ik heb niet veel tijd om mensen te leren kennen.'

Dat betekende dat hij drieëntwintig uur per dag opgesloten zat en daarna één uur in zijn eentje op een geïsoleerde plaats werd gelucht.

Puller had dat niet geweten. 'Sinds wanneer?'

Robert glimlachte. 'Je bedoelt dat je dat niet bent nagegaan?'

'Sinds wanneer?'

'Sinds ik een bewaarder in elkaar heb geslagen.'

'Waarom deed je dat?'

'Omdat hij iets zei wat me niet aanstond.'

'Wat dan?'

'Dat hoef jij niet te weten.'

'Waarom niet?'

'Geloof me. Zoals je al zei: ik ben de slimste van ons tweeën. En ze konden mijn straf niet nog langer maken.'

'Heeft het iets met pa te maken?'

'Ga nou maar. Anders mis je je vliegtuig.'

'Ik heb tijd. Ging het om pa?'

'Dit is geen verhoor, broertje. Je krijgt geen informatie uit me. Mijn procedure voor de krijgsraad is allang voorbij.'

Puller keek naar de enkelboeien van zijn broer. 'Geven ze je je eten door de gleuf?'

Er waren geen tralies in de USDB. De deuren waren massief. Gevangenen in een isoleercel kregen drie keer per dag te eten door een gleuf in de deur. Door een luikje aan de onderkant van de deur konden de boeien worden omgedaan voordat de deur werd opengemaakt.

Robert knikte. 'Nog een geluk dat ze me niet de GMC-status hebben gegeven. Anders zouden we hier niet zitten.'

'Hebben ze gedreigd met Geen Menselijk Contact?'

'Ze zeggen hier een heleboel.'

De mannen zaten zwijgend tegenover elkaar.

Ten slotte zei Robert: 'Ga nou maar. Ik heb dingen te doen. Ik heb het hier heel druk.'

'Ik kom terug.'

'Niet nodig. Misschien beter van niet.'

'Ik zal pa de groeten van je doen.'

De mannen stonden op en gaven elkaar een hand. Robert klopte zijn broer op de schouder. 'Mis je het Midden-Oosten?'

'Nee. En ik ken niemand die daar heeft gediend en die het mist.'

'Blij dat je heelhuids bent teruggekomen.'

'Velen van ons is dat niet gelukt.'

'Ben je met interessante zaken bezig?'

'Eigenlijk niet.'

'Pas goed op jezelf.'

'Ja, jij ook.' Pullers woorden klonken al leeg en hol voordat ze zijn mond hadden verlaten.

Hij maakte aanstalten om weg te gaan. Meteen kwam de MP zijn broer halen. 'Hé, John?'

Puller keek om. De MP had zijn grote hand op de linkerbovenarm van zijn broer. Puller voelde een lichte aandrang die hand weg te trekken en de MP door de muur te slaan. Maar niet meer dan een lichte aandrang.

'Ja?' Hij keek Robert aan.

'Niets, man. Niets. Het was goed je te zien.'

Puller verliet de kamer, liep langs de MP bij het scanpoortje, die voor hem in de houding sprong, en nam de trap met twee treden tegelijk. Toen hij bij zijn huurauto aankwam, ging de telefoon. Hij keek naar het display.

Het was het nummer van de 701ste MP Groep in Quantico, Virginia, waar hij als CID-agent was gedetacheerd.

Hij nam op. Luisterde. In het leger leerden ze je minder te praten en meer te luisteren. Veel meer.

Zijn antwoord was kort. 'Ik kom eraan.' Hij keek op zijn horloge en rekende vlug de vlieg- en rijtijden uit. Hij zou een uur kwijt zijn aan zijn vlucht van west naar oost. 'Drie uur en vijftig minuten.'

Er had een bloedbad plaatsgevonden in de wildernis van West Virginia. Een van de slachtoffers was een kolonel. Daarom was de CID erbij gehaald, al wist Puller niet waarom de zaak bij de 701ste was terechtgekomen. Maar hij was soldaat. Hij had een bevel gekregen en dat zou hij uitvoeren.

Hij zou naar Virginia terugvliegen, zijn spullen pakken, het dossier in ontvangst nemen en dan maken dat hij in de wildernis kwam. Toch was hij met zijn gedachten niet bij de moord op die kolonel, maar bij die laatste uitdrukking op het gezicht van zijn broer. Dat gezicht stond Puller nog levendig voor ogen. Hij was er inderdaad goed in om dingen gescheiden te houden, maar daar had hij op dit moment geen zin in. Langzaam druppelden herinneringen aan zijn broer uit een andere tijd en plaats in zijn gedachten binnen.

Robert Puller was een succesvolle luitenant-kolonel bij de luchtmacht geweest. Hij had geholpen toezicht te houden op het kernwapenarsenaal van de natie. Hij was op weg geweest naar één ster, misschien twee. En nu was hij een veroordeelde verrader van zijn land en zou hij de USDB pas uit komen als hij zijn laatste adem had uitgeblazen.

Maar het was evengoed zijn broer. Zelfs het leger kon daar niets aan veranderen.

Even later startte Puller de motor en zette hij de auto in de versnelling. Telkens wanneer hij hier kwam, liet hij iets van zichzelf achter. Misschien kwam er een dag waarop er niets meer over was.

Hij had nooit te koop gelopen met zijn emoties. Hij had nooit gehuild als er mannen om hem heen doodgingen op het slagveld, vaak op een gruwelijke manier. Maar hij had ze gewroken op manieren die niet minder gruwelijk waren. Hij was nooit met onbeheerste woede naar een slagveld gegaan, want dat maakte je zwak. En zwakheid maakte dat je faalde. Hij had geen traan vergoten toen zijn broer terecht moest staan voor hoogverraad. Mannen in de familie Puller huilden niet.

Dat was regel één.

Mannen in de familie Puller bleven altijd kalm en beheerst, want dat vergrootte de kans op een overwinning aanzienlijk.

Dat was regel twee.

Daarna waren er eigenlijk geen regels meer nodig.

John Puller was geen machine, maar hij kon ook zien dat hij hard op weg was er een te worden.

En verder deed hij niet aan zelfanalyse.

Hij verliet de USDB veel sneller dan hij er gekomen was. Een veel snellere vlucht naar het oosten zou hem naar een andere zaak brengen. Daar was Puller blij om, al was het alleen maar omdat hij zou worden afgeleid van dat ene wat hij nooit had kunnen begrijpen.

Of beheersen.

Zijn familie.

•4•

'Je bent in deze zaak op jezelf aangewezen, Puller.'

John Puller zat tegenover het bureau van Don White, zijn SAC, *special agent in charge*, op het hoofdkwartier van de CID in Quantico, Virginia. Het hoofd-kwartier had jarenlang verder naar het noorden gelegen in Fort Belvoir, Virgi-nia. Op een dag hadden de reorganisatiemensen besloten alle CID-kantoren sa-men te voegen en de hele dienst onder te brengen in Quantico, waar ook de FBI Academy en het korps mariniers waren gevestigd.

Puller was even naar zijn appartement buiten de basis gegaan om wat spullen op te halen en een kijkje te nemen bij zijn huisdier, een dikke oranjebruine cy-perse kat die hij AWOL had genoemd, omdat het dier er altijd zonder verlof vandoor was. AWOL miauwde en grauwde naar hem alvorens langs zijn been te strijken en Puller over zijn gewelfde rug te laten aaien.

'Ik heb een zaak, AWOL. Het kan even duren voor ik terug ben. Eten, water en kattenbak op de gebruikelijke plaatsen.'

AWOL gaf miauwend blijk van zijn begrip en sloop weg. Ongeveer twee jaar ge-leden was hij Pullers leven binnen komen wandelen, en Puller nam aan dat de kat daar op een gegeven moment weer uit weg zou wandelen.

Er waren nogal wat boodschappen ingesproken op zijn vaste telefoon, die hij alleen aanhield voor het geval de stroom uitviel en zijn mobiele telefoon geen bereik meer had. Er was maar één boodschap die hij helemaal afluisterde.

Hij was op de vloer gaan zitten en speelde het bericht nog twee keer af.

Zijn vader.

Luitenant-generaal 'Fighting John' Puller was een van de grootste krijgers van Amerika en ex-bevelhebber van de Screaming Eagles, de legendarische 101ste divisie luchtlandingstroepen van het leger. De oude man zat niet meer in het leger en voerde nergens meer het bevel over, maar dat wilde niet zeggen dat hij zich bij die realiteit neerlegde. Dat deed hij namelijk niet. En dat betekende natuurlijk dat hij niet meer in de realiteit leefde.

Hij commandeerde zijn jongste zoon nog alsof hij bovenaan stond in de pik-orde van strepen en sterren en zijn zoon helemaal onderaan. Waarschijnlijk zou zijn vader zich niet herinneren wat hij had ingesproken, misschien niet eens dat hij had gebeld. Maar het was ook mogelijk dat hij het ter sprake bracht wan-neer hij zijn zoon weer zag en hem dan de mantel uitveegde omdat hij het bevel niet had uitgevoerd. De oude man was in het burgerleven even onvoorspelbaar als hij op het slagveld was geweest. Dat maakte hem een heel lastige tegenstander. Als er iets was waar een soldaat bang voor was, dan was het een tegenstander die je niet kon doorgronden, een vijand die misschien bereid was tot het gruwelijke uiterste te gaan om te winnen. Fighting John Puller was zo'n strijder geweest, en daardoor had hij veel meer gewonnen dan verloren en maakten zijn tactieken nu deel uit van het trainingsprogramma van het leger. Toekomstige leiders leerden over hem op het War College en verspreidden de gevechtsstrategieën van Puller naar alle sectoren van het militaire universum.

Puller wiste de boodschap. Zijn vader zou moeten wachten.

Hij moest nu naar het CID-hoofdkwartier.

De CID was ten tijde van de Eerste Wereldoorlog door generaal 'Black Jack' Pershing in Frankrijk opgericht. De dienst was in 1971 een legeronderdeel geworden en werd geleid door een generaal met één ster. Wereldwijd werkten er bijna drieduizend mensen voor, onder wie negenhonderd agenten zoals John Puller. De organisatie bezat een gecentraliseerde silostructuur, met de minister van de Strijdkrachten aan de top en speciale agenten onderaan, met daartussen drie lagen bureaucratie. Het was een lasagneschotel met te veel lasagnebladen erin, vond Puller.

Hij keek de SAC aan. 'Als het om een moord buiten ons eigen terrein gaat, sturen we meestal meer dan een team van één man.'

White zei: 'Ik probeer je aan mensen te helpen in West Virginia, maar het ziet er op dit moment niet goed uit.'

Puller stelde nu de vraag die hem al bezighield vanaf het moment dat hij over de zaak hoorde. 'De 3de MP Groep heeft het 1000ste bataljon in Fort Campbell, Kentucky. West Virginia valt onder hun verantwoordelijkheid. Zij kunnen net zo goed een onderzoek instellen naar de moord op die kolonel als wij.'

'De vermoorde man werkte voor de DIA, de militaire inlichtingendienst. Daardoor ligt het gevoelig en willen we een "stille professional" van het 701ste.'

White glimlachte om de beschrijving die vaak aan de uiterst goed getrainde onderzoekers van het 701ste CID werd gegeven.

Puller glimlachte niet terug.

White ging verder. 'Fort Campbell. Daar is het 101ste gestationeerd. De oude divisie van je vader, de Screaming Eagles.'

'Dat is lang geleden.'

'Hoe gaat het met de oude man?'

'Het gaat,' antwoordde Puller kortaf. De enige met wie hij over zijn vader wilde praten, was zijn broer, en niemand anders. En zelfs bij zijn broer beperkte hij zich meestal tot een paar zinnen.

'Ja. Goed. Hoe dan ook, de teams van het 701ste behoren tot het beste wat we hebben, Puller. Je bent hier niet zomaar heen gestuurd. Je bent voorgedragen.'

'Begrepen.' Puller vroeg zich af wanneer de man hem eindelijk eens iets zou vertellen wat hij nog niet wist.

White schoof een map over het metalen bureau. 'Dit zijn de voorlopige gegevens. De agent van dienst heeft de eerste informatie verzameld. Neem contact met je teamleider op voor je erheen gaat. Er is een onderzoeksplan opgesteld, maar neem gerust andere beslissingen als de omstandigheden ter plaatse dat wenselijk maken.'

Puller nam de map aan, maar hield zijn blik op de man gericht. 'In het kort?'

'De dode was kolonel Matthew Reynolds. Zoals ik al zei, werkte hij voor de DIA. Gestationeerd in het Pentagon. Hij woont in Fairfax City, Virginia.'

'Wat is de connectie met West Virginia?'

'Vooralsnog onbekend. Maar hij is met zekerheid geïdentificeerd. We weten dat hij het is.'

'Zijn taken bij de DIA? Iets wat hiermee te maken zou kunnen hebben?'

'De DIA laat nooit veel los over haar mensen en wat ze doen, maar we hebben gehoord dat Reynolds op het punt stond de dienst te verlaten en in de particuliere sector te gaan werken. Als het voor het onderzoek nodig is dat je toegang tot de dossiers krijgt, zullen we daarvoor zorgen.'

Als? dacht Puller.

'Wat waren zijn taken bij de DIA?'

De SAC verschoof een beetje op zijn stoel. 'Hij viel rechtstreeks onder de J2.'

'De J2 is een tweesterrengeneraal, nietwaar? Hij rapporteert dagelijks aan de voorzitter van de gezamenlijke stafchefs?'

'Dat klopt.'

'Als zo iemand is vermoord, waarom is de DIA er dan niet mee bezig? Die heeft toch onderzoekers met opsporingsbevoegdheid?'

'Ik kan je alleen maar vertellen dat die taak aan ons is toegevallen. Om precies te zijn aan jou.'

'En als we de dader te pakken krijgen, verschijnt de DIA of waarschijnlijker nog de FBI dan op het toneel om met de vangst te pronken?'

'Die beslissing is niet aan mij.'

'Dus de DIA wacht gewoon af?'

'Nogmaals: ik vertel je alleen wat ik weet.'

'Oké, weten we waar hij naartoe ging wanneer hij uit de dienst weg was?'

White schudde zijn hoofd. 'Dat weten we nog niet. Voor meer info kun je rechtstreeks contact opnemen met Reynolds' superieur bij de DIA. Een zekere generaal Julia Carson.'

Puller besloot het te zeggen. 'Het ziet ernaar uit dat ik toegang tot de dossiers zal moeten krijgen.'

'We zullen zien.'

Dat antwoord sloeg nergens op. Puller zag dat zijn SAC hem niet aankeek toen hij het zei.

'Nog meer slachtoffers?' vroeg hij.

'Vrouw en twee kinderen. Allemaal dood.'

Puller leunde achterover. 'Oké, vier doden, waarschijnlijk een gecompliceerde plaats delict in West Virginia, met een onderzoek dat zich ook uitstrekt naar de DIA. Gewoonlijk zouden we minstens vier tot zes mensen met veel technische ondersteuning op zoiets af sturen. We zouden zelfs een paar mensen van USACIL oproepen,' voegde hij eraan toe. Dat was het forensisch lab van het leger in Fort Gillem in Georgia. 'Alleen al voor het verzamelen van bewijsmateriaal zouden we al die mankracht nodig hebben. Plus een team om binnen de DIA op onderzoek uit te gaan.'

'Ik geloof dat je het sleutelwoord net hebt uitgesproken.'

'Welk sleutelwoord?'

'"Gewoonlijk".'

Puller ging rechtop zitten. 'En "gewoonlijk" zou ik in zo'n grote eenheid als het 701ste mijn opdracht van mijn teamleider krijgen, en niet van de SAC.'

'Dat klopt.' De man leek daar niet op in te willen gaan.

Puller keek naar de map. Blijkbaar werd van hem verwacht dat hij dit in zijn eentje zou uitzoeken. 'In het telefoontje werd gesproken van een bloedbad.'

White knikte. 'Zo werd het beschreven, ja. Nu weet ik niet hoeveel moorden ze daar in West Virginia hebben, maar het zal wel erg bloederig zijn geweest. Hoe het ook zij, jij hebt vast wel ergere dingen gezien in het Midden-Oosten.'

Puller zei daar niets op. Zoals hij niet over zijn vader wilde praten, zo wilde hij ook met niemand over zijn diensttijd in de woestijn praten.

White ging verder: 'Omdat de moord buiten militair terrein is gepleegd, heeft de plaatselijke politie de leiding van het onderzoek. Je bent daar ver van de grote steden en ik geloof niet dat ze een officiële rechercheur hebben. Het onderzoek zal in handen zijn van geüniformeerde agenten. Je zult dus de nodige tact aan den dag moeten leggen. We hebben eigenlijk geen reden om erbij betrokken te zijn, tenzij wordt vastgesteld dat de moordenaar een militair was. En vanwege Reynolds' positie wil ik dat we op zijn minst met het onderzoek mogen meelopen. Daarvoor moet je goede maatjes worden met de politie daar.'

'Is er daar in de buurt een bewaakte faciliteit waar ik bewijsmateriaal kan opslaan?'

'Het ministerie van Binnenlandse Veiligheid heeft een bewaakte locatie op vijftig kilometer afstand. Er is daar een tweede persoon om getuige te zijn van het openen en sluiten van de kluis. Ik heb toestemming voor je gekregen.'

'Ik neem aan dat ik evengoed nog toegang heb tot USACIL?'

'Ja. We hebben ook vlug naar West Virginia gebeld. Ze hebben geen bezwaar gemaakt tegen betrokkenheid van de CID. De legerjuristen kunnen later de papieren opstellen.'

'Juristen zijn goed met papieren,' merkte Puller op.

White keek hem aandachtig aan. 'Maar we zijn het leger, dus je moet niet alleen tactvol te werk gaan maar soms ook de nodige druk uitoefenen. Ik heb begrepen dat je beide vaardigheden onder de knie hebt.'

Puller zei niets. Hij had zijn hele militaire carrière met officieren te maken gehad. Sommigen waren goed, anderen waren idioten. Puller wist nog niet tot welke categorie deze behoorde.

White zei: 'Ik ben hier nog maar een maand. Ik ben hierheen overgeplaatst toen ze de vestiging uit Fort Belvoir verplaatsten. Ik ben alles nog aan het aftasten. Jij doet dit al vijf jaar.'

'Bijna zes.'

'Iedereen die meetelt, zegt dat jij de beste bent die we hebben, al ga je vaak wat onorthodox te werk.' White boog zich naar voren met zijn ellebogen op zijn bureau. 'Ik hoef je vast niet te vertellen dat er van hogerhand veel belangstelling voor deze zaak is, Puller. En dan heb ik het nog niet eens over de minister van de Strijdkrachten, maar over de hoogste kringen in Washington.'

'Begrepen. Maar ik heb zaken met betrekking tot de DIA gehad die op de normale manier werden afgehandeld. Als er zoveel belangstelling op zo'n hoog niveau is, moet kolonel Reynolds extra macht hebben gehad op zijn post in het Pentagon.' Hij zweeg even. 'Of misschien wist hij meer van anderen.'

White glimlachte. 'Misschien ben je wel zo goed als ze zeggen.'

Puller keek de man weer aan. Hij dacht: *En misschien ben ik wel een prima zondebok als het allemaal misgaat.*

White zei: 'Dus je doet dit al bijna zes jaar.'

Puller zweeg. Hij meende wel te weten waar dit heen ging, want anderen hadden hetzelfde al gezegd. De volgende woorden van de man bevestigden dat.

White ging verder: 'Je hebt gestudeerd. Je spreekt Frans, Duits en redelijk goed Italiaans. Je vader en broer zijn beiden officier.'

'Wáren officier,' verbeterde Puller hem. 'En ik spreek die talen alleen omdat mijn vader in Europa was gestationeerd toen ik een kind was.'

White luisterde blijkbaar niet. 'Ik weet dat je een uitblinker was op de USAMPS,' begon hij. Hij had het over de United States Army's Military Police School in Fort Leonard Wood in Missouri. 'Als MP heb je over de hele wereld dronken militairen op hun donder gegeven. Zo ongeveer overal waar het leger mensen heeft, heb je zaken opgelost. En je hebt de betrouwbaarheidsverklaringen voor topgeheime en zeer gevoelige informatie.' Hij zweeg even. 'Al ben je die bijna kwijtgeraakt door wat je broer heeft gedaan.'

25

'Ik ben mijn broer niet. En al mijn betrouwbaarheidsverklaringen zijn vernieuwd.'

'Dat weet ik.' De man zweeg en tikte op de armleuning van zijn stoel.

Puller zei niets. Hij wist wat er nu kwam. Het kwam altijd.

'Waarom ben je dan niet naar de militaire academie in West Point gegaan, Puller? En waarom ging je naar de CID? Je hebt een schitterende staat van dienst. De hoogste scores op de Ranger School. Fantastische prestaties in gevechten. Leider in het veld. Je vader heeft in dertig jaar negenenveertig belangrijke medailles gekregen en hij is een legende in het leger. Jij hebt bijna de helft vergaard in zes jaar dienst in Irak en Afghanistan. Twee Silver Stars, waarvan een je op drie maanden revalidatie kwam te staan, drie Bronze Stars met V-devices en drie Purple Hearts. En je hebt een kerel uit het kaartspel van tweeënvijftig meest gezochte personen in Irak te pakken gekregen, nietwaar?'

'De schoppen vijf,' zei Puller.

'Ja. Je hebt dus meer dan genoeg eretekens en littekens. Het leger is gek op die combinatie. Je bent een vechtersbaas met een onberispelijke militaire afkomst. Als je bij de Rangers was gebleven, had de hoogste onderofficiersfunctie je niet kunnen ontgaan. Als je naar West Point was gegaan, zou je nu majoor of misschien zelfs luitenant-kolonel zijn. En je had minstens twee generaalssterren kunnen verdienen voordat je het leger verliet. Ach, misschien zelfs drie, net als je vader, als je de politieke spelletjes goed had gespeeld. Omdat je geen officier bent, kun je het bij de CID niet verder brengen dan sergeant-majoor eerste klas. En mijn voorganger heeft me verteld dat je alleen maar een aanvraag hebt ingediend om adjudant te worden omdat sergeants eerste klas bij de CID achter een bureau zitten terwijl adjudanten nog steeds het veld in mogen.'

'Ik houd niet van bureaus,' merkte Puller op.

'En dus zit je nu hier bij de CID. Lager in rang dan zo ongeveer alle officieren. En ik ben niet de eerste die zich daarover verwondert, soldaat.'

Puller keek naar de rij linten op de borst van de man. White droeg het nieuwe blauwe Class B-uniform dat het oude groene uniform geleidelijk verving. Voor iedereen in het leger waren de linten en/of medailles het DNA van iemands carrière. Een kennersoog kon er alles aan zien; niets van betekenis bleef verborgen. Wat gevechtservaring betrof zat er niets van belang in de voorgeschiedenis van de SAC. Nergens een Purple Heart of een V-device te bekennen. Zeker, de man had veel linten en een leek zou daarvan onder de indruk zijn, maar Puller kon zien dat White vooral een kantoormannetje was, iemand die alleen met een wapen schoot als zijn vergunning verlengd moest worden.

Puller zei: 'Ik vind het prettig waar ik ben. Ik vind dat ik daar op een goede manier gekomen ben. En het doet er nu ook niet meer toe. Het is zoals het is.'

'Blijkbaar, Puller. Blijkbaar. Sommigen zouden zeggen dat je niet alles uit jezelf hebt gehaald wat erin zit.'

'Misschien is het een karakterfout, maar het heeft me nooit iets kunnen schelen wat de mensen over me zeggen.'

'Dat heb ik ook over jou gehoord.'

Puller keek de man rustig aan. 'Nou, als we nog langer wachten, wordt de zaak in West Virginia koud.'

De man keek op zijn computerscherm. 'Pak dan je spullen en ga erheen.'

Toen White even later opkeek, was Puller al weg.

Hij had de grote man niet eens horen vertrekken. White leunde nog meer achterover in zijn piepende stoel. Misschien had de man daarom wel zoveel medailles. Je kon niet doden wat je niet hoorde aankomen.

•5•

Puller zat op de kofferbak van zijn grote zwarte dienstwagen, een Chevrolet Malibu, en dronk een extra grote beker koffie, terwijl hij bij het licht van een straatlantaarn voor het CID-hoofdkwartier het dossier doornam. Om hem heen bevonden zich de kantoren van alle recherchedivisies van het leger, waaronder de NCIS, waarop een populaire televisieserie was gebaseerd. Puller wenste dat hij net als zijn tv-collega's elke week binnen een uur een misdrijf kon oplossen. In de echte wereld duurde het vaak langer, en soms kwam je nooit achter de waarheid.

Op de achtergrond waren de genadeloze geluiden van schoten te horen. Het FBI-gijzelingsteam en de mariniers trainden dag en nacht met echte munitie. Puller was zo aan die schoten gewend dat ze amper nog tot hem doordrongen. Het zou hem pas opvallen wanneer hij ze niet hoorde. Ironisch genoeg moest je je juist zorgen maken als er in Quantico geen schoten werden gelost.

Hij sloeg een bladzijde in het dossier om. Het leger deed alles net zo systematisch en nauwkeurig als het zijn gegevens bijhield. Alles was volgens de regels: de grootte van de map, het aantal bladzijden, de informatie aan de rechter- en de linkerkant, alle punten en komma's, alle onderstrepingen. Er waren hele handboeken die al dat soort details uitputtend aan de orde stelden. Alleen al de voorschriften voor het bijhouden van het MP-register waren legendarisch gedetailleerd. Toch was het voor Puller altijd het belangrijkst wat er op het papier stond, niet de plaats waar de gegevens volgens de voorschriften thuishoorden.

Matthew Reynolds, zijn vrouw Stacey en hun twee tienerkinderen, een jongen en een meisje, waren vermoord in een huis in een afgelegen deel van West Virginia. De postbode had de lijken gevonden. De politie was ter plaatse. De man was kolonel bij de DIA. Hij had zesentwintig jaar in uniform gediend en stond op het punt de dienst vaarwel te zeggen en in de particuliere sector te gaan werken. Hij werkte in het Pentagon en woonde in Fairfax City, en Puller wist dan ook niet wat de man en zijn gezin in een huis in West Virginia deden. Dat zou een van de vele vragen zijn waarop hij een antwoord moest vinden. Misschien had de plaatselijke politie die antwoorden al. Hij zou alles aanhoren wat ze wisten en het persoonlijk verifiëren.

Hij stopte het dossier in zijn aktetas en controleerde zijn spullen in de kofferbak. Het zat allemaal in een speciaal gemaakte infanterierugzak met meer dan honderd vakken. Die rugzak bevatte zo ongeveer alles wat hij in het veld nodig kon hebben: lichtblauwe rubberen handschoenen, zaklampen, papieren zakken, lijkenzakken met labels, 35mm-camera's, instantcamera's, groen biohazardpak compleet met capuchon en luchtfilter, witte pakken om plaatsen delict te onderzoeken, een meetlint, een liniaal, een afzettingslint, formulieren, een vingerafdrukkensetje, een setje om kruitresten te analyseren, afdekplastic, een digitale recorder, een notitieboekje, medische hulpmiddelen, overschoenen, lichaamsthermometer, gasmasker, reflecterend hesje, een zakmes en nog zo'n zeventig andere dingen. Hij had twee M11-pistolen en extra magazijnen met dertien en twintig patronen. Hij had een extra gevechtstenue in een andere rugzak. Zolang het zelfs zo laat op de avond nog warmer dan dertig graden was, had hij genoeg aan een spijkerbroek, een wit T-shirt en Nikes.

Puller was nog nooit in zijn eentje op een zaak als deze af gegaan. Gewoonlijk had hij minstens een andere CID-agent bij zich, meestal nog meer, plus technische ondersteuning. En deze zaak smeekte om de inzet van meer mensen. Maar hij had zijn bevelen. En in het leger voerde je die bevelen uit, want anders kwam je tegenover een militair tribunaal te staan, met misschien wel de gevangenis als je volgende stationering.

Hij nam zijn Garmin om het adres in te voeren, sloot het portier van de Chevrolet, drukte het gaspedaal in en liet Quantico achter zich.

Hij stopte een keer om te gaan plassen en nog een beker zwarte koffie te nemen. Om drie uur 's nachts arriveerde hij in Drake, West Virginia, volgens het bord een plaats met 6547 inwoners. Over iets meer dan drie uur zou de zon opkomen. Hij was een keer verdwaald toen zijn gps hem over een tweebaansweg aan de rand van Drake had geleid.

Zijn koplampen schenen op een wijk met leegstaande huizen. Het moesten er minstens honderd zijn, misschien wel veel meer. Ze zagen eruit als prefabhuizen die ter plaatse in elkaar waren gezet. Aan de ene kant van de straat stond een rij elektriciteits- en telefoonpalen. Maar toen hij deze kleine 'omweg' maakte, was Puller op andere gedachten gekomen. De huizen stonden niet leeg; sommige waren bewoond, misschien wel allemaal. Er stonden oude auto's aan de voorkant. Toch leek het licht dat in een paar van de ramen te zien was niet elektrisch. Misschien waren het gas- of batterijlampen. Puller reed door en zag toen nog iets wat hem vreemd voorkwam. Het was een kolossaal koepelvormig gevaarte dat zich uit het bos verhief. Tussen dichte klimplanten, wilde struiken en spichtige bomen meende Puller iets harders te zien, iets wat door de mens gemaakt was.

Wat is dat nou weer?

Hij was doorgereden, want hij wilde zo gauw mogelijk op zijn bestemming zijn. De gps had een nieuwe route berekend en hij was algauw weer op de juiste weg. Toen hij aankwam, was hij niet moe. De lange rit was ontspannend geweest en had hem nieuwe energie gegeven. Hij besloot aan het werk te gaan.

Hij had vooruit gebeld om een kamer in het enige motel in die omgeving te reserveren. Het was een derderangsmotel, maar dat kon Puller niet schelen. Hij had jaren van zijn leven in primitieve onderkomens in moerassen en woestijnen doorgebracht, met een emmer als douche en een gat in de grond als wc. Vergeleken daarmee was dit etablissement zoiets als het Ritz.

De deur van het kantoor zat op slot, maar toen hij drie keer had aangebeld, werd er opengedaan. Later, nadat ze hem had ingeschreven, vroeg de slaperige oude vrouw die achter de balie stond, een vrouw met krulspelden en een rafelige ochtendjas – hem waarvoor hij in de stad was.

Terwijl hij de kamersleutel in ontvangst nam, zei Puller: 'Vakantie.'

Daar moest de oude vrouw om lachen.

'Je bent een grappenmaker,' zei ze, slissend door een groot gat tussen haar voortanden. Ze rook naar nicotine, knoflook en salsa. Het was een indrukwekkende combinatie. 'Een grote grappenmaker.' Ze keek vanaf haar eigen hoogte van een meter vijfenvijftig naar hem op.

'Kunt u me een eetgelegenheid aanbevelen?'

Legervoorschrift nummer één: zoek een betrouwbare plek om te eten.

'Dat hangt ervan af,' zei de vrouw.

'Waarvan?'

'Of je het erg vindt om steenkoolstof in je uitsmijter te krijgen.'

'Dat kan niet erger zijn dan verarmd uranium in je ochtendkoffie. En ik sta nog overeind.'

'Dan kun je hier overal terecht,' kakelde ze. 'Ze zijn allemaal ongeveer hetzelfde, schat.'

Toen hij zich omdraaide, vroeg ze: 'Ben je getrouwd?'

'Ben jij op zoek?' antwoordde hij. Hij draaide zich om en zag haar grijnzen met dat gat tussen haar tanden.

'Was het maar waar, schat. Was het maar waar. Ga maar lekker slapen.'

Puller liep weg. Hij was niet van plan te gaan slapen.

·6·

Tijdens de rit naar West Virginia had Puller de politiefunctionaris die de leiding van het onderzoek had een aantal keren gebeld, en hij had verscheidene boodschappen ingesproken. Hij had geen reactie gekregen. Misschien was de plaatselijke politie minder bereid mee te werken dan zijn SAC had gezegd. Of misschien wisten ze zich gewoon geen raad met vier lijken en een gigantische forensische puzzel. Puller zou hen dat moeilijk kwalijk kunnen nemen.

Het motel bestond uit kamers rond een binnenplaats. Er was geen bovenverdieping. Op weg naar zijn kamer kwam Puller langs een jongeman die buiten westen op een strook gras lag, bij een Pepsi-automaat die op tien meter afstand van het kantoor aan een metalen paal was geketend. Puller keek of de man gewond was en zag niets. Hij voelde de hartslag, rook de drank in de adem en liep door. Hij bracht zijn tas naar zijn kamer van drieënhalf bij drieënhalve meter. De badkamer was zo klein dat hij alle wanden kon aanraken als hij in het midden stond.

Hij zette koffie uit zijn eigen voorraad en gebruikte daarvoor zijn eigen apparaat, een gewoonte die hij had opgedaan in de tijd dat hij overzee diende. Hij ging op de vloer zitten en spreidde het dossier voor zich uit. Hij keek naar de cijfers, haalde zijn mobiele telefoon tevoorschijn en toetste ze in.

'Hallo?' zei een versufte vrouwenstem.

'Sam Cole, alstublieft.'

'Daar spreekt u mee.'

'Sam Cole?' vroeg hij opnieuw, nu luider.

De vrouwenstem werd scherp, minder suf. 'Sam is een afkorting van Samantha. Wie bent u? En weet u wel hoe laat het is?'

Nu ze zich kwaad maakte, was haar West Virginia-accent nog duidelijker te horen, constateerde Puller.

'Het is nul-drie-twintig. Voor burgers: tien voor halfvier.'

Een lange stilte. Hij kon haar bijna horen denken, in een poging er iets begrijpelijks van te maken.

'Verrek, u bent van het leger, hè?' Haar stem klonk nu hees en aantrekkelijk.

'John Puller. CID-agent van de 701ste MP Groep in Quantico, Virginia.' Hij zei dat met een staccatostem, zoals hij al duizenden keren eerder had gedaan.

Hij stelde zich voor dat ze rechtop ging zitten in bed en hij vroeg zich af of ze alleen was. Hij hoorde geen mompelende mannenstem op de achtergrond, maar wel het geluid van een Zippo-aansteker, gevolgd door enkele seconden van stilte. Toen zoog ze lucht in haar longen, gevolgd door een langdurig uit-blazen van rook.

'Leest u de waarschuwingen op de pakjes wel, mevrouw Cole?'

'Ja, die staan er met grote letters op. Waarom belt u me midden in de nacht?'

'U staat in mijn dossier als de politiefunctionaris die de leiding van de zaak heeft. Ik ben hier net aangekomen en wil zo gauw mogelijk op de hoogte worden gesteld. En voor de goede orde: ik heb u de afgelopen zes uur vier keer gebeld en telkens een boodschap ingesproken. U hebt me niet teruggebeld.'

'Ik heb het druk gehad en niet naar mijn telefoon gekeken.'

'Ik wil wel geloven dat u het druk hebt gehad, mevrouw.' Hij dacht: *en ik geloof ook dat je wel hebt gekeken maar het niet nodig vond me terug te bellen.* Toen kwam de waarschuwing van zijn SAC weer bij hem op.

Goede maatjes worden.

'Het spijt me dat ik u wakker heb gebeld, mevrouw. Ik dacht dat u misschien nog op de plaats delict zou zijn.'

Ze zei: 'Ik ben de hele dag en de hele avond met de zaak bezig geweest. Ik ben verdomme pas een uur geleden naar bed gegaan.'

'Dat betekent dat ik veel moet inhalen. Maar ik kan later nog een keer bellen.'

Hij hoorde haar opstaan, struikelen en vloeken.

'Mevrouw, ik zei dat ik later nog een keer kan bellen. Gaat u maar weer slapen.'

'Wilt u even uw mond houden?' snauwde ze.

'Wat?' vroeg Puller op scherpe toon.

'Ik moet pissen!'

Hij hoorde dat ze de telefoon op de vloer liet vallen. Voetstappen. Een deur die dichtging, zodat hij Cole niet op het toilet kon horen. Er ging een minuut voorbij. Die tijd verspilde hij niet. Hij las weer in het dossier.

Ze kwam weer aan de lijn. 'Ik zie je daar om zeven uur, pardon, nul zevenhonderd uur voormiddag of hoe jullie dat ook zeggen.'

'Nul-zevenhonderd Julia.'

Hij hoorde haar weer uitgebreid rook uitblazen.

'Julia?' zei ze. 'Ik heb je verteld dat ik Sam heet.'

'Dat betekent zomertijd. Als het winter was en we in de zone van de Eastern Standard Time waren, zou het nul-zevenhonderd Romeo zijn.'

'Romeo en Julia?' zei ze sceptisch.

'In tegenstelling tot wat algemeen wordt aangenomen, heeft het Amerikaanse leger gevoel voor humor.'

'Tot ziens, Puller. O ja, en voor de goede orde: het is brigadíer Samantha Cole, niet mevrouw, of Julia. Romeo!'

'Begrepen, brigadier Cole. Ik zie u om nul-zeven. Ik verheug me erop met u aan deze zaak te werken.'

'Ja,' gromde ze.

Hij kon zich voorstellen dat ze de telefoon door de kamer gooide en zich weer in haar bed liet vallen.

Puller legde de telefoon neer, dronk zijn koffie en nam het dossier bladzijde voor bladzijde door. Een halfuur later bewapende hij zich: hij liet de ene M11 in zijn voorholster glijden en de andere in een holster die op zijn rug aan zijn riem was vastgemaakt. Na al zijn gevechten in het Midden-Oosten had hij het gevoel dat hij nooit genoeg wapens bij zich kon dragen. Hij trok een jack aan, verliet zijn motelkamer en deed de deur op slot.

De jongeman die in de struiken had gelegen, zat nu rechtop en keek verwonderd om zich heen.

Puller liep naar hem toe en keek hem aan. 'Misschien kun je beter wat minder drinken. Of ga tenminste ergens van je stokje waar je een dak boven je hoofd hebt.'

De man keek met knipperende ogen naar hem op. 'Wie ben jij nou weer?'

'John Puller. Wie ben jij?'

De man likte over zijn lippen alsof hij alweer trek had in het volgende rondje.

'Heb je een naam?' vroeg Puller.

De man stond op. 'Randy Cole.' Hij veegde zijn handen af aan de voorkant van zijn spijkerbroek.

Toen Puller die achternaam hoorde, kwam hij op de voor de hand liggende gedachte, maar hij besloot hem voor zich te houden.

Randy Cole zag er goed uit en was zo te zien achter in de twintig. Hij was ongeveer een meter vijfenzeventig en was slank en pezig. Onder zijn shirt had hij waarschijnlijk golvende borstspieren. Zijn haar was bruin en krullend en zijn trekken waren krachtig en knap. Hij droeg geen trouwring.

'Logeer je in het motel?' vroeg Puller.

Randy schudde zijn hoofd. 'Ik kom hiervandaan. Jij niet.'

'Dat weet ik.'

'Wat doe je in Drake?'

'Zaken.'

Randy snoof. 'Zaken. Jij lijkt me geen steenkoolman.'

'Dat ben ik ook niet.'

'Wat dan?'

'Zaken,' zei Puller opnieuw, en aan zijn stem was te horen dat hij er niet nader op in zou gaan. 'Heb je een auto? Kun je wel rijden?'

'Ik red me wel.' Randy kwam tussen de struiken vandaan.

'Weet je dat zeker?' vroeg Puller. 'Als je ergens heen moet, kan ik je een lift geven.'

'Ik zei dat ik me wel red.'

Maar hij wankelde en greep naar zijn hoofd. Puller hielp hem in evenwicht te blijven.

'Ik weet niet of je je wel zo goed kunt redden. Katers zijn rotdingen.'

'Ik weet niet of het alleen een kater is. Ik heb vaker last van hoofdpijn.'

'Dan moet je naar de dokter gaan.'

'O, tuurlijk, ik ga naar de beste dokters ter wereld. Ik betaal ze cash.'

Puller zei: 'Nou, ik hoop dat je de volgende keer een bed kunt vinden om in te slapen.'

'Struiken zijn verdorie anders soms veel beter dan bedden,' zei Randy. 'Het hangt ervan af met wie je het bed deelt. Ja toch?'

'Ja,' zei Puller.

Puller reed naar het westen en volgde de instructies van zijn gps op, maar intussen luisterde hij ook goed naar zijn eigen inwendige kompas. Die hightechdingen waren goed, maar je hoofd was beter. Hightech liet het soms afweten. Je hoofd niet, tenzij iemand er een kogel doorheen had gejaagd, en dan had je veel grotere problemen dan wanneer je alleen maar was verdwaald.

Hij vroeg zich weer even af of Randy Cole familie was van Samantha. Politiefunctionaris en dronkaard. Die combinatie kwam wel vaker voor. Soms was de politiefunctionaris ook de dronkaard.

Veertig minuten later, na een rit over verharde wegen met haarspeldbochten die amper zo breed als een auto waren, en nadat hij nog een keer verdwaald was geraakt, kwam hij in de straat die hij zocht. Volgens het kompas in zijn hoofd had hij veertig minuten over hemelsbreed ongeveer twaalf kilometer gedaan en hij zag dat de Garmin het daarmee eens was. In bergachtige streken kon je nooit recht op je doel afgaan en hij had geen moment harder dan zeventig kilometer per uur gereden.

Hij ging langzamer rijden en nam de omgeving in zich op. Een van de credo's van de CID schoot hem te binnen.

Kijk. Luister. Ruik.

Hij haalde diep adem. Nu zou het beginnen.

Nog een keer.

7

Puller zette zijn auto langs de kant van de weg en keek uit het raam. In de tijd dat hij aan deze zaak werkte, zou dit het enige moment zijn waarop zijn zintuigen niet door eerdere waarnemingen waren afgestompt.

Hij stapte uit en leunde tegen de Malibu. Hij haalde weer diep adem. In de luchtstromen rook hij de kolenmijn waar hij een paar kilometer geleden langs was gereden. Zijn oren pikten de rommelende geluiden van vrachtwagens in de verte op. Hij keek naar het westen en zag een zoeklicht door de hemel bewegen; hij wist niet waarom.

Hij keek om zich heen. Hij kon goed in het donker zien. In het licht van de maan en de sterren zag hij grote en kleine details. Kleine, vervallen huizen die allemaal hetzelfde waren. Speelgoed in tuinen. Roestige pick-uptrucks op oprijlanen. Een zwerfkat die voorbij sloop. De buurt maakte een vermoeide, zieltogende indruk en was misschien al dood. Net als de Reynolds'. Weggevaagd.

Maar Puller vond vooral verontrustend wat hij níét zag.

Er hing politielint voor de deur om mensen duidelijk te maken dat ze moesten wegblijven. En iemand had een primitieve barricade op het pad gemaakt door twee grote emmers op hun kop te zetten en er geel politielint tussen te spannen. Maar er was geen politie te zien. Geen bewaking, en dat terwijl de plaats delict amper veertien uur oud was. Dat was niet goed. Dat was zelfs ongelooflijk. Hij wist dat bewijsmateriaal ongeldig kon worden verklaard wanneer een plaats delict onbewaakt werd achtergelaten.

Hij wilde dit eigenlijk niet doen, maar als hij het niet deed, zou het nalatigheid van zijn kant zijn, en dat kon voor hem en anderen het einde van hun carrière betekenen. Hij haalde zijn telefoon tevoorschijn en toetste de cijfers uit zijn geheugen in.

Ze nam bijna meteen op. 'Ik zweer bij God dat ik degene die belt overhoopschiet.'

'Brigadier Cole, weer met Puller.'

'Ben je soms levensmoe?' schreeuwde ze in de telefoon.

'Er is hier geen bewaker.'

'Waar?'

'Op de plaats delict.'

'Hoe weet jij dat nou weer?'

'Omdat ik voor het huis geparkeerd sta.'

'Je vergist je. Er is daar een politiewagen met een agent. Daar heb ik zelf opdracht voor gegeven.'

Puller keek nog eens om zich heen. 'Nou, tenzij hij zijn auto ergens anders heeft gezet en zich in het bos schuilhoudt, moet hij onzichtbaar zijn geworden. En gaat het er bij de bewaking van zo'n plaats niet juist om dat je zichtbaar bent?'

'Shit. Ben je daar echt?'

'Ja.'

'En er staat daar echt geen politiewagen?'

'Nee.'

'Ik ben er over vijfendertig minuten.'

'Kan het niet eerder?'

'Als ik op deze wegen in het donker harder ga rijden, kom ik in een ravijn of tegen een boom te liggen.' Ze zweeg even en Puller hoorde haar rondstappen op blote voeten en laden opentrekken, ongetwijfeld om er kleren uit te halen.

'Zeg, Puller, wil je me een plezier doen en de plaats delict zolang bewaken? Ik bel de agent die geacht wordt daar te zijn en scheld hem de huid vol.'

'Ik blijf hier. Liggen de lijken er nog in?'

'Hoezo?'

'Als ze er nog zijn, wil ik ze zien.'

'De lijken zijn nog daarbinnen.'

Dat was een lange tijd om de lichamen op de plaats delict te houden, maar Puller besloot daar niet naar te vragen. In zekere zin was hij er blij om. Hij wilde alles zien zoals de moordenaar het had achtergelaten.

'Ik wil jullie plaats delict niet besmetten. Hebben jullie naar vingerafdrukken gezocht? En naar andere sporen?' vroeg hij.

'Zo ongeveer. Als het straks ochtend is, gaan we ermee verder.'

'Oké. Zijn er sporen van inbraak?'

'Niet dat wij konden zien.'

'Dus ik kan door de voordeur naar binnen?'

'Die zit op slot. Dat is tenminste wel de bedoeling.'

'Dan ga ik door de voordeur naar binnen.'

'Puller...'

'Vijfendertig minuten.'

Langzaam zei ze: 'Oké, tot dan. En... bedankt voor de hulp.'

Puller klapte de telefoon dicht en keek om zich heen. Er stonden acht huizen aan de korte, doodlopende straat. Ze waren allemaal donker. Dat was niets bijzonders op dit uur van de nacht. Bij alle huizen stonden auto's op het pad. Aan weerskanten was er bos aan de achterkant van de huizen.

Puller pakte enkele voorwerpen uit zijn rugzak en stopte ze in een opvouwbare kleinere rugzak die hij altijd bij zich had. Hij nam een oormicrofoon en verbond hem met een recorder die hij in een zakje aan zijn riem had. Ten slotte trok hij zijn lichtblauwe handschoenen aan.

Hij liep naar de voorkant van het huis, keek naar de grindberm en scheen er met zijn Maglite op. Bandensporen. Die konden van alle auto's zijn die daarheen waren gekomen om de zaak te onderzoeken. Hij liet de chronologie door zijn hoofd gaan.

De postbode vond de lijken om ongeveer twee uur en belde de politie. De eerste agenten waren om halfdrie ter plaatse. Het telefoontje naar het leger was tien minuten later binnengekomen. Dat was snel. Iemand had er vaart achter gezet. Hij vroeg zich af of het Cole was. Hij had het telefoontje in Kansas gekregen en had meteen een vliegtuig genomen. Dat toestel had de wind mee gehad en ze waren veertig minuten eerder dan gepland geland. Nadat hij even thuis was geweest, was hij om achttien uur veertig bij de CID aangekomen. Hij was om negentien uur vijftig weggereden. Hij had hard gereden en was kort na drie uur in Drake aangekomen. Het liep nu tegen vijf uur.

Puller keek naar de rolstoelhelling. Matthew Reynolds was achter in de veertig en fit genoeg om in het leger te zitten. Zijn vrouw was vijf jaar jonger en had geen problemen met haar gezondheid. In hun verzekeringsgegevens was niets bijzonders te vinden. De kinderen waren zestien en zeventien en kerngezond. Ze gebruikten de helling niet. Dit was niet hun huis. Ze waren hier om een andere reden. Een reden die hun misschien het leven had gekost.

Puller keek weer naar de bandensporen in de berm en richtte zijn blik toen op een donkere plek op de grond. Op de plek waarboven de motor zich zou bevinden als de auto naar het oosten toe stond. Terwijl hij er goed op lette dat hij niet op de sporen kwam, hurkte hij neer en raakte de vloeistof aan. Warm. Olie. Van kortgeleden. De agent die het huis bewaakte? Waarschijnlijk. Zo ja, waar was hij?

Hij liep vlug naar de voordeur en zag het gebroken glas. Hij trok zijn overschoenen aan. De voordeur zat op slot. Het was geen nachtslot. Meer dan drie seconden had hij niet nodig.

Hij liep naar binnen. In zijn ene hand hield hij de zaklantaarn, en in zijn andere hand had hij het M11-pistool dat hij aan de voorkant van zijn riem had gedragen.

Als je naar een huis ging waarin vier mensen waren vermoord en als de bewaker die aan de voorkant zou moeten zijn er niet was, gingen er bepaalde mogelijkheden door je hoofd. Puller kwam bij de huiskamer aan en zijn licht viel op de lijken.

Op de bank.

Op een rij.

Vier lijken, tegen elkaar aan geleund.

Hij stak zijn wapen in de holster, bleef op een afstand en sprak in de microfoon. Hij sprak alles in wat hij zag.

Pa helemaal rechts, tienerdochter helemaal links. Ma en broer in het midden. Ma naast pa. Puller scheen met de Maglite op de vloerbedekking voor hen. Geen bloedspatten. Hij keek op en richtte de lichtbundel op de hoofden.

Pa was van dichtbij recht in zijn gezicht geschoten. Het was bijna een contactwond.

Ma's gezicht was relatief intact gebleven, maar haar bovenlichaam was verwoest. Puller keek naar de handen van de dode vrouw en zag dat er bijna niets van over was. Ze had ze omhooggehouden voordat ze op haar schoten, nam hij aan. Die handen hadden haar niet tegen de kogels kunnen beschermen, maar ze had ze instinctief opgestoken om het deel van het lichaam af te schermen waarop het pistool gericht was.

De dodelijke wonden van de twee tieners waren niet te zien. Misschien waren ze in hun rug getroffen. De ouders waren niet in deze kamer gedood, want dan zou de hele kamer onder de bloedspatten hebben gezeten. Ze waren ergens anders in het huis gedood, naar de bank gebracht en op een rij gezet als gezinsleden die samen tv keken.

Het was ziek. Maar ja, je moest ook wel erg ziek in je hoofd zijn om een heel gezin te vermoorden.

Ziek of een professional zonder geweten.

En misschien was dat hetzelfde.

Hij kwam dichterbij en lette er daarbij goed op dat hij niet op iets stapte wat op de vloerbedekking lag en van een bewijsnummer was voorzien. Pa droeg zijn oude groene Class B-uniform, dat officieel nog een paar jaar mocht worden gedragen. De rechterkant van zijn gezicht was grotendeels verdwenen. In een gapende wond in zijn hals was zijn wervelkolom te zien. Het bot en een lege oogkas keken naar Puller terug. Er zaten geen wonden in het bovenlichaam. Hij was van dichtbij in zijn gezicht en hals geschoten.

Een hagelgeweer was zo ongeveer het enige vuurwapen dat zo'n schade kon aanrichten.

Puller zag stukjes wit in de wonden. Viltproppen van de hagelpatronen. Hopelijk konden ze het kaliber nagaan door de diameter van de proppen te meten. Misschien was de naam van de fabrikant nog te lezen.

Ma's ogen staarden naar Puller terug. Iemand met gevoel voor melodrama zou kunnen denken dat de vrouw hem smekend aankeek.

Vind mijn moordenaar.

Puller scheen met de Maglite op haar borst. Tientallen schotwonden, lukraak verspreid. Ook een hagelgeweer, maar op een andere manier gebruikt.

Hij haalde een liniaal uit zijn zak en mat de afstand tussen de kogelgaten op mevrouw Reynolds' blouse, die ooit wit was geweest maar nu grotendeels rood was. Hij maakte berekeningen in zijn hoofd en legde de liniaal weg. Hij legde zijn hand op de arm van de man en toen op die van de vrouw. Nog verstijfd, maar de rigor mortis was al op zijn retour; de spieren ontspanden. De lichamen hadden de temperatuur van de kamer of zaten daaronder. Hij nam zijn lucht-thermometer om het na te gaan. Er had zich bloed verzameld bij de lagere lichaamsdelen. Blaas en darmen waren allang leeggelopen. De huid was groenig blauw; er hing een stank van verrotting; de gezichten waren vervaagd. In de dood was iedereen lelijk.

Hij richtte zijn aandacht op de tieners.

Toen draaide hij zich opeens om. Een geluid. Van ergens in het huis.

Blijkbaar was hij daar niet de enige.

8

Bonk-woesj-bonk. Bonk-woesj-bonk.
Beneden, in de kelder.
Natuurlijk.
Behoedzaam stapte Puller naar de deur van de woonkamer.
Hij snoof in de lucht. De geur van de rottende lichamen was sterk, maar daar concentreerde Puller zich niet op. Hij probeerde iets anders te bespeuren. Zweet. Eau de cologne. Sigaretten. De moleculaire kenmerken van een slechte adem. Alles wat hem maar verder kon helpen.
Niets.
Hij duwde de deur open met zijn voet. De gang erachter was donker.
Natuurlijk.
Bonk-woesj-bonk.
Het geluid klonk mechanisch, maar dat vond Puller niet geruststellend.
Als hij iemand naar zijn dood wilde leiden, maakte hij gebruik van bedrog. Dat had hij in Irak en Afghanistan vele malen gedaan, en zijn tegenstanders hadden bij hem hetzelfde geprobeerd.
Hij haalde de nachtbril uit zijn rugzak, zette hem op zijn hoofd, klapte de lenzen omlaag en zette ze aan. De tunnel van duisternis kwam meteen tot leven, al was dat wel een groen en enigszins wazig leven. Hij hurkte neer en trok zijn andere pistool uit de holster. Beide pistolen waren double-single-actionmodellen, klaar voor gebruik. Normaal gesproken zou hij niet twee pistolen tegelijk gebruiken, om de simpele reden dat hij minder nauwkeurig kon richten wanneer hij op twee doelen tegelijk schoot. Maar in een beperkte ruimte als deze, waar het niet op nauwkeurigheid aankwam, had hij zo veel mogelijk vuurkracht nodig.
In tegenstelling tot MP's hadden CID-agenten altijd een patroon in de kamer van hun wapen. Ze gingen te allen tijde met doorgeladen wapens door het leven. MP's leverden hun wapens in als hun dienst erop zat. CID-agenten haalden geen adem zonder dat ze een wapen binnen handbereik hadden.
Als Puller vijfenhalve kilo druk op de trekker uitoefende en schoot, duwde de schuif de hamer terug en werd zijn wapen single-action. Omdat er twintig patronen in een magazijn zaten, had hij er veertig in totaal, al had hij er meestal maar een nodig. Hij was niet het type dat in het wilde weg schoot, maar als het moest, kon hij beide pistolen in ongeveer zeven seconden leegschieten en zonder probleem op vijftien meter afstand een doelwit ter grootte van een mens

neerhalen. Nu was het alleen zaak dat hij een doelwit had voordat hij zelf doelwit was.

Terwijl hij een zo smal en laag mogelijk silhouet vormde, ging hij de beklede trap af. Hij tuurde langs de korrel van het pistool in zijn rechterhand. Hij hield er niet van om in een besloten ruimte te zijn. De 'fatale trechter', noemden ze dat in het leger. Hij had een flinke vuurkracht, maar misschien hadden zij nog meer.

Bonk-woesj-bonk.

Ja, mechanisch, maar iemand had op de startknop gedrukt.

In het dossier werd melding gedaan van een hond. Cole en haar mensen moesten dat dier hebben afgevoerd. Ze zouden niet zo dom zijn geweest een hond in zijn eentje op een plaats delict te laten rondsnuffelen, zeker niet als daar bloederige lijken waren. Per slot van rekening waren honden vleeseters, hoe goed ze ook waren afgericht.

Bonk-woesj-bonk.

Hij bereikte de onderste trede en liep diep voorovergebogen naar een verre hoek, vanwaar hij de kelder in ogenschouw nam.

Een onafgewerkte ruimte.

Een betonvloer, funderingsmuren van beton en betimmerde gasblokken, een kaal plafond. Draden die tegen de lege muren omhoog kronkelden. Hij rook schimmel. Die lucht was veel beter dan wat hij boven had geroken.

Op een van de muren zag hij de sporen. En op de vloer daarvóór.

Bloed. De slachtoffers waren hier vermoord. In elk geval pa en ma.

Bonk-woesj-bonk.

Hij tuurde nog eens door de ruimte. De kelder ging aan het andere eind een hoek om. Er was daar een ruimte die hij niet kon zien omdat een betonnen steunmuur naar voren stak.

Bonk-woesj-bonk.

Natuurlijk kwam het geluid daarvandaan.

Puller hield beide pistolen op die plek gericht en kwam naar voren. Hij boog zich ver voorover en draaide zijn bovenlijf opzij.

Hij bereikte de hoek en liep evenwijdig met de muur terug. Hoeken waren altijd lastig. In het leger spraken ze van 'dynamische hoeken', omdat situaties snel konden veranderen als je eromheen ging. Hij zei: 'Federaal agent.'

Niets.

'Federaal agent.'

Hij keek naar de muur. Beton. Als het hout of gipsplaat was geweest, zou hij er een paar keer doorheen hebben geschoten om de aandacht te trekken van eventuele personen die aan de andere kant wachtten tot ze hem konden aanvallen. Omdat het beton was, zouden zijn kogels hoogstwaarschijnlijk alleen maar naar hem terug ketsen.

'Als je een wapen hebt, schuif dat dan naar voren en kom er dan zelf achteraan met je handen op je hoofd, je vingers in elkaar. Ik tel tot vijf. Als je niet gehoorzaamt, laat ik een granaat op je los.'

Hij telde af en wenste dat hij een flash-banggranaat bij zich had.

Bonk-woesj-bonk.

Hij stak zijn ene pistool in de holster, liet zijn rugzak omlaagglijden, mikte en gooide hem voor de opening.

Bonk-woesj-bonk.

Ofwel er was daar niemand, ofwel er was iemand die zich enorm goed kon beheersen. Puller hurkte neer, spande zijn spieren en keek heel vlug om de hoek. In die fractie van een seconde nam hij veel in zich op. Niets daarvan was gunstig.

Hij schuifelde de hoek om en keek omlaag naar de bron van het geluid. De vloerventilator lag op zijn kant. Het *woesj*-geluid kwam van de ronddraaiende schoepen, en het bonken kwam van de hele ventilator, die heen en weer schudde en telkens met het beton in contact kwam.

Maar iets had hem aangezet. En hij wist nu wat het was.

Puller keek op. De man was in uniform. Hij hing aan het plafond. De riem waaraan hij hing, was enigszins losgeraakt. Zijn lichaam was omlaaggezakt, al hing het nog. Het had de ventilator omgegooid en aangezet.

Puller had zojuist ontdekt wat er was gebeurd met de politieman die de plaats delict had moeten bewaken.

Hij keek door zijn nachtbril naar de man. Die was duidelijk dood. Zijn glazige ogen puilden uit. Het lichaam hing slap. De handen waren gebonden. De voeten ook. Puller kwam dichterbij en raakte de huid van de man aan. Nog enigszins warm, maar snel afkoelend. Nog niet zo lang dood. Voor alle zekerheid voelde hij zijn pols. Geen hartslag. Het hart was ermee opgehouden en toen had de rest het ook laten afweten. Hij was niet meer te redden, al scheelde het niet veel.

Ze hadden zijn politiewagen meegenomen. Warme olie, warm lichaam.

De dode man zag er jong uit. Hij had onderaan in de pikorde gezeten en daardoor de rotklussen gekregen. 's Nachts een dooie bewaken en nu was hij zelf ook een dooie. Puller liet zijn blik over het uniform gaan. Zo te zien was de man hulpsheriff geweest. DRAKE COUNTY, stond er op de schouderbadge. Hij keek naar de holster. Geen pistool. Dat was te verwachten. Iemand die een pistool heeft, laat zich niet opknopen zonder verzet te bieden. Het gezicht was zozeer opgezwollen door de verstikking dat Puller niet kon nagaan of de man geslagen was.

Hij stak zijn hand omlaag en zette de ventilator uit.

Er kwam een eind aan de symfonie van *bonk-woesj-bonk.*

Puller ging dichter naar het lijk toe en gebruikte zijn nachtbril om het naamplaatje te lezen.

AGENT WELLMAN.

Dat was knap brutaal, vond Puller. Hier terugkomen en een politieagent vermoorden. Terugkomen op de plaats van een moord als je de daad al had gepleegd.

Wat was hun ontgaan? Of wat hadden ze achtergelaten?

Het volgende moment rende Puller de trap op.

Er kwam nog iemand aan.

Hij keek op zijn horloge.

Misschien was het brigadier Samantha Cole.

Of misschien niet.

9

De vrouw stapte uit haar auto. Het was geen politiewagen, maar een eenvoudige, tientallen jaren oude pick-uptruck met vier versnellingen en drie radio-
antennes op het dak van de cabine. Er zat ook een witte camper-unit op, met
zijramen en een fliptop waarop het woord CHEVY was aangebracht. Het licht-
blauw van de pick-up was niet de oorspronkelijke kleur.

Samantha Cole was niet in uniform. Ze droeg een vale spijkerbroek, een wit
T-shirt, een WVU Montaineer-windjack en versleten kuitlaarzen. Uit haar
schouderholster stak de kolf van een King Cobra double action .45-revolver.
Die zat aan de linkerkant; dat betekende dat ze rechtshandig was. Ze was
slechts een meter vijfenvijftig, en een taai ding van zo'n vijftig kilo met vuil
blond haar dat lang genoeg was om tot haar schouders te komen. Haar ogen
waren blauw en groot; haar jukbeenderen staken ver genoeg naar voren om op
indiaanse afkomst te wijzen. Haar gezicht was bezaaid met lichte sproeten.

Ze was een aantrekkelijke vrouw, maar ze had de harde, cynische uitstraling van
iemand voor wie het leven niet zo aardig was geweest.

Cole keek naar Pullers Malibu en toen naar het huis waarin de dode Reynolds'
op een rij zaten. Met haar hand op de kolf van haar pistool liep ze over het
grindpad. Ze liep langs de Lexus toen het gebeurde.

De hand had haar te pakken voor ze er erg in had. Het was een ijzeren greep. Ze
maakte geen schijn van kans. De hand trok haar omlaag en naar de andere kant
van de auto.

'Shit!' Haar vingers sloten zich om de lange, dikke vingers van de hand. Ze kon
de greep niet verbreken. Ze probeerde met haar andere hand haar pistool te
trekken, maar de arm van haar belager drukte die hand tegen haar zij. Cole was
hulpeloos.

'Niet opstaan, Cole,' zei de stem in haar oor. 'Er is misschien een schutter in de
buurt.'

'Puller?' fluisterde ze fel terwijl ze hem aankeek. Puller liet haar los en hurkte
naast het rechtervoorspatbord van de Lexus neer. Hij zette zijn nachtbril omhoog. Hij had een van zijn M11's in zijn hand. Het andere pistool zat weer in
zijn holster.

'Aangenaam kennis te maken.'

'Je bezorgde me bijna een hartaanval. Ik had je niet gehoord.'

'Dat was ook zo'n beetje de bedoeling.'

'Je hebt bijna mijn arm geplet. Ben je bionisch of zo?'

Hij haalde zijn schouders op. 'Nee, ik zit gewoon in het leger.'

'Waarom greep je me vast?'

'Heet jouw agent Wellman?'

'Wat?'

'De agent die vannacht wachtdienst had?'

'Ja, Larry Wellman. Hoe weet je dat?'

'Iemand heeft hem opgehangen in de kelder van het huis en is er daarna met zijn auto vandoor gegaan.'

Haar gezicht betrok. 'Is Larry dood?'

'Ja.'

'Zei je dat er misschien een schutter was?'

Hij tikte tegen zijn nachtbril. 'Toen ik hoorde dat je kwam aanrijden, zag ik door een raam van het huis iets bewegen.'

'Waar was dat?'

'In het bos achter het huis.'

'Denk je dat ze...?'

'Ik doe geen veronderstellingen. Ik greep je vast omdat ze al iemand van de politie hebben vermoord. Wat let ze om het nog een keer te doen?'

Ze keek hem onderzoekend aan. 'Dat stel ik op prijs. Maar ik kan bijna niet geloven dat Larry dood is. Geen wonder dat hij de telefoon niet opnam.' Ze zweeg even. 'Hij is getrouwd en ze hebben net een baby gekregen.'

'Dat is erg.'

'Weet je zeker dat hij dood is?'

'Als ik het niet zeker wist, had ik hem losgesneden en geprobeerd hem te reanimeren. Maar geloof me: dat zou zinloos zijn geweest. Maar hij is nog niet zo lang dood. Het lichaam is nog warm.'

'Shit,' zei ze opnieuw. Haar stem beefde.

Hij rook haar geur. Haar adem rook naar pepermunt met daaronder tabak. Geen parfum. Ze had niet de tijd genomen om haar haar te wassen. Hij keek op zijn horloge. Ze was hier twee minuten eerder aangekomen dan ze zelf had gezegd.

Hij zag dat haar ogen glinsterden; een dikke traan maakte zich los en rolde over haar wang.

'Wil je het melden?' vroeg hij.

Ze antwoordde met een doffe, vermoeide stem. 'Wat? O ja.' Ze veegde vlug haar ogen af en haalde haar telefoon tevoorschijn. Ze toetste de nummers in en sprak snel maar duidelijk. Ze gaf het nummer van de verdwenen politiewagen door en liet een opsporingsverzoek uitgaan. In een paar seconden had de vrouw de overgang gemaakt van emotionele verlamming naar een professionele houding. Puller was onder de indruk.

Ze klapte de telefoon dicht.

'Hoeveel agenten heb je beschikbaar?' vroeg hij.

'We zijn hier ver buiten de stad, Puller. Veel ruimte, niet veel geld. We hebben erg te lijden gehad van de bezuinigingen. Ons korps is met een derde afgenomen. En drie van mijn mannen zijn momenteel als reservist in Afghanistan. Dat alles betekent dat we in totaal eenentwintig geüniformeerde agenten voor ongeveer duizend vierkante kilometer hebben. En twee van hen hebben vorige week een auto-ongeluk gehad en liggen nog in de lappenmand.'

'Dus negentien. Jou inbegrepen?'

'Mij inbegrepen.'

'Hoeveel komen er nu?'

'Drie. En dat is al veel. En het zal nog wel even duren. Ze zijn hier niet in de buurt.'

Puller keek naar het bos. 'Als jij nu eens hier op hen blijft wachten, dan ga ik kijken wat ik in het bos heb gezien.'

'Waarom zou ik hier blijven? Ik ben gewapend. Twee is beter dan een.'

'Zelf weten.' Hij keek naar het bos en dacht na over de logistiek. Dat zat zo bij hem ingeworteld dat hij er al grondig over nadacht voor hij er erg in had.

'Heb je ooit in het leger gezeten?' vroeg hij.

Ze schudde haar hoofd. 'Vier jaar staatspolitie voordat ik hier terugkwam. Voor de goede orde: ik kan verdomd goed schieten. Ik heb daar medailles en trofeeën van.'

'Oké, maar mag ik vooropgaan?'

Ze keek eerst naar het donkere bos en toen naar zijn grote, gespierde lichaam. 'Mij best.'

•10•

Een paar minuten later keek Puller achter zich en zag hij dat Sam Cole grote
moeite had hem in het dichte struikgewas bij te houden. Hij bleef staan en stak
zijn hand op. Cole stond meteen stil. Hij tuurde door zijn nachtbril naar het
stuk bos dat voor hem lag. Bomen, struiken, een wegrennend hert. Niets wat
hem wilde doden.

Hij bewoog nog steeds niet. Hij dacht weer aan wat hij door het raam in het
bos had gezien. Een silhouet, geen dier. Een man. Het hoefde niets met de zaak
te maken te hebben, maar had dat waarschijnlijk wel.

'Puller?'

Hij keek niet opnieuw naar haar om, maar gaf haar een teken dat ze naar voren
moest komen. Even later hurkte ze bij hem neer.

'Heb je iets opgepikt met die mooie apparatuur van je?'

'Alleen een hert en een heleboel bomen.'

'Ik hoor ook niets.'

Hij keek naar de hemel, die al lichter werd. 'Ik zag een zoeklicht toen ik kwam
aanrijden. Op een paar kilometer afstand in het oosten.'

'Het zal wel iets met de mijnbouw te maken hebben gehad.'

'Waarom een zoeklicht?'

'Waarschijnlijk een helikopterlanding. Dan heeft zo'n toestel iets om op af te
gaan.'

'Helikopterlandingen bij een kolenmijn, midden in de nacht?'

'Dat is niet verboden. En het is geen mijn zoals jij je die voorstelt. Ze doen hier
aan dagbouw. Dat betekent dat ze geen schachten en tunnels graven, maar gewoon de berg van boven af opblazen.'

Puller tuurde nog steeds naar voren en naar opzij. 'Was jij degene die het leger
belde over Reynolds?'

'Ja. Hij was in uniform. Dat was onze eerste aanwijzing. En toen we in zijn auto
keken, vonden we zijn identiteitsbewijs.' Ze zweeg even. 'Je bent binnen geweest. Je hebt gezien dat er niet veel van zijn gezicht over is.'

'Had hij een tas of een laptop?'

'Beide.'

'Die moet ik zien.'

'Goed.'

'Er kan geheim materiaal in die tas zitten of op die laptop staan.'

'Ja.'

'Zijn ze veilig opgeborgen?'

'In onze bewijsmaterialenkamer op het bureau.'

Puller dacht even na. 'Je moet ervoor zorgen dat er echt niemand bij kan. Reynolds was van de DIA, de militaire inlichtingendienst. Het kan een hele toestand worden als onbevoegden bij dat materiaal komen. Een probleem dat je echt niet kunt gebruiken.'

'Ik begrijp het. Ik kan iemand bellen.'

'Dank je. Er stond in het dossier dat jullie zijn vingerafdrukken hebben genomen.'

'Ja, en die hebben we naar het Pentagon gefaxt, naar een nummer dat ze ons gaven. Ze hebben zijn identiteit bevestigd.'

'Hoeveel technisch rechercheurs heb je?'

'Eén, maar hij is erg goed.'

'Patholoog-anatoom?'

'Die zit helemaal in Charleston. Daar is het forensisch lab van de staat.'

Onder het praten bleef Puller het bos in turen. Degene die daar was geweest, was nu weg. 'Waarom zijn de lijken nog in het huis?'

'Om verschillende redenen, maar vooral omdat we eigenlijk geen goede plek hebben om ze heen te brengen.'

'Het ziekenhuis?'

'Het dichtstbijzijnde is meer dan een uur rijden.'

'De plaatselijke lijkschouwer?'

'Die hebben we even niet.'

'Wat bedoel je daarmee?'

'Daar bedoel ik mee dat de lijkschouwer die we hadden is vertrokken. En hij was geen arts. Hij was ambulancebroeder. Maar volgens de wetgeving van de staat was dat goed genoeg.'

'Wie gaat er dan sectie verrichten op de slachtoffers?'

'Daar werk ik nog aan. Waarschijnlijk een arts hier uit de buurt van wie ik weet dat hij ervaring heeft met forensisch werk. Hoeveel technisch rechercheurs heb jij?'

'Je praat met hem.'

'Je onderzoekt moorden en bent tegelijk technisch rechercheur? Dat is een beetje ongewoon.'

'Het is juist de beste aanpak.'

'Wat bedoel je?'

'Op die manier komt er niets tussen mij en het materiaal,' zei hij. 'En ik kan altijd terugvallen op het forensisch lab van het leger. Laten we naar het huis teruggaan.'

Even later stonden ze bij de vier lijken. Buiten werd het al licht, maar Cole deed de plafondlamp aan.

Puller zei: 'De integriteit van de plaats delict is geschonden. De moordenaars zijn teruggekomen. Ze kunnen sporen hebben uitgewist.'

'Dat konden ze ook al eerder doen,' wierp Cole tegen.

'Zelfs wanneer we een verdachte terecht kunnen laten staan, kan zijn advocaat alleen al op grond hiervan de hele bewijsvoering torpederen.'

Cole zei niets, maar aan haar kwade gezicht was te zien dat ze het begreep.

'Nou, wat doen we eraan?' zei ze ten slotte.

'Voorlopig niets. We gaan hier verder met het onderzoek.'

'Moet je dit rapporteren?'

Hij gaf haar geen antwoord. In plaats daarvan keek hij om zich heen en zei: 'De Reynolds' woonden hier niet. Wat deden ze hier dan?'

'Het huis is van Richard en Minnie Halverson. Dat zijn de ouders van mevrouw Reynolds. Die zitten in een verpleegtehuis. Nou ja, hij. Mevrouw Halverson woonde hier, maar ze heeft kortgeleden een beroerte gehad en ligt nu in een gespecialiseerd ziekenhuis bij Pikeville. Dat is hemelsbreed niet zo ver, maar over onze achterweggetjes doe je er minstens anderhalf uur over om er te komen.'

'Daar heb ik iets van gemerkt toen ik hierheen kwam.'

'Het schijnt dat mevrouw Reynolds hier tijdelijk was om dingen te regelen, en om op de behandeling van haar vader toe te zien, het huis in orde te maken voor de verkoop en haar moeder te laten opnemen in hetzelfde verpleegtehuis, want die kan niet meer op zichzelf wonen. Omdat het zomer was, logeerden de kinderen bij haar. Blijkbaar kwam meneer Reynolds hier alleen in de weekends.'

'Hoe kom je aan al die informatie?'

'Plaatselijke bronnen. Het verpleegtehuis en het ziekenhuis. En door hier in de buurt te informeren. We hebben ook op straat met buren gepraat.'

'Goed werk,' zei Puller.

'Ik ben hier niet om klungelwerk te leveren.'

'Zeg, ik ben hier alleen omdat een van de slachtoffers een uniform draagt. En mijn SAC zei dat jullie best met ons willen samenwerken.'

'Mijn baas wilde dat wel.'

'En jij?'

'Laten we zeggen dat ik nog geen besluit heb genomen.'

'Dat is redelijk.'

'Dus hij zat bij de DIA?'

'Hebben ze je dat niet verteld toen je de vingerafdruk faxte?'

'Nee. Ze bevestigden alleen wie hij was. Dus de militaire inlichtingendienst? Was hij een soort spion? Is hij daarom vermoord?'

'Ik weet het niet. Hij stond op het punt uit het leger te vertrekken. Misschien was hij alleen maar een kantoormannetje met een paar mooie medailles dat voor het grote geld van de particuliere sector wilde gaan. Daar wemelt het van op het Pentagon.'

Puller had besloten haar niet te vertellen wat Reynolds werkelijk bij de DIA had gedaan. Ze was niet bevoegd om dat te weten, en hij wilde niet riskeren dat hij werd gedegradeerd omdat hij iets had verteld wat geheim moest blijven.

'Daar komen we dus niet veel verder mee.'

Pullers eerlijke kant kreeg de overhand. 'Nou, misschien was hij niet zomaar een kantoormannetje.'

'Maar je zei net...'

'Ik zei "misschien". Het is niet bevestigd. En ik ben er nog maar net mee bezig. Er is nog veel wat ik niet weet.'

'Oké.'

Puller ging dichter naar de lijken toe. 'Jullie hebben ze zo gevonden? Allemaal zittend op een rij?'

'Ja.'

'In het geval van de volwassenen is de doodsoorzaak wel duidelijk. Hoe zit het met de kinderen?' Hij wees naar hen.

Toen ze geen antwoord gaf, keek Puller haar aan.

Ze had haar Cobra getrokken en richtte het wapen op zijn hoofd.

'Heb ik soms iets verkeerds gezegd?' vroeg Puller zachtjes. Hij keek naar haar gezicht, niet naar de loop van de Cobra. Als iemand een wapen op je gericht hield, keek je naar de ogen; dan wist je wat zijn bedoeling was. En het was duidelijk haar bedoeling om op hem te schieten als hij iets verkeerds zei of een verkeerde beweging maakte.

Ze zei: 'Ik moet wel suf zijn geweest door slaapgebrek.'

'Ik kan je niet volgen.'

'Ik weet niet of je degene bent die je zegt te zijn. Jij bent de enige die zei dat je van de CID bent. Ik had je nooit toestemming moeten geven om naar de plaats van het misdrijf te gaan. Voor hetzelfde geld heb jij Larry Wellman vermoord en daarna verzonnen dat je iemand hebt gezien. Misschien ben je een spion en wil je stelen wat er in de tas van de man zat en op zijn laptop stond.'

'Mijn auto buiten heeft een nummerbord van het leger.'

'Misschien is het niet jouw auto. Of misschien heb je hem gestolen.'

'Ik heb een identiteitsbewijs.'

'Dat wilde ik horen.' Ze maakte een snelle beweging met de .45. 'Laat het me zien. Heel langzaam.'

Cole deinsde een beetje terug. Puller zag dat ze de Weaver-schiethouding gebruikte, genoemd naar een politieman in Californië die eind jaren vijftig furore maakte als schietkampioen. De voeten een schouderbreedte uit elkaar, de knieen strak. De voet aan de wapenkant iets achter de andere voet. Als ze schoot, zou ze de klassieke duw- en trekbeweging maken om de terugslag op te vangen. Hij zag dat ze haar arm strak hield, maar haar hand niet. Daardoor zou ze trillen als ze schoot. Evengoed hield ze de Cobra vast alsof ze het wapen goed kende. En hoewel haar houding misschien niet perfect was, kon ze hem op deze afstand gemakkelijk met één schot neerleggen.

Hij haalde zijn identiteitsbewijs met drie vingers uit het borstzakje van zijn overhemd.

'Klap het voor me open,' beval ze. 'Eerst de badge, dan de identiteitskaart.'

Dat deed hij. Ze keek naar zijn foto en keek toen weer naar hem. Toen liet ze haar wapen zakken. 'Sorry.'

'Ik zou hetzelfde hebben gedaan.'

Ze stak de Cobra in de holster. 'Maar je vroeg niet naar mijn identiteitsbewijs.'

'Ik vroeg je door de telefoon hierheen te komen. Je naam en nummer stonden in het officiële legerdossier. Het leger maakt zulke fouten niet. Ik zag je uit je auto stappen. Je badge zit op je riem. Toen ik je vastpakte en je een schreeuw gaf, herkende ik de stem die ik door de telefoon had gehoord.'

'Toch was ik je te vlug af,' merkte ze op.

'Misschien toch niet helemaal.'

Hij liet haar het zwarte KA-BAR-mes zien dat hij in zijn andere hand had, verborgen achter zijn onderarm. 'Waarschijnlijk had je in een reflex nog kunnen schieten. Dan zouden we misschien allebei tegen de vlakte zijn gegaan.' Hij schoof het mes in de schede aan zijn riem. 'Maar dat is niet gebeurd.'

'Ik heb je dat mes niet zien trekken.'

'Dat deed ik al voordat jij je wapen trok.'

'Waarom?'

'Ik zag je eerst naar mij kijken, toen naar de Cobra en toen naar de lijken. Het was gemakkelijk na te gaan wat je dacht.'

'Waarom richtte jij je pistool dan niet op mij?'

'Als ik mijn pistool trek, ben ik van plan het te gebruiken. Ik wilde een lastige situatie niet nog erger maken. Ik wist dat je om mijn identiteitsbewijs zou vragen. Ik hield het mes achter de hand voor het geval je iets anders van plan was.'

Hij keek weer naar de lijken. 'De kinderen?'

Ze kwam een stap naar voren, haalde rubberen handschoenen uit haar jack, trok ze aan, pakte de nek van de jongen vast en hield het lijk ongeveer tien graden naar voren. Met haar andere hand wees ze naar een plek aan de onderkant van de nek.

Puller scheen er met zijn Maglite op. Hij zag de grote blauwe plek. 'Iemand heeft zijn hersenstam verbrijzeld.'

Ze liet het lijk in zijn oorspronkelijke positie terugzakken. 'Daar ziet het naar uit.'

'Bij het meisje ook?'

'Ja.'

'Aan de lijken te zien zijn ze al ruim vierentwintig uur dood, maar minder dan zesendertig uur. Hebben jouw mensen het nauwkeuriger kunnen vaststellen?'

'Ongeveer negenentwintig uur. Je zat er dus dichtbij.'

Puller keek op zijn horloge. 'Dus ze zijn zondagavond om een uur of twaalf gedood?'

'Ja.'

'En de postbode vond ze maandagmiddag. Toen zal de rigor mortis net zijn ingetreden. Kun je dat bevestigen? Het zou een extra indicatie zijn.'

'Ja.'

'Heeft de postbode iets verdachts gezien?'

'Je bedoelt, nadat hij voor de vierde keer de voortuin onderkotste toen wij daar waren aangekomen? Nee, eigenlijk niet. De moordenaars waren toen allang weg.'

'Maar ze zijn vannacht teruggekomen. Ze hebben zelfs een politieman gedood. Nog meer wonden of sporen op hun lichaam?'

'Zoals je kunt zien, hebben we ze niet uitgekleed, maar we hebben vrij goed gekeken en niets gevonden. Maar als je iemands hersenstam verbrijzelt, is hij dood.'

'Ja, dat had ik ook al begrepen.' Hij keek naar de kamer. 'Maar dan moet je wel weten wat je doet. Je moet het precies goed doen, anders verlam je iemand alleen maar.'

'Het was dus een professional.'

Of een militair, dacht Puller. *Als dit nu eens iets van militairen onder elkaar was?* 'Misschien,' zei hij. 'Of de dader had geluk.' Hij keek naar het meisje. 'Maar niet twee keer geluk. Ze zijn niet hier gedood, tenminste de kolonel en zijn vrouw niet.'

Cole ging bij de bank vandaan en keek naar de vloerbedekking. 'Ja, er zijn hier geen bloedspatten. De kelder is een ander verhaal.'

'Dat zag ik toen ik daarheen ging.'

'Over de kelder gesproken: ik moet bij Larry gaan kijken.'

Puller dacht dat haar stem even oversloeg, al had ze geprobeerd het nonchalant te zeggen.

'Wil je eerst iets voor me doen?'

'Wat dan?'

'Naar het bureau bellen en ervoor zorgen dat er echt niemand bij de tas en de laptop van de kolonel kan komen.'

Ze deed wat hij vroeg. Zodra ze de telefoon had dichtgeklapt, zei hij: 'Kom mee.' Ze sjokte achter Puller aan de trap af. Hij leidde haar naar de plaats waar de politieman hing. De dode was nog lager gezakt. Zijn zwarte leren schoenen raakten bijna het beton.

Puller keek aandachtig naar haar terwijl ze naar de dode keek. Deze keer waren er geen tranen. Ze schudde even haar hoofd. De vrouw verwerkte het. Waarschijnlijk schaamde ze zich omdat hij tranen van haar had gezien. En toen was haar stem ook nog even overgeslagen. Ze zou zich niet hoeven te schamen. Hij had vrienden zien doodgaan, veel vrienden. Het werd nooit gemakkelijker. Het werd alleen maar moeilijker. Je dacht dat je eraan wende, maar dat was een illusie. Het gat in je geest werd alleen maar dieper, want dan paste er meer ellende in.

Ze deed een stap achteruit. 'Ik zal degene die dit heeft gedaan te pakken krijgen.'

'Dat weet ik.'

'Kunnen we hem losmaken? Ik wil hem niet zo als een geslacht varken laten hangen.'

Puller keek naar de nek van de man. 'We kunnen de strop aan de voorkant doorsnijden, dan blijft de knoop intact. Maar wacht even.'

Hij liep vlug naar zijn auto om zijn rugzak te halen.

Toen hij in de kelder terug was, haalde hij een stuk plastic en een opvouwbaar laddertje uit de rugzak. 'Ik ga dit om het lichaam heen doen om sporen te behouden, en dan houd ik hem overeind terwijl jij op de ladder gaat staan en hem lossnijdt. Bedenk wel: niet bij de knoop maar aan de andere kant. Je mag mijn mes gebruiken.'

Ze deden dat zonder problemen, en de in plastic verpakte dode leunde tegen Pullers sterke armen. Terwijl Cole van de ladder kwam, legde Puller de dode op zijn rug op de vloer.

Puller zei: 'Doe dat licht daar aan.' Hij wees naar een schakelaar op de muur.

Het licht ging aan en Puller onderzocht Wellmans hals. 'Halsslagader en keelslagader ingedrukt. Tongbeen waarschijnlijk gebroken. Dat zal bij de sectie blijken.' Hij wees naar enkele plekken op de hals van de dode. 'Bloedvaten gescheurd. Dat betekent dat hij nog leefde toen ze hem ophingen.'

Puller legde de politieman voorzichtig op zijn zij en ze keken naar zijn gebonden handen. 'Zoek naar wonden waaruit blijkt dat hij zich verweerde, of sporen onder de nagels. Als we geluk hebben, zijn er DNA-resten.'

Cole gebruikte daarvoor de Maglite van Puller. 'Niets voor zover ik kan zien. Dat begrijp ik niet. Larry had zich moeten verweren. Of misschien heeft de dader alles weggeboend.'

'Dat zal het waarschijnlijk verklaren.' Puller wees naar het aangekoekte bloed in het haar van de man. 'Ze hebben hem bewusteloos geslagen voordat ze hem ophingen.'

Hij haalde een huidthermometer uit zijn rugzak, streek ermee over Wellmans voorhoofd en keek naar het resultaat.

'Iets minder dan vijf graden onder normaal.' Hij maakte een snelle berekening in zijn hoofd. 'Ongeveer drie uur dood. Dus ongeveer halfdrie.'

Ze hoorden buiten auto's stoppen.

'Daar heb je de cavalerie,' zei Puller.

Cole keek haar collega aan. 'Blijkbaar weet je wat je doet,' zei ze met een blik op de dode.

'Ik ben er om te helpen, als je dat wilt. Die beslissing is aan jou.'

'Jazeker.' Ze draaide zich om en liep naar de trap.

Puller zei: 'Ik weet dat jullie de plaats delict al hebben onderzocht, maar ik zou het graag nog een keer willen doen.' Hij voegde eraan toe: 'Ik wil niet op iemands tenen gaan staan, maar ik heb mensen aan wie ik verantwoording moet afleggen. En die verwachten dat we ons onderzoek op een bepaalde manier doen.'

'Het maakt mij niet uit, zolang we de schoft maar te pakken krijgen die dit heeft gedaan.'

Cole liep de trap op.

Puller keek naar de dode en toen naar de achterste muren, waar aan de concentratie bloed en vleesfragmenten te zien was waar de volwassen Reynolds' waren geëxecuteerd.

Want 'geëxecuteerd' was het enige juiste woord ervoor.

Hij was in zijn hoofd geschoten en zij in haar romp. Puller vroeg zich af waarom ze een verschillende behandeling hadden gekregen. En de kinderen waren helemaal niet met een vuurwapen gedood. Als er meer mensen tegelijk werden gedood, werd meestal voor alle slachtoffers dezelfde methode gebruikt. Als je van wapen wisselde, ging daar tijd overheen, kostbare tijd. En als je de mensen vermoordde en daarna de lijken verplaatste, kostte dat nog meer tijd. Maar misschien had deze moordenaar alle tijd van de wereld gehad.

Puller keek weer naar Wellmans lichaam.

Elke moord was hetzelfde, in die zin dat er iemand door een gewelddadige oorzaak om het leven kwam, maar afgezien daarvan was elke moord weer anders.

En het oplossen van een moord was zoiets als behandeling van kanker. Wat in het ene geval werkte, werkte bijna nooit in een ander geval. Elke moord vereiste zijn eigen unieke oplossing.

Hij liep achter Cole aan de trap op.

·12·

De drie politieagenten van Drake County stonden op een rij naar hun gedode collega te kijken. Puller keek aandachtig naar hen. Ze waren alle drie ongeveer een meter tachtig groot; twee waren slank en een was aan de dikke kant. Ze waren jong; de oudste was begin dertig. Puller zag dat een van hen een tatoeage van een anker op zijn hand had.

'Marine?' vroeg hij.

De man knikte en nam zijn blik even van Wellmans lijk weg.

De tatoeage, wist Puller, was aangebracht nadat de man de marine had verlaten. In de strijdkrachten waren geen tatoeages toegestaan die zichtbaar waren als je je uniform droeg.

'Landmacht?' vroeg Ankerman.

'701ste CID, Quantico.'

'De mariniers trainen daar ook, hè?' zei de dikke politieagent.

'Ja,' zei Puller.

'Mijn neef is marinier,' zei de dikke. 'Hij zei dat ze altijd als eersten het gevecht ingaan.'

'De mariniers hebben me in het Midden-Oosten vaak dekking gegeven.'

Cole kwam de trap af. 'Een mijnwerker die naar zijn werk ging, heeft Larry's politiewagen drie kilometer hiervandaan in een ravijn zien liggen. Hij belde de politie en onze technisch rechercheur is er nu heen.'

Puller knikte. 'En kan hij daarna hier komen? Ik moet hem spreken.'

'Ik geef het aan hem door.' Ze wendde zich tot haar mannen. 'Na wat er met Larry is gebeurd moeten we hier voortdurend twee agenten hebben.'

'Brigadier, dan houden we heel weinig mensen over om te patrouilleren. Het zijn er toch al niet veel,' zei Ankerman.

Ze wees naar Wellman. 'Misschien vond Larry dat ook, en moet je zien wat hem is overkomen.'

'Ja, brigadier.'

'En, Dwayne, ik wil dat je naar Larry's wagen gaat en zorgt dat er niemand bij kan komen,' zei ze tegen hem.

'Ja, brigadier,' zei Dwayne.

Puller keek of de andere agenten er moeite mee hadden om een vrouwelijke superieur te hebben. In het leger hadden de meisjes het zelfs in de eenentwintigste eeuw nog moeilijk. Als hij op de gezichten van de agenten mocht afgaan, gold dat zeker ook voor de dames in West Virginia.

'Agent Puller van de CID helpt ons bij dit onderzoek,' zei Cole.

De drie agenten keken hem ijzig aan. Dat verbaasde Puller helemaal niet. Als hij in hun schoenen had gestaan, zou hij er ook een probleem mee hebben gehad.

Hij kwam niet aanzetten met het cliché dat ze allemaal naar gerechtigheid streefden. Hij zei helemaal niets. Hoewel hij zich beleefd en professioneel opstelde, was het nu eenmaal een feit dat hij geen gezag over deze mensen had. Cole was degene die haar mannen in het gareel moest houden.

'Waar is het register van de plaats delict?' vroeg hij met een blik op Cole. Ze trok de rits van haar jack dicht. Misschien, dacht Puller, om niet in het bijzijn van haar agenten te laten zien dat ze er alleen een T-shirt onder droeg.

'In mijn pick-up.'

Ze haalde het register op en Puller zette zijn naam erin, met de datum en het tijdstip waarop hij was binnengekomen. Hij keek naar andere namen op de lijst. Politieagenten en die ene technisch rechercheur. En een arts, die ongetwijfeld officieel had vastgesteld dat de vier lijken dood waren.

Hij wachtte tot Cole aan Dwayne had uitgelegd waar Wellmans auto was en hem had weggestuurd.

'Zijn er al media die hiervan weten?' vroeg hij aan Cole. Ze waren op de voorveranda. Het was intussen zo licht geworden dat hij de wallen onder haar ogen kon zien. Ze haalde een sigaret uit haar pakje. Hij stak zijn hand op en sprak zo zachtjes dat de agenten, die nog in het huis waren, hem niet konden horen. 'Laten we een pauzeruimte inrichten in de tuin daar aan de zijkant van het huis. Het zal nog wel even duren voor we hier klaar zijn. Daar kunnen jullie roken en kunnen we eten en ons afval kwijt. En we hebben een portable wc nodig.'

'Er zijn twee wc's in het huis.'

'We veranderen de plaats delict op geen enkele manier. Dus we raken de thermostaat niet aan, gebruiken de wc niet, roken niet, eten niet, drinken niet en kauwen geen pruimtabak. Wanneer onze dingen vermengd raken met wat er al binnen is, maakt dat de zaak extra gecompliceerd.'

Ze stopte de sigaret weg en sloeg haar armen over elkaar. 'Oké,' zei ze met tegenzin.

'Media?' vroeg hij opnieuw.

'We hebben hier maar één krant, en die verschijnt eens per week. De dichtstbijzijnde tv- en radiostations zijn ver weg. Dus nee, we hebben hier niet veel media en ik houd geen persconferentie, voor het geval je je dat afvroeg. We zijn moeilijk te bereiken. De media moeten echt heel graag naar Drake willen komen en op dit moment is dat blijkbaar nog niet het geval.'

'Goed.' Hij zweeg even en keek haar aan.

'Wat is er?' zei ze toen hij bleef kijken.

'Ben je toevallig familie van ene Randy Cole?'

'Dat is mijn jongere broer. Hoezo?'

'Ik ben hem eerder tegen het lijf gelopen.'

'Waar?' vroeg ze op scherpe toon.

'Het motel waar ik een kamer heb genomen.'

Ze nam een ongeïnteresseerde houding aan, maar Puller doorzag haar meteen. 'En hoe ging het met hem?'

'Wat bedoel je?'

'Ik bedoel, was hij dronken of dronkener?'

'Hij was nuchter.'

'Wat een verrassing.'

'Maar hij zei dat hij vaak hoofdpijn heeft.'

'Ja, dat weet ik,' zei ze zorgelijk. 'Het afgelopen jaar.'

'Ik heb tegen hem gezegd dat hij naar een dokter moet gaan.'

'Dat heb ik ook tegen hem gezegd, maar dat betekent niet dat hij het gaat doen. Sterker nog, het betekent dat hij het waarschijnlijk niet gaat doen.'

'Ik pak mijn spullen en ga aan het werk.'

'Heb je hulp nodig?'

'Jij hebt de leiding. Dat is toch lakeienwerk?'

'We beschouwen hier niet gauw iets als lakeienwerk. We dragen allemaal ons steentje bij. En trouwens, het feit dat Larry is vermoord, verandert alles. Voor mij tenminste wel. Sinds ik hier de leiding heb, hebben we nog nooit een man verloren. Nu wel. Dat verandert alles,' zei ze opnieuw.

'Dat kan ik me indenken. Ik laat het je weten als ik hulp nodig heb.'

'Heb je veel van je mannen verloren in het Midden-Oosten?'

'Zelfs één was er al een te veel,' antwoordde Puller.

·13·

Puller had voorlopige plattegronden van de begane grond en de kelder gemaakt. Hij had zijn losbladige notitieboek samengesteld, met op elke bladzijde zijn naam, rang en de datum, evenals de weersomstandigheden, de lichtcondities en een pijl die naar het noorden wees. Hij had alles opgemeten, ook de positie van en de afstand tussen voorwerpen in de kamers.

Cole, die hem de laatste hand aan de plattegronden zag leggen, zei: 'Heb je dat in het leger geleerd?'

'Ik heb een heleboel in het leger geleerd.'

'Waarom denk je dat ze zijn teruggekomen, Puller?'

'Om iets op te halen. Of iets achter te laten. Dat weet ik nog niet.'

Cole slaakte een zucht van frustratie. 'Nooit gedacht dat zoiets kon gebeuren. Dat ze terug zijn gekomen en de agent doodden die de plaats delict bewaakte.'

Puller legde zijn notitieboek neer en haalde een 35mm-camera met statief, flitslamp en een verlengsnoer voor die lamp uit zijn rugzak. Hij stak ook een apparaatje dat er als een zaklantaarn uitzag in een houder aan zijn riem.

'Mijn technisch rechercheur heeft al foto's gemaakt,' zei Cole.

'Ik maak graag mijn eigen foto's. Zoals ik al zei, moeten we ons aan bepaalde procedures houden.'

'Oké, maar hij is goed en je mag alles hebben wat wij hebben.'

'Dat stel ik op prijs. Waar is hij eigenlijk? Zo lang kan hij er niet over hebben gedaan om de auto te onderzoeken.'

Cole liep naar het raam. 'Als je het over de duivel hebt...' zei ze.

'Landry Monroe,' zei Puller.

'Hoe weet je dat?'

'Ik zag zijn naam in het register.'

'We noemen hem Lan.'

'Vertel me eens iets meer over hem.'

'Vierentwintig jaar oud. Criminologie gestudeerd aan de universiteit van West Virginia. Volledig bevoegd als technisch rechercheur. Hij is al twee jaar bij ons korps.'

'Hoe is hij aan zijn bevoegdheid gekomen?'

'De staat West Virginia heeft daar een opleiding voor.'

'Oké.'

'Dat is een verdomd goede opleiding, Puller.'

'Ik zei niet dat het niet zo was.'

'Ik zag het aan je gezicht.'

'Wat wil je hier bereiken?'

'Wat?'

'Wat wil je bereiken?'

'Dat we de dader te pakken krijgen,' zei ze grimmig.

'Ik ook. En als we samenwerken en ons aan al onze protocollen houden, is de kans veel groter dat we de mensen vinden die dit hebben gedaan.'

Ze keken elkaar enkele onbehaaglijke ogenblikken aan.

Cole draaide zich om, liep naar de deur en riep naar de man die zijn hoofd in zijn kofferbak had gestoken. 'Lan, pak je spullen en kom hierheen. Er is hier iemand die héél graag met je wil samenwerken.'

Ze keek Puller weer aan en wees met haar vinger naar hem. 'Laat één ding duidelijk zijn. Hij is nog maar een jongen. Je mag hem een beetje op zijn nummer zetten, hem dingen laten zien waardoor hij beter wordt, maar je mag niet zijn zelfvertrouwen breken. Als dit achter de rug is, vertrek jij uit West Virginia, maar ik niet. Ik moet met hem samenwerken en hij is het enige wat ik heb. Begrepen?'

Puller knikte. 'Begrepen.'

Een halve minuut later kwam Lan Monroe binnen, sjouwend met zakken vol spullen. Hij was zwart en had een groene overall aan. Hij bleef even bij de voordeur staan en liet zijn spullen op de grond zakken om overschoenen en rubberen handschoenen aan te trekken. Nadat hij het register had getekend, dat hem door een van de bewakende agenten werd voorgehouden, kwam hij binnen.

Monroe was niet veel langer dan Cole. Hij had smalle schouders en het grootste deel van zijn gewicht zat in zijn buik, heupen en achterwerk. Zijn benen waren dik en kort. Zijn hoofd was kaalgeschoren en hij droeg een metalen bril die half over zijn neus was gezakt.

'Lan, dit is CID-agent John Puller,' zei Cole.

Monroe glimlachte en keek op naar Puller, die een kop groter was dan hij. Hij stak zijn hand uit en Puller schudde hem.

'Aangenaam kennis te maken, agent Puller.'

'Zeg maar gewoon Puller.' Hij keek naar de zakken. 'Je uitrusting?'

'Ja.'

'Heb je Larry's auto onderzocht?' vroeg Cole.

Monroe knikte. 'Mijn eerste onderzoek heeft niets opgeleverd. Er zat geen bloed in de auto. Ik heb hem naar het bureau laten slepen. Daar neem ik hem grondiger onder de loep.'

Puller zei: 'Brigadier Cole zei dat je foto's hebt gemaakt. Mag ik ze zien?'

'Akkoord, kerel.'

Monroe groef in een van zijn zakken, terwijl Puller zijn wenkbrauwen optrok naar Cole. Ze haalde haar schouders op en probeerde te glimlachen.

Monroe haalde zijn camera tevoorschijn, zette hem aan en liet de foto's zien in het uitklapbare display.

'Vijfendertig millimeter éénlenzig reflex?' zei Puller.

'Ja. Die lieten ze ons op de opleiding gebruiken. Ik heb overal drie opnamen van gemaakt, een in verhouding tot omliggende voorwerpen, een met een liniaal en een close-up zonder.'

'Goed. Welke lensopening heb je gebruikt?'

Cole wierp Puller een scherpe blik toe. Hij negeerde het.

Monroe merkte niets van wat er tussen hen voorviel. Hij zei: 'F-zestien voor alles op meer dan een meter afstand. F-achtentwintig voor de close-ups.'

Puller knikte goedkeurend. 'Wat waren je invalshoeken?'

'Ik heb alles vanaf ooghoogte gedaan.'

'Heb je een overlapping van driehonderdzestig graden gedaan?'

Monroe keek opeens onzeker en schudde zijn hoofd. 'Eh, nee.'

Puller keek Cole aan en zag dat ze nog strak naar hem keek, haar handen op haar heupen. Een ogenblik dacht hij dat ze haar Cobra weer zou grijpen.

'Geen probleem,' zei Puller. 'Het leger doet alles extra grondig. Zeg, ik heb iemand met ervaring nodig om me daarmee te helpen, Lan. Blijkbaar kun je goed met een camera overweg.'

'Oké,' zei Monroe, die weer opgewekt keek. 'Ik wil je graag helpen.' Hij wees naar het statief en de andere apparatuur die Puller uit zijn rugzak had gehaald. 'Is dat een verlengsnoer van een flitslamp?' vroeg hij.

Puller knikte. 'Dat gebruiken we om vingerafdrukken, bandensporen en eventuele sporen van gereedschap te fotograferen. We gebruiken het snoer om de flitslamp te laten werken.'

'Op welke afstand houden jullie hem bij het leger?' vroeg Monroe enthousiast.

'Het liefst op een meter afstand. En met een hoek van vijfenveertig graden. Twee opnamen vanuit alle vier de richtingen.'

'Waarom is dat verlenging zo belangrijk?' vroeg Cole.

Puller antwoordde: 'Het voorkomt dat er vlekken op de foto komen door overbelichting.'

'Cool,' zei Monroe.

Puller wees naar de vier leden van de familie Reynolds. 'Omdat ze niet zijn verplaatst, moeten we ze fotograferen zoals het hoort. Alle vier de kanten, ook de achterkant. Vijf opnamen van het gezicht, alle wonden en alle andere sporen. Met en zonder liniaal, met de lijkvlekpatronen en met alle kruitsporen op en rondom de wond. Heb je een videocamera?'

Monroe knikte.

'Je filmt alles, maar vertrouwt daar niet op voor de kleine details. Anders veegt de advocaat van de verdachte de vloer met je aan.'

'Is dat jou weleens overkomen?' vroeg Cole.

'Het overkomt iedereen,' zei Puller.

Puller wilde net zijn statief neerzetten om foto's van de lijken te maken, toen hem opeens iets opviel aan de vloerbedekking. Hij knielde neer en keek er nog eens wat beter naar.

'Wat zien jullie daar?'

Monroe en Cole kwamen naar hem toe. De technisch rechercheur ging op zijn knieën zitten en keek naar de plek. 'Ik weet het niet zeker,' zei hij. 'Het lijkt een soort afdruk.'

'Afdrukken; meervoud. Drie stuks. Ze zijn rond, maar vormen een driehoek-patroon.' Puller tilde het statief op en zette hem dicht bij de anderen neer. Toen pakte hij hem weer op. 'Wat zien jullie?'

Monroe keek naar de plek. Cole ook. Ze schrokken allebei en keken weer naar de oorspronkelijke plek. De afdrukken waren bijna identiek.

'Iemand heeft hier al eerder een statief neergezet,' zei Cole. 'Waarom?'

Puller keek naar de plek en toen naar de lichamen die op een rij zaten. 'Licha-men op een rij, op een bank. Een statief ervoor, met een camera erop.'

'Filmden ze de Reynolds'?' vroeg Cole.

Puller maakte enkele foto's van de afdrukken in de vloerbedekking. 'Nee, ze ondervróegen hen.'

·14·

Uren later hadden ze de vier lijken van alle kanten gefotografeerd en andere delen van de plaats delict onderzocht. Puller en Monroe hadden de lijken naast elkaar gelegd op wit plastic dat ze op de vloer hadden uitgespreid. Larry Wellmans lichaam was naar boven gehaald en lag in een dichtgeritste lijkenzak in de eetkamer. Wellman en de Reynolds' hadden geen wonden die op verweer wezen. Blijkbaar waren ze allemaal volkomen verrast.

Puller had zijn waarnemingen vastgelegd en het apparaat aan zijn riem gebruikt om de gegevens ordelijk op te slaan. Monroe had hem nieuwsgierig gevraagd wat dat voor een apparaatje was.

'Het leger noemt dit een CSED, een Crime Scene Exploitation Device. Het is een camera met een barcodeapparaat, een digitaal scherm, een labeler en een printer – dat alles in één. Het heeft een uitklapbare USB-poort, zodat ik het met mijn laptop kan verbinden om te downloaden en uploaden. Mijn digitale recorder heeft die mogelijkheid ook. En het heeft een elektronische transcriber, zodat het automatisch uittypt wat ik heb ingesproken. Ik ben niet zo goed met een toetsenbord.'

'Dat is supercool,' zei Monroe.

'Word maar niet te enthousiast, Lan,' zei Cole. 'Ik denk niet dat zo'n apparaat op ons budget staat.'

Puller keek Cole aan. 'Vertel eens over de hond die hier was.'

'Een collie. Ik heb hem door een collega laten meenemen. Een lief beest.'

'Oké, maar heeft iemand hem horen blaffen?'

'De hond kan niet blaffen,' antwoordde Cole. 'Dat is waarschijnlijk de enige reden dat ze hem in leven lieten.'

'Een hond die niet kan blaffen?'

'Nou, tegen ons heeft hij niet één keer geblaft. Misschien is hij geopereerd. Dan kunnen ze soms niet meer blaffen. Tenminste, dat zegt een dierenarts die ik ken en die ik het heb gevraagd.'

Cole keek naar de lijken die op een rij lagen en zei: 'Je zei dat ze zijn ondervraagd, maar je legde niet uit wat je bedoelde. Natuurlijk zijn ze niet ondervraagd toen ze al dood waren. Waarom hebben ze ze dan na hun dood op de bank gezet?'

'Ik denk dat iemand hen wilde zien terwijl ze werden ondervraagd. En die wilde ook op videobeelden zien dat ze dood waren.'

'Dus ze stuurden de videobeelden naar iemand anders?'

'Dat denk ik.'

Cole knikte langzaam. 'Als we de videobeelden in handen kunnen krijgen, vinden we daarop misschien aanwijzingen. Misschien is een van de moordenaars voor de camera langs gelopen. Of misschien is er een weerspiegeling van een of meer van hen te zien.'

'Dat kan. Maar als we de videobeelden vinden, is de kans groot dat we ook de moordenaars hebben. Ze laten zoiets heus niet ergens slingeren.'

'Nou, laten we hopen van wel.'

'We moeten de lichamen snel naar een gekoelde omgeving brengen en dan de secties laten verrichten,' zei Puller met een blik op de lijken, die al in staat van ontbinding verkeerden. 'Op een gegeven moment valt al het bewijsmateriaal uit elkaar. Hoe staat het met je vriend de dokter?'

'Ik verwacht later vandaag iets definitiefs van hem te horen.'

Puller knielde bij Matt Reynolds neer. 'Met een geweer in zijn gezicht geschoten. Op minder dan een meter afstand, minimale verspreiding van korrels, viltproppen in de wonden. Als de loop een tapse boring had, komt die analyse op losse schroeven te staan.' Hij wees naar de viltproppen in de wonden. 'Lan, heb je al een monster genomen om het kaliber na te gaan?'

'Ja. Ik heb de test nog niet gedaan, maar ik hoop dat we een antwoord krijgen als ik de diameter met de proppenmonsters vergelijk.'

Puller keek naar het lichaam van de vrouw. 'Ik heb de afstand tussen de korrels gemeten. Omdat er geen wond in het midden is, en ook geen viltprop, mogen we aannemen dat ze van meer dan drie meter afstand is beschoten.'

'Maar wel in de kelder,' zei Cole, die naast hem neerknielde.

'Vermoedelijk. Maar dat moet nog door het bloedonderzoek worden bevestigd,' zei Puller.

'Waarom in de kelder?' vroeg Cole.

'Dat maakt minder herrie,' zei Puller. 'Evengoed heb je daar nog problemen.'

'Wat dan?'

'Een geweerschot kan zelfs in een kelder midden in de nacht de aandacht trekken. En je moet de andere gevangenen in bedwang houden. Ze horen het schot, raken in paniek, beginnen te schreeuwen en proberen weg te komen, want ze weten dat zij waarschijnlijk de volgende zijn.'

Monroe knipte met zijn vingers, maakte een metalen doos open die hij eerder het huis binnen had gebracht en haalde er wat gesloten zakjes uit.

'Ik vroeg me af waarom ik daar deze dingen heb gevonden. Maar wat jij net zei, zou dat kunnen verklaren.'

Puller bekeek de zakjes een voor een. 'Wat heb je hier?'

'Dit beetje grijs spul komt uit het linkeroor van het meisje. De witte draad vond ik in de mond van de jongen. Ik vond net zo'n draad op een kies van de moeder, een kies aan de linkerkant.'

Cole keek over Pullers schouder mee.

Puller zei: 'Zou die witte draad in de mond van een prop komen?'

'En dat ding in het oor?' vroeg Cole.

Monroe zei: 'Ik denk dat het een stukje van een oordopje is. Bijvoorbeeld van een koptelefoon van een iPod of mp3-speler.'

Puller zei: 'Ze lieten harde muziek in hun oren dreunen terwijl ze mensen doodschoten. Op die manier konden ze het niet horen.'

'Dat is nogal macaber!' riep Monroe uit.

Puller zei: 'Maar het verklaart niet waarom ze een hagelgeweer gebruikten. Al konden zij het niet horen, buren misschien wel.'

Cole stond op, liep naar het raam en keek naar buiten. Ze draaide zich snel om. 'Die geweerschoten.'

Puller gaf de zakjes aan Monroe terug en keek haar aan. 'Wat is daarmee?'

'Trent Exploration. Daar kunnen zondagavond best explosies hebben gedreund. En deze huizen staan er maar een paar kilometer vandaan.'

Puller keek Cole aan. 'Oké, maar zouden die explosies zo hard zijn dat de buren een schot met een hagelgeweer niet konden horen?'

'Ik denk van wel, als het een schot in de kelder is. Als je maar dichtbij genoeg bent, tillen sommige van die explosies je zo je bed uit.'

'Je zegt dat er best eens explosies kunnen zijn geweest. Dat weet je niet zeker?'

'Nee, ik woon hier een heel eind vandaan. Maar als hier in de buurt een explosie te horen is, moet het van een terrein van Trent komen. Er is hier verder niets.'

Monroe zei langzaam: 'Wacht eens even. Ik was die avond nog laat op pad met mijn vriendin. Ongeveer drie kilometer hiervandaan, maar dan de andere kant op. Ik herinner me dat ik het heb gehoord.'

Puller zei vlug: 'Weet je nog hoe laat die explosie was?'

Hij dacht even na. 'Tussen twaalf en één uur, zou ik zeggen.'

'Dat komt overeen met de tijdlijn op grond van de achteruitgang van de lichamen,' zei Puller. 'Maar als we het tijdstip iets nauwkeuriger kunnen bepalen, helpt dat ons in één opzicht.'

'Alibi's, of de afwezigheid daarvan,' merkte Cole op, en hij knikte instemmend.

Puller zei: 'Maar dan moeten we ons nog afvragen waarom ze de ouders met een hagelgeweer hebben gedood en de kinderen niet. Ze hadden ze trouwens ook alle vier met de hand kunnen doden, dan hadden ze zich geen zorgen hoeven te maken over het geluid van schoten.'

Cole en Monroe wisten daar geen antwoord op.

Puller keek de technisch rechercheur aan. 'Heb je vingerafdrukken van de slachtoffers en de ouders van de vrouw genomen?'

'Ja. Daar was ik vannacht, voordat ik de auto ging onderzoeken.'

'Maar je hebt ze toch niet verteld wat er is gebeurd?' zei Cole vlug.

'Nou, de moeder heeft een beroerte gehad. Ik heb haar vingerafdrukken genomen terwijl ze bewusteloos was, dus ik kon haar niets vertellen. De vader is niet meer helemaal bij de les. Ik maakte er een spelletje van en hij had niets door.'

'Dementie?' vroeg Puller, en Cole knikte.

'Heeft hij heldere momenten?'

'Soms wel, denk ik,' zei ze. 'Zou hij ons ergens mee kunnen helpen?'

Puller haalde zijn schouders op. 'Nou, als deze mensen zijn vermoord door iemand uit de buurt, weet hij misschien iets. Op dit moment zie ik de volgende mogelijkheden. Eén: ze zijn vermoord in verband met kolonel Reynolds' werk voor de DIA. Twee: het heeft iets met zijn vrouw te maken. Drie: het heeft iets met de kinderen te maken. Vier: het heeft iets met de ouders van de vrouw te maken. Of vijf: het is iets waar we nog geen idee van hebben.'

'Het zou een gewone inbraak kunnen zijn,' merkte Monroe op.

Puller schudde zijn hoofd. 'Ze hebben een nieuwe Lexus, een laptop en de trouwring van de vrouw achtergelaten. Voor zover bekend, zijn er geen andere waardevolle voorwerpen verdwenen. En inbrekers nemen meestal niet de tijd om hun slachtoffers te ondervragen.'

Cole voegde daaraan toe: 'Waarschijnlijk hebben de ouders van de vrouw helemaal geen vijanden. En Reynolds' vrouw en kinderen waren hier alleen maar voor de zomervakantie. Ik denk niet dat ze de tijd hadden om vijanden te maken. Zo blijft kolonel Reynolds over.'

'Misschien. Toch mogen we niets uitsluiten.' Puller stond op. 'Zijn er nog meer vingerafdrukken gevonden die niet van de politieagenten zijn die hier het eerst waren?'

'De postbode. Een verzorgster van het verpleegtehuis. We vonden een afdruk van haar op de koelkast. Ze was hier om meneer Halverson te helpen voordat hij naar het tehuis ging. En twee ambulancebroeders die hierheen waren gestuurd toen de oude dame haar beroerte had gehad.'

'Geen anderen?'

'Ja, twee. Op de muur van de huiskamer en op het aanrecht in de keuken. Ik haal die afdrukken door onze database.'

Puller zei: 'Geef me er kopieën van, dan laat ik ze ook door de federale databases halen.'

'Bedankt.'

Puller zei: 'Hoe wisten de moordenaars wanneer de explosies in de mijn zouden plaatsvinden? Wordt dat bekendgemaakt?'

'Ja,' zei Cole. 'Er zijn veel voorschriften over explosies in de mijnbouw. Je moet er vergunningen voor hebben en je moet een explosieplan opstellen. De tijdstippen moet je ruimschoots van tevoren in de plaatselijke kranten bekendmaken. Mensen die in de buurt van de explosies wonen, krijgen persoonlijk bericht. Je moet een bepaalde springstof gebruiken. Omdat er grenzen aan het geluid zijn gesteld, moeten ze het aantal decibellen ook meten. Net als de trilling van de grond. En vaak moeten er acht milliseconden tussen de springstofladingen zitten.'

'Waarom?' vroeg Monroe, die de woordenwisseling gefascineerd had gevolgd. Hij zag Puller naar hem kijken. 'Ik heb hier in West Virginia gestudeerd, maar ik kom hier niet uit de buurt.'

Cole zei: 'Door die acht milliseconden worden het explosielawaai en de grondtrillingen binnen de perken gehouden.'

Puller keek haar aan. 'Blijkbaar weet jij veel van dat alles af. Hoe komt dat?'

Ze haalde haar schouders op. 'Ben hier geboren en getogen. Heel West Virginia is één grote mijn. Tenminste, dat gevoel krijg je soms.'

'En werkt je vader niet voor Trent Exploration?' vroeg Monroe.

Cole wierp een snelle blik op Puller, die nu nog aandachtiger naar haar keek. 'Vroeger wel,' zei ze zachtjes. 'Nu niet meer.'

'Waarom niet?' vroeg Puller.

'Hij is dood.'

'O, het spijt me.' Hij zweeg even. 'Welke explosieven gebruiken ze?'

'Meestal ANFO. Dat is een mengsel van ammoniumnitraat, dus kunstmest, en dieselolie. Ze schrapen de bovengrond en de lagen daaronder weg en boren dan gaten in het gesteente om de springstof aan te brengen. Het is de bedoeling dat de rotslagen worden gebroken. Daarna komen ze met zware machines om de steenkoolader bloot te leggen.'

'Waarom blazen ze de boel op in plaats van tunnels te maken?'

'Tientallen jaren geleden maakten ze tunnels, maar voor de steenkool die daar nog over is, kun je geen tunnels gebruiken. Het is zacht gesteente. Tenminste, dat zeggen ze. Maar het is gek.'

'Wat is gek?' vroeg Puller.

'Meestal moeten die explosies tussen zonsopgang en zonsondergang plaatsvinden, van maandag tot en met zaterdag. Trent moet een speciale vergunning hebben gekregen om 's nachts explosies te veroorzaken, en dan ook nog op zondag.'

'Dus de tijden van de explosies zijn bij iedereen bekend,' zei Puller. 'Dat maakt de lijst van mogelijke verdachten niet bepaald kleiner. Maar vertel me eens over Trent Exploration.'

'Trent is verreweg de grootste werkgever in deze omgeving.'

'Een bedrijf dat veel sympathie geniet?' vroeg Puller.

Cole perste haar lippen even op elkaar. 'Niemand is dol op steenkoolbedrijven. En zoals Trent het doet, komen er hele dalen vol puin te liggen. Dat leidt tot overstromingen en een heleboel andere milieuproblemen, om nog maar te zwijgen van het landschap dat lelijk wordt doordat de toppen van bergen worden afgehaald. Maar het is voor het bedrijf veel goedkoper om het op die manier te doen. Ze zijn enorm winstgevend.'

'Het levert ook banen op,' voegde Monroe daaraan toe. 'Mijn neef werkt als geoloog bij Trent. Hij verdient goed.'

Cole ging verder: 'Roger Trent is enig eigenaar van de onderneming. Hij heeft de voorschriften nogal eens overtreden en er zijn ook ongelukken geweest waarbij mensen zijn omgekomen. En het helpt ook al niet dat hij in een grote villa achter hoge hekken woont en schoon water door een buis krijgt aangevoerd omdat zijn bedrijf de grondwaterspiegel heeft verpest.'

'En de mensen hier laten dat gewoon gebeuren?'

'Hij heeft een stel schofterige advocaten en hij heeft de helft van de rechters in de staat in zijn zak zitten. Bovendien zorgt hij voor banen, betaalt hij een goed loon en geeft hij aan goede doelen, en dus wordt hij getolereerd. Maar als er nog een paar mijnongelukken gebeuren, en als er nog meer gevallen van kanker ten gevolge van vervuiling worden vastgesteld, jagen ze hem misschien met veren en pek de staat uit.'

Puller keek naar de lijken. 'Hoe lang waren de Reynolds' hier?'

Cole zei: 'Ongeveer vijf weken, volgens de mensen met wie we hebben gepraat.'

'En de kolonel reisde heen en weer vanuit Washington,' voegde Puller daaraan toe. Hij keek uit het raam. 'Hebben jullie met de buren gepraat?'

Cole zei: 'Er staan hier nog zeven huizen, en we hebben met iedereen gepraat. Dat heeft niets opgeleverd.'

'Dat is een beetje moeilijk te geloven,' zei Puller. 'Moordenaars naast de deur en niemand ziet of hoort iets? En dan wordt er een politieagent vermoord en rijdt iemand in zijn wagen weg, en opnieuw hoort niemand iets?'

'Ik kan je alleen maar vertellen wat ze zeiden.'

'Dan denk ik dat het tijd wordt om nog eens met iedereen te gaan praten.'

•16•

Puller ging het voortrapje af en liep door tot hij midden in de voortuin met door de zon verzengd gras stond. Cole was hem naar buiten gevolgd. Lan Monroe was binnen gebleven om de rest van het sporenmateriaal in zakjes te doen. Puller keek naar rechts, naar links en toen weer naar voren. De dag was snel voorbijgegaan. De zon was allang aan zijn afdaling begonnen, maar het was nog onbehaaglijk heet. Geen zuchtje wind. De vochtige lucht drukte van alle kanten tegen je aan, als muren van water.

'Puller, wil je de huizen verdelen?' vroeg ze.

Hij gaf geen antwoord.

Wat hij zag, moest worden ontcijferd en in het juiste perspectief worden gezet. Er stonden acht huizen aan de straat, vier aan elke kant, inclusief het huis waar de moorden waren gepleegd. Voor zes van de andere huizen waren mensen te zien. Een paar mannen, wat vrouwen, een stuk of wat kleine kinderen. Ze hadden allemaal een of ander karweitje gevonden. Ze wasten een auto, maaiden het gras, haalden de post, speelden met een bal of stonden gewoon wat te praten. In werkelijkheid bevredigden ze hun morbide nieuwsgierigheid door heimelijke blikken te werpen op het huis waar de gruweldaden waren gepleegd.

Puller had allereerst de taak de normale, voor de hand liggende dingen te scheiden van hun antithese. Hij keek naar het huis recht aan de overkant. Op het pad stonden twee auto's en een grote Harley-motor. Maar er was niemand buiten. Helemaal geen nieuwsgierigen.

Hij wees. 'Hebben jullie met de mensen in dat huis gesproken?'

Cole keek in de aangewezen richting. Toen riep ze over haar schouder naar een van de geüniformeerde agenten die de wacht hielden bij de plaats delict. 'Lou, jij hebt toch met die mensen gepraat?'

Lou kwam naar voren. Hij was de dikke agent. Zijn leren riem piepte onder het lopen.

Puller wist dat het een beginnersfout was. Je moest olie op je riem doen. Dat gepiep kon je je leven kosten.

Lou haalde zijn notitieboekje tevoorschijn en bladerde erin. 'Ik heb een man gesproken die Eric Treadwell heet. Hij woont in dat huis met een zekere Molly Bitner. Hij zei dat ze die ochtend vroeg naar haar werk was gegaan en niet tegen hem had gezegd dat ze iets verdachts had gehoord of gezien. Als ze thuiskwam, zou hij haar ernaar vragen. En Treadwell zei ook dat hij zelf niets had gezien of gehoord.'

70

'Maar misschien heeft hij vannacht iets gezien, toen Larry is vermoord,' zei Cole. 'Ik wil dat al die mensen opnieuw worden ondervraagd. Er is iemand weggereden in Larry's politiewagen. Misschien heeft iemand in een van die huizen iets gezien of gehoord.'

'Oké, brigadier.'

Puller zei: 'Heeft die Treadwell je een identiteitsbewijs laten zien?'

Lou, die net wilde weglopen om Coles bevel op te volgen, draaide zich naar hem om.

'Een identiteitsbewijs?'

'Ja, om te bewijzen dat hij daar echt woonde,' zei Puller.

'Nee, dat heeft hij niet laten zien.'

'Heb je erom gevraagd?'

'Nee.' Het klonk verdedigend.

'Hoe ging het in zijn werk? Ben je naar hem toe gelopen?' vroeg Puller.

'Hij stond bij zijn voordeur toen ik aan kwam lopen,' zei Lou. 'Dat is waarschijnlijk de reden dat ik hem niet om papieren heb gevraagd. Omdat hij in zijn huis was.'

Dat was gelul, wist Puller. De man verzon dat achteraf om te rechtvaardigen dat hij zo onprofessioneel te werk was gegaan en zelfs zijn gezond verstand niet had gebruikt.

'Maar je kende Eric Treadwell niet van gezicht?' vroeg Puller.

Cole keek naar haar agent, die kwaad naar Puller keek. 'Geef antwoord op de vraag, Lou.'

'Nee,' gaf Lou toe.

'Kenden andere agenten hem?'

'Niet voor zover ik weet.'

'Hoe laat was het?'

Lou keek weer in zijn notities. 'Kort na drie uur 's middags. Het telefoontje was kort daarvoor binnengekomen en wij waren hier nog maar net.'

'Waren er toen nog meer buren?'

'Nee, om die tijd in de middag zou je dat ook niet verwachten. Mensen in Drake werken. Niet alleen de mannen, maar ook de vrouwen.'

'Maar die man blijkbaar niet.'

'Waar wil je heen, Puller?' vroeg Cole. 'Bedoel je dat die man de moordenaar was? Dat zou nogal stom zijn: blijven rondhangen en met de politie praten.'

Bij wijze van antwoord wees hij naar het huis. 'Het is vijf uur 's middags geweest. Er staan twee auto's op het pad. Die stonden er al toen ik hier om vier uur vannacht aankwam. En ze hebben er de hele dag gestaan. Je zei dat iedereen hier werkt, maar dat geldt blijkbaar niet voor dat huis. En bij alle andere huizen zijn mensen buiten om naar ons te kijken. Dat is normaal. In dat huis staat zelfs niemand door de ramen naar buiten te loeren. Onder deze omstandigheden is dat niet normaal.' Hij keek Lou aan. 'Toen je maandag met die man praatte, stonden die twee auto's en die Harley toen ook al op het pad?'

Lou schoof zijn pet naar achteren en dacht even na. 'Ja, ik geloof van wel. Hoezo?'

'Nou, je zei dat die man zei dat zijn vrouw nog op haar werk was. Hoeveel auto's hebben ze?'

'Shit,' mompelde een beschaamd kijkende Cole. Ze keek Lou fel aan. 'Kom mee.'

Ze stak met grote stappen de straat over, gevolgd door Puller en Lou. Ze klopte op de deur, kreeg geen reactie en klopte opnieuw.

Niets.

Ze zei: 'Jammer genoeg hebben we geen huiszoekingsbevel. En we hebben ook geen gerede aanleiding om een inval te doen. Ik kan proberen iets te krijgen...'

Ze onderbrak zichzelf. 'Wat doe je?'

Puller had zich over de leuning van het trapje gebogen en keek door het raam aan de voorkant van het huis naar binnen.

'Ik help ons aan een gerede aanleiding.'

'Wat?' vroeg Cole op scherpe toon.

Puller trok zijn M11.

'Wat doe je?' riep Cole uit.

Puller trapte met zijn schoen, maat vijfenveertig, tegen het hout van de deur, en het bezweek. Zijn schouder maakte af wat zijn voet was begonnen. Puller ging naar binnen. Hij liep voorovergebogen en keek telkens om zich heen, met zijn pistool in dezelfde richting als zijn blik. Hij liep de hoek om en verdween uit het zicht.

'Kom binnen,' zei Puller. 'Maar kijk uit. We weten niet of er nog iemand is.'

Cole en Lou trokken hun wapen en volgden hem naar binnen. Ze keek om de hoek en zag Puller ernaar kijken.

'Allemachtig,' riep Cole uit.

Een man en een vrouw. Allebei zwaargebouwd en misschien in de veertig. Door de staat waarin ze verkeerden was het moeilijk te zien. De man was bebaard en had tatoeages op zijn beide armen en een grote tatoeage van een adelaar op zijn blote borst. Het haar van de vrouw was geblondeerd en ze droeg een verpleegstersbroek, maar niets daarboven.

Ze zaten op de bank in de huiskamer.

Ze waren duidelijk dood, maar de oorzaak daarvan was niet meteen te zien. Cole stond naast Puller, die naar de lijken keek.

Puller keek naar de vloer. Geen zichtbare afdruk van een statief, want de vloer was van hardhout en er lag geen kleed op. Toch stuurde zijn intuïtie hem een duidelijke boodschap.

Zij zijn ook ondervraagd.

Ze werden allebei al groen. Reanimatie was niet aan de orde. Een graf wel.

De man had een ring van de Virginia Tech-universiteit aan zijn rechterhand. De vrouw had een armband om haar linkerpols, en ook een Timex-horloge.

Puller zei: 'Zo te zien zijn ze ongeveer tegelijk met de Reynolds' gestorven. We moeten een arts laten komen om ze officieel dood te laten verklaren.'

'Oké, maar hoe zijn ze gestorven?' vroeg Cole.

Puller keek weer naar de vloer. Geen bloedspatten. Hij haalde een nieuw paar rubberen handschoenen uit een tasje aan zijn riem, trok ze aan en hield het hoofd van de man naar voren. Geen ingangs- of uitgangswond van een kogel. Geen verbrijzeling van de hersenstam. Geen messteken. Geen wurgsporen op de hals. Geen sporen van slagen tegen de buik.

'Verstikking?' zei Lou, die verder weg stond en er een beetje misselijk uitzag, vermoedelijk vanwege de stank.

Puller maakte voorzichtig het linkerooglid van de man open. 'Geen tekenen van petechieën.' Hij keek naar het bovenlijf van de man en toen naar dat van de vrouw.

'Wat is er?' vroeg Cole, die hem onderzoekend had zien kijken.

'De lichamen zijn verplaatst. En hun shirts zijn uitgetrokken.'

'Hoe weet je dat?'

Hij wees naar lichte plekken op de armen en om de hals van beide lichamen. 'Dat zijn vibices. Ze vullen zich niet met bloed doordat strakke kleren druk op de haarvaten uitoefenen. Dat betekent dat ze hun shirts nog een tijdje aanhadden toen ze al dood waren. En na de dood zakt het bloed door de zwaartekracht naar de laagste delen van het lichaam.'

'Lijkbleekheid,' zei Cole.

'Precies,' zei hij. 'Zes uur na de dood stolt het bloed in de haarvaten. Dan ontstaan de permanente vlekken.'

'Waarom zouden de daders hun shirts hebben uitgetrokken nádat ze hen hadden gedood?'

Lou zei: 'Nou, we weten niet of iemand ze heeft vermoord, hè? Misschien hebben ze zelfmoord gepleegd. Ze kunnen vergif of zoiets hebben ingenomen en hun shirts hebben uitgetrokken voordat ze de pijp uitgingen.'

Puller schudde zijn hoofd. 'Het toxicologisch onderzoek zal zekerheid geven, maar in de meeste gevallen van vergiftiging vertonen de hypostatische zones duidelijke verkleuringen: kersrood, rood, roodbruin of donkerbruin. Dat zie ik hier niet.'

Cole keek naar elk van hun handen. 'Geen sporen van verweer. De nagels zien er betrekkelijk schoon uit. We moeten natuurlijk alles onderzoeken. Maar waarom zijn hun shirts uitgetrokken? Vooral zij. Wanneer ik als vrouw zelfmoord zou plegen, zou ik echt niet topless gevonden willen worden.'

Ze nam haar blik weg van de zware, dooraderde borsten van de vrouw, die bijna tot haar navel zakten.

Puller zei: 'De moordenaars hebben de shirts uitgetrokken omdat het voor ons daardoor een beetje moeilijker is om te ontdekken hoe deze mensen zijn gestorven.'

'Wat bedoel je?'

'Ik bedoel dat er bloedvlekken op de shirts hebben gezeten.'

'Hoe weet je dat?'

Hij wees naar een plek waar de rechterborst van de vrouw begon. 'Er is bloed door het shirt geweekt, en een deel daarvan is in die holte blijven zitten. De moordenaars moeten het over het hoofd hebben gezien, maar verder hebben ze alles grondig schoongemaakt, want anders zouden er bloed- en weefselspatten zijn geweest.'

'Oké, maar waar komt dat bloed dan vandaan?' riep Cole uit.

Puller bukte zich en opende voorzichtig het rechterooglid van de man. 'Ik zou dit eerder hebben gezien, maar ik maakte het verkeerde open.'

Cole boog zich er dichter naartoe. 'Verdomme.'

Het oog was weg. In de plaats daarvan was een donker, bladderend gat te zien.

'Een contactwond,' zei Puller. 'We zullen kruit in het wondspoor vinden. Klein kaliber. Kijk bij de vrouw.'

Cole trok rubberen handschoenen aan. Het linkeroog van de vrouw was ook een gat. Er zat grijze hersenmaterie om de opening heen.

'Dat heb ik maar één keer eerder gezien,' zei Puller. 'In Duitsland. Soldaat op soldaat. Special Forces. Ze weten daar heel veel over het doden van mensen.'

Cole richtte zich op en zette haar handen in haar zij. 'Waarom zo omslachtig? Zelfs wanneer wij het niet hadden gezien, zou het bij de sectie aan het licht zijn gekomen.'

'Misschíen zou het bij de sectie aan het licht zijn gekomen. Misschien rekenden ze erop dat jullie het snijwerk aan een ambulancebroeder overlieten en dat die het niet zou zien. Of dat er geen röntgenfoto zou worden genomen, zodat de kogel in de hersenen niet te zien zou zijn. Jammer genoeg gebeurt dat aan de lopende band, en waarschijnlijk vonden ze het 't proberen waard. Er is ook goed nieuws: geen van beide lijken heeft een uitgangswond. Dat betekent dat de kogels er nog in zitten.' Hij keek Lou aan. 'Dit is natuurlijk niet de man met wie je gisteren hebt gesproken.'

'Nee. Die was veel magerder en hij was gladgeschoren,' gaf Lou schaapachtig toe.

'Geef ons eens een volledig signalement van hem.'

Dat deed Lou.

Puller zei: 'We moeten hier naar identiteitspapieren zoeken.'

Cole ging verder: 'En deze man was natuurlijk al dood toen die kerel jou in de maling nam, Lou. Geef zijn signalement over de radio door en laat een opsporingsverzoek uitgaan. Doe dat nu meteen, al is die kerel waarschijnlijk allang verdwenen.'

Lou ging weg en ze keek Puller aan. 'Nu zitten we met twee plaatsen delict. Op die manier houd ik geen mensen meer over. Zou het leger nog een paar mensen kunnen missen?'

'Ik weet het niet,' zei Puller, en hij dacht: *in het begin konden ze alleen mij missen. Verandert dit daar iets aan of niet?*

'Nou, de moorden moeten met elkaar in verband staan. Dat weten we tenminste. Het zou wel heel erg toevallig zijn als twee verschillende stellen moordenaars in dezelfde tijd in dezelfde straat twee moordpartijen hadden aangericht.'

Toen hij zweeg, zei ze opnieuw: 'Er moet toch een verband zijn?'

'Niets moet iets zijn. Het moet worden bewezen. Dan geloof ik het.'

'Maar heb je nu misschien al theorieën over een verband tussen de twee moordpartijen?'

Puller keek naar het raam. 'Dat kijkt uit op het huis van de Reynolds'.'

Cole ging bij het raam staan en keek naar buiten. 'Dus je denkt dat deze mensen daar iets hebben gezien en tot zwijgen gebracht moesten worden?'

'Maar als je het omkeert, kijkt het raam van de Reynolds' ook uit op dit huis.'

Cole knikte. Ze zag waar hij heen wilde. 'Het is dus een kwestie van de kip en het ei. Wie zag wat het eerst?'

'Misschien wel.'

'Nou, het moet echt het een of het ander zijn.'

'Nee, dat hoeft niet,' zei Puller.

·18·

De lijken leverden weinig aanwijzingen op.

De kelder was veel interessanter.

Puller en Cole hadden het souterrain doorzocht en stuitten op een deur die op slot zat. Met toestemming van Cole maakte Puller de deur open met een bandenlichter; die had hij gevonden in een la van een oude kast die tegen een van de muren stond. De kamer achter de deur was drie meter breed en vier meter diep.

Op een lange klaptafel zagen ze propaanflessen, flessen verfverdunner, een blik kampeergas, weckflessen, rollen slang, gascilinders, pillenflesjes en steenzout, trechters en klemmen, koffiefilters, kussenslopen, koelemmers en thermosflessen.

'Heb je een biohazardteam?' vroeg Puller. Hij hield zijn hand over zijn mond en neus om zijn longen tegen de stank van oplosmiddelen en chemicaliën te beschermen.

'Een methamfetaminelab,' zei Cole.

'Een methamfetaminelab,' herhaalde Puller. 'Heb je een biohazardteam?' vroeg hij opnieuw. 'Dit kan ontploffen. En dan is de plaats delict hierboven ook verdwenen.'

'We hebben geen biohazardteam, Puller.'

'Dan vorm ik zo'n team.'

Twintig minuten later zagen de buren, Cole en haar agenten dat Puller het huis weer binnenging. Hij droeg een groen biohazardpak met capuchon en luchtfilter, rode overschoenen en groene handschoenen. Dat alles was uit zijn grote rugzak gekomen. Puller ging systematisch te werk. Hij zocht naar vingerafdrukken en vond ze, scheidde mogelijk vluchtige stoffen van elkaar en fotografeerde en labelde alles wat hij vond. Twee uur later ging hij naar buiten en zag dat de zon bijna was ondergegaan. Hij zette zijn capuchon af. Hij was drijfnat van het zweet. Het was erg warm geweest in het huis en het pak voegde daar minstens tien graden aan toe.

Cole zag de zweetdruppels op zijn gezicht, het platgeslagen, natte haar. Ze gaf hem een fles koud water. 'Gaat het wel? Je ziet er afgepeigerd uit.'

Hij dronk de helft van de fles op. 'Het gaat wel. Er is daarbinnen heel wat te vinden. Ik heb in het leger aan een stuk of wat drugslaboratoria gewerkt. Dit lab was vrij primitief, maar goed genoeg. Het kon een redelijk goed product maken, alleen niet zoveel.'

'Terwijl je daaraan werkte, heb ik een plaats gevonden waar de lijken heen kunnen.'

'Waar?'

'Het plaatselijke uitvaartbedrijf. Ze hebben koeling.'

'Het moet goed beveiligd zijn.'

'Ik zet hier twee agenten neer en daar één. Ze worden afgewisseld, vierentwintig uur per dag, zeven dagen per week.'

Puller strekte zijn rug.

'Heb je honger?' vroeg ze.

'Ja.'

'Er is een goed restaurant in de stad. Dat blijft nog lang open.'

'Zo lang dat ik eerst een douche kan nemen en andere kleren kan aantrekken?'

'Ja. Ik ben van plan hetzelfde te doen. Misschien krijg ik de stank eruit.'

'Vertel me hoe ik daar kom.'

'Waar heb je een kamer?'

'Annie's Motel.'

'Het restaurant is daar maar drie minuten vandaan, twee blokken naar het oosten. Rechtsaf Cyrus Street in. Kan niet missen. Ach, alles is hier maar drie minuten bij elkaar vandaan. Zo'n stadje is het.'

'Veertig minuten naar het motel. Tien minuten om te douchen en me aan te kleden. Vijf minuten later in het restaurant. Ik zie je over zestig minuten.'

'Maar als je die minuten van jou optelt, kom je op vijfenvijftig.'

'Ik heb vijf minuten nodig om met mijn baas te praten. Dat had ik al eerder moeten doen, maar ik had het een beetje druk.'

'Een béétje druk? Dan leg je de lat hoog. Ik heb mijn stopwatch. Stel me niet teleur.'

Hij reed naar het motel terug langs het restaurant waar ze later zouden eten, nam een douche en trok een schone spijkerbroek en een T-shirt aan. Hij haalde zijn minilaptop tevoorschijn, sloot zijn communicatieapparaatje aan en stuurde een versleutelde e-mail op topgeheimniveau naar Quantico. Daarna zat hij twee minuten aan zijn beveiligde telefoon om de SAC te vertellen wat hij had ontdekt en tot nu toe had gedaan. Don White wilde de volgende dag een gedetailleerd rapport per e-mail en kort daarna een formeler rapport over de post.

'Er kijken veel mensen mee, Puller.'

'Ja, dat hebt u goed duidelijk gemaakt.'

'Heb je al theorieën?' vroeg White.

'Zodra ik die heb, hebt u ze ook. De laptop en aktetas van de kolonel zijn op een veilige plaats. Ik zal proberen ze bij de politie weg te krijgen en naar die vestiging van het ministerie van Binnenlandse Veiligheid te brengen.'

'Heb je al geregeld dat er iets naar USACIL wordt gestuurd?'

'Daar ben ik mee bezig. Het moet morgen de deur uit. In elk geval de eerste partij. Er is hier veel te verwerken. Twee plaatsen delict in plaats van één.' Hij zweeg even om de SAC de gelegenheid te geven hem meer mankracht aan te bieden. Dat gebeurde niet.

'Houd de communicatielijnen open, Puller.'

'Jazeker.'

Puller klapte zijn telefoon dicht en liet zijn minilaptop in een binnenzak van zijn jasje glijden. Hij hield er niet van zulke dingen achter te laten in een motel-kamer, waar iedereen met een knipmes of een creditcard kon inbreken. Hij nam zijn wapens ook mee, een voor en een achter.

Op weg naar buiten liep hij langs zijn auto en controleerde nog eens of hij op slot zat. Hij dacht dat hij lopend eerder bij het restaurant zou zijn dan met de auto.

En dus ging Puller lopen. Op die manier zag hij ook meer van de omgeving. En misschien zag hij toevallig ook degene die twee huishoudens had uitgemoord. Hij had het gevoel dat er iets plaatselijks achter de moorden zat. Maar niet noodzakelijkerwijs in alle opzichten.

·19·

Het restaurant leek op duizenden andere gelegenheden in provinciestadjes waar Puller had gegeten. Op de ruiten stond THE CRIB ROOM te lezen in sjabloonletters die ouder leken dan Puller. Een ander, kleiner bordje liet weten dat je daar de hele dag door kon ontbijten. Binnen was er een lang buffet met draaistoelen die bekleed waren met gebarsten rood vinyl. Achter het buffet stonden rijen koffiepotten, die ondanks de warmte op de late avond voortdurend in gebruik waren. Al zag Puller dat er ook veel flesjes en glazen koud bier naar de dorstige klanten gingen.

Door een luik tussen de zaal en de keuken zag Puller rijen oude elektrische keukenapparaten en rekken met frituurmandjes die elk moment in pannen vol hete, borrelende olie konden verdwijnen. En er stonden twee zwart uitgeslagen pannen op branders. Hij zag in de keuken ook twee koks met witte mutsen, gevlekte T-shirts en vermoeide gezichten. Het hele restaurant rook naar tientallen jaren oud frituurvet.

Voorbij de krukken zag hij nissen voor vier personen met bankjes, die bekleed waren met hetzelfde gebarsten vinyl, in L-vorm tegen twee muren, en tafels met geruite kleedjes die nog net tussen het buffet en de nissen pasten. Het restaurant was voor driekwart vol. De verhouding mannen/vrouwen was zestig/veertig. Veel van de mannen waren slank, bijna broodmager. De meesten droegen een spijkerbroek, een werkoverhemd en schoenen met stalen neuzen en hadden hun haar strak naar achteren gekamd, waarschijnlijk omdat ze net hadden gedoucht. Misschien waren het mijnwerkers die hun dienst er net op hadden zitten, dacht Puller. Cole had gezegd dat ze hier geen tunnels boorden om bij de steenkool te komen. Ze maakten met springstoffen de berg kapot en vervoerden de steenkool over verraderlijke wegen. Het was nog steeds gevaarlijk, zwaar werk. En deze mannen zagen daarnaar uit.

De vrouwen waren voor de helft moederlijke types met brede rokken tot op de knieën en zedige blouses. De andere helft bestond uit jongere, pezige vrouwen die spijkerbroeken droegen, al dan niet met afgeknipte pijpen. Een paar tienermeisjes droegen strakke outfits die kort genoeg waren om iets van hun slipje of bleke billen te laten zien, waarschijnlijk tot grote verrukking van hun ruig uitziende vriendjes. Er waren een paar mannen die een jasje, een katoenen broek, een buttondownoverhemd en schoenen met kale plekken droegen. Misschien mijnemployés die hun handen niet vuil en hun rug niet kapot hoefden te maken voor hun dagelijks brood. Blijkbaar moesten ze allemaal in hetzelfde restaurant eten.

Dat was nog eens democratie, dacht Puller.

Cole was er al; ze zat in een nis aan de achterkant. Ze zwaaide en hij liep naar haar toe. Ze droeg een spijkerrok die haar gespierde kuiten liet zien en een witte mouwloze blouse die haar stevige, gebruinde armen tot hun recht liet komen. De ongelakte tenen van de vrouw staken uit haar sandalen. Haar grote schoudertas stond naast haar en Puller nam aan dat ze daar haar Cobra en badge in had. Haar haar was nog vochtig van de douche. De kokosnootlucht daarvan won het van het frituurvet toen Puller dichterbij kwam. Alle ogen in het restaurant waren op hem gericht, iets waarvan hij zich bewust was en wat hij onder de omstandigheden volkomen normaal vond. Hij geloofde niet dat er veel vreemden in Drake kwamen. Aan de andere kant was kolonel Reynolds ook een vreemde geweest. En nu was hij dood.

Puller ging zitten. Ze gaf hem een plastic menukaart. 'Achtenvijftig minuten. Je hebt me niet teleurgesteld.'

'Ik heb snel gedoucht. Hoe is de koffie?' vroeg hij.

'Waarschijnlijk net zo goed als in het leger.'

Hij vertrok zijn lippen even toen ze dat zei. Intussen keek hij snel het menu door en legde het neer.

'Weet je het al?' vroeg ze.

'Ja.'

'Zo iemand als jij moet natuurlijk vaak snelle beslissingen nemen.'

'Zolang het ook de goede beslissingen zijn. The Crib Room?'

'Dat is mijnwerkersjargon. Het is de ruimte die in een mijncomplex is aangewezen om er te eten en pauze te nemen.'

'Zo te zien doen ze hier ook goede zaken.'

'Het is zo ongeveer de enige eetgelegenheid in de stad die zo laat nog open is.'

'Een goudmijntje voor de eigenaar.'

'Dat zal Roger Trent zijn.'

'Is hij hier ook eigenaar van?'

'Hij is eigenaar van het grootste deel van Drake. Hij heeft alles goedkoop in handen gekregen. Het is hier zo vervuild dat mensen gauw hun bezit verkopen om weg te kunnen gaan. Degenen die blijven, krijgen steeds weer met hem te maken. Levensmiddelen, autoreparaties, loodgieterswerk, elektriciteit, dit restaurant, dat benzinestation, de bakkerij, de kledingzaak... De lijst is eindeloos lang. Ze zouden dit stadje Trentsville moeten noemen.'

'Dus hij verdient geld aan de milieunachtmerrie die hij zelf heeft gecreëerd.'

'Het leven is niet eerlijk, hè?'

'En Annie's Motel? Is dat ook van hem?'

'Nee. De eigenares wilde het niet verkopen. En die kan de eindjes maar net aan elkaar knopen. Ik geloof niet dat Roger veel belangstelling voor haar motel heeft.'

Ze keek naar de andere gasten. 'De mensen hier zijn nieuwsgierig.'

'Waarnaar?'

'Naar jou. Naar wat er is gebeurd.'

'Dat is te begrijpen. Nieuwtjes doen hier zeker snel de ronde?'

'Het is net een virus. Van mond tot oor.'

'Hebben de media al vragen gesteld?'

'Het is eindelijk tot ze doorgedrongen. Er zijn boodschappen bij me ingesproken. De krant. Een radiostation. Ik kreeg een mailtje van een tv-station in Parkersburg. Ik verwacht er ook eentje uit Charleston. Als er iets ergs gebeurt, zitten ze er allemaal gedurende zo'n kwartier bovenop.'

'Houd ze allemaal nog maar even aan het lijntje.'

'Ja, zo lang als ik kan, maar daarover heb ik niet het laatste woord.'

'Je baas?'

'Sheriff Pat Lindemann. Het is een beste kerel, maar hij is geen contact met de media gewend.'

'Daar kan ik mee helpen.'

'Heb jij veel met de pers te maken?'

'Nee, maar het leger heeft daar mensen voor. En die zijn er goed in.'

'Dat zal ik de sheriff laten weten.'

'Ik neem aan dat iedereen van het tweede huis heeft gehoord?'

'Dat neem je waarschijnlijk terecht aan.'

Ze hadden identiteitspapieren in het huis gevonden. De dode man was Eric Treadwell, drieënveertig jaar oud. De vrouw was Molly Bitner, negenendertig.

'Dus de bedrieger gebruikte Treadwells naam toen hij met mijn politieagent praatte. Dat was nog steeds een groot risico. Als Lou om papieren had gevraagd of in het huis had willen kijken... Of als een van mijn mensen Treadwell had gekend? Zo groot is Drake nu ook weer niet.'

'Je hebt gelijk. Het was een groot risico. Maar het werkte in hun voordeel. En mensen die bereid zijn zulke grote risico's te nemen die ook nog goed voor ze uitpakken, zijn geduchte tegenstanders.' Puller dacht dat de bedrieger een bijzondere training had gehad. Misschien een militaire training. Dat zou heel snel tot problemen kunnen leiden. Hij vroeg zich af of het leger daar een vermoeden van had en of het de reden was dat hij in zijn eentje naar Drake was gestuurd.

De serveerster, een klein, chagrijnig type met grijs haar, wallen onder haar ogen en een schurende stem, kwam hun bestelling opnemen.

Puller had voor een ontbijt gekozen: een uitsmijter van drie eieren met bacon, grutten, gebakken aardappeltjes, toast en koffie. Cole nam een Cobb-salade met een dressing van olie en azijn en een glas ijsthee. Toen Puller het menu terug wilde geven, viel zijn jasje open en kwam zijn M11 in zicht. De ogen van de serveerster flikkerden. Ze pakte meteen de aangeboden menu's aan en liep weg. Puller zag dat en betwijfelde dat het de eerste keer was dat de dame een vuurwapen zag.

'Ontbijt?' vroeg Cole.

'Dat heb ik vandaag overgeslagen en ik wou toch nog ontbijten voordat ik ging slapen.'

'Heb je contact opgenomen met je baas?'

'Ja.'

'Is hij tevreden over wat je hebt bereikt?'

'Dat heeft hij niet gezegd. En eerlijk gezegd heb ik niet veel bereikt. Ik heb alleen een heleboel vragen.'

Haar ijsthee en zijn koffie kwamen.

Cole nam een slokje uit haar glas. 'Denk je echt dat die mensen zijn ondervraagd voordat ze werden vermoord?'

'Het zit ergens tussen raden en deduceren in.'

'Een drugslab in de kelder?'

'Ik wil dat graag geheimhouden.'

'We doen ons best. Ik heb mijn mannen het zwijgen opgelegd.' Ze aarzelde en wendde haar ogen af.

Puller las haar gedachten. 'Maar dit is een klein stadje en soms lekt er iets uit?'

Ze knikte. 'Waarover zouden ze zijn ondervraagd?'

'Stel dat de mensen die Treadwell en Bitner hebben vermoord met hen samenwerkten in de drugshandel. Een of meer van de Reynolds' zien verdachte dingen gebeuren. Daar worden ze op betrapt. De drugscriminelen willen weten hoeveel ze hebben gezien en aan wie ze het hebben verteld.'

'En dat legden ze op video vast om het aan iemand anders te laten zien? Waarom, als dit iets plaatselijks is?'

'Dat hoeft het niet te zijn, tenminste niet helemaal. Mexicaanse drugskartels zijn tegenwoordig actief in de grote steden en ook de landelijke gebieden van de Verenigde Staten. Die kerels spelen geen spelletjes. Ze willen alles zien. En ze hebben eersteklas apparatuur, ook voor communicatie. Het kunnen livebeelden zijn geweest.'

'Maar je zei dat het een eenvoudig lab voor methamfetamine was, met niet zo'n grote productie.'

'Dat kan een bijverdienste van Treadwell en Bitner zijn geweest. Misschien werkten ze in een andere hoedanigheid voor een drugskartel. Hebben jullie hier drugsproblemen?'

'Waar hebben ze die niet?'

'Meer dan in de meeste plaatsen?'

'Ik denk dat we hier meer dan onze portie hebben,' gaf Cole toe, 'maar dan hebben we het voor een groot deel over medicijnen. Ga maar verder met je

theorie. Waarom zouden ze Bitner en Treadwell vermoorden?'
'Misschien trokken ze de streep bij moord en moesten zij ook vermoord worden om hun het zwijgen op te leggen.'
'Ik weet het niet. Het zou kunnen,' zei Cole.
'Het zou alleen kunnen als we uitgaan van wat we nu weten. Dat kan veranderen. Ze droegen geen van beiden een trouwring.'
'Voor zover ik heb kunnen nagaan, leefden ze alleen maar samen.'
'Hoe lang?'
'Ongeveer drie jaar.'
'Waren ze van plan te gaan trouwen?'
'Nee, het schijnt dat ze het alleen vanwege de kosten deden.'
Hij keek haar nieuwsgierig aan. 'Wat?'
'Als je maar één hypotheek of huurbedrag hoeft te betalen, kun je meer met je loon doen. Dat is hier heel gebruikelijk. Mensen moeten zien dat ze rondkomen.'
'Oké. Wat weten we nog meer over hen?'
'Ik heb snel onderzoek gedaan terwijl jij de biohazardjongen uithing in die kelder. Ik heb ze niet persoonlijk gekend, maar het is een klein stadje. Hij heeft aan de Virginia Tech gestudeerd. Hij begon een bedrijfje in Virginia, maar dat is mislukt. Daarna heeft hij een heleboel banen achter elkaar gehad. Hij heeft hier jarenlang als technicus gewerkt, maar een tijdje geleden is hij die baan kwijtgeraakt. Hij heeft ongeveer een jaar bij een bedrijf gewerkt dat chemische stoffen levert. Dat was aan de westelijke kant van het stadje.'
'Chemische stoffen? Dan was hij misschien op zijn plaats in een chemisch lab. En als hij in de drugshandel zat, kon hij misschien ook niet van de voorraad afblijven. Waren er geruchten dat hij iets met drugs te maken had?'
'Niet dat ik kon ontdekken, maar dat betekent in feite alleen dat hij nooit in staat van beschuldiging is gesteld vanwege een drugsdelict. Wat de politie betrof, was hij brandschoon.'
'Dat betekent dat hij misschien slim genoeg was om zich niet te laten betrappen. Of dat hij nog maar kort met methamfetamine te maken had. Zoals je al zei: het zijn moeilijke tijden en het valt niet mee om rond te komen van je loon. En Bitner?'
'Die werkte hier op het kantoor van Trent Mining and Exploration.'
Puller keek haar aandachtig aan. 'Dus onze mijnmagnaat duikt weer op.'
'Ja, dat zou je kunnen zeggen,' zei Cole langzaam, zonder hem aan te kijken.
'Is dat een probleem?' vroeg hij.
Ze keek hem rustig aan. 'Blijkbaar denk jij van wel.'
'Die Trent heeft hier blijkbaar veel macht.'
'Dat is geen probleem, Puller. Geloof me.'

'Goed. Wat deed ze op dat kantoor?'

'Administratief en soortgelijk werk, voor zover ik weet. We zullen het nog grondiger uitzoeken.'

'Dus ze werkten allebei en hadden ook nog een drugslab. En toch woonden ze samen om geld uit te sparen en verbleven ze in een huis van niks? De kosten van levensonderhoud zullen hier toch niet zo hoog zijn?'

'Nee, maar de lonen zijn dat ook niet.'

Hun eten kwam en ze vielen hongerig aan. Puller nam nog twee koppen koffie.

'Hoe kun je ooit slapen?' vroeg Cole toen hij de derde kop naar zijn mond bracht.

'Mijn fysiologie loopt een beetje achter. Hoe meer cafeïne ik binnenkrijg, hoe beter ik slaap.'

'Je meent het.'

'Het leger leert je alleen te slapen als je het nodig hebt. Vannacht zal ik slaap nodig hebben, en dus zal ik slapen als een marmot.'

'Nou, ik kan ook wel wat slaap gebruiken. Vorige nacht heb ik maar een paar uur gehad.' Ze keek hem quasiboos aan. 'Dankzij jou, Romeo.'

'Het zal niet meer gebeuren.'

'Beroemde laatste woorden.'

'Worden de lichamen vervoerd?'

'Ze zijn er al.'

'Zei je dat agent Wellman getrouwd was?'

Ze knikte. 'Sheriff Lindemann is naar Larry's vrouw geweest. Ik ga morgen. Ik ken Angie niet zo goed, maar ze zal zo veel mogelijk steun nodig hebben. Ze zal wel een wrak zijn. Het zou mij niet anders vergaan.'

'Heeft ze familie in de buurt wonen?'

'Larry wel. Angie is uit het zuidwesten van Virginia hierheen gekomen.'

'Waarom?'

Ze glimlachte grimmig. 'Ik weet dat het lijkt of mensen hier alleen maar weg zouden willen, en niet andersom.'

'Dat bedoelde ik niet. En je zei dat mensen hier weg probeerden te komen. Ik wil alleen maar een beeld van deze plek krijgen.'

'Larry ging in Virginia naar school. Dat is hemelsbreed niet zo ver. Daar hebben ze elkaar leren kennen. Hij kwam hier terug en zij ging met hem mee.'

'En jij?'

Ze zette haar glas ijsthee neer. 'Wat is er met mij?'

'Ik weet dat je hier een broer hebt en dat je vader niet meer leeft. Heb je verder nog iemand in de buurt wonen?'

Hij keek naar haar hand. Geen trouwring, maar misschien droeg ze die niet als ze aan het werk was. En misschien was ze nog aan het werk.

Ze had hem zien kijken. 'Niet getrouwd,' zei ze. 'Mijn beide ouders zijn overleden. Mijn zus woont hier ook. En jij?'

'Ik heb geen familie hier in de buurt.'

'Je weet dat ik dat niet bedoelde, wijsneus.'

'Een vader en een broer.'

'Zitten ze in het leger?'

'Vroeger wel.'

'Dus het zijn nu burgers?'

'Dat zou je kunnen zeggen.' Hij legde wat geld op de tafel. 'Hoe laat spreken we morgen af?'

Ze keek naar het geld. 'Wat zou je zeggen van weer nul zevenhonderd? Julia.'

'Ik ben er om nul-zes. Zou ik vanavond nog Reynolds' laptop en aktetas kunnen krijgen?'

'Dat is formeel bewijsmateriaal.'

'Formeel gezien wel, maar ik kan je vertellen dat er mensen in Washington zijn, en niet alleen mensen in uniform, die ze erg graag terug willen hebben.'

'Is dat een bedreiging?'

'Nee. Zoals ik al eerder liet doorschemeren, wil ik niet dat je per ongeluk iets doet waardoor je later in moeilijkheden kunt komen. Ik kan je vertellen dat alles wat niet geheim is en met het onderzoek te maken heeft aan jou zal worden overgedragen.'

'En wie bepaalt dat?'

'De desbetreffende instanties.'

'Ik bepaal dat liever zelf.'

'Goed. Heb je een betrouwbaarheidsverklaring op het niveau Topgeheim of sci?'

Ze veegde een haarlok van haar gezicht weg en keek hem fel aan. 'Ik weet niet eens wat sci betekent.'

'Sensitive Compartmented Information. Gevoelige gegevens, alleen bestemd voor wie ze echt moeten weten. Het is heel lastig om die verklaring te krijgen. Daar komt nog bij dat het ministerie van Binnenlandse Veiligheid sap's heeft, Special Access Programs, met de daarbij behorende betrouwbaarheidsverklaringen. Reynolds had de leiding van ts/sci en sap's op zijn werkterreinen en voor zijn programma's. Dus als je zonder speciale machtiging in zijn laptop of aktetas probeert te kijken, moet je misschien terechtstaan voor hoogverraad. Dat wil ik niet, en ik weet dat jij dat ook niet wilt. Ik besef wel dat al die afkortingen waarschijnlijk nogal stom overkomen, maar mensen bij de overheid nemen ze erg serieus. En wanneer je over de schreef gaat, al is het per ongeluk, kan dat ernstige gevolgen hebben. Dat zijn grote problemen waar jij echt geen behoefte aan hebt, Cole.'

'Jij opereert in een vreemde wereld.'

'Dat zal ik niet tegenspreken.'

Overal om hen heen wierpen de brave burgers van Drake nieuwsgierige blikken op hen. Vooral twee mannen in pak hadden veel belangstelling, net als vier vlezige mannen die samen aan een tafel zaten. Die vier droegen corduroy broeken en T-shirts waarin hun gespierde armen duidelijk te zien waren. Een van hen droeg een Havoline-pet. Een ander droeg een stoffige cowboyhoed met een scherpe vouw aan de zijkant. Een derde dronk stilletjes zijn bier en staarde voor zich uit. De vierde, kleiner dan de rest maar nog altijd zo'n honderd kilo, keek via een grote spiegel aan de wand naar Puller en Cole.

Cole keek naar het geld. 'Het politiebureau is hier niet meer dan...'

'... drie minuten vandaan, net als de rest.'

'Nou, eigenlijk zijn het ongeveer acht minuten.'

'Kan ik die spullen krijgen?'

'Kan ik jou vertrouwen?'

'Die beslissing kan ik niet voor jou nemen.'

'Misschien kan ik dat zelf wel.' Ze legde een paar dollar neer om voor haar deel van de maaltijd te betalen.

'Ik denk dat mijn geld genoeg was voor ons beiden, met een fooi erbij,' zei Puller.

'Ik sta niet graag bij mensen in het krijt.' Ze stond op. 'Laten we gaan.'

Puller liet het geld liggen en volgde haar naar buiten. De hele stad Drake keek hen na.

·20·

Ze liepen door de straat. De weinige mensen keken naar Puller en zijn blauwe jasje met 'CID' in goudkleurige letters. Daar trok hij zich niets van aan. Hij was het gewend om buitenstaander te zijn. In stadjes als dit kwam hij alleen wanneer er iets ergs was gebeurd en dan was de sfeer gespannen. In veel gevallen waren er mensen door geweld om het leven gekomen. Een vreemde die dan aan het rondsnuffelen was, maakte de ellende en de argwaan alleen maar groter. Puller kon daar wel mee leven, maar hij wist ook dat er daar minstens één moordenaar rondliep en waarschijnlijk meer. En hij had het gevoel dat ze er nog waren. Misschien maar drie minuten lopen bij hem vandaan, net als de rest. Behalve het politiebureau.

Cole knikte enkele voorbijgangers toe en groette een oude vrouw die langzaam met een looprekje over het trottoir sukkelde. De vrouw zei vermanend: 'Jongedame, jij bent al een tijdje niet in de kerk geweest.'

'Dat is zo, mevrouw Baffle. Ik zal meer mijn best doen.'

'Ik zal voor je bidden, Sam.'

'Dank u. Dat kan ik vast wel gebruiken.'

Toen de vrouw verder schuifelde, zei Puller: 'Klein stadje?'

'Geen rozen zonder doornen,' antwoordde ze.

Ze liepen een eindje door.

Cole zei: 'We weten nu tenminste dat degene die Reynolds heeft vermoord niet achter zijn militaire zaken aan zat. Anders hadden ze de laptop en de aktetas wel meegenomen. Misschien kunnen we wel uitsluiten dat er spionage in het spel is.'

Puller schudde zijn hoofd. 'Je kunt de harde schijf van een laptop op een flashdrive kopiëren. Je hoeft de hardware dus niet mee te nemen. En heb je gezien of er iets in de aktetas zat?'

Ze deed alsof ze verbaasd was. 'Allemachtig, Puller, zonder SCI of SAP? Dat zou ik nóóit doen. Dan zou ik misschien moeten terechtstaan voor hoogverraad.'

'Oké, dat had ik verdiend. Maar heb je iets gezien?'

'Er zat een cijferslot op. Ik wilde dat niet kapotmaken, en dus verkeert alles nog in maagdelijke conditie.'

Hij bleef recht voor zich uit kijken en zei: 'Er lopen mensen achter ons, op zeven uur. De laatste drie blokken. Op twintig meter afstand.'

Cole bleef ook vooruit kijken. 'Misschien gaan ze gewoon in dezelfde richting als wij. Hoe zien ze eruit?'

'Een oudere man in een pak. Een jongen van in de twintig in een overhemd met afgeknipte mouwen, met tatoeages op zijn rechterarm.'

'Lopen ze samen?'

'Daar lijkt het op. Ze zaten in het restaurant ook de hele tijd naar ons te kijken, maar vanaf verschillende tafels.'

'Kom mee.'

Cole liep naar links om over te steken. Ze liet een auto voorbijgaan en keek in beide richtingen, zogenaamd om te zien of er verkeer aankwam. Ze stak over en Puller volgde haar. Ze ging naar rechts en bleef in dezelfde richting lopen, maar nu aan de andere kant van de straat.

'Ken je ze?' vroeg Puller.

'De man in het pak is Bill Strauss.'

'En wat doet Bill Strauss?'

'Hij is manager bij Trent Exploration. Zeg maar de nummer twee achter Roger.'

'En die vleesklomp met afgeknipte mouwen?'

'Zijn zoon Dickie.'

'Dickie?'

'Die naam heb ik ook niet verzonnen.'

'En wat doet Dickie? Iets bij Trent Exploration?'

'Niet dat ik weet. Hij heeft een tijdje in het leger gezeten.'

'Weet je ook waar?'

'Nee.'

'Oké.'

'Wat nu?'

'Nou, we gaan nu ontdekken wat ze willen.'

'Waarom?'

'Ze lopen op ons in.'

Uit gewoonte draaide Puller zich enigszins opzij en liet hij zijn rechterarm loshangen. Hij liet zijn kin zakken, draaide zijn hoofd vijfenveertig graden naar links en keek naar de rand van zijn gezichtsveld. Hij liep op de ballen van zijn voeten en verdeelde zijn gewicht gelijkmatig, zodat hij met uitgebalanceerde doeltreffendheid in alle richtingen kon aanvallen. Hij maakte zich niet druk om de oudere man. Bill Strauss was in de vijftig. Hij was pafferig en Puller kon horen dat de man al een beetje piepend ademhaalde doordat hij in een hoger tempo liep.

Dickie de tatoeagejongen was een ander verhaal, maar Puller maakte zich om hem ook niet zo druk. Hij was achter in de twintig, ruim een meter tachtig en zo'n honderdtwintig kilo zwaar. Puller merkte op dat hij dik was geworden nadat hij uit het leger was vertrokken, maar hij had het gemillimeterde haar nog en ook nog iets van de spieren.

'Brigadier Cole?' zei Strauss.

Ze draaiden zich om en wachtten af.

Strauss en zijn zoon liepen naar hen toe.

'Dag, meneer Strauss, wat kan ik voor u doen?' vroeg ze.

Strauss was ongeveer vijftien kilo te zwaar en iets korter dan een meter tachtig. Hij droeg een Canali-krijtstreeppak met een losgetrokken effen blauwe das en een wit overhemd. Zijn haar was grotendeels wit en langer dan dat van zijn zoon. Zijn gezicht was erg gerimpeld, vooral bij zijn mond. Zijn stem klonk schor, alsof zijn stembanden waren beschadigd. Puller zag de nicotinevingers en het rood-met-witte pakje Marlboro dat uit de borstzak van zijn jasje stak.

Longkanker op komst, meneer Piepadem.

Het gezicht van zijn zoon was vlezig en zijn wangen waren rood van te veel zon. Zijn borstspieren bolden op van te veel opdrukoefeningen, maar hij had de onderste helft van zijn lichaam verwaarloosd en dat was ten koste gegaan van zijn bil-, dij- en de zo belangrijke kuitspieren. Puller twijfelde er sterk aan of de man de drie kilometer van het leger binnen de toegestane tijd kon lopen. Hij keek ook nog eens naar de tatoeages op de onderarm.

Strauss zei: 'Ik hoorde van die lijken die gevonden zijn. Molly Bitner werkte bij mij op kantoor.'

'Dat weten we.'

'Het is afschuwelijk. Ik kan bijna niet geloven dat ze is vermoord. Ze was een heel aardige vrouw.'

'Ongetwijfeld. Hebt u haar goed gekend?'

'Nee, alleen van kantoor. Ze was een van de meiden die daar werkten, maar we hebben nooit problemen met haar gehad.'

Puller zei: 'En zou u hebben verwacht dat u problemen met haar had?'

Strauss keek nu Puller aan. 'Ik hoorde dat u militair bent. Bent u onderzoeker?'

Puller knikte, maar zei niets.

Strauss keek Cole weer aan. 'Mag ik vragen waarom u de zaak niet behandelt?'

'Dat doe ik wel, maar het is een gezamenlijk onderzoek, meneer Strauss. Een van de slachtoffers was militair. Daarom is agent Puller hier. Dat is de standaardprocedure.'

'Ik begrijp het. Natuurlijk. Ik vroeg het me alleen maar af.'

'Maakte ze de afgelopen dagen een normale indruk?' vroeg Puller. 'Leek het of haar iets dwarszat?'

Strauss haalde zijn schouders op. 'Nogmaals, ik had niet veel contact met haar. Ik heb mijn eigen secretaresse en Molly werkte in de grote kantoorruimte.'

'Wat deed ze precies?'

'Ze deed alles wat op het kantoor moest gebeuren, neem ik aan. We hebben een officemanager, mevrouw Johnson. Die kan uw vragen waarschijnlijk wel beantwoorden. Ze zal meer contact met Molly hebben gehad dan ik.'

Puller luisterde naar de oudere man, maar keek niet meer naar hem. Zijn blik was op de zoon gericht. Dickie had zijn ogen neergeslagen en zijn grote handen in de zakken van zijn corduroy broek gestoken.

'Ik hoorde dat je in het leger hebt gezeten,' zei Puller.

Dickie knikte, maar keek niet op.

'Welke divisie?'

'Eerste infanterie.'

'Gemechaniseerd. Fort Riley of Duitsland?'

'Riley. Ik ben nooit in Duitsland geweest.'

'Hoe lang heb je in het leger gezeten?'

'Eén termijn.'

'Beviel het je daar niet?'

'Ik beviel het leger niet.'

'osg of oo?'

Strauss onderbrak hen. 'Nou, ik geloof dat we genoeg van uw tijd in beslag hebben genomen. Brigadier Cole, als we u in enig opzicht kunnen helpen...'

'Dank u. We komen vast nog wel naar uw kantoor om met u te praten.'

'Uitstekend. Laten we gaan, Dickie.'

Toen ze wegliepen, vroeg Puller: 'Ken je die man goed?'

'Het is een van de vooraanstaande figuren in Drake. En ook een van de rijksten.'

'Ja. De nummer twee. Dus ongeveer even rijk als Trent zelf?'

'De Trents vormen een klasse apart. Strauss is alleen maar een van zijn boodschappenjongens. Maar wel een heel goedbetaalde. Zijn huis is veel kleiner dan dat van Trent, maar vergeleken met de rest van Drake is het een enorme villa.'

'Komt Strauss uit Drake?'

'Nee, hij is hier meer dan twintig jaar geleden met zijn gezin komen wonen. Ik geloof dat hij van de oostkust kwam.'

'Begrijp me nu niet verkeerd, maar waarom kwam hij hierheen?'

'Vanwege zijn werk. Hij was zakenman en werkte op energiegebied. Drake mag dan niet veel bijzonders lijken, we hebben hier wel energie in de vorm van steenkool en gas. Hij begon voor Trent te werken en die onderneming nam een hoge vlucht. Zeg, wat was dat voor oo-gedoe waar je het over had?'

Puller zei: 'osg is een afkorting voor ontslag wegens slecht gedrag. oo is nog erger. Dat is oneervol ontslag. Aangezien Dickie nog vrij rondloopt, zal het geen oo zijn geweest. Ze hebben hem eruit gegooid om iets waaraan geen krijgsraad te pas is gekomen. Dat bedoelde hij toen hij zei dat hij het leger niet beviel.'

Cole keek in de richting van de Straussen. 'Dat heb ik nooit geweten.'

'Veel osg's hebben te maken met drugsgebruik. Dat wil het leger gewoon niet hebben. Daarom schoppen ze die jongens eruit in plaats van ze te vervolgen.'

'Misschien is er een verband met het methamfetaminelab dat we hebben gevonden.'

'Dus jij bent ook op dat idee gekomen?' vroeg Puller.

Ze knikte. 'De tatoeages op Dickies arm zijn dezelfde als die op de arm van Eric Treadwell.'

•21•

Puller haalde de laptop en aktetas uit de kamer voor bewijsmaterialen in het politiebureau van Drake. Hij moest de noodzakelijke papieren invullen om aan de voorschriften voor het bewaren van bewijsmateriaal te voldoen.

Toen ze naar buiten liepen, gaapte Cole en rekte ze zich uit.

Hij zei: 'Je zou naar huis moeten gaan om wat slaap in te halen. Ik beloof dat ik je niet wakker bel.'

Ze glimlachte. 'Dat stel ik op prijs.'

'Zijn die tatoeages iets van een bende? Of vinden mensen hier in de buurt die specifieke figuren op hun arm gewoon mooi?'

'Ik geloof dat ik ze al eerder bij Dickie heb gezien, maar ik heb er nooit goed op gelet. Ik kan ernaar informeren.'

'Dank je. Dan zie ik je morgen.'

'Ben je daar echt om nul zes?'

'Ik zal je matsen. Ik kom pas om nul-zes-dertig.'

'O ja, ik heb een arts gevonden die de secties kan doen.'

'Wie?'

'Walter Kellerman. Hij is heel goed. Hij heeft zelfs een leerboek over forensische pathologie geschreven.'

'Wanneer gaat hij de secties doen?'

'Hij begint morgenmiddag. Om ongeveer twee uur in zijn praktijk in Drake. Wil je erbij zijn?'

'Ja.' Hij maakte aanstalten om weg te lopen.

'Hé, Puller, hoe kom ik toch bij de gedachte dat je nog niet naar bed gaat?'

Hij keek om. 'Als je me nodig hebt, heb je mijn nummer.'

'Dus ik mag je wakker bellen?'

'Wanneer je maar wilt.'

Puller liep vlug naar Annie's Motel terug. Cole had gelijk gehad. Hij ging nog niet naar bed. Hij keek naar de kleine verklikkers die hij altijd in zijn kamer aanbracht om er zeker van te zijn dat daar niemand geweest was. Annie's Motel had geen kamermeisjes of roomservice. Je moest je eigen kamer op orde houden en je eigen eten halen, en dat vond Puller prima. Hij trof niets verdachts aan.

Binnen vijf minuten was hij op weg naar het gebouw van het ministerie van Binnenlandse Veiligheid. Daarmee kon hij twee vliegen in één klap slaan. Hij belde vooruit om te regelen dat de agent die daar gestationeerd was hem op zou wachten en deed er over de bochtige wegen vijftig minuten over. Normaal gesproken werd de bergplaats van het ministerie voor opslag van bewijsmateriaal gebruikt wanneer een CID-agent in het veld opereerde en niet over beveiligde faciliteiten beschikte. Om voor de hand liggende redenen moest elk bewijsstuk door twee agenten worden geregistreerd.

Toen hij bij het gebouw aankwam, legden Puller en de man van het ministerie de laptop en de aktetas in speciale kistjes, die naar het forensisch lab van het leger in Atlanta zouden worden gestuurd. Puller beschikte niet over de technische expertise om de wachtwoorden en andere beveiligingsmaatregelen van de laptop te doorbreken. Daarbij was hij ondanks zijn TS- en SCI-verklaringen waarschijnlijk niet gemachtigd om kennis te nemen van wat er op de laptop en in de tas te vinden was. Omdat het om informatie kon gaan die de nationale veiligheid betrof, mocht hij geen gebruik maken van een commercieel transportbedrijf, en dus werd er een speciale militaire koerier opgeroepen om met de verzegelde kistjes een vliegtuig vanuit Charleston te nemen. Ze zouden later die dag in Atlanta aankomen. Puller had ze zelf naar Georgia kunnen brengen, zoals hij in het verleden had gedaan, maar het leek hem belangrijker dat hij ter plaatse bleef.

In het leger moest je je altijd indekken. Daarom had hij toestemming voor zijn plan gekregen van zijn SAC, die zichzelf weer had ingedekt door toestemming van hogerhand te vragen, helemaal tot op generaalsniveau. Puller wist niet hoe die generaal zich indekte, en eigenlijk kon dat hem ook niet schelen.

Toen Puller naar Drake terugreed, belde hij naar USACIL in Atlanta en sprak met een chef van wie hij wist dat die daar nog laat aan een spoedzaak werkte. Het was Kristen Craig, een burger en officier van justitie. Ze hadden vaak samengewerkt, al hadden ze elkaar maar een paar keer persoonlijk ontmoet. Hij vertelde haar in het kort wat er op komst was.

'Kristen, ik weet dat jullie betrouwbaarheidsverklaringen hebben voor de meeste zaken, maar hierover moeten jullie contact opnemen met de DIA. En het spul moet in jullie veilige kluis worden opgeborgen. Ik heb alles van de juiste merktekens voorzien.'

'Begrepen, Puller. Bedankt voor de informatie.'

Het militaire lab had verschillende afdelingen, al naar gelang het materiaal dat werd verwerkt. Vingerafdrukken, vuurwapens, gereedschapssporen, drugs, DNA, serologie, verf, auto's, digitale sporen en computers, en de lijst ging nog een hele tijd door.

'En, Kristen, het is een gecompliceerde plaats delict. Ik stuur je allerlei dingen, bestemd voor veel verschillende afdelingen. Wees daar dus op voorbereid. Ik zal mijn best doen om de bijbehorende papieren zo duidelijk mogelijk te maken, maar waarschijnlijk moet ik ook het een en ander uitleggen per e-mail of telefoon. En ik denk dat het leger hier heel veel spoed achter wil zetten.'

'Het verbaast me dat ze ons niet om technische ondersteuning hebben gevraagd. Hoeveel agenten heb je bij je?'

'Ik ben hier in mijn eentje.'

'Dat meen je niet!'

'In mijn eentje, Kristen.'

Hij hoorde haar diep ademhalen. 'Hé, Puller?'

'Ja?'

'Wat je me daarnet hebt verteld, klopt wel met wat hier vandaag is gebeurd.'

'Wat dan?'

'We kregen een telefoontje van het bureau van de minister van de Strijdkrachten.'

Puller hield zijn ene hand strak op het stuur en drukte de telefoon met zijn andere hand tegen zijn oor. 'O ja?'

'Ja. Dat gebeurt niet elke dag.'

'Dat weet ik. Wat wilden ze?'

'Ze willen overal van op de hoogte worden gehouden. En toen kregen we nog een telefoontje.'

'Jullie zijn populair. Van wie?'

'De FBI. Het bureau van de directeur. Hetzelfde verhaal. Ze willen op de hoogte worden gehouden. Ik vond dat je het moest weten.'

Puller dacht erover na. Zijn SAC had gezegd dat veel mensen de zaak volgden, en hij had niet overdreven. Misschien lag het antwoord bij kolonel Reynolds en bij wat hij voor de DIA deed. Maar waarom was de FBI er dan bij betrokken?

'Dank je, Kristen.'

'Hé, hoe gaat het met je vader?'

'Z'n gangetje.'

Niemand vroeg hem ooit naar zijn broer.

Hij klapte de telefoon dicht en reed door.

Hij kwam bij het motel terug en nam zijn rugzak mee naar binnen. De kofferbak van zijn Malibu had een speciale alarminstallatie en nog een paar andere verrassingen die beslist niet door de fabrikant waren aangebracht. Toch had Puller ook het gevoel dat hijzelf de beste beveiliging van belangrijke zaken vormde en nam hij ze dus altijd met zich mee.

Hij sliep met een van zijn M11's onder zijn kussen. Het andere pistool lag in zijn rechterhand. Dat laatste was niet doorgeladen; dat was de enige concessie die hij aan de veiligheid deed. Hij zou wakker moeten worden en het wapen moeten doorladen om te kunnen richten en schieten. En dan mocht hij niet missen. Dat alles zou hij in drie seconden doen, en dat zou snel genoeg zijn.

Hij moest gaan slapen. En zoals het leger hem had geleerd, deed hij dat binnen tien seconden.

·22·

Hij herinnert zich vooral het vuur. Altijd het vuur. In sommige opzichten was dat misschien het enige. Wanneer rubber, metaal en vlees tegelijk in brand staan, levert dat een geur op die nergens mee te vergelijken is. Het is een geur die in je DNA wordt gebrand en voor altijd een deel van je blijft.

Omdat zijn rechteronderarm is verbrijzeld, schiet hij met zijn linkerhand, met de kolf van zijn geweer tegen zijn oksel. Normaal gesproken is het een ramp als een rechtshandige persoon met zijn linkerhand de trekker overhaalt, maar hij is hier speciaal op getraind. Hij heeft veel bloed, zweet en tranen vergoten voor dit moment. Hij is ambidexter geworden, kan zich met beide handen even goed redden. Zijn gevechtsuniform is doorweekt met dieselbrandstof. Zijn helm is weggeslagen door de schokgolf. Het riempje onder zijn kin is helemaal weggebrand toen hij uit de Humvee kroop. Hij proeft zilt bloed.

Van hem en van anderen.

Er zitten stukjes menselijk weefsel op zijn gezicht.

Van hem en van anderen.

De zon is zo heet dat het lijkt of de benzine elk moment in brand kan vliegen om hem tot as te doen vergaan. Nog een paar graden en hij is een wandelende fakkel. Hij beoordeelt de situatie. Omhoog, omlaag, opzij. Alle kompasstreken. Het ziet er niet goed uit. Eigenlijk ziet het er nooit goed uit. Twee zware Humvees zijn als afgeslachte neushoorns op hun kant gegooid. Ondanks de bepantsering aan de onderkant zijn negen van zijn mannen dood of ernstig gewond. Hij is de enige die nog mobiel is. Daar is geen goede reden voor. Het is zuiver een kwestie van geluk. Geen van zijn mannen heeft iets verkeerd gedaan. Hij heeft niets bijzonder goed gedaan.

Het was een zware bermbom. De terroristen worden steeds beter. De Amerikanen verbeteren hun bepantsering, en dus zorgen de bommenleggende tulbanddragers voor een hardere knal.

Hij besproeit de omgeving met zijn geweer, schiet twee magazijnen leeg, laat het geweer vallen, schudt zijn pistool los en schiet het verlengde magazijn daarvan ook leeg. Hij is niet echt van plan iemand met zijn schoten te doden. Hij wil alleen hun aandacht trekken, hen laten weten dat hij er nog is. Dat ze hem en zijn mannen niet zomaar te grazen kunnen nemen. Dat het niet gemakkelijk zal gaan. En dat het ook niet slim is om het te proberen.

Vervolgens pakt hij zijn favoriete wapen uit de verwoeste Humvee. Het sluipschuttersgeweer. Nu zal hij veel zorgvuldiger schieten. Hij gebruikt het metalen

95

karkas van de Humvee als steun. Hij wil hun laten weten dat het hem menens is. Hij lost een schot om de loop van het geweer warm te maken. Hoe goed je ook kunt schieten, een kogel die door een koude loop gaat, mist bijna altijd zijn doel. Sluipschutters hebben meestal spotters, maar die luxe heeft hij nu niet. En dus telt hij de stippen van zijn draadkruis, maakt hij inschattingen van hoeken, afstanden, verval, omgevingstemperatuur, wind en nog meer factoren en past hij zijn vizier aan. Hij doet dat automatisch, zonder er echt bij na te denken. Als een computer die een beproefd en correct algoritme uitvoert. Hoe groter de afstand van het schot, hoe groter de gevolgen van kleine rekenfouten. Een paar centimeter hier of daar betekent dat je meters naast je doel schiet. Hij jaagt op ademende figuren die over de straat rennen. Die mannen zijn allemaal slank en kunnen de hele dag hardlopen. Geen grammetje westers vet op hun lijf. Ze zijn wreed, gehard – genade kennen ze niet.

Aan de andere kant is hij ook wreed en gehard en komt het woord 'genade' niet meer in zijn woordenboek voor sinds de dag waarop hij voor het eerst het uniform aantrok. De spelregels zijn duidelijk. Die waren al duidelijk vanaf het moment dat mensen voor het eerst wapens tegen elkaar opnamen.

Hij haalt rustiger adem en laat de lucht dan langzaam ontsnappen, tot hij als schutter zijn persoonlijke vriespunt van fysiologische perfectie heeft bereikt. Om de beweging van de loop te minimaliseren haalt hij tussen twee hartslagen door de trekker over, waarbij hij de bal van zijn vinger gebruikt om te voorkomen dat het wapen opzij trekt. Het schot treft doel en laat de talibanhardloper rondtollen als een ballerina. De man gaat midden op de Afghaanse straat tegen de vlakte om daar voor altijd stil te blijven liggen, zijn hersenen uiteengeslagen door een zware kogel van korporaal John Puller junior.

Puller gebruikt de grendel van zijn wapen om de volgende 7.63-patroon door te laden.

Een fractie van een seconde later rent er een nog magerder talib door de straat. Bliksemsnel voert Puller zijn dodelijke algoritme uit. Zijn synapsen zijn veel sneller dan de kogel die hij op het punt staat af te vuren. Hij haalt de trekker weer over en dan tolt er opnieuw een Afghaan in het rond, beroofd van essentiële onderdelen van zijn hersenen. De talib maakt een gracieuze werveling, absoluut het laatste wat hij doet. Op het slagveld van de woestijn krijg je geen tweede kans. Net als de eerste beseft deze talib niet eens dat hij dood is, want in zulke situaties kunnen de hersenen het niet bijbenen. De kreten van zijn kameraden scheuren door de lucht. Wapens worden doorgeladen.

Ze zijn woedend.

Zijn eerste missie is volbracht. Mensen die zich kwaad maken, zijn minder scherp. Toch moet hij voorzichtig zijn, want ze weten nu dat hij een geduchte tegenstander is. Hij kijkt naar zijn mannen. Hij beoordeelt hun conditie vanuit de verte, terwijl het bloed op verschillende plaatsen uit zijn eigen lichaam stroomt. Drie van zijn mannen zijn dood. Ze zijn al onherkenbaar verbrand, want de brandstof en munitie zijn om hen heen opgelaaid. Ze maakten geen schijn van kans. Een van de mannen is een eind bij het vuur vandaan geworpen, maar sterft evengoed. Stukken van zijn borst en rechterbeen ontbreken en slagaderlijk bloed met extra veel zuurstof spuit als een gruwelijke fontein over hem heen. Die heeft nog maar enkele seconden te leven. Daarentegen zijn er vier gewonden die hij nog kan redden. Hij kan het in elk geval proberen, al zou dat hem het leven kosten.

Er komen schoten zijn kant op. De taliban rennen niet meer. Ze zoeken dekking, brengen hun wapens omhoog – in veel gevallen een wapen van Amerikaans fabricaat, nog uit de tijd van de Russische invasie van tientallen jaren geleden – en doen hun best om een eind aan Pullers leven te maken.

Ze zijn vastbesloten. Dat is hij ook.

Ze hebben medestrijders voor wie ze vechten. Die heeft hij ook.

Ze zijn met veel meer. Hij heeft om ondersteuning gevraagd. Waarschijnlijk doet die er langer over om daar te komen dan hij nog te leven heeft. Als hij hier weg wil komen, moet hij al zijn tegenstanders doden.

John Puller is bereid dat te doen. Hij verwacht het zelfs te doen.

Al zijn andere gedachten zijn uit zijn hoofd verdwenen. Hij concentreert zich. Hij denkt niet na. Hij maakt simpelweg gebruik van alles wat hij heeft geleerd. Hij zal vechten tot zijn hart blijft stilstaan.

Totale concentratie. Nu komt het erop aan. Al die jaren van zweet, van ellende, van mensen die tegen je schreeuwen dat je iets niet kunt maar tegelijk verwachten dat je het beter doet dan alle anderen het ooit hebben gedaan. Dat alles in de komende drie minuten. Want meer tijd zal er waarschijnlijk niet nodig zijn voordat de winnaar van deze ene confrontatie tussen wanhopige mannen bekend is. Als je al die individuele gevechten op leven en dood met een factor miljoen vermenigvuldigt, krijg je wat ze een oorlog noemen.

Hij wacht tot hun schoten voorbij zijn. De kogels ratelen tegen de bepantsering van de Humvee. Andere vliegen langs zijn hoofd en maken dan een geluid als kleine straaljagertjes. Er schampt er een over zijn linkerarm, een volkomen onbeduidende wond in vergelijking met alle andere. Hij zal later ontdekken dat een andere geweerkogel de pantserplaten van zijn kogelvrije vest heeft weggeslagen om vervolgens tegen de gekapseisde Humvee te ricocheren, van koers te veranderen en zijn hals te treffen als er al niet veel kracht meer in zit. De artsen zullen vinden dat het op een grote metalen puist lijkt, dicht onder zijn huidoppervlak. Op dit moment merkt hij het niet eens. Het kan hem niet schelen. Het doet er niet toe.

En dan brengt John Puller zijn wapen weer omhoog...

23

Zoals altijd werd Puller niet met een schok wakker. Hij liet zich gewoon van zijn dunne matras in Annie's Motel glijden. Hij beheerste zich volkomen; al zijn bewegingen waren zorgvuldig afgemeten. Hij was niet aan de rand van Kandahar om daar tegen moordenaars met tulbanden te vechten. Hij was in een steenkoolgebied van Amerika en zocht daar naar moordenaars die misschien van eigen bodem waren.

Hij hoefde niet op zijn horloge te kijken. Zijn inwendige klok vertelde hem alles wat hij moest weten. Nul-vier-dertig. Hij nam een douche en bleef dertig seconden langer dan anders onder het warme water staan om de stank van een decennia oude herinnering te verdrijven. Maar het werkte niet. Het werkte nooit. Hij deed alleen maar alsof. Hij trok de kleren aan die daar in Drake bijna zijn uniform waren geworden: spijkerbroek en CID-poloshirt, maar hij koos voor een oud paar beige legerschoenen in plaats van de sportschoenen. Buiten was het al warm. Waarschijnlijk koelde het 's nachts nauwelijks af. Maar hoe warm het ook werd, niets kwam in de buurt van Afghanistan of Irak in de zomer. Dat was een hitte geweest die je nooit vergat. Zeker niet als die hitte ook nog eens werd versterkt door brandende diesel. En door de kreten van mannen die levend verbrandden. Die zwart en rauw werden en dan helemaal verschrompelden waar je bij stond.

Zijn mobiele telefoon ging. Het kantoor. Of misschien Cole. Misschien was er weer iets gebeurd. Hij keek op het display en zijn alerte gezicht betrok meteen.
'John Puller.'
'Je hebt me nooit teruggebeld, adjudant.'
'Ik was op een missie.' Hij zweeg maar heel even. 'Hoe gaat het, generaal?'
De stem van John Puller senior klonk als het blaffen van een grote hond met een brede borstkas. Het was een legermythe dat hij mensen met zijn stem kon doden door hun een hartverlamming van angst te bezorgen.
'Je hebt me nooit teruggebeld, adjudant,' zei hij opnieuw, alsof hij Pullers antwoord niet had gehoord.
'Dat wou ik vandaag doen. Problemen?'
'Mijn eenheid gaat naar zijn moer.'
Pullers vader had zijn zoons vrij laat in zijn leven gekregen. Hij was nu vijfenzeventig en zijn gezondheid liet te wensen over.
'Je krijgt het wel weer in topconditie. Dat lukt je altijd. En het zijn goede mannen. Ze reageren goed. Rangers gaan voorop, generaal.' Puller probeerde allang

niet meer op zijn vader in te praten, tegen hem te zeggen dat hij geen enkele legereenheid meer onder zijn bevel had. Dat hij oud, ziek en stervende was.

'Ik heb je hier nodig. Jij kunt ze in het gareel krijgen. Ik kan altijd op je rekenen, adjudant.'

Puller was in het leger gegaan toen de roemruchte carrière van zijn vader er al bijna op zat. Ze hadden nooit samen gediend. Maar de oude man had de verrichtingen van zijn jongste zoon nauwlettend gevolgd. Het feit dat hij de zoon van de luitenant-generaal was, had het niet gemakkelijker voor hem gemaakt, maar juist eindeloos veel moeilijker.

'Bedankt, generaal. Maar zoals ik al zei: ik ben op een andere missie.' Hij zweeg weer en keek op zijn horloge. Hij lag achter op het schema. Hij wilde deze kaart niet graag uitspelen, maar als het moest, deed hij het. 'Ik ben laatst bij Bobby geweest. Je moet de groeten van hem hebben.'

De verbinding werd onmiddellijk verbroken.

Puller klapte de telefoon dicht en stopte hem in de houder aan zijn riem. Hij bleef daar nog even met neergeslagen ogen zitten. Hij moest gaan; hij moest echt gaan. In plaats daarvan haalde hij zijn portefeuille uit zijn zak en schoof de foto eruit.

De drie Puller-mannen stonden naast elkaar. Alle drie lang, maar John junior was de langste, net een centimeter langer dan zijn vader. Het gezicht van de generaal was uit graniet gehouwen. De ogen van de oude man waren weleens hollepuntskogels met maximale lading genoemd. Je kon je optrekken aan de kin van de man. Hij leek de generaals Patton en MacArthur in één persoon, maar dan groter, gemener, harder. Hij was als generaal een keiharde rotzak geweest, en zijn mannen hadden van hem gehouden en waren voor hem gestorven.

Als vader was hij ook een keiharde rotzak geweest. En zijn zoons?

Ik hou van hem. Ik zou voor hem zijn gestorven.

Senior was aanvoerder van het basketbalteam van de militaire academie West Point geweest. In de vier jaar van zijn vader waren ze nooit kampioen geworden, maar elk team waartegen ze speelden ging onder de blauwe plekken naar huis. En degenen die zijn vaders team hadden verslagen hadden waarschijnlijk nog steeds het gevoel dat ze hadden verloren. In die tijd werd vaak de uitdrukking 'gepullerd worden' gebruikt. Op het basketbalveld. Op het slagveld. Voor de oude man was dat ongetwijfeld hetzelfde. Hij beukte op je in tot de zoemer ging.

Of tot de legers geen munitie meer hadden en iedereen dood was.

Puller keek even links van zijn vader op de foto. Er was daar niemand, al had daar iemand moeten zijn.

Er had iemand moeten zijn.

Hij stopte de foto weg, pakte zijn wapen, trok zijn CID-jasje aan en deed de deur achter zich op slot.

Zo was het verleden nu eenmaal.

Het was voorbij.

24

Toen Puller buiten was en op het punt stond in zijn auto te stappen, zag hij dat er licht brandde in het kantoor van het motel. Nieuwsgierig als hij altijd was, ging hij op onderzoek uit. Hij duwde de deur open. De oude dame zat in een stoel voor de balie. Haar rechterhand was tegen haar borst gedrukt. Ze keek doodsbang. Haar borst ging op en neer en haar gezicht was rood met een zweem van grijs langs de randen.

Hij sloot de deur en kwam dichterbij. Haar lippen en de huid bij haar neus waren niet blauw. Geen cyanose dus.

Nog niet.

Puller haalde zijn telefoon uit zijn zak en drukte met zijn duim het alarmnummer in zonder naar de toetsen te kijken.

'Hoe lang bent u er al zo aan toe?' vroeg hij haar.

'Ongeveer tien minuten,' mompelde ze terug.

Hij knielde naast haar neer. 'Is het al eerder gebeurd?'

'Zo erg als dit is het een hele tijd niet geweest. De vorige keer kreeg ik mijn bypass.'

'Een slecht hart dus?'

'Nogal slecht, denk ik. Ja. Het verbaast me dat ik het zo lang heb uitgehouden.' Ze kreunde en greep haar borst nog steviger vast.

'Voelt u daar een zware druk?'

Ze knikte.

'Schiet er pijn naar uw armen?'

Ze schudde haar hoofd. De tranen liepen uit haar ogen.

Het gewicht van een olifant op de borst was een duidelijk teken van een hartinfarct. Het volgende duidelijke teken: scherpe pijn die door de linkerarm schiet. Die pijn is er niet altijd en het is ook niet altijd de linkerarm, zeker niet bij vrouwen, maar Puller wilde niet wachten tot het zover was.

Hij kreeg de nooddienst aan de lijn. Hij beschreef de situatie in korte zinnen met exacte details en klapte de telefoon dicht.

'Ze komen eraan.'

'Ik ben bang,' zei ze met overslaande stem.

'Dat weet ik. Maar het komt wel goed met u.'

Hij voelde haar pols. Zwak. Dat was geen verrassing. Als het hart slecht was, beperkte dat de bloedsomloop. Gezien haar leeftijd kon het ook een beroerte zijn. Ze voelde koud en klam aan. De aderen in haar hals bolden op. Ook een slecht teken. Misschien had ze een bloedprop.

'Alleen knikken of uw hoofd schudden. Voelt u zich misselijk?'

Ze knikte.

'Moeite met ademhalen?'

Ze knikte opnieuw.

Hij zei: 'Gebruikt u medicijnen voor uw hart?'

Ze knikte weer. Een rij druppels koud zweet stond als een bijna onzichtbaar parelsnoer op haar voorhoofd. 'Ik heb ook nitroglycerine. Maar daar kon ik niet bij.'

'En aspirine?'

'Zelfde plaats.'

'Vertelt u me waar.'

'Slaapkamer nachtkastje.' Ze wees met een bevende vinger naar links.

Na tien seconden was Puller met de potjes pillen terug.

Hij gaf haar aspirine met water. Als ze een bloedprop had, was aspirine een goed middel om te voorkomen dat bloedplaatjes gingen klonteren. En het werkte snel en had geen invloed op de bloeddruk.

Nitroglycerine had het nadeel dat het alleen maar symptomen behandelde en niet de hartkwaal die daaraan ten grondslag lag. Het middel zou de pijn in haar borst bestrijden, maar als haar bloeddruk al laag was, zou de nitroglycerine die alleen maar verder verlagen; zo werkte dat middel nu eenmaal. Dat kon het hartprobleem veel erger maken en er zelfs toe leiden dat het orgaan ermee ophield. Dat kon hij niet riskeren. Hij moest het eerst weten.

'Hebt u hier een bloeddrukmeter?'

Ze knikte en wees naar een plank achter de balie.

Het was zo'n digitaal apparaatje dat op batterijen werkte. Hij pakte het, schoof het om haar rechterbovenarm, drukte op de knop en zag dat de manchet zich opblies. Hij keek naar de getallen op het display.

Niet goed. Nu al vrij laag. Nitroglycerine zou haar dood kunnen worden.

Hij keek nog eens naar haar. Geen tekenen van vochtophoping, gezwollen voeten of vaatproblemen. 'Gebruikt u plaspillen?'

Ze schudde haar hoofd.

'Ik ben over tien seconden terug,' zei hij. 'Dat beloof ik.'

Hij rende naar zijn Malibu, maakte de kofferbak open, pakte zijn EHBO-koffer en rende in volle vaart terug.

Toen hij terug was, zag ze er slechter uit. Als het hart nu bezweek, zouden de ambulancebroeders haar niet redden maar meteen na hun aankomst dood verklaren.

Hij maakte de koffer open en zocht bij elkaar wat hij nodig had. Hij praatte voortdurend tegen de oude vrouw om haar kalm te houden. Met één oor luisterde hij of hij de ambulance hoorde.

Hij had in de wildernis kerels behandeld die eruitzagen als rode brokken vlees. Sommigen had hij kunnen redden, anderen niet. Hij was vastbesloten haar niet te laten doodgaan.

Puller streek alcohol over haar arm, vond een goede ader, stak de naald erin en maakte hem met witte medische tape aan de binnenkant van haar onderarm vast. Het andere eind van de lijn bevestigde hij aan de infuuszak met zoutoplossing die hij uit zijn koffer had gehaald. De vloeistof zou de bloeddruk omhoog krijgen. Het was dezelfde methode die de artsen hadden gebruikt om president Reagan te redden toen er een aanslag op hem was gepleegd. Het was een literzak en de zwaartekracht leidde de vloeistof door de dunne slang. Hij hield hem boven haar hoofd en draaide het kraantje helemaal open. De zak zou er twintig minuten over doen om leeg te lopen. Ze had in totaal vijf liter bloed. Een liter zoutoplossing zou haar twintig procent extra geven.

Toen de zak halfleeg was, drukte hij weer op de knop van de bloeddrukmeter. Hij las de getallen. Zowel de onder- als bovendruk waren op een veiliger niveau gekomen. Hij wist niet of ze veilig genoeg waren, maar hij had niet veel keus. Ze drukte haar hand nog krampachtiger tegen haar borst. Ze maakte langere, diepere kreungeluiden.

'Doe uw mond open,' zei hij. Dat deed ze en hij stopte de nitroglycerinetablet onder haar tong.

De dosis nitroglycerine werkte. Een minuut later kwam ze tot bedaren; haar borst ging niet meer zo heftig op en neer. Ze haalde haar hand ervandaan. Bij hartklachten gaan er krampen door je slagader. De nitroglycerine maakte daar een eind aan. Als de krampen weg waren, konden er een heleboel goede dingen gebeuren, in elk geval totdat de ambulance er was.

'Haalt u diep adem. Er is een ambulance onderweg. De aspirine, nitroglycerine en vloeistof hebben geholpen. U ziet er beter uit. Het komt wel goed met u. Het is nog niet uw tijd.'

Hij drukte weer op de knop van de manchet. Las de getallen. Allebei omhoog. Allebei beter. Ze kreeg weer wat kleur. Dat was een klein wonder in die mijnstreek.

'Het ziekenhuis is ver weg,' zei ze. 'Ik had dichterbij moeten gaan wonen.'
'Achteraf is het makkelijk praten.'

Ze glimlachte en pakte zijn hand vast. Hij liet haar er zo hard in knijpen als ze wilde. Haar vingers waren nietig en zwak. Hij voelde bijna niets van de druk, alsof er alleen maar een zuchtje wind over zijn huid streek. Hij zag dat haar gezicht ontspande. Haar tanden waren vergeeld, hier en daar zwart en met gaten ertussen. Bijna alle tanden die ze nog had, zaten scheef. En toch had ze een mooie glimlach. Daar was hij blij om.

'Je bent een goeie kerel,' zei ze.

'Moet er hier iets worden geregeld? Moet ik iemand voor u bellen?'

Ze schudde langzaam haar hoofd. 'Behalve mij is er niemand meer over.'

Van dichtbij zag Puller dat ze staar had. Het was een wonder dat ze hem kon zien. 'Oké. Diep en regelmatig ademhalen. Ik hoor de sirene al. Ze weten dat het een hartprobleem is. Ze zijn erop voorbereid.'

'Ik dank je, jongeman.'

'Hoe heet je? Annie, zoals op het bord?'

Ze raakte zijn wang even aan en bedankte hem opnieuw met een bevend glimlachje. Bij elke hartslag trokken haar lippen zich samen van pijn.

'Ik heet Louisa. Ik weet niet wie Annie was. Die naam stond erop toen ik het motel kocht en ik had geen geld om hem te veranderen.'

'Hou je van bloemen, Louisa?' Hij keek haar aan. Hij wilde dat ze kalm bleef, normaal ademhaalde en er niet aan dacht dat haar hart voorgoed stil kon blijven staan.

'Een meisje krijgt altijd graag bloemen,' antwoordde ze zwakjes.

Hij hoorde de motor, gevolgd door het knerpen van grind, portieren die open- en dichtgingen, rennende voetstappen. De ambulancebroeders waren snel, efficiënt en goed opgeleid. Hij vertelde hun over de aspirine, de nitroglycerine, de vloeistof en haar bloeddruk. Hij somde haar symptomen op omdat ze zelf niet meer de kracht had om te praten. Ze stelden de juiste vragen en spraken kalm. Binnen enkele minuten had ze een zuurstofmasker op en was er een nieuw infuus aangelegd. Haar gezicht kreeg nog meer kleur.

Een van de broeders zei tegen hem: 'Bent u arts? U hebt precies gedaan wat er gebeuren moest.'

'Geen arts, alleen een soldaat die een paar trucjes heeft geleerd. Zorg goed voor haar. Ze heet Louisa. We zijn vrienden.'

De kleine man keek op naar de reusachtige ex-Ranger en zei: 'Hé, man, elke vriend van jou is een vriend van mij.'

Op weg naar de ambulance zwaaide Louisa naar Puller. Hij liep mee. Ze schoof haar masker af.

Ze zei: 'Ik heb een kat. Kun je...'

Puller knikte. 'Ik heb ook een kat. Geen probleem.'

'Hoe heet je ook alweer, jongen?'

'Puller.'

'Je bent een goeie kerel,' zei ze opnieuw.

De portieren klapten achter haar dicht en de ambulance reed met loeiende sirene weg. Intussen ging de nacht over in de dag.

Een goeie kerel.

Hij moest een bloemist zoeken.

Hij zocht de kat, vond hem in de woning van de vrouw, waar je kon komen door een deur achter de balie. De cyperse kat lag onder het bed te slapen. Het 'huis' van de oude vrouw bestond uit twee kamers en een badkamer van twee bij twee meter met een douche die zo klein was dat Puller er bijna niet in zou kunnen komen. Overal lagen stapels van spullen die mensen van haar leeftijd vaak verzamelden. Het leek wel alsof ze de tijd wilden afremmen door vast te houden aan alles wat er eerder was geweest.

Ze willen hun weg naar de dood blokkeren. Alsof we dat kunnen.

Vier van zijn mannen waren in die hinderlaag om het leven gekomen. De andere vier had hij gered. Hij had een stel medailles gekregen omdat hij iets had gedaan wat ieder van hen ook voor hem zou hebben gedaan. Hij ging naar huis. De helft van de acht ook. In glanzende kisten met de Amerikaanse vlag erop.

Met een gratis vlucht naar luchtmachtbasis Dover. En daarna twee meter onder de grond op de nationale begraafplaats Arlington. Een witte grafsteen om tussen al die andere witte grafstenen te laten zien waar je lag.

Een koopje, dacht Puller. *Voor het leger.*

De kat was oud en dik en had blijkbaar niets van de medische problemen van zijn eigenares gemerkt. Puller zorgde ervoor dat het etens- en drinkbakje vol en de kattenbak schoon was. Hij vond de sleutel van het kantoor, deed de deur achter zich op slot en ging ontbijten.

Plotseling had hij honger naar iets. En voorlopig moest hij die honger met voedsel stillen.

105

25

Hij parkeerde de Malibu aan de overkant. The Crib Room was open en al half-vol. Blijkbaar stonden de mensen hier vroeg op. Puller ging aan een tafel zitten in de hoek, met zijn rug tegen de muur. Hij zat nooit aan een buffet, tenzij hij in een spiegel kon zien wat er achter hem gebeurde. The Crib had niet zo'n spiegel achter het buffet. Daarom was dat geen optie. En vanaf deze plaats kon hij zijn auto goed in het oog houden.

Hij bestelde hetzelfde ontbijt als de vorige avond. Had je eenmaal iets goeds gevonden, dan bleef je daarbij.

Hij liet zijn blik over de andere klanten gaan. Het waren voor het merendeel mannen. Gekleed om naar hun werk te gaan, of misschien waren ze op weg van werk naar huis. Geen mannen in pak op dit uur van de ochtend. Alleen werk-ezels zoals hij. Hij keek naar de klok aan de wand.

Nul-vijf-dertig.

Hij nam een slok van zijn koffie. Twintig minuten om zijn eten te bestellen en het op te eten. Veertig minuten om op de plaats delict te komen. Nul-zes-dertig. Precies zoals hij tegen Cole had gezegd.

Hij dronk nog wat meer koffie. Die was goed en lekker warm en zat in een grote mok. Hij hield zijn hand eromheen en voelde hoe de warmte zijn huid binnendrong.

Buiten was het al meer dan vijfentwintig graden. Het was benauwd. Toen hij naar zijn auto was gerend om de EHBO-koffer te halen, had hij het zweet op zijn huid gevoeld. Maar als het warm was, dronk je iets warms. Daarmee dwong je je lichaam af te koelen. Als het koud was, deed je het tegenovergestelde. Een-voudige wetenschap. Maar eerlijk gezegd hield Puller altijd van koffie, of het nu warm of koud was. Dat was iets van het leger. Puller wist precies wat het was: enkele normale ogenblikken in een abnormale wereld waarin mensen elkaar probeerden dood te maken.

'John Puller?'

Hij keek naar links en zag een man van een jaar of zestig naast zijn tafel staan. De man was ongeveer een meter vijfenzeventig en nogal dik, met een huid die rood was van de zon. Plukken grijs haar staken onder zijn hoed vandaan. Hij droeg ook een politie-uniform. Puller keek naar het naamplaatje.

LINDEMANN. De sheriff van dit leuke stadje.

'Dat ben ik, sheriff Lindemann. Gaat u zitten.'

Lindemann liet zich op het bankje tegenover Puller zakken, zette zijn breedgerande hoed af en legde hem naast zich op de bank. Hij streek met zijn hand door zijn uitgedunde haar, dat naar alle kanten stak door de druk die de hoed had uitgeoefend. Hij rook naar Old Spice en koffie. Puller begon zich af te vragen of iedereen in Drake rookte.

'Ik zal niet te veel van uw tijd in beslag nemen. Ik neem aan dat u het druk hebt,' zei Lindemann.

'U waarschijnlijk ook, sheriff.'

'Zeg maar Pat. Hoe kan ik jou noemen?'

'Hou het maar op Puller.'

'Cole zegt dat je goed bent in wat je doet. Ik heb vertrouwen in haar. Er zijn mensen die zeggen dat ze als meid niet in een uniform en met een pistool zou moeten rondlopen, maar ik heb haar liever dan alle mannen in het korps.'

'Als ik mag afgaan op wat ik heb gezien, ben ik het met je eens. Wil je koffie?'

'De verleiding is groot, maar ik moet nee zeggen. Nou ja, mijn nieren moeten nee zeggen. En mijn prostaat, die volgens de dokter zo groot is als een grapefruit. Je hebt in een politiewagen niet veel plaatsen om te pissen.'

'Dat kan ik me voorstellen.'

'Dit alles is een verdomd lastige zaak.'

'Ja, dat is het.'

'We zijn hier zulke dingen niet gewend. De laatste moord die we hier hadden was tien jaar geleden.'

'Wat gebeurde er toen?'

'Een man betrapte zijn vrouw in bed met zijn broer.'

'Heeft hij haar vermoord?'

'Nee, ze was hem voor. Schoot hem neer. En daarna schoot ze de broer neer, toen die kwaad werd omdat ze zijn broer had doodgeschoten. Het werd knap ingewikkeld, vooral omdat twee van hen naakt waren.' Hij zweeg even en keek om zich heen voordat hij zijn blik weer op Puller richtte. 'In politiezaken werken we hier meestal niet met buitenstaanders samen.'

'Daar kan ik inkomen.'

'Maar ik denk dat we je hulp nodig hebben.'

'Ik ben blij dat ik kan helpen.'

'Je blijft met Sam samenwerken.'

'Ja.'

'Hou me op de hoogte. Ik heb met de media te maken.' Hij trok er een vies gezicht bij.

'Het leger kan je daarmee helpen. Ik kan je wel een naam en een nummer geven.'

'Dat zou ik op prijs stellen.'

Puller haalde een kaartje uit zijn zak, schreef een naam en nummer op de achterkant en schoof het over de tafel. De sheriff pakte het op zonder ernaar te kijken en stak het in zijn borstzakje.

'Ik ga maar weer eens,' zei Lindemann. 'En eet smakelijk.'

'Dank je.'

Lindemann zette zijn hoed weer op en sjokte The Crib uit.

Toen Puller hem nakeek, trok een man twee tafels verderop zijn aandacht. Daar was maar één reden voor.

De man droeg een pet van het postbedrijf.

26

Puller keek naar hem. De man at langzaam en weloverwogen. Dronk zijn koffie op dezelfde manier. Een slokje en de kop werd neergezet. Tien seconden, een slokje, kop weer neergezet. Pullers ontbijt kwam. Hij at het vlugger dan hij oorspronkelijk van plan was geweest. De koolhydraten en eiwitten gaven hem nieuwe energie. Hij liet geld op de tafel liggen zonder op de rekening te wachten. Hij wist het bedrag nog van de vorige avond.

Met zijn laatste kop koffie in zijn handen stond hij op. Zonder zich iets van de nieuwsgierige blikken aan te trekken liep hij langs de tafels en bleef bij de postbode staan.

De man keek op.

'Bent u Howard Reed?' vroeg Puller.

De magere man met het vaalgele gezicht knikte.

'Mag ik even bij u komen zitten?'

Reed zei niets.

Puller haalde zijn badge en identiteitsbewijs tevoorschijn en ging zitten zonder op antwoord te wachten.

'Ik ben van het leger, van de CID, en ik doe onderzoek naar de moorden waarop u maandag bent gestuit,' begon hij.

Reed huiverde en trok zijn pet wat lager.

Puller liet zijn blik over hem gaan. Te mager op een ongezonde manier. Dat wees op ernstige problemen met inwendige organen. Een huid die rood was van de zon, waarschijnlijk leek hij tien jaar ouder dan hij was. Kromme schouders. Een lichaamstaal die uitdrukte dat hij het onderspit had gedolven. In het leven. In alles.

'Mag ik u een paar vragen stellen, meneer Reed?'

De man nam weer zorgvuldig een slok koffie en zette het kopje op precies dezelfde plaats neer. Puller vroeg zich af of hij een dwangneurose had.

'Oké,' zei Reed. Het was het eerste woord dat hij zei. Zijn stem was schor en zwak, alsof hij hem niet veel gebruikte.

'Kunt u die dag nog even met me doornemen, te beginnen met het moment waarop u door de straat kwam aanrijden? Wat zag u? Wat hoorde u? Misschien iets wat u anders altijd ziet of hoort, maar op die dag niet. Als u begrijpt wat ik bedoel?'

Reed schoof zijn papieren servet bij zijn lege bord vandaan en veegde zijn mond af. Hij vertelde alles stap voor stap. Puller was onder de indruk van het geheugen en de systematische instelling van de man. Misschien kreeg je dat als je een miljoen poststukken bezorgde en steeds maar dezelfde routes aflegde en dezelfde dingen zag. Dan merkte je het als er iets was veranderd.

'Hebt u de Reynolds' ooit eerder gezien?' vroeg hij.

'Wie?'

'Het vermoorde gezin heette Reynolds.'

'O.' Reed dacht daar rustig over na. Trakteerde zichzelf weer op een weloverwogen slokje koffie.

Puller zag de trouwring aan de knokige vinger van de man. Getrouwd, maar hij zat om halfzes buiten de deur te ontbijten? Misschien had hij daarom zo'n hopeloze uitdrukking op zijn gezicht.

'Ik heb het meisje een keer gezien. Ze was in de voortuin toen ik de post kwam brengen. De man heb ik nooit gezien. Misschien heb ik de vrouw een keer in haar auto voorbij zien rijden als ik daar in de buurt was.'

'Kende u de Halversons?'

'De mensen die daar woonden?'

'Ja.'

Reed bewoog zijn hoofd enigszins heen en weer. 'Ik heb ze nooit gezien. Ik zou ook niet helemaal naar de voordeur toe zijn gelopen als ik niet een handtekening had moeten hebben voor een pakje dat ik kwam brengen. Aangetekend. Zijn zij ook vermoord?'

'Nee. Ze waren er niet.'

Puller zweeg even. 'Wat is er met het pakje gebeurd?' vroeg hij toen.

'Het pakje?' Reeds kopje was weer op weg naar zijn lippen.

'Ja, het pakje waarvoor u een handtekening moest hebben.'

Reed zette zijn kopje neer en legde zijn vinger op zijn droge, gebarsten lippen. 'Ik ging ermee het huis in.' Hij huiverde en pakte het gelamineerde tafelblad vast. 'Toen zag ik...'

'Ja, ik weet wat u zag. Maar wilt u zich even concentreren? Het pakje in de hand. Toen draaide u zich om en rende naar buiten. U kwam tegen de deur terecht en het glas daarvan sprong kapot tegen de leuning van het trapje.' Puller had dat alles van Cole gehoord.

Reed keek geschrokken. 'Moet ik voor die deur betalen? Ik wilde hem niet kapotmaken, maar ik had nog nooit van mijn leven zoiets gezien. En ik hoop bij God dat het nooit meer gebeurt.'

'Maakt u zich maar geen zorgen om die deur. Denkt u aan het pakje. Was het bestemd voor de Halversons?'

Reed knikte. 'Ja, ik herinner me de naam die erop stond.'

Puller zei niets terug. Hij liet de man erover nadenken, liet hem zich het pakje voor ogen stellen. De geest gedroeg zich vreemd. Als hij maar tijd genoeg kreeg, dook er meestal wel iets op.

Reeds ogen werden iets groter. 'Nu ik erover nadenk, was het een p/a.'

'Per adres?'

'Ja, ja,' zei Reed opgewonden. Hij schoof zijn handen over het tafelblad en stootte ermee tegen zijn lege bord. Hij keek niet hopeloos meer. Hij keek enthousiast. Misschien wel voor het eerst in jaren, dacht Puller.

Puller redeneerde: 'Dus het was niet echt voor de Halversons bestemd? Het was alleen naar hun huis gestuurd. Stond er nog een naam op? De Reynolds'? Dat waren de enigen die daar verbleven.'

Reed zweeg. Peinzend keek hij enigszins omhoog. Puller zei niets. Hij wilde de concentratie van de man niet doorbreken. Hij nam een slok van zijn eigen koffie, die nu lauw was. Hij keek nog eens het restaurant door. Meer dan de helft van de hoofden was in zijn richting gedraaid.

Hij kromp niet ineen toen hij de tatoeagejongen zag. Dickie Strauss zat helemaal aan het eind van de zaal met zijn gezicht naar Puller toe. Hij had een veel grotere man bij zich. Die tweede man had lange mouwen, zodat Puller niet kon zien of hij dezelfde tatoeages op zijn armen had. Ze keken naar hem en probeerden intussen de schijn te wekken dat ze dat niet deden. Eigenlijk was het triest. Dickie moest zijn hele militaire training zijn vergeten, dacht Puller.

Hij keek weer naar Reed en zag dat de man naar hem staarde. 'Ik weet het niet meer,' zei hij verontschuldigend. 'Het spijt me. Maar dat p/a herinner ik me nog goed.'

'Het geeft niet,' zei Puller. 'En het pakje? Was het groot, klein?'

'Zo groot als een vel papier.'

'Oké. Weet u nog wie de afzender was? Of uit welke plaats het kwam?'

'Niet uit mijn hoofd, maar misschien kan ik dat opzoeken.'

Puller schoof hem een kaartje toe. 'Ik ben op deze nummers en e-mailadressen te bereiken. Weet u nog wat ermee gebeurd is? U rende het huis uit en schopte de deur open.'

Reed keek bij zijn bord vandaan. Een ogenblik was Puller bang dat de man zijn ontbijt zou uitbraken.

'Ik... ik heb het zeker laten vallen.'

'In het huis? Buiten het huis? Het ligt toch niet in uw postauto?'

'Nee, niet in de auto.' Hij zweeg even. 'Ja, het moet in het huis zijn geweest. Dat moet wel. Daar heb ik het laten vallen. Ik rende naar buiten en ik had het niet in mijn hand. Dat zie ik nu voor me. Heel duidelijk.'

'Oké, het duikt vast wel weer op. Is er nog iets anders wat u me kunt vertellen?'

'Ik weet het niet. Ik ben nooit eerder bij zoiets betrokken geweest. Ik weet niet wat belangrijk is en wat niet.'

'Het huis aan de overkant? Is u daar iets vreemds opgevallen?'

'Het huis van Treadwell?'

'Ja. Hij woonde daar met Molly Bitner. Kent u hen?' In Coles rapport stond dat Reed had gezegd dat hij niemand in die buurt kende, maar Puller wilde dat zelf ook graag horen.

Reed schudde zijn hoofd. 'Nee. Ik ken alleen de naam, omdat ik de postbode ben. Hij krijgt veel motorbladen. Heeft een Harley. Die parkeert hij aan de voorkant.'

Puller verschoof op zijn stoel. Hij wist niet of Reed wist dat Treadwell en Bitner dood waren. 'Verder nog iets?'

'De gebruikelijke dingen. Niets opvallends. Ik bedoel, ik breng alleen maar de post. Ik kijk alleen maar naar de adressen. Dat is eigenlijk alles wat ik doe.'

'Dat is goed, meneer Reed. Dank u voor uw tijd.' Hij tikte op zijn kaartje. 'Als u weet wie het pakje heeft verstuurd, wilt u dan contact met me opnemen?'

Puller kwam van zijn stoel. Reed keek naar hem op.

Reed zei: 'Er zijn veel heel gemene mensen op de wereld.'

'Jazeker, zegt u dat wel.'

'Dat weet ik zeker.'

Puller keek de man afwachtend aan.

'Ja. Dat weet ik zeker.' Hij zweeg even. Zijn mond bewoog, maar er kwamen eerst geen woorden uit. 'Want ik ben met zo iemand getrouwd.'

Toen Puller het restaurant verliet en naar zijn auto liep, kwamen Dickie Strauss en zijn grote vriend achter hem aan.

Puller had dat min of meer verwacht.

27

Puller pakte de autosleutels in zijn zak even vast, leunde tegen zijn Malibu en wachtte hen op.

Dickie en zijn vriend bleven ongeveer een meter bij hem vandaan op het trottoir staan.

'Wat kan ik voor jullie doen?' vroeg Puller.

'Het was geen ontslag wegens slecht gedrag. En ook geen oneervol ontslag.'

'Blij dat te horen. Maar als je liegt, ben ik daar binnen vijf minuten achter. Ik hoef maar een paar toetsen in te drukken en ik krijg antwoord van de legeradministratie. Nou, wat was het?'

'Het leger en ik gingen uit elkaar.'

'Waarom?'

Dickie keek naar zijn vriend, die zijn blik op Puller gericht hield.

'Het is persoonlijk. En het was niets slechts.'

Zijn vriend voegde daaraan toe: 'En het gaat je geen moer aan.'

'Nou, wat kan ik voor jullie doen?' vroeg Puller opnieuw.

'Ik hoorde dat Eric Treadwell is vermoord.'

'Je kent hem?'

'Ja.'

Puller keek naar de tatoeages op de arm. Hij wees ernaar. 'Waar heb je dat laten doen?'

'Hier in de stad.'

'Treadwell had er precies zo een.'

'Niet precies hetzelfde. Een beetje anders. Maar ik gebruikte die van hem als model.'

'Waarom?'

'Waarom niet?'

'Dat is geen echt antwoord.'

De grotere man kwam naar voren. Hij was een paar centimeter groter dan Puller en woog zo'n vijfentwintig kilo meer. Hij zag eruit als een ex-footballspeler. Niet goed genoeg voor de profs, maar wel voor vier jaar studiebeurs op een college.

'Het is zíjn antwoord,' zei de man.

Puller richtte zijn blik op de man. 'En jij bent?'

'Frank.'

'Oké, Frank. Ik dacht dat Dickie en ik dit gesprek voerden.'

'Nou, misschien moet je anders denken.'

'Daar zie ik geen reden voor.'

Puller zag dat Frank zijn handen uit zijn zakken haalde en zijn vuisten balde. Hij zag ook wat de man in zijn hand had, al probeerde hij het te verbergen.

'Ik heb hier twee heel goeien,' zei Frank, en hij hield zijn grote vuisten omhoog.

'Nee, dat heb je niet, Frank, echt niet,' zei Puller kalm, terwijl hij rechtop ging staan en ook zijn handen uit zijn zakken haalde. Puller had niets in zijn handen, maar dat hoefde ook niet.

'Ik weet dat je een pistool hebt. Dat zag ik in The Crib,' zei Frank.

'Ik zal het niet nodig hebben.'

'Ik weeg twintig kilo meer dan jij,' zei Frank.

'Eerder vijfentwintig.'

'Oké. Dus je snapt het wel?'

Dickie zei nerveus: 'Hé, jongens, rustig nou.' Hij legde zijn hand op de arm van zijn vriend. 'Frank, hou nou op. Het is de moeite niet waard.'

'Je vriend spreekt verstandige taal, Frank,' zei Puller. 'Ik wil je niets doen, maar als je wat je nu met je lichaamstaal uitstraalt in daden omzet, loopt het slecht met je af. De vraag is alleen hoe slecht.'

Frank snoof en probeerde zelfverzekerd te grijnzen. 'Denk je dat je iedereen in elkaar kunt slaan omdat je in het leger zit?'

'Nee. Maar ik weet dat ik jou in elkaar kan slaan.'

Frank haalde uit met zijn rechterhand, maar een volle seconde eerder was Puller al in actie gekomen. De bovenkant van zijn hoofd trof de man recht in zijn gezicht. Pullers schedel was veel harder dan de neus van de andere man. Verdoofd vloog Frank met al zijn honderddertig kilo naar achteren, maaiend met zijn armen, zijn gezicht onder het bloed. Puller greep zijn linkerarm vast en draaide hem om tot hij bijna brak. Hij zette zijn voet achter Franks linkerbeen en de grote man dreunde tegen de grond. Puller was met de vallende Frank mee geknield en hield zijn andere hand onder zijn hoofd, zodat de schedel van de man geen barsten opliep.

Puller trok de rol kwartjes uit Franks vuist, liet die rol op het trottoir vallen, stond op en keek omlaag. Toen Frank, die zijn hand op zijn gebroken neus had en met zijn knokkels het bloed uit zijn ogen probeerde te krijgen, overeind probeerde te komen, zette Puller zijn voet op zijn borst om hem weer omlaag te drukken.

'Blijf liggen.' Hij keek Dickie aan. 'Ga naar The Crib om een zak ijs te halen. Doe dat nu meteen.' Toen Dickie niet in actie kwam, gaf Puller hem een duwtje. 'Meteen, Dickie, of ik gooi je door het raam om er wat vaart in te krijgen.' Dickie liep vlug weg.

'Dat had je niet hoeven doen, hufter,' zei Frank tussen zijn bebloede handen door.

'En jij had niet met een rol kwartjes naar me hoeven uithalen.'

'Ik denk dat je mijn neus hebt gebroken.'

'Ik héb je neus gebroken. Maar hij is al eens eerder gebroken. Hij wijst naar links en heeft een bult in het midden. Waarschijnlijk een dreun tegen een masker tijdens een wedstrijd. Volgens mij nooit goed rechtgezet. En je hebt waarschijnlijk ook een scheef tussenschot. Als ze je opknappen, kunnen ze dat ook meteen in orde maken.'

Dickie kwam terug met het ijs in een handdoekje. Toen Puller opkeek, zag hij dat iedereen in het restaurant voor het raam stond te kijken.

Dickie hield Puller het ijs voor.

'Ik heb het niet nodig, Dickie, maar je vriend wel.'

Frank pakte het ijs aan en hield het tegen zijn neus.

'Wat is hier in godsnaam aan de hand?'

Puller draaide zich om en zag dat Sam Cole met het raampje omlaag in haar politiewagen kwam aanrijden, ditmaal volledig in uniform. Ze parkeerde langs de stoeprand en stapte uit. Puller constateerde dat haar wapenriem niet piepte.

Ze keek omlaag naar Frank en zag de rol kwartjes. Toen keek ze Dickie en daarna Puller aan.

'Wil je uitleggen wat hier aan de hand is? Heeft hij jou aangevallen of viel jij hem aan?'

Puller keek eerst naar Dickie en toen naar Frank. Toen ze blijkbaar geen van beiden iets wilden zeggen, zei Puller: 'Hij gleed uit en brak zijn neus. Zijn vriend heeft ijs voor hem gehaald.'

Cole trok haar wenkbrauwen op en keek Dickie aan. Die mompelde: 'Zo is het.'

Ze keek weer omlaag naar Frank. 'Is dat ook jouw verhaal?'

Frank steunde op een elleboog. 'Ja, mevrouw.'

'En toen viel er een rol kwartjes uit je zak?'

'Zijn borstzakje,' zei Puller. 'Toen hij viel. Ik hoorde hem iets zeggen over de wasserette. Dat verklaart die kwartjes.'

Cole stak haar hand uit en hielp Frank overeind. 'Ik zou daar maar meteen naar laten kijken.'

'Ja, mevrouw.'

Ze liepen langzaam weg.

'Klaar om aan de slag te gaan?' vroeg Puller.

'Waar ik klaar voor ben is dat jij me vertelt wat er werkelijk is gebeurd.'

'Bedoel je dat ik heb gelogen?'

'Die kerel is niet uitgegleden. Hij zag eruit alsof hij een dreun van een vrachtwagen had gehad. En die rol kwartjes had hij waarschijnlijk in zijn vuist toen hij naar jou uithaalde.'

'Dat zijn alleen maar gissingen en speculaties van jouw kant.'

'Nou, hier heb ik een beter bewijs.' Ze stak haar hand omhoog en tikte hem licht op zijn voorhoofd. 'Je bloedt. Ik zie geen snee, dus waarschijnlijk is het zijn bloed. Dat betekent dat hij naar je uithaalde en dat jij hem toen een kopstoot gaf. Ik zou graag willen weten waarom.'

'Een misverstand.' Puller veegde met zijn mouw het bloed van zijn voorhoofd.

'Waarover?'

'Over persoonlijke leefruimte.'

'Ik begin me kwaad op jou te maken.'

'Het is niet belangrijk, Cole. Laat het nou maar. Het is een klein stadje, ik ben een buitenstaander; het was te verwachten. Als er meer aan de hand blijkt te zijn, ben jij de eerste die het van mij te horen krijgt.'

Ze keek niet overtuigd, maar zei ook niets.

'Ik dacht dat we elkaar op de plaats delict zouden ontmoeten.'

'Ik ben vroeg opgestaan. Ik dacht wel dat je hier zou zijn,' antwoordde Cole.

'Ik heb een praatje met je baas gemaakt.'

'Sheriff Lindemann?'

'Hij kwam in The Crib. Ik heb hem het nummer gegeven van iemand die hem met de media kan helpen.'

'Bedankt.'

'Hij heeft een heel hoge dunk van jou.'

'Dat is wederzijds. Hij heeft me mijn kans gegeven.'

'Je zei dat je bij de staatspolitie was voordat je hierheen kwam.'

'Dat was zijn idee. Hij zei dat als dat in mijn cv stond, niemand me kon beletten om in Drake met een badge rond te lopen.'

'Ik neem aan dat hij niet degene is die de beslissingen over nieuwe mensen neemt.'

'Nee, dat doet de County Commission. Allemaal mannen. Allemaal levend in de negentiende eeuw. Blootsvoets, zwanger en achter het aanrecht – zo zien ze ongeveer de rol van een vrouw in het leven.'

'Ik heb ook met de postbode gepraat.'

'De postbode? Howard Reed?'

'Ja, hij was daar net klaar met zijn ontbijt. Hij zei dat hij het pakje dat hij kwam brengen in het huis heeft achtergelaten. Waarschijnlijk heeft hij het daar laten vallen. Hij zei dat het per adres naar de Halversons was gestuurd. Dat betekent dat het waarschijnlijk bestemd was voor de Reynolds'. Hebben jullie het?'

Cole keek verbaasd. 'We hebben geen pakje gevonden.'

Puller keek haar rustig aan. 'Vroegen jullie je niet af waarom de postbode naar de deur was gekomen?'

'Hij zei dat hij daar was omdat er voor iets moest worden getekend. Ik nam aan...' Haar stem stierf weg en ze kreeg een kleur. 'O, wat stom van me. Ik had niet zomaar iets moeten aannemen.'

'Maar het pakje is dus niet in het huis gevonden? Reed was er vrij zeker van dat hij het daar had laten vallen.'

'Misschien kwamen ze daarvoor gisternacht terug.'

'Ja, maar je mensen waren daar de hele dag geweest. Waarom hebben ze het pakje niet gevonden?'

Ze zei: 'Laten we naar een antwoord op die vraag zoeken, Puller. Nu meteen.'

28

Twee politiewagens van de county stonden naast elkaar, maar motorkap naast kofferbak, voor de twee huizen geparkeerd, en de agenten in de auto's praatten met elkaar. Cole kwam slippend tot stilstand, gevolgd door Puller in zijn Malibu. Haar auto stond nog maar amper stil of ze stapte al uit en liep naar de twee politiewagens toe.

'Hebben jullie de hele nacht zitten kletsen of ook nog jullie werk gedaan?' snauwde ze.

Puller kwam achter haar aan en zag dat het twee agenten waren die hij niet eerder had gezien. Dat was ook wel logisch, als ze de nachtdienst hadden.

De agenten stapten uit hun auto's en gingen min of meer in de houding staan, al zag Puller in hun lichaamstaal veel meer minachting dan respect voor hun meerdere. In het leger zou zoiets binnen enkele pijnlijke minuten zijn afgehandeld, gevolgd door een maandenlange straf voor de overtreder.

'Iets te melden?' vroeg Cole.

Ze schudden allebei hun hoofd. Een van hen zei: 'We hebben niets gezien en gehoord. We hebben regelmatig onze ronden gelopen, maar steeds op andere tijden, zodat iemand die keek geen patroon kon zien.'

'Oké.' Ze wees naar Puller. 'Dit is John Puller van de CID. Van het leger dus. Hij werkt met ons samen aan deze zaak.'

Deze twee agenten keken niet vriendelijker dan die van de vorige dag. Daar zat Puller niet mee. Hij was hier niet gekomen om vrienden te maken. Hij knikte de twee toe, maar keek toen Cole weer aan. Dit was haar show, niet de zijne.

'Jullie twee waren maandag op de plaats delict,' zei Cole. 'Heeft een van jullie daar een pakje zien liggen dat de postbode kan hebben laten vallen?' Ze wees naar het huis van de Halversons.

Ze schudden allebei hun hoofd. 'Al het sporenmateriaal is geregistreerd,' zei een van hen. 'We hebben geen pakje gezien.'

De ander zei: 'Als het niet is geregistreerd, hebben we het niet gevonden. Maar wij waren daar niet de enigen. Lan moet weten of er een pakje is gevonden,' voegde hij eraan toe.

'Ik had het moeten weten als er een pakje was opgedoken, verdomme,' snauwde Cole.

'Dus misschien is er geen pakje, brigadier,' zei de eerste agent met kalme, gelijkmatige stem.

Zonder dat ze het merkten keek Puller aandachtig naar hen beiden. Hij kon hen niet goed doorgronden. Hij wist niet of het hen dwarszat dat ze door een vrouw werden gecommandeerd of dat er iets anders achter hun onwillige houding zat – bijvoorbeeld een leugen.

Hij zei: 'Nou ja, het duikt wel op, of niet.'

Beide agenten keken hem aan.

Voordat een van hen iets kon zeggen, zei Puller: 'Dus er is vannacht niets gebeurd? Geen auto's, geen mensen die over straat liepen? Geen kinderen die verstoppertje speelden?'

'Er waren wel auto's,' zei een van de agenten. 'En ze gingen allemaal naar hun huis en daar zijn ze nog steeds.'

De ander zei: 'Er waren een paar kinderen buiten. Ze kwamen niet bij een van de huizen. En er liep vannacht niemand over straat. Het was heet en benauwd en het was hier vergeven van de muggen.'

Puller keek naar het huis waarin Treadwell en Bitner waren vermoord. 'Hebben ze familie die in kennis moet worden gesteld?'

'Dat zijn we aan het nagaan,' zei Cole. 'De Reynolds' hebben naast de ouders van de vrouw nog meer familie. We proberen met ze in contact te komen.'

'Het leger kan jullie daarbij helpen. Ze hebben informatie over de familie van de kolonel.'

Cole knikte haar agenten toe. 'Oké, jullie hebben nog dienst tot acht uur. Ga maar weer aan het werk.'

De mannen draaiden zich om en liepen weg.

'Hebben ze altijd zo'n arrogante houding?' vroeg Puller.

'Nou, ik heb ze er in feite van beschuldigd dat ze het hadden verknoeid of bewijsmateriaal hadden achtergehouden. Ik kan me wel voorstellen dat het ze niet lekker zit. Waarschijnlijk zou ik net zo'n houding aannemen. Misschien had ik niet zo tegen ze moeten uitvaren, maar ik ben kwaad omdat ik niet meer aan dat verrekte pakje heb gedacht.' Ze keek naar hem op. 'Vind je het erg als ik een sigaretje rook?'

'Nee, maar je longen denken er vast anders over.'

'Denk je dat ik niet heb geprobeerd te stoppen?'

'Mijn vader heeft veertig jaar gerookt.'

'Hoe is hij ervan af gekomen?'

'Hypnose.'

'Dat meen je toch niet?'

'Ik stond er zelf ook versteld van. Ik dacht dat koppige mensen niet te hypnotiseren waren. Maar blijkbaar zijn zij er juist ontvankelijk voor.'

'Noem je mij koppig?'

'Ik zou je liever een ex-roker noemen.'

'Dank je, Puller. Misschien ga ik het proberen.'

'Dus nu gaan we in het register van het sporenmateriaal kijken. En wat dan?'
'Lan komt hier vanmorgen.' Ze keek op haar horloge. 'Over ongeveer een uur.'
'En als het pakje niet opduikt?'
'Ik weet het niet, Puller. Ik weet het echt niet.'
'Reed zei dat hij misschien op het postkantoor kon uitzoeken waar het vandaan komt. Er worden gegevens bijgehouden van aangetekende stukken. Maar misschien kun jij ervoor zorgen dat daar wat vaart achter wordt gezet.'
'Misschien wel. Het zou mooi zijn om te weten wat er in dat pakje zat. Misschien is vanwege de inhoud een van mijn mannen gedood.'
Hij draaide zich om en keek naar het huis. 'Was jij een van de eersten die hier aankwamen?'
'Nee. Twee anderen waren hier eerder. Jenkins daar. En Lou, die je gisteren hebt ontmoet. De man die met de bedrieger in het huis van Treadwell heeft gepraat.'
'Wanneer ben jij hier aangekomen?'
'Ongeveer anderhalf uur nadat het telefoontje was binnengekomen. Ik was helemaal aan de andere kant van de county.'
'En was de hond toen nog in het huis?'
'Ja. Hoezo? Wat heeft die verrekte hond ermee te maken? Hij heeft niet geblaft; dat heb ik je al verteld.'
'Nou, honden pakken dingen op. Ze kauwen op dingen. Ze eten dingen die ze niet zouden moeten eten.'
Cole keek grimmig naar het huis.
'Laten we gaan, Puller.'
Ze begon te rennen.

29

Veertig minuten later zag Puller dat Cole de rand optilde van de losse bekleding van de bank waarop de lijken waren aangetroffen. Hij gaf haar een Maglite en ze scheen ermee onder de bank.

'Ik heb iets,' zei ze. Ze haalde een hondenbot en twee plastic hondenspeeltjes tevoorschijn.

'Dat was blijkbaar de geheime bergplaats van het beest,' zei Puller. 'Verder nog iets?'

Ze probeerde zich verder onder de bank te schuiven.

'Wacht even,' zei hij. Puller tilde het ene eind van de bank een meter omhoog. Cole keek vanaf de vloer naar hem op. 'Jij gebruikt je hersens. En je spieren.'

Hij keek omlaag. 'Een stukje karton, misschien van een pakje.'

'En dit!' Cole pakte een stukje groen papier van de vloerbedekking en stond op. Puller liet de bank weer zakken.

Ze keek naar het stukje papier en gaf het aan hem.

'Het zou de rand van een bonnetje voor aangetekende stukken kunnen zijn.'

'Ja, maar waar is dan de rest? Moeten we een röntgenfoto van de maag van die hond laten maken?'

'Misschien hebben de mensen die Wellman hebben vermoord het meegenomen. Misschien dachten ze dat de hond het pakje had weggesleept en ergens verstopt. Ze keken onder de bank, en daar lag het.'

Cole keek verbaasd. 'Maar hoe wisten ze zelfs maar van het bestaan ervan?'

'Ze hebben de Reynolds' ondervraagd. De kolonel heeft hun misschien verteld dat ze een pakje verwachtten.'

'Waarom hebben ze het dan niet gewoon onderschept? Ze hadden in het huis kunnen zijn toen Reed het pakje kwam brengen. Ze hadden ervoor kunnen tekenen. Ze hadden voor de Reynolds' kunnen doorgaan zoals die kerel aan de overkant deed alsof hij Eric Treadwell was. Reed heeft ons verteld dat hij niemand van hen kende. Hij zou het verschil dus niet hebben gemerkt. Hij wilde alleen maar een handtekening op dat stukje papier.'

'Maar als ze nu eens pas later over dat pakje hoorden? Toen het hier al was afgeleverd?'

'Ik kan je niet helemaal volgen, Puller.'

Hij ging op de rand van de bank zitten. 'Reed zei dat hij aan de deur was omdat hij een handtekening moest hebben. Dat betekent dat het bijzondere post was. Maar hij zei niet wat er met het pakje is gebeurd. Waarom zou er zo'n pakje naar de Halversons gaan? Die zijn met pensioen. Uit de running. Vandaag herinnerde Reed zich dat het in werkelijkheid voor de Reynolds' bestemd was, maar dat heeft hij niet aan de politie verteld. Hij heeft alleen verteld dat het een pakje was waarvoor hij een handtekening moest hebben. De moordenaars hebben misschien gewoon dezelfde redenering gevolgd als wij. Een postbode aan de deur vanwege een pakje. Wat zat er in het pakje? Daar moesten ze achter komen.'

Puller keek uit het raam. Lan Monroe stopte net voor het huis. 'Zullen we Lan vragen wat er op zijn lijst van sporenmateriaal staat?'

'Oké, maar ik voorspel dat het pakje er niet op staat.'

'Dat moeten we dan bevestigen.'

Vijf minuten later hadden ze hun bevestiging.

Geen pakje.

Lan keek zorgelijk de kamer rond. 'Ik heb nog nooit zoiets meegemaakt.'

'De hond heeft het misschien opgegeten,' zei Cole, wat haar op een norse blik van Puller kwam te staan. 'Ik laat de dierenarts een röntgenfoto maken.'

'Het is papier. Waarschijnlijk is het niet op een röntgenfoto te zien, of anders heeft het beest het al verteerd en uitgepoept.'

Coles telefoon zoemde. Ze keek op het schermpje en was blijkbaar verbaasd.

'Wie is het?' vroeg Puller.

'Roger Trent.'

'Onze mijnmagnaat.'

De telefoon bleef overgaan.

'Moet je niet opnemen?' vroeg Puller.

'Ja, dat moet maar.'

Ze klapte de telefoon open. 'Hallo?'

Ze luisterde, probeerde iets te zeggen en luisterde toen nog wat meer. 'Dat is goed,' zei ze ten slotte. 'Tot dan.'

Ze klapte de telefoon weer dicht.

'Nou?' vroeg Puller.

'Roger Trent wil me spreken. In zijn huis.'

'Waarom?'

'Hij zegt dat hij met de dood bedreigd is.'

'Ga dan maar.'

'Waarom kom je niet met me mee?'

'Waarom? Heb je hier graag hulp bij?'

'Dat kan nooit kwaad. En ik merk dat je nieuwsgierig bent naar die man. Op deze manier kun je hem persoonlijk ontmoeten.'

'Laten we gaan.'

·30·

Cole en Puller reden in haar politiewagen naar Trents huis.

Ze zei: 'Ik ga binnendoor. Dat scheelt een halfuur, maar het is een hobbelige weg.' Ze ging scherp naar rechts en nam een smalle weg vol kuilen.

Die weg kwam Puller bekend voor. Hij keek om zich heen en zag toen hoe dat kwam.

'Wat is dat voor een ding?' Hij wees naar de hoge betonnen koepel die door bomen, ranken en struiken was overwoekerd. Die had hij ook al gezien toen hij in die eerste nacht kwam aanrijden en verdwaalde.

'De mensen hier noemen hem de Bunker.'

'Oké, maar wat is het?'

'Vroeger was het een regeringsgebouw. Het is al lang voor mijn geboorte gesloten.'

'Maar de oudere mensen hier weten vast nog wel wat het was. Sommigen van hen moeten er hebben gewerkt.'

Cole schudde haar hoofd. 'Nee. Voor zover ik weet, heeft niemand uit Drake daar ooit gewerkt.'

'Zeg, ik weet dat de overheid een financieel zwart gat is, maar zelfs Washington zou nooit zo'n koepel bouwen om er daarna helemaal niets mee te doen.'

'O, ze hebben er wel iets mee gedaan.'

Ze ging langzamer rijden en Puller keek naar de rij huizen die hij in die nacht ook had gezien. Overdag zag het er hier niet veel anders uit dan 's nachts. De huizen waren minstens vijftig jaar oud, misschien veel ouder. De meeste stonden blijkbaar leeg, maar niet allemaal. Ze strekten zich uit over een netwerk van straten, rij na rij, en deden hem denken aan militaire huisvesting. Ze waren allemaal gelijk.

'Bedoel je dat ze mensen van buiten haalden om ze in de Bunker te laten werken?'

Ze knikte. 'En ze hebben al die huizen voor hen gebouwd.'

'Ik zie dat er nog steeds mensen in wonen.'

'Pas sinds een paar jaar. De economie stortte in; mensen raakten hun baan en hun huis kwijt. Deze huizen zijn oud en verwaarloosd, maar als je op straat komt te staan, kun je niet kieskeurig zijn.'

'Zijn er problemen? Wanhopige mensen doen vaak wanhopige dingen, vooral wanneer ze dicht op elkaar leven.'

'We patrouilleren hier regelmatig. Voor zover hier criminaliteit is, stelt het niet veel voor. De mensen leven meestal op zichzelf. Ik denk dat ze blij zijn dat ze een dak boven hun hoofd hebben. De county probeert hen te helpen. Dekens, voedsel, water, batterijen, boeken voor de kinderen, dat soort dingen. We komen hier vaak om tegen ze te zeggen dat ze in de huizen geen petroleumkacheltjes en dat soort dingen moeten gebruiken en geen andere onveilige dingen moeten doen. Er is hier al een gezin bijna aan koolmonoxidevergiftiging gestorven.'

'En de overheid vindt het zomaar goed dat jullie die huizen gebruiken?'

'Ik denk dat ze in Washington zijn vergeten dat ze die huizen hebben. Het is zoiets als het eind van die film, *Raiders of the Lost Ark*. Een van de vele kisten in het magazijn.'

Puller keek weer naar de Bunker. 'Wanneer is hij gesloten?'

'Dat weet ik niet precies. Mijn moeder heeft me verteld dat het ergens in de jaren zestig was.'

'En alle personeelsleden?'

'Die hebben hun spullen gepakt en zijn weggegaan.'

'En het beton?'

'Volgens mijn vader was het heel bijzonder. Die koepel is een meter dik.'

'Een meter!'

'Dat zei mijn vader.'

'En niemand in Drake heeft ooit met die mensen gepraat om uit te zoeken wat ze daar deden?'

'Het schijnt dat de overheid de personeelsleden bijna alles verstrekte wat ze nodig hadden. En het waren allemaal mannen, volgens mijn ouders in veel gevallen tamelijk jong en vrijgezel. Natuurlijk kwamen er weleens een paar in Drake. Mijn vader zei dat ze niets wilden loslaten over wat ze hier deden.'

'Als ze toen in de veertig waren, zijn de meesten nu waarschijnlijk dood. Misschien wel allemaal.'

Puller keek naar de Bunker en zag de roestige omheining met prikkeldraad langs de bovenrand. Tussen de koepel en de huizen stonden bomen. Zijn blik viel op een jongen en een meisje die in de voortuin van een van de huizen speelden. De jongen rende in een kringetje rond en het meisje probeerde hem te vangen. Ze vielen beiden in een wirwar van armen en benen op de grond.

'Heb je kinderen?'

Puller draaide zich om en zag dat ze naar hem keek. Ze was langzaam gaan rijden om ook naar de kinderen te kijken.

'Nee,' antwoordde hij. 'Nooit getrouwd.'

'Toen ik een klein meisje was, wilde ik alleen maar mama worden.'

'Wat gebeurde er?'

Ze trapte op het gaspedaal. 'Het leven. Het leven gebeurde.'

·31·

Puller schatte dat het huis ongeveer vijftienhonderd vierkante meter groot was, met een centraal blok en twee zijvleugels. Het leek wel alsof ze midden in West Virginia een Parijse kathedraal hadden neergezet. Het huis van Trent stond op de top van een heuvel die blijkbaar geen steenkooladers bevatte, want het terrein was nog intact. De weg erheen was bestraat met zware tegels. Er was een hek bij de ingang van het terrein, dat omsloten werd door een smeedijzeren omheining van twee meter hoog. Er stond een gewapende bewaker bij het hek. Die zag eruit als een gepensioneerde politieman, vond Puller. Dik en traag, maar waarschijnlijk kon hij nog vrij goed schieten.

Terwijl Cole langzamer ging rijden, zei Puller: 'Hekken en bewakers. Heeft hij bescherming nodig?'

'Zoals ik al zei: kolenbedrijven zijn nooit populair, zeker niet op de plaatsen waar de steenkool naar boven wordt gehaald. Ze zijn vast veel populairder op plaatsen waar geen mijnen zijn en waar ze geen bergtoppen opblazen.'

De bewaker was blijkbaar van hun komst op de hoogte gesteld, want hij maakte het hek open en liet hen meteen doorrijden.

'Het is maar goed dat we hem niet komen vermoorden,' zei Puller. 'Die bewaker zou het ons heel gemakkelijk hebben gemaakt.'

'Hij krijgt zijn bevelen van Trent. Zoals de meeste mensen hier.'

'Wat wil je daarmee zeggen?'

Ze zei: 'Ik zei, de meeste mensen, niet allemaal. En ik zeker niet.'

Van dichtbij leek het huis twee keer zo groot als vanuit de verte. De voordeur werd geopend door een dienstmeisje in compleet tenue. Puller verwachtte bijna dat ze een kniebuiging zou maken. Ze was Aziatisch en jong, met fijne trekken en donker haar dat in een keurige vlecht was samengebonden. Ze leidde hen door een hal van gigantische afmetingen. Die hal had houten lambriseringen en grote portretten die professioneel waren opgehangen. Heel even dacht Puller dat hij in een museum was. De vloer was van marmertegels in een labyrint van kleuren. Coles politieschoenen klakten over het oppervlak. Pullers legerschoenen absorbeerden al het geluid van zijn voetstappen; daar waren ze voor ontworpen. Hij zei tegen Cole: 'Ik dacht dat je zei dat hij rijk was. Ik had een veel mooier huis verwacht.'

Cole stelde zijn humor blijkbaar niet op prijs. Ze zei niets terug en bleef recht voor zich uit kijken. Ze liepen langs een trap. Puller keek vlug genoeg omhoog om een tienermeisje vanaf de bovenkant van de trap naar hen te zien kijken. Ze had een dik gezicht en rode wangen. Haar haar was een wirwar van blonde strengen met highlights. Een fractie van een seconde later was ze uit zijn zicht verdwenen.

'Hebben de Trents kinderen?'

'Twee. Een tienermeisje en een jongen van elf.'

'Ik neem aan dat pa en ma nog niet aan hun AOW toe zijn.'

'Trent is zevenenveertig. Zijn vrouw is achtendertig.'

'Ik ben blij dat ze jong genoeg zijn om van hun geld te genieten.'

'O, reken maar dat ze ervan genieten.'

Het dienstmeisje maakte een deur open en leidde hen naar binnen. Ze sloot de deur achter hen. Puller hoorde hoe haar timide voetstappen zich trippelend verwijderden.

De wanden waren bekleed met een donkergroene stof, en de vloer was kersenrood met satijnglans. Er lagen twee vierkante oosterse kleden. De stoelen en banken waren met leer bekleed. De getinte ruiten hielden het meeste buitenlicht tegen. De bronzen kroonluchter bevatte twaalf lampjes en zag eruit alsof hij een ton woog. Midden in de kamer stond een grote tafel met een bloemenweelde in een kristallen vaas. Ook hier hingen schilderijen aan de muren. Ze zagen er oud, origineel en duur uit.

Alles was smaakvol ingericht. Degene die dat had gedaan, had er veel zorg aan besteed, dacht Puller.

'Ben je hier al eerder geweest?'

'Een paar keer,' antwoordde Cole zacht. 'Bij gelegenheid. De Trents geven veel feesten.'

'Dus ze nodigen de werkende klasse ook uit voor hun soirees?'

Voordat Cole daar iets op kon zeggen, ging de deur open. Ze keken allebei in die richting.

Roger Trent was ruim een meter tachtig en hard op weg een obees te worden. Hij had een dikke nek en een onderkin, en zijn dure pak kon de breedte van zijn taille niet verhullen. Het was koel in de kamer en toch zweette hij.

Misschien van de lange wandeling door de gang, dacht Puller.

'Hallo, Roger,' zei Cole, en ze stak hem haar hand toe.

Puller wierp haar een blik toe die ze negeerde.

Roger?

'Ik krijg genoeg van die onzin, weet je dat?' snauwde Roger.

'Nou, doodsbedreigingen zijn nogal ernstig,' zei Cole.

De steenkoolbaron keek neerbuigend naar Puller op. 'Wie bent u nou weer?'

'Dit is agent John Puller van de CID in Virginia,' antwoordde Cole snel.

Puller stak zijn hand uit. 'Aangenaam kennis te maken, Róger.' Hij keek net op tijd naar Cole om haar een grimas te zien trekken.

De mannen gaven elkaar een hand en Puller had bijna het gevoel dat hij zojuist een vis had vastgehouden.

'Doodsbedreigingen?' zei Puller. 'Hoe?'

'Telefonisch.'

'Heb je ze op de band staan?' vroeg Cole.

Trent keek haar nu ook neerbuigend aan. 'Het antwoordapparaat werkt alleen als je de telefoon níét opneemt.' Hij ging in een stoel zitten, maar gaf hun niet te kennen dat ze dat ook konden doen.

'We kunnen proberen die telefoontjes na te trekken,' zei Cole.

'Dat heb ik mijn mensen al laten doen.'

'En?'

'Wegwerptelefoonkaarten.'

'Oké. Hoeveel bedreigingen waren het, wanneer kwamen ze en naar welke nummers belden ze?'

'Drie. De laatste drie avonden om een uur of tien. Allemaal op mijn mobiele telefoon.'

'Hebt u nummerherkenning?' vroeg Puller.

'Natuurlijk.'

'En u neemt ook op als u het nummer niet herkent?'

'Ik heb veel zakelijke belangen buiten deze regio en zelfs in andere landen. Het is niet ongewoon dat ik zulke telefoontjes krijg, en ook op vreemde uren.'

'Hoeveel mensen hebben uw persoonlijke mobiele nummer?'

Trent haalde zijn schouders op. 'Dat zou ik echt niet kunnen zeggen. Ik geef het niet aan iedereen, maar ik heb ook nooit geprobeerd het geheim te houden.'

'Wat hielden de bedreigingen in?'

'Dat ik aan de beurt was. Dat ze ervoor zouden zorgen dat er gerechtigheid geschiedde.'

'Waren dat de exacte woorden? Elke keer?'

'Nou, ik weet niet of het letterlijk zo was. Maar dat was de strekking,' voegde hij er geërgerd aan toe.

'Maar er werd gezegd dat *ze* ervoor zouden zorgen dat er gerechtigheid geschiedde? Het is dus meer dan één persoon?' vroeg Puller.

'Dat woord gebruikten ze.'

'Mannen- of vrouwenstem?'

'Een mannenstem, zou ik zeggen.'

'Al eerder bedreigd?' vroeg Puller.

Trent keek Cole even aan. 'Een paar keer.'

'Zoals dit? Ik bedoel: was het dezelfde stem?'

'Die andere bedreigingen waren niet telefonisch.'

'Hoe ging dat dan?'

Cole mengde zich erin: 'We hebben die zaken onderzocht. En ze zijn afgehandeld.'

Puller keek haar even aan en richtte zijn blik toen weer op Trent. 'Goed. Waarom denkt u dat ze u bedreigen?'

Trent stond op en keek Cole aan. 'Wat doet hij hier eigenlijk? Ik dacht dat alles via jou ging.'

'We werken samen aan een moordzaak.'

'Dat weet ik. Ik heb met Bill Strauss gesproken. Maar wat heeft dat nou met mijn situatie te maken?'

'Nou, een van je personeelsleden, Molly Bitner, is ook vermoord.'

'Nogmaals: ik zie geen verband. En als ze dood is, is zij vast niet degene die mij bedreigde.'

'Hebt u haar weleens ontmoet?' vroeg Puller.

'Voor zover ik weet niet. Ik weet niet eens zeker in welk kantoor ze werkte. Ik heb geen contact met dat niveau van het personeel.'

Puller voelde een sterke aandrang om de man door de muur te drukken, maar hij bedwong zich. 'Hebt u hier ook een kantoor?'

'Ik heb er verschillende.'

Cole zei: 'Roger, ze waren zondagavond met springstoffen aan het werk dicht bij de plaats waar de moorden zijn gepleegd. Waarom op zondag en waarom 's avonds? Daar zul je toch een speciale vergunning voor gehad moeten hebben?'

Hij keek haar ongelovig aan. 'Hoe moet ik dat nou weten? Ik maak de plannen voor de explosies niet. Ik betaal andere mensen om dat te regelen.'

'Ja. Oké. En wie zijn dat?'

'Dat zal Strauss wel weten.'

'Dan moeten we maar eens met Strauss gaan praten,' zei Puller.

Trent keek Cole geërgerd aan. 'Ik wil dat jij dit alleen afhandelt, oké? En nu meteen!'

'Ik zal het afhandelen, Roger,' zei ze op scherpe toon. 'Maar voor het geval het je niet is opgevallen: ik heb met een heel stel moorden te maken.'

Hij ging daar niet op in. 'Ik heb er genoeg van dat mensen het op mij voorzien hebben omdat ik ongelooflijk succesvol ben. Het is pure jaloezie en ik ben het zat. Jezus christus, ik ben de enige reden dat Drake nog bestaat. Ik ben de enige die hier banen creëert. Die sukkels zouden mijn reet moeten likken.'

'Ja,' zei Puller, 'u moet wel een zwaar leven hebben.'

Trents gezicht betrok. 'U hebt er blijkbaar geen idee van wat ervoor nodig is om een fortuin op te bouwen. De overgrote meerderheid van de mensen heeft dat niet in zich. Er is een klein aantal rijken en de rest heeft geen geld. En die mensen zonder geld vinden dat alles aan hen moet worden gegeven zonder dat ze ervoor werken.'

Puller zei: 'Jazeker. Er zijn op dit moment een heleboel luie mensen zonder geld in het Midden-Oosten die een goed leventje leiden van uw belastinggeld.'

Trent kreeg een kleur. 'Dat bedoelde ik natuurlijk niet. Ik sta helemaal achter onze troepen.'

'Uiteraard.'

'Nou, als jullie me willen excuseren: ik moet een vliegtuig halen.'

'Vliegt u vanuit Charleston?' vroeg Puller. 'Dat is hier nogal een eind vandaan.'

'Ik heb mijn eigen jet.'

'Uiteraard.'

Trent liep weg. Hij smeet de deur achter zich dicht.

Puller keek Cole aan. 'Is hij altijd zo vrolijk?'

'Hij is wat hij is. En je hebt hem op stang gejaagd.'

'Heb je onderzoek gedaan naar die eerdere doodsbedreigingen? Heb je ontdekt wie erachter zat?'

'Dat onderzoek is gesloten. En hij heeft gelijk. Jij hebt hier eigenlijk niets mee te maken.'

'Je vroeg me mee te komen.'

'Dat had ik niet moeten doen.'

'Ben je bang voor die kerel?'

'Hou op, Puller,' snauwde ze.

De deur ging open.

Het was niet het dienstmeisje. Het was niet Roger Trent. Het was niet het tienermeisje dat Puller eerder had gezien. De vrouw was achter in de dertig. Ze was tenger en donkerharig en had mooie, fijne gelaatstrekken die te volmaakt leken om echt te kunnen zijn. Haar jurk was van een eenvoudig model, maar de stof was zichtbaar duur. Ze had een zelfverzekerde houding en een opmerkzame blik.

Puller had al eens eerder zo'n stel ogen gezien. Kortgeleden.

Hij keek naar Cole en toen weer naar de vrouw, en toen weer naar Cole.

'Hoe gaat het, Jean?' vroeg Cole.

Jean Trent zei: 'Het gaat fantastisch. En met jou, zusje?'

Puller keek Jean Trent aan en richtte zijn blik toen weer op Sam Cole. Ze waren geen tweeling. Ze leken niet eens zo heel veel op elkaar. Maar bij nader inzien was duidelijk te zien dat ze familie van elkaar waren.

'Dus Sam is je zusje?'

Trent knikte. 'We schelen twee jaar en twee dagen.'

Cole zei: 'Maar mensen denken altijd dat zij de jongste is.'

'Ik laat me regelmatig masseren, en ik heb mijn eigen trainer en kok. Jij schaduwt mensen, achtervolgt ze met grote snelheid en eet troep, Sam. Dat eist zijn tol.'

'Misschien wel. Dus er zijn weer doodsbedreigingen binnengekomen?' vroeg Cole.

'Dat zegt hij.'

'Jij maakt je er blijkbaar niet zo druk om,' merkte Puller op.

'Roger heeft een lijfwacht. We hebben hier meer dan voldoende bescherming. Hij heeft een wapenvergunning en hij heeft ook altijd een wapen bij zich. De mensen hier in de buurt mogen hem niet graag, maar niemand heeft hem ooit echt aangevallen.'

'Als jij het zegt.' Puller keek Cole weer aan. 'Zullen we gaan?'

'Goed.'

Toen ze langs Jean Trent liepen, zei die: 'Waarom kom je vanavond niet eten?' Ze keek Puller aan. 'En waarom kom jij niet mee?'

'Waarom?' vroeg Cole.

'Roger is dan de stad uit en je nichtje heeft naar je gevraagd.'

Cole keek een beetje schuldig bij die laatste woorden, dacht Puller.

Dat merkte haar zus blijkbaar ook. 'Zullen we zeggen, om ongeveer halfnegen? We eten hier laat.'

'Goed,' zei Cole.

'Als het een chic diner wordt: ik heb mijn gala-uniform niet meegebracht,' zei Puller.

'We houden niet van formaliteiten.' Ze keek haar zus aan. 'Waar gaan jullie nu heen?'

'We gaan kijken hoe een paar lijken in stukken worden gesneden.'

'Veel plezier.'

Ze liepen naar Coles politiewagen terug.

'Waarom heb je me niets over die familieband verteld?' vroeg Puller.

'Was het relevant?'

'Dat weet je nooit van tevoren.'

'Nou, nu weet je het.'

'Hij is ongeveer tien jaar ouder dan zij. Is ze zijn tweede vrouw?'

'Nee. Hij is gewoon laat getrouwd en zij is vroeg getrouwd. Haar kinderen zijn ook zijn kinderen.'

'Ze had het over je nichtje. Toen we binnenkwamen, zag ik een tiener op de trap.'

'Meghan. Ze is veertien. Een moeilijke leeftijd voor een meisje.'

'En je zei dat ze ook een zoon van elf hebben?'

'Roger junior. Die is weg.'

'Waarheen?'

'Militaire academie.'

'Trent leek me niet het militaire type.'

'Dat is hij ook niet. Winst maken is belangrijker voor hem dan de samenleving dienen. Maar zijn zoon heeft problemen met discipline en ik denk dat mijn zus geen zin had om met hem aan de slag te gaan. En dus ging hij naar een instituut in Pennsylvania, waar ze je met harde hand in het gareel houden en je met twee woorden leren spreken.'

'Niet gek. Discipline is heel nuttig in je leven.'

'Misschien wel, maar ik denk dat ze het te snel heeft opgegeven. Hij is nog maar een kind. En discipline begint thuis. Als je een kind op die leeftijd de deur uit doet, zal hij denken dat je niets om hem geeft.'

'En is dat zo? Geven ze niets om hem?'

'Het is niet aan mij om dat te weten.'

'Je hebt geen nauwe band met je rijke familie?'

'Wie kent een ander nu echt?'

Daar zit wat in, dacht Puller. Hij zei: 'Dus hij is al eerder met de dood bedreigd?'

Ze draaide zich met een ruk naar hem om en zette haar handen in haar zij. 'Ik heb tegen je gezegd dat daar onderzoek naar is gedaan en dat die zaak is afgesloten.'

'Ik weet dat je dat hebt gezegd.'

'Waarom begin je er dan steeds over?'

'Omdat ik meer wil weten dan wat jij me hebt verteld. Dat is meestal de reden waarom ik vragen stel.'

'Nou, ik heb geen reden om erover te praten.'

'Waar woont jullie broer?'

'In Drake.'

'Wat doet hij?'

'Meestal zo min mogelijk. Is dit een ondervraging?'
'Ik probeer alleen maar iets van het speelveld hier te begrijpen. Dat is alles. Als ik je heb gekwetst, was dat niet mijn bedoeling.'
Zijn openhartige houding nam haar woede weg.
'Randy is de jongste. Net dertig geworden en een beetje de weg kwijt. We hopen dat hij hem gauw terugvindt.'
'Ik neem aan dat hij nooit naar een militaire academie is gestuurd.'
'Misschien had iemand dat moeten doen.'
Ze stapten in de auto.
Puller deed zijn gordel om. 'Heeft het opsporingsverzoek al iets opgeleverd?'
'Nee. Ik heb het gevoel dat die kerel allang uit Drake is verdwenen.'
Ze trok haar gordel voor zich langs en startte de motor. 'Wat heb je met de laptop en de aktetas gedaan?' vroeg ze.
'Die zijn per militaire koerier onderweg naar USACIL.'
'Is dat een goede plaats?'
'De allerbeste plaats. Als je daar binnenkomt, hoef je maar naar de vloer te kijken en je ziet het meteen.'
'Wat zie je dan?'
'Het logo van het lab. Ze hebben het in de jaren vijftig voor een dollar van iemand gekocht.'
'Wat staat er op dat logo?'
'Rechercheur Mickey Mouse. De man die het verkocht, heette Walt Disney.'
'Een stripfiguur als logo van een forensisch lab?'
'Als je zo goed bent, kan het je niet schelen hoe je logo eruitziet.'
'Als jij het zegt.'
Ze lieten het huis van Trent achter zich en zetten weer koers naar de echte wereld.

·33·

Dokter Walter Kellerman was ooit een veel zwaardere man geweest, maar hij had veel gewicht verloren, zag Puller toen ze voor de secties arriveerden. Dat leidde hij af uit de slaphangende huid van Kellermans gezicht en de vier extra gaatjes die hij in zijn leren riem had moeten maken omdat zijn taille zo was geslonken.

De lijken waren van het uitvaartbedrijf naar Kellermans praktijk gebracht. Ze bevonden zich nu in een bakstenen gebouw van twee kamers achter zijn praktijk. Het stond ongeveer anderhalve kilometer bij het centrum van het stadje vandaan, en blijkbaar had er vroeger iemand gewoond. Er waren bedden met koeling neergezet om de lijken goed te houden.

'Is de man ziek of eet hij gezonder?' vroeg Puller zachtjes aan Cole toen ze chirurgische pakken en handschoenen aantrokken.

'Van allebei een beetje. Hij loopt meer, eet geen rood vlees meer, eet in het algemeen minder. Vorig jaar hebben ze zijn galblaas en linkernier weggehaald. Hij weet dat hij zich moet beheersen, als hij de zeventig wil halen.'

'Ben je al vaker bij secties geweest?' vroeg Puller.

'Vaker dan me lief was,' antwoordde ze.

'Lindemann zei dat jullie tien jaar geleden voor het laatst een moord hebben gehad.'

'Ze doen ook secties om andere redenen. Vooral ongelukken. In steenkoolland komen die nogal eens voor. En verkeersongevallen. Daar hebben we er ook een paar van gehad.'

'Oké.'

'En als je je afvraagt of ik ga kotsen als hij begint te snijden, is het antwoord nee.'

Kellerman had een wit baardje, blauwe ogen, weinig haar op zijn hoofd en een vriendelijke houding. Toen hij aan Puller werd voorgesteld, zei hij: 'Ik ben vier jaar bij de luchtmacht geweest. Twee daarvan in Vietnam, maar dankzij de GI Bill kon ik medicijnen studeren.'

'Kijk, het leger doet ook goede dingen,' zei Puller.

'Ik kijk er nooit met spijt op terug. Het maakt je sterker.'

'Als je het overleeft,' zei Cole.

Puller keek naar het lichaam dat onder een laken op de stalen tafel lag. 'Wie is de eerste?'

'Kolonel Reynolds.' Kellerman keek naar de gekoelde bedden. 'Ik heb hulp van twee goed opgeleide assistenten, maar evengoed wordt het een lange dag.'

'We zijn hier alleen om toe te kijken en vragen te stellen,' zei Cole.

'Dat is geen enkel probleem. Ik heb de lijken vanmorgen bekeken. Het is een interessante mix van wonden. Hagel, pistool van klein kaliber, wurging en trauma door een bot voorwerp.'

'Enig idee wat ze hebben gebruikt om de tieners te vermoorden?' vroeg Puller.

'Waarschijnlijk een hand.'

'Hoe kunt u daar zeker van zijn?' vroeg Cole.

'Ik ben er niet zeker van. Hij vroeg of ik een idee had. En dat is het.'

'Maar waarom een hand?'

'Een honkbalknuppel, een metalen stuk gereedschap of een ander voorwerp zou bijna zeker een rest of een spoor op de huid hebben achtergelaten. Ik heb een keer een sectie gedaan waarbij je het logo van een Louisville Slugger-honkbalknuppel op de borst van de overledene kon zien. Maar de hand laat ook een eigen spoor achter. En ik heb daar iets van gevonden op de hals van de jongen.'

'Wat was het?' vroeg Puller.

'Zo te zien een beetje zwart leer.'

'U bedoelt dat ze handschoenen droegen.'

'Ja, daar lijkt het wel op.'

'Het is niet gemakkelijk om iemand te vermoorden door op het verlengde merg te drukken,' zei Puller. 'Het is maar zo'n zeven centimeter lang.'

'Ik denk dat de dader een speciale training heeft gehad. Misschien in een vechtsport.'

'Of een militaire training,' opperde Cole.

'Ja. Of een militaire training,' beaamde Kellerman.

Hij trok zijn doorzichtige mondkapje omlaag, haalde het laken van de dode kolonel weg en legde zijn instrumenten op een rij.

'Zullen we?'

Zelfs met hulp van de twee assistenten duurde het vele uren om deugdelijk sectie te verrichten op de zeven lijken. Puller had een groot deel van het sporenmateriaal in speciale dozen verpakt, die hij zorgvuldig van etiketten had voorzien en naar USACIL zou sturen. Hij zou er specifieke instructies bij doen voor het lab in Fort Gillem, waar ze het materiaal zouden verwerken. En hij zou een e-mailbericht en een telefoongesprek op die instructies laten volgen.

Kellerman had het aan zijn assistenten overgelaten om de Y-incisies dicht te naaien. Hij had andere kleren aangetrokken en was naar huis gegaan. Cole en Puller liepen naar buiten. Puller zette de dozen in Coles auto. Hij had tijdens de secties gegevens ingesproken in zijn recorder, en Cole had ook veel notities gemaakt. Evengoed was er niets bijzonders uit de secties voortgekomen.

Er waren viltproppen van hagelpatronen uit Reynolds' hoofd gehaald. Aan de hand daarvan zou worden geprobeerd het kaliber van het geweer na te gaan. Een deel van het witte materiaal dat in zijn gezicht was aangetroffen, was geen vilt geweest. Kellerman had de theorie dat ze de kolonel een blinddoek hadden omgedaan.

'Dat was waarschijnlijk de reden dat hij zich niet probeerde te verdedigen en zijn handen niet omhoogstak,' zei Puller.

'Hij heeft het niet zien aankomen,' merkte Cole op.

Het bovenlijf van mevrouw Reynolds had vol hagelkorrels gezeten. De twee kinderen waren gedood door slagen tegen hun hals, zoals ze al hadden vermoed. Eric Treadwell en Molly Bitner waren gedood door .22-kogels in hun hersenen. De kogels waren er in redelijke conditie uitgekomen en ze hoefden nu alleen nog maar het pistool te vinden waarmee ze waren afgeschoten.

Wellman was hard genoeg op zijn hoofd geslagen om bewusteloos te raken. Het touw om zijn hals had een eind aan zijn leven gemaakt. Zijn nek was niet gebroken, want dan moest je een eind vallen en daarvoor was het plafond van de kelder te laag. In plaats daarvan was Wellman langzaam gestikt.

Cole en Puller leunden tegen haar auto. Ze haalde een sigaret tevoorschijn en stak hem aan.

'Kijk niet zo, Puller,' zei ze. 'Ik heb net moeten aanzien hoe zeven lijken in stukken werden gesneden. Daar word je gespannen van.'

'Ze hebben niet veel achtergelaten,' zei hij.

'Heb je ideeën?'

'Op dit moment niets waar we veel verder mee komen.'

Ze keek op haar horloge. 'Het etentje bij mijn zus.'

'Waarom wil ze mij daar hebben?'

'Dat weet ik niet, behalve dat je jonger, langer en fitter bent dan haar man.'

'Wil je zeggen dat ze hem bedriegt?'

'Ik wil niets zeggen, want ik weet het niet. Roger is vaak weg.'

'Ze maakte zich blijkbaar niet zo druk om die doodsbedreigingen.'

'Roger is niet populair. Ik denk dat je eraan gewend raakt.'

'Zij misschien wel, maar hij duidelijk niet. Hij was tegelijk kwaad en bang.'

'Nou, hij is het doelwit, niet zij.'

'Zeker.'

'Ik kan je bij je auto afzetten en je dan bij het motel oppikken. Dan hebben we allebei de tijd om te douchen en andere kleren aan te trekken. Ik moet hard boenen om de stank van de dood weg te krijgen.'

'Ik denk niet dat iemand zo hard kan boenen.'

'Nou, ik ga het in elk geval proberen.'

·34·

Puller reed naar het postkantoor, dat een paar minuten bij Annie's Motel vandaan stond. Hij kwam daar nog net voor sluitingstijd aan. Nadat hij de dozen met prioriteit naar Atlanta had gestuurd, keek hij de jonge vrouw achter de balie aan. Ze keek afwachtend naar hem op.

Hij liet haar zijn badge zien. 'Ik ben bij de CID van het leger.'

'Dat weet ik,' zei ze.

'Hoe dan?' vroeg hij.

'Het is een klein stadje. En u bent te groot om over het hoofd te zien.'

'Ik moet iets weten over een pakje.'

'Welk pakje?'

Hij vertelde over het aangetekende pakje dat Howard Reed op maandag naar de Reynolds' had gebracht, zij het op het adres van de Halversons.

Ze knikte. 'Dat zei Howard vanmorgen tegen me toen hij zijn lading post kwam halen.'

'Het is heel belangrijk dat we te weten komen waar het pakje vandaan kwam.'

De jonge vrouw keek achter zich. 'Ik zou mijn chef erbij moeten halen.'

'Oké.'

'Maar hij is er vandaag niet.'

Puller legde zijn grote handen op de balie. 'Hoe heet je?'

'Sandy. Sandy Dreidel.'

'Oké, Sandy, ik zal het je uitleggen. Dat pakje zou weleens heel belangrijk kunnen zijn. Het kan ons helpen te ontdekken wie die mensen heeft vermoord. Hoe langer we wachten, hoe meer we achterop raken. Ik hoef alleen maar de naam en het adres te weten van degene die het pakje heeft verstuurd.'

'Dat begrijp ik. Maar we hebben voorschriften en procedures.'

Puller grijnsde. 'Natuurlijk, daar heb ik begrip voor. Ik zit in het leger. Op elk voorschrift dat het postkantoor heeft, heeft het leger er tien.'

Sandy glimlachte terug. 'Dat wil ik wel geloven.'

'Maar is er een manier om achter die informatie te komen?'

'Eh, ja. We hebben gegevens.'

'Waarschijnlijk kun je er met een paar muisklikken achter komen.'

Sandy keek beschaamd. 'Nou, we hebben nog niet alles in computers zitten. Maar we hebben wel registers in ons kantoor.'

Puller hield haar zijn notitieboekje en een pen voor. 'Als je even wilt kijken en de naam en het adres hier wilt noteren, zou dat ons echt helpen degenen te vinden die al die mensen hebben vermoord.'

Sandy aarzelde. Ze keek over Pullers schouder en door het raam naar de straat. Toen nam ze de pen en het boekje aan.

Het kostte haar vijf minuten, maar ze kwam met het boekje en de pen terug en gaf ze aan Puller. Hij las wat ze had opgeschreven en keek toen op.

'Je hebt ons erg geholpen, Sandy. Dat stel ik echt op prijs.'

'Maar u mag niemand vertellen dat ik het heb gedaan,' zei ze zorgelijk.

'Niemand zal het ooit van mij te horen krijgen.'

Toen Puller in zijn motelkamer terug was, keek hij naar de naam en het adres die Sandy voor hem had opgeschreven.

Hij herkende de naam van het bedrijf niet. Het was een adres in de staat Ohio. Hij pakte zijn telefoon, googelde de naam en vond de homepage van het bedrijf. Toen hij zag wat de firma deed, vroeg hij zich af of hij eindelijk wat verder kwam met de zaak. In dat geval was het niet erg duidelijk. Hij belde naar het nummer op de homepage, maar kreeg een antwoordapparaat. Het bedrijf was gesloten en zou de volgende morgen om negen uur weer bereikbaar zijn.

Omdat hij daar die dag niet verder mee kon, belde Puller het ziekenhuis waar moteleigenares Louisa heen was gebracht. Hij vond niemand die hem kon vertellen hoe ze eraan toe was, maar met zijn creditcard kocht hij een vaas bloemen bij de cadeauwinkel van het ziekenhuis. Op het kaartje liet hij schrijven: 'Met de kat gaat het goed. Met jou hopelijk ook. Je goeie kerel, Puller.'

Hij legde de telefoon neer, trok zijn kleren uit en ging onder de douche staan. In het leger leerde je je snel te wassen en nog sneller aan te kleden, en vijf minuten later was hij dan ook droog en aangekleed.

Hij stak net zijn M11 in de voorholster toen hij het zag.

Iemand had een papiertje onder de deur van zijn kamer door geschoven.

Hij keek meteen uit het raam naast de deur, maar zag niemand. Op de kleine binnenplaats waren geen auto's en geen mensen te zien. Hij trok de sloop van een van de kussens op het bed, knielde neer en gebruikte de sloop om het papiertje op te pakken.

Hij keerde het om en zag letters van een laserprinter. De boodschap was eenvoudig.

Ik weet dingen die je moet weten.

Er stond een adres onder.

En toen stond er nog één woord.

Nu.

Puller gebruikte de navigatiefunctie op zijn telefoon om het adres te vinden. Het was een kwartier rijden vanaf het motel. Hij zou waarschijnlijk nog dieper in de rimboe terechtkomen dan hij nu al was.

Een ideale plaats voor een hinderlaag.

Een schot op grote afstand.

Of een schot met een hagelgeweer op korte afstand.

Of tien man tegen één. Misschien wilden Dickie en zijn grote vriend met de gebroken neus de rekening met hem vereffenen en namen ze deze keer de noodzakelijke versterkingen mee.

Puller keek naar zijn telefoon. Hij kon Cole bellen en haar op de hoogte stellen. Waarschijnlijk zou hij dat moeten doen. Hij drukte op de toetsen. De telefoon ging over. Hij kreeg de voicemail. Waarschijnlijk stond ze nog onder de douche om de stank van de dood weg te boenen.

Hij sprak een boodschap in en vertelde haar over deze nieuwste ontwikkeling. Hij gaf haar het adres dat op het papiertje stond en verbrak toen de verbinding.

Hij voerde nog één telefoongesprek, namelijk met zijn vriendin Kristen Craig bij USACIL. Hij vertelde haar wat hij had opgestuurd en welke resultaten hij van het lab hoopte te krijgen.

'Hoe staat het met de laptop en de aktetas?' vroeg hij haar. 'Heb je toestemming gekregen van de DIA?'

'Ja,' antwoordde ze, 'maar eerlijk gezegd vind ik het tot nu toe behoorlijk teleurstellend.'

'Waarom?'

'In de aktetas zaten een oud broodje, enkele visitekaartjes uit het bedrijfsleven en twee tijdschriften. Het enige rapport dat erin zat, was niet geheim.'

'En de laptop?'

'Een beetje porno en verder eigenlijk niets. Hij had er wel dingen van zijn werk op staan, maar niets waardoor de westerse beschaving te gronde zou gaan als het in handen van schurken viel.'

'Weet de DIA dat?'

'Natuurlijk. Ze zijn de DIA. Ze hebben iemand naar het lab gestuurd.'

'Porno, hè?'

'Dat treffen we heel vaak op militaire laptops aan. Dat weet je. En het was geen harde porno. Alleen dingen die je in je hotelkamer kunt zien zonder dat de titel de volgende morgen op de rekening komt te staan. Nauwelijks prikkelend en afschuwelijk slecht geproduceerd. Maar ja, ik ben geen man.'

'Vrouwen leggen de lat veel hoger. Nou, waarom zijn alle sirenes dan afgegaan op het ministerie van de Strijdkrachten?'

'Hé, ik ben alleen maar van de techniek. Jij bent de rechercheur,' zei ze op speelse toon.

Hij verbrak de verbinding en dacht daarover na. Vervolgens keek hij naar het briefje en dacht daar ook over na.

Hij wachtte tot Cole hem terugbelde. Dat deed ze niet.

Op weg naar buiten deed hij de deur van de motelkamer op slot.

Hij startte de Malibu, zette het adres dat hem was opgegeven in zijn gps en reed weg.

35

Eén roestige, scheefgezakte brievenbus.

Puller reed de brievenbus voorbij en nam de zandweg die daarop uitkwam.

Aan weerskanten bos.

Het verbaasde hem dat dit adres op de gps te vinden was geweest. Big Brother beschikte echt over alle informatie.

Hij parkeerde een halve kilometer verder, stapte uit en liep het bos in. Vervolgens liep hij naar het westen terug. Van achter een groepje bomen keek hij naar het kleine huis. In de verte hoorde hij duidelijk het geluid van een ratelslang die iemand liet weten dat hij er was.

Puller kwam niet in beweging. Hij bleef daar gehurkt zitten en keek naar het huis.

Een oude pick-uptruck aan de voorkant. Het karkas van nog een pick-up aan de andere kant van het huis. Achter het huis iets wat op een garage leek. De ene deur was dicht. Het zag er niet naar uit dat het huis de laatste tijd bewoond was geweest. Het was nog niet zo donker dat er licht in het huis zou moeten branden, al wierp het bos dat eromheen stond al veel schaduw.

Geen geluiden. Geen mensen.

Hij bleef gehurkt zitten en vroeg zich af wat hij moest doen.

Iemand die zo ver bij de moorden vandaan woonde, had waarschijnlijk niets gezien. Aan de andere kant wísten ze misschien wel iets. Zoals in het briefje stond. Dus óf iemand wilde hem op een spoor brengen, óf iemand wilde hem kwaad doen. In het laatste geval kon het om wraak van Dickie en zijn kornuiten gaan of om een tegenaanval van iemand die zijn onderzoek wilde dwarsbomen.

Hij had zijn telefoon op de trilstand gezet. Het apparaatje trilde nu.

Hij keek naar het schermpje en antwoordde zachtjes.

'Waar ben je, Puller?' vroeg Cole.

'Op het adres. In het bos ten oosten van het huis. Waar ben jij?'

'Ten westen van het huis. In het bos.'

'Grote geesten denken hetzelfde. Zie je iets? Ik zie hier niets.'

'Nee.'

'Weet je wie daar woont?'

'Nee.'

'Er stond geen naam op de brievenbus.'

'Wat wil je doen?'

'Uitzoeken waarom we hier zijn.'

'Hoe wil je dat doen?'

'Laten we het simpel houden. Ik ga er vanuit het oosten op af en jij komt vanuit het westen. We blijven bij de boomgrens staan en nemen dan weer contact op.' Hij stopte zijn telefoon weg en liep naar voren, waarbij hij zijn M11 voor zich uit hield. Hij nam aan dat Cole hetzelfde met haar Cobra deed vanuit het westen.

Een minuut later trilde zijn telefoon.

'Ik ben er,' zei Cole. 'Wat nu?'

Puller gaf niet meteen antwoord. Hij nam zijn omgeving systematisch in zich op. De taliban en Al Qaida waren er heel handig in geweest Amerikaanse solda-ten in de val te lokken. Ze zagen steeds weer kans iets wat dodelijk gevaarlijk was een volkomen onschuldig aanzien te geven. Kinderen, vrouwen, huisdieren.

'Puller?'

'Wacht even.'

Hij deed een paar stappen naar voren en riep: 'Hallo? Is daar iemand?'

Geen antwoord. Dat had hij ook niet verwacht.

Hij deed nog twee stappen naar voren, tot hij de boomgrens helemaal voorbij was. Maar hij hield de oude pick-up tussen hemzelf en het huis.

Hij sprak in zijn telefoon. 'Kun je me zien?'

'Ja, maar amper.'

'Zie je iets aan jouw kant?'

'Nee, ik geloof niet dat het huis bewoond is. Het ziet eruit alsof het op instor-ten staat.'

'Ben je ooit hier in de buurt geweest?'

'Alleen als ik op weg was naar iets anders. Dit weggetje is me nooit opgevallen. Wat denk je dat er aan de hand is?'

'Blijf waar je bent. Ik ga iets proberen.'

Hij liet de telefoon in zijn zak glijden en schuifelde naar voren tot hij de ve-randa aan de voorkant goed kon zien. Hij keek op en neer, heen en weer. Toen keek hij nog eens omlaag. Uit de zak van zijn jasje haalde hij een vizier dat in zijn rugzak had gezeten.

Hij keek erdoor en stelde de lenzen bij tot hij een goed zicht op de veranda had. Hij keek weer omhoog en omlaag, naar links en naar rechts. En toen keek hij weer omlaag.

Hij pakte zijn telefoon en drukte hem tegen zijn oor. 'Blijf waar je bent en blijf in dekking.'

'Wat zie je? Wat ga je doen?'

'Dat hoor je luid en duidelijk over ongeveer vijf seconden, als het is wat ik denk dat het is.'

'Puller...'

Maar hij had de telefoon al weggestopt.

Hij had het vizier op zijn M11 gezet.

Hij keek nog eens om zich heen. 'Hallo, ik ben John Puller. Je hebt me ge-vraagd hierheen te komen. Ik wil graag praten.'

Hij wachtte nog vijf seconden. Dachten ze dat hij gewoon naar de voordeur zou lopen?

Hij bracht zijn wapen omhoog en keek door het vizier. Zijn loop was gericht op de vloerplanken van de veranda.

Hij loste drie schoten snel achter elkaar. Stukken van de veranda vlogen de lucht in. Hij hoorde het pinggeluid van metaal op metaal.

Dat kon maar één ding betekenen. Hij had gelijk gehad. Hij hurkte neer.

De voordeur vloog open. Het schot hagel ging finaal door het oude kwetsbare hout heen. Iemand die ervoor had gestaan, zou letterlijk aan flarden zijn ge-schoten.

Iedereen behalve ik, dacht Puller.

'Jezus!'

Hij keek naar links en zag dat Cole eerst naar hem keek, toen naar het grote gat in de voordeur en toen weer naar hem.

'Hoe wist je dat daar een boobytrap was?' riep ze.

'Nieuwe planken voor de deur. Ze hebben de drukplaat eronder gezet, een draad het huis in geleid en die draad verbonden met de trekker van het geweer dat ze op iets ter hoogte van je maagstreek hadden vastgemaakt. Ik hoorde dat mijn kogels tegen de plaat sloegen.' Hij liep bij de pick-uptruck vandaan. 'Toch snap ik niet waarom ze dachten dat ik gewoon naar de deur zou lopen om mijn kop van mijn romp te laten schieten.'

'Ik ben blij dat je slimmer bent dan zij dachten.'

Zij kwam ook naar voren.

Puller zag het en dook op haar af. Hij trof Cole in haar buik en tilde haar van de grond. Ze vielen naar de boomgrens terug, en twee seconden later ontplofte de pick-uptruck. Een voorwiel landde op vijftien centimeter afstand van hen. Brokstukken regenden om hen heen. Puller bedekte Cole met zijn lichaam. Een lange strook rubber kwam op de achterkant van zijn benen terecht. Het deed pijn, maar richtte geen blijvende schade aan. Hij zou daar een striem aan overhouden, maar dat was alles.

Terwijl de vlammen over de pick-up renden, wist Puller dat hij een tweede pro-bleem had. Hij pakte Cole bij haar arm vast, tilde haar over zijn schouder en rende het bos in. Enkele ogenblikken later explodeerde de benzinetank en vloog er een tweede golf brokstukken in alle richtingen.

Puller zette Cole achter een boom neer en knielde in het zand neer, een heel eind bij de restanten van de pick-up vandaan. Hij liet de brokstukken neerko-men en gluurde toen langs de boom.

'Hoe wist je dat?' zei Cole met een zucht, terwijl ze rechtop ging zitten.

'Er was een draad gespannen tussen twee struiken.'

'Iemand wilde je duidelijk dood hebben. Met de deur en met de pick-up. Als het ene mislukte, kon het andere je nog te pakken krijgen.' Ze keek om zich heen en huiverde. En dat deed ze niet alleen omdat de avondlucht was afgekoeld. 'Mijn oren galmen als een kerkklok.'

Puller keek haar niet aan. Hij keek naar de verwoeste pick-up.

'Ben jij ongedeerd, Puller? Ben je geraakt?'

Hij schudde zijn hoofd.

'Wat is er dan?'

'Ik had die draad moeten zien voordat jij ertegenaan liep.'

'Maar je zag hem op tijd.'

Hij keek haar aan. 'Dat is niet goed genoeg.'

'Ik moet een team laten komen om dit te onderzoeken,' zei ze. 'En ook de brandweer. Als deze bossen in brand vliegen, is het vuur bijna niet te bedwingen.'

'Er is een tuinslang bij het huis. Als er nog water in de put zit, kan ik het vuur blussen.'

'En als er nog meer boobytraps zijn?'

'Als ik ze weer over het hoofd zie, verdien ik wat me overkomt.'

'Puller, je hebt niets over het hoofd gezien.'

Hij negeerde dat. 'Heb je bomspecialisten in huis?'

'Lan Monroe weet er iets van. Maar er woont een gepensioneerde ATF-agent in de buurt van de stad. Ik kan hem tijdelijk tot politieagent aanstellen.'

'Doe dat maar. We hebben zoveel expertise nodig als we maar kunnen krijgen.'

Terwijl Cole ging bellen, pakte Puller de tuinslang en besproeide hij het autowrak en de vlammen. Binnen tien minuten kwamen er twee politiewagens en twee brandweerwagens aanrijden. Lan Monroe belde om te zeggen dat hij onderweg was. Cole bereikte de voormalige ATF-agent en sprak met hem af dat hij ook zou komen.

Terwijl de brandweermannen zich over de resterende vuurtjes ontfermden en de restanten van de pick-up nathielden, trok Puller de aandacht van de politieagenten en wees hij naar het huis. 'Ik zou daar nu niet in de buurt komen. Ik zou een gemotoriseerde robot zoeken en die naar binnen sturen voordat een levend mens daar in de buurt komt.'

'De staatspolitie heeft zo'n robot. Ik ga bellen,' zei Cole.

Nadat ze dat had gedaan, zei Puller: 'Nou, ik denk dat we naar een diner moeten.'

'Wil je nog steeds gaan?'

'Ja.'

'Heb je schone kleren in je auto?'

'Altijd.'

'Dan kunnen we naar mijn huis gaan en douchen. En dan kan ik me ook omkleden. Mijn huis is dichter bij het huis van Trent dan jouw motel.'

Ze liepen naar hun auto's terug, terwijl het onderzoeksteam zo ver bij het huis en de ontplofte pick-uptruck vandaan bleef als mogelijk was.

Toen ze bij de weg kwamen, leunde sheriff Pat Lindemann daar tegen het passagiersportier van zijn Ford. Hij veegde met een zakdoek over zijn gezicht en spuwde in het zand.

'Spannende tijden in Drake,' zei hij toen ze naar hem toe kwamen.

'Te spannend,' zei Cole.

'Dankzij jou hoef ik geen nieuwe brigadier te zoeken, Puller. Ik sta bij je in het krijt.'

'Het ging bijna mis.'

'Het gaat om wat er is gebeurd,' zei Lindemann. Hij keek naar het pad door het bos. 'Iemand heeft grote moeite met wat je doet. Hebben ze dat briefje in je motel achtergelaten?'

'Het is onder de deur door geschoven terwijl ik stond te douchen.'

'Dus ze houden je in de gaten?'

'Blijkbaar.'

'Hebben jullie twee enig idee wat hier in godsnaam aan de hand is?'

'Nog niet,' zei Cole, 'maar ze hebben het nu tot iets persoonlijks gemaakt. Ik ga hier al mijn tijd aan wijden, sheriff.'

Hij knikte en spuwde weer. 'Allergie. Nooit eerder last van gehad.' Hij keek Puller aan. 'Wil je bescherming van ons korps?'

'Nee, ik red me wel.'

'Wat jij wilt. Nou, dan ga ik maar. Mijn vrouw houdt het eten voor me warm.'

'Pas goed op jezelf, sheriff,' zei Cole.

Toen hij was weggereden, zei Puller: 'Heb jij het op zijn baan voorzien? Zo te zien is hij al bezig te vertrekken.'

'Hij is een goede politieman, maar hij doet dit al meer dan dertig jaar en hij heeft vast niet verwacht dat hij helemaal aan het eind van zijn carrière nog zoiets zou meemaken als dit.'

Toen ze haar portier openmaakte, zei Cole: 'Ik heb gehoord wat je in Annie's Motel voor Louisa hebt gedaan. Dat was heel goed van je.'

'Ze had hulp nodig, en dus hielp ik. Het stelde niets voor. Hoe gaat het met haar?'

'Dat weet ik niet. Ik heb nog geen gelegenheid gehad om naar het ziekenhuis te bellen. Maar zonder jou zou ze zeker dood zijn geweest.'

'Ken je haar?'

'Iedereen kent Louisa. Ze is het zout der aarde.'

144

'Altijd prettig om het zout der aarde te helpen,' zei Puller zacht. 'Meestal krijgt het op zijn kop.'

Ze legde haar hand op zijn schouder. 'Je moet niet kwaad op jezelf zijn vanwege die struikeldraad, Puller.'

'Als ik dat in een oorlogsgebied had gedaan, zou mijn hele eenheid dood zijn geweest.'

'Maar we zijn niet dood.'

'Nee,' zei hij met doffe stem.

Puller stapte in zijn auto en reed achter haar aan.

36

Na vijfentwintig minuten rijden sloeg Cole een straat in waar oudere, goed onderhouden huizen stonden met brede veranda's en fraaie gazons. Ze stopte op het pad van een huis met een gevelbekleding van grijze shingles, een wit staket en een kleurrijke tuin. Het leek meer New England dan West Virginia. Puller stapte uit zijn auto, pakte zijn schone kleren uit de kofferbak en liep met haar naar de voordeur.

'Mooi huis. Hoe lang woon je hier al?'

'Ik ben hier opgegroeid.'

'Het huis van je ouders?'

'Ik heb het na hun dood gekocht.'

'Zijn ze tegelijk gestorven?'

'Ja.'

Blijkbaar had ze geen zin om daar informatie over te verstrekken.

Puller zei: 'Het ziet eruit alsof het op de rotsige kust van New England zou moeten staan.'

'Dat weet ik. Daarom houd ik er zoveel van.'

'Ben je een meisje van de zee?'

'Misschien wil ik dat graag zijn.'

Hij keek naar de andere huizen in de buurt. 'Dat van jou springt er nogal uit. Hoe komt dat?'

'Mijn vader is bij de marine geweest. Toen hij jong was, is hij de hele wereld over gereisd. Hij hield van het water. Hij heeft dit huis zelf gebouwd.'

Puller raakte een zware steunpaal van de veranda aan. 'Een handige man. Waarom is hij hier teruggekomen, als hij een man van de zee was?'

'Hij komt uit West Virginia. Hij kwam thuis. Ik moet een paar telefoontjes plegen. Jij mag de badkamer boven nemen. Daar vind je handdoeken en alles wat je verder nodig hebt.'

'Dank je.'

Hij vond de badkamer, zette de douche aan, trok zijn kleren uit en ging onder de waterstraal staan. Vijf minuten later was hij droog en aangekleed en kwam hij de badkamer uit. Hij kwam Cole tegen, die in een lange badjas door de gang liep.

'Allemachtig, ben je al klaar?' zei ze, naar hem opkijkend. Op haar blote voeten was ze meer dan een kop kleiner dan hij.

'Als duizend kerels ook nog onder de douche willen, mag je niet treuzelen. En het zit er nu bij me ingebakken.'

'Ik ben niet zo snel als jij,' zei ze, 'maar ik doe er niet lang over.'

'Wil je deze badkamer gebruiken, nu ik hier klaar ben?'

'Nee, ik heb al mijn spullen beneden liggen.'

'Maar is je slaapkamer niet hierboven?'

'Je hoeft niet te weten waar mijn slaapkamer is, Puller,' snauwde ze.

Hij deed een stap bij haar vandaan en keek over haar schouder. 'Oké. Mag ik een glas water pakken? Je krijgt dorst van die ontploffende bommen.'

'Er staan flessen water in de koelkast in de keuken.'

'Kraanwater is ook prima, hoor.'

'Niet dat uit onze kraan. Je moet flessenwater drinken.'

Beneden ging hij naar de keuken, terwijl zij naar de badkamer ging. Hij hoorde het water stromen en stelde zich voor dat ze onder de douche stapte. En toen zette hij die gedachte helemaal uit zijn hoofd. Zaken, in elk geval zijn zaken, waren nooit goed te combineren met iets anders.

De keuken zag eruit als de kombuis van een schip: functioneel, de ruimte goed benut, alles precies op zijn plaats. De marinevader had dat thema blijkbaar in het hele huis ingevoerd.

Beide ouders waren tegelijk gestorven. Dat moet een ongeluk zijn geweest, dacht hij. Maar blijkbaar wilde Cole er niet over praten. Daarbij waren het zijn zaken niet.

Hij trok de koelkast open en haalde er een fles mineraalwater uit. Terwijl hij dronk, keek hij naar de achtertuin. Het gras was gemaaid; de bloemen hadden water gekregen. Er was een kleine natuurstenen fontein met sijpelend water. Meer naar achteren zag hij een witte schommelbank, een vuurput en een grill onder een houten prieel dat behangen was met purperen ranken.

Het was allemaal erg vredig en rustgevend, heel anders dan het soort huis waarvan hij zou hebben gedacht dat Cole er zou wonen. Hij wist niet waarom. Eigenlijk kende hij de vrouw niet.

Hij stapte de veranda op en dronk nog wat meer van zijn water.

Hij sloot zijn ogen en dacht weer aan de struikeldraad. Die had hij niet gezien. Hij zag hem pas toen Cole er bijna tegenop was gelopen. En toen was haar scheen erlangs gestreken, en dat was net genoeg geweest. Eigenlijk hadden ze dood moeten zijn. Er was een korte vertraging geweest tussen het aanraken van de draad en de ontploffing. Puller wist waarom.

De constructie van de bommenlegger was niet helemaal goed geweest. Of misschien had hij gewoon gedacht dat je zou vallen als je over die draad struikelde. Enkele seconden van verwarring. Je krabbelde overeind. *Boem*, je hoofd was weg. In dat opzicht had Puller zijn eigen leven en dat van Cole gered. Maar het was niet goed genoeg geweest. Lang niet goed genoeg.

Ik ben niet meer wat ik was.

Ik ben lang niet meer wat ik was.

Als je niet meer in een oorlogsgebied bent, worden je zintuigen afgestompt. Je wordt een stapje langzamer.

Hij had geweten dat er een dag zou komen waarop dat het geval zou zijn. Maar hij had niet geweten hoe kwetsbaar hij zich dan zou voelen. Eigenlijk was er maar één oplossing: teruggaan naar het Midden-Oosten en proberen daar in leven te blijven.

En eigenlijk wil ik dat niet. Niet nadat ik er zes keer heen ben gestuurd, en met geweren en bommen ben aangevallen en vaker bijna ben doodgegaan dan ik me kan herinneren.

Maakt dat me een lafaard?

Een paar minuten later zat hij op de schommelbank toen ze naar buiten kwam. Ze had eerst een broek, een blouse en schoenen met platte zolen gedragen, maar nu droeg ze een lichtblauwe zomerjurk met een geschulpt decolleté en witte sandalen met hakken van een paar centimeter hoog. Hij vond de jurk mooier dan de broek. Ze kwam naast hem op de schommelbank zitten en trok haar rok over haar benen toen ze die over elkaar sloeg. Haar haar was nog vochtig en ze rook naar jasmijn en seringen. Ze leunde achterover en deed haar ogen dicht.

'Moeten we niet gaan?' vroeg Puller.

'Ik heb Jean gebeld en gezegd dat we een beetje later kwamen.' Ze wreef over haar slapen.

'Heb je haar verteld waarom?'

Ze keek hem aan. 'Nee. Dat leek me niet nodig.'

'Ik heb op het postkantoor naar dat aangetekende pakje geïnformeerd.'

Ze keek hem aan. 'Hoe heb je dat gedaan?'

'Ik heb gewoon wat vragen gesteld.'

'Wilde je niet op mij wachten?'

'Snelheid is soms van cruciaal belang. En het postkantoor staat maar drie minuten bij het motel vandaan.'

Hij glimlachte en ze grijnsde terug. 'Nou, wat heb je ontdekt?' vroeg ze.

'Het kwam van een firma die bodemmonsters test.'

'Waarom zouden de Reynolds' bodemmonsters laten testen?'

'Ik wou dat ik het wist.'

'En als de hond dat pakje niet heeft opgegeten, moet degene die Larry Wellman heeft vermoord zijn teruggekomen om het op te halen. Maar nogmaals: hoe konden ze weten dat het daar was?'

Puller dronk zijn water op en schroefde de dop weer op de fles. 'Zoals ik al zei: misschien hebben ze het op dezelfde manier ontdekt als wij. Ze beseften dat de postbode de lijken had gevonden. Hoe kon dat, tenzij hij iets bij het huis kwam afgeven waarvoor hij een handtekening moest hebben? Dat moest de enige reden zijn waarom hij het huis was binnengegaan. Dus wat zat er in het pakje? Ze gingen terug om het uit te zoeken. Ze wisten niet wat het was, maar ze wilden geen risico nemen.'

'Maar hoe wisten ze dat wij het niet hadden gevonden?'

Puller zei: 'Misschien kregen ze informatie van binnenuit.'

'Ik kan bijna niet geloven dat ik iemand in mijn politiekorps heb die de andere kant helpt.'

'Ik zeg niet dat het zo is. Ik zeg alleen dat je er rekening mee moet houden.'

'En de bommen?'

'Die vat ik eigenlijk op als een goed teken.'

'Je bedoelt dat iemand zich zorgen maakt over wat jij doet?'

'Ja.'

'Tenminste, áls het met de moorden te maken heeft. Je laat Dickie en zijn grote vriend nu even buiten beschouwing.'

'Denk je dat die wraak zouden nemen door een bomaanslag op me te plegen?'

'Nee. Waarschijnlijk heb je gelijk.' Ze deed haar ogen weer dicht en leunde met haar hoofd tegen de rugleuning van de schommelbank. Ze wreef weer over haar slapen en trok een grimas.

'Ik heb niet eens gevraagd of je je hebt bezeerd,' zei hij zachtjes. 'Ik dreunde nogal hard tegen je aan. Ben je ongedeerd? Geen hersenschudding of zo?'

'Ik heb niets. Je hebt me een flinke opdonder gegeven, maar dat was beter dan het alternatief.' Ze deed haar ogen open, streek met haar vingers over zijn onderarm en liet haar hand daar rusten. 'En ik heb je nog niet bedankt.'

'Het licht was zwak. Meestal zie je het zonlicht op zo'n draad glinsteren. Daarom werken de taliban en Al Qaida liever met drukplaten en andere mechanismen die onder de grond zitten.'

'Ik zag hem helemaal niet.' Ze boog zich naar hem toe en gaf hem een kus op zijn wang. 'Bedankt voor het redden van mijn leven, Puller.'

Hij keek haar aan. Hij dacht dat hij een traan in haar rechteroog zag blinken, maar ze wendde zich af voordat hij daar zeker van kon zijn.

'Graag gedaan.'

Ze trok haar hand van zijn arm weg en stond op.

'Laten we maar gaan. Ik kan rijden. Jij kunt je auto hier achterlaten. We nemen mijn pick-up. Ik heb wel even genoeg van de politiewagen.'

Hij liet haar een eindje bij hem vandaan lopen, tot ze zich omdraaide. Met de ondergaande zon achter haar zag Sam Cole er stralend uit in haar jurk. Puller genoot even van de aanblik.

'Kom je?'

Hij stond op.

'Ik kom.'

37

Jean Trent droeg een kakibroek, rode sandalen en een bijpassende rode mouw-loze blouse. Ze zat in de zonnekamer aan de westkant van het huis, al scheen de zon nu niet meer. Ze had al een cocktail in haar hand en vroeg Puller en haar zus wat ze wilden drinken.

Puller koos voor een biertje. Cole nam een gingerale.

'Goh,' zei Jean. 'Jullie zien eruit alsof jullie iets ergs hebben meegemaakt.'

'Sorry dat we zo laat zijn,' zei Cole. 'We werden opgehouden door een zaak.'

'Maak je geen zorgen. Dat gaf mij de tijd om nog een martini te nemen.' Ze keek Puller aan. 'Je zou er ook een moeten proberen.'

Puller liet die woorden even in de lucht hangen en zei: 'Heb je iets van je man gehoord? Is hij op zijn bestemming aangekomen?'

'Hij belt me bijna nooit als hij onderweg is. Ik weet niet eens zeker wanneer hij terugkomt.'

'Waar is Meghan?' vroeg Cole.

'Baantjes trekken in het zwembad.'

'Zo laat nog?' vroeg Cole.

'Ze probeert haar buikje weg te zwemmen. Ik heb haar gezegd dat het bij het opgroeien hoort, gewoon een beetje babyvet, maar de andere meisjes lachen haar uit en dat vindt ze vreselijk.'

'Dat zou ik ook vinden,' zei Cole.

'Roger is breedgebouwd en heeft daardoor gauw een probleem met zijn ge-wicht. Dat probleem hebben wij in onze familie nooit gehad,' voegde Jean er-aan toe, en ze keek naar Puller, die op een bankje zat waarvan de bekleding een patroon van groene en purperen ranken vertoonde. 'Als ik op jou mag afgaan, zijn ze bij jou in de familie nogal lang.'

'Inderdaad,' zei hij.

'Je vader of moeder?'

'Vader.'

'En je moeder?' vroeg Jean.

Puller gaf geen antwoord. Hij wendde zich van haar af en keek de kamer rond. Jean keek naar zijn taille. 'Moet je een wapen dragen als je ergens gaat eten?'

'Voorschrift. Ik moet het altijd bij me hebben.'

Cole zei: 'Eet Meghan ook mee?'

'Dat denk ik niet. Ze hongert zich uit.'

'Dat is niet goed, zus. Jonge meisjes zijn geneigd tot eetstoornissen.'

'Ik heb met haar gepraat tot ik een ons woog. Ik heb haar naar specialisten ge-stuurd. Ze wilden haar pillen voorschrijven, maar dat heb ik geweigerd. We hopen dat het maar tijdelijk is, dus dat ze het ontgroeit.'

Cole leek niet overtuigd. 'Dus we eten met z'n drietjes?'

'Waarschijnlijk,' zei Jean.

'Ja of nee?'

'Daar kan ik op dit moment niet met zekerheid antwoord op geven.'

'Geweldig,' zei Cole geërgerd. 'Heb ik je al eens verteld dat ik in mijn werk al met genoeg onbeantwoorde vragen te maken heb? Ik ga met mijn nichtje praten.'

'Ik heb geen zwembad gezien toen we hier kwamen aanrijden,' zei Puller.

'Het is een binnenzwembad,' zei Jean. 'We zijn hier geen zonaanbidders.'

'En het kolenstof maakt het water misschien zwart,' zei Cole.

Haar zus keek haar aan. 'Dat is volslagen onzin en dat weet jij net zo goed als ik.'

'O ja?'

Het dienstmeisje kwam hun drankjes brengen. Cole nam haar gingerale aan en gaf het bier aan Puller. Ze zei: 'Oké, ik ga. Dan kunnen jullie twee achter mijn rug om praten.'

Ze ging weg en Jean keek Puller aan en liet haar glas tegen zijn flesje tikken. 'Ik vind haar wel een beetje intens.'

'Ze is politievrouw. Ze moet wel intens zijn. En ze is een vrouw, en dus moet ze nog intenser zijn om geaccepteerd te worden.'

'Als jij het zegt.'

'Jullie twee zijn nogal verschillend. Niet uiterlijk, maar in alle andere opzichten.'

'Dat zal ik niet tegenspreken. Nou, waarom waren jullie zo laat? Je gaat toch niet nu al met haar naar bed, hè?'

'Nu al?' zei hij verbaasd. 'Ze lijkt me niet het type om zomaar met iedereen naar bed te gaan.'

'Dat bedoelde ik niet. En dat doet ze ook niet. Ze is aantrekkelijk en ongebon-den en jij bent aantrekkelijk en ik zie geen trouwring aan die grote hand van je.'

'Dat verklaart niet waarom je "nu al" zei.'

'Nou, ik denk dat mijn kleine zusje een beetje wanhopig wordt.'

Puller leunde op het bankje achterover en nam weer een slok van zijn bier. 'Nee, we gingen niet met elkaar naar bed. We vlogen zowat samen de lucht in.'

Ze ging rechtop zitten. 'Hè?'

'Iemand had een boobytrap in een pick-uptruck gelegd bij een huis waar we waren. Het heeft maar een paar seconden gescheeld of we waren vanavond niet bij je komen eten, en ook op geen enkele andere avond.'

Jean zette haar glas neer en keek hem aan. 'Maak je een grapje?'

'Ik maak geen grappen over de dood.'

'Waarom heeft Sam dat niet gezegd?'

'Dat weet ik niet. Ze is je zus. Je kent haar duidelijk veel beter dan ik.'

Ze pakte haar glas weer op, maar dronk niet. Ze keek naar de olijven. 'Ik wou dat ze nooit bij de politie was gegaan.'

'Waarom niet?'

'Het is gevaarlijk.'

'Een heleboel dingen zijn gevaarlijk.'

'Je weet wat ik bedoel,' zei ze op scherpe toon.

'Ze werkt voor de gemeenschap en zet haar leven op het spel om de orde te handhaven. Om de brave burgers van Drake een veilig leven te laten leiden. Ik heb bewondering voor haar.'

'En jij bent soldaat, nietwaar? Ook iemand die voor de samenleving werkt?'

'Ja, dat staat in de functieomschrijving.'

'Irak of Afghanistan?'

'Allebei.'

'Een jongen op wie ik verliefd was op de middelbare school, Ricky Daniels, ging meteen na zijn eindexamen in het leger. Hij is omgekomen in de Eerste Golfoorlog. Hij was nog maar negentien.'

'Zou je ook met Roger Trent zijn getrouwd als die jongen was teruggekomen?'

Ze slikte de rest van haar martini door. 'Ik zou niet weten waarom jou dat iets aanging.'

'Je hebt volkomen gelijk. Ik hou alleen maar de conversatie op gang tot je zus terugkomt. En nu klink je precies als zij.'

'Nou, je kunt je de moeite besparen. Wat die conversatie betreft, bedoel ik. Ik heb geen gezelschap nodig.'

'Waarom wilde je dan dat ik vanavond meekwam?'

'Dat weet ik eigenlijk niet. Het leek me op dat moment gewoon een goed idee. Ik ben impulsief.'

'O ja? Zo kom je niet op me over.'

'Nou, toch ben ik het.'

'Vertel me eens over de eerdere doodsbedreigingen die je man heeft gekregen.'

'Waarom? Nog meer conversatie? Ik zei al dat je je die moeite kon besparen.'

'Nee, ik heb nu mijn onderzoekerspet op.'

'Het was stom. Het stelde niets voor.'

'Doodsbedreigingen zijn bijna nooit stom en ze stellen altijd iets voor.'

'Nou, deze waren stom.'

'Denk je dat het deze keer dezelfde persoon is? En zou je man zich geen zorgen moeten maken? Want dat doet hij duidelijk wel.'

Jean keek nu niet zo zelfverzekerd. Haar hand beefde enigszins toen ze haar glas neerzette. 'Ik weet niet of ik degene ben die daar antwoord op moet geven.'

'Vanmiddag deed je er nogal luchtig over.'

'Mijn man is niet zo populair. Veel mensen hebben een hekel aan hem.'

'Ook mensen die jij persoonlijk kent?'

'Ja.'

'En toch ben je met hem getrouwd.'

Ze keek hem duister aan. 'Jazeker, dat heb ik gedaan. Nou en? En hij was toen nog niet rijk. Hij was nog druk bezig zijn bedrijf op te bouwen. Ik deed het dus niet voor het geld.'

'Ik zei ook niet dat hij rijk was. En ik zei niet dat je het daarom deed.'

'Maar dat dacht je wel.'

'Hij heeft vast veel andere aantrekkelijke eigenschappen.'

'Ja, die heeft hij.'

'Dat is goed om te weten.'

'Je houding staat me niet aan.'

'Ik heb geen houding. Ik probeer alleen maar met de stroom mee te gaan.'

'Doe dan wat meer je best.'

·38·

Cole kwam de kamer weer in. 'Nou, Meghan is meer geïnteresseerd in de calorieën die ze wil kwijtraken dan in een praatje met haar tante.' Ze hield op met praten toen ze haar zus kwaad naar Puller zag kijken.

'Alles in orde?' vroeg ze met een blik op hem.

Hij zei: 'Ja, alles is helemaal in orde.'

De deur ging weer open.

'Randy?' riep Cole uit.

Randy Cole had zich opgeknapt sinds Puller hem voor het laatst had gezien. Hij droeg een schone spijkerbroek, een zwart T-shirt en loafers. Zijn haar was netjes gekamd en hij had zich geschoren.

Sam Cole keek oprecht verrast maar ook blij.

Jean keek verbaasd maar niet ongelukkig.

Randy kwam naar voren en Cole omhelsde hem. 'Hoe gaat het, vreemdeling?' zei ze luchtig. Puller nam aan dat ze de spanning bij voorbaat wilde wegnemen.

'Het gaat wel,' zei Randy. Hij keek Puller aan. 'Ik zag je bij Annie's Motel.'

'Ja.'

'Ben jij de militair waar iedereen in de stad het over heeft?'

'Ik geloof van wel.'

'Ik wilde ook dienst nemen.'

'Waarom heb je dat niet gedaan?' vroeg Puller.

'Afgekeurd. Mijn ogen waren niet helemaal goed en er was ook iets met mijn borst. Waarschijnlijk doordat ik mijn hele leven al die frisse lucht had ingeademd.'

Jean zei: 'Laten we aan tafel gaan.'

De eetkamer was groot. De lambriseringen waren van zebrahout en hadden genoeg lijstwerk en medaillons om in een paleis niet te misstaan. Ze gingen aan het ene eind van een antieke Sheraton-tafel zitten die zo lang was dat hij met drie voetstukken overeind moest worden gehouden.

Randy wreef met zijn hand over het glanzende hout. 'God, die steenkool betaalt goed, grote zus.'

'Ben je hier nooit eerder geweest?' vroeg Puller. Hij zat naast Randy en had hem met grote ogen van verbazing naar het luxueuze interieur zien kijken.

Jean zei vlug: 'Niet omdat hij nooit is uitgenodigd. Daarom verbaasde het me zo je vanavond te zien, Randy. Je bent nooit op mijn eerdere uitnodigingen ingegaan.'

Puller keek even naar Randy. De Trents waren al zo lang getrouwd en Randy was nooit bij hen thuis geweest? Toen schoot hem een mogelijk antwoord te binnen.

'Hoe lang wonen jullie in dit huis?' vroeg hij aan Jean.

Ze hield haar blik op haar broer gericht. 'Vijf jaar. Het duurde heel lang om dit huis te bouwen. Dat heeft heel wat werkgelegenheid opgeleverd.'

'Ja,' zei Randy. 'Hé, zus, waarom laat je je man niet nog een paar van deze huizen bouwen? Dan is het hele werkloosheidsprobleem hier in de county opgelost.'

Jean lachte ongemakkelijk. 'Ik denk dat we meer dan genoeg ruimte hebben, Randy.'

'Verdomd jammer,' zei Randy.

'Maar je weet dat je een baan bij Trent kunt krijgen wanneer je maar wilt,' zei ze.

'En welke baan dan wel?' vroeg Randy. 'Vicepresident? Financieel directeur? Chef-reetlikker?'

Cole wendde zich tot Puller en zei vlug: 'Randy en onze vader werkten voor Trent Exploration.'

'Wat deden ze?'

'Steenkool zoeken,' zei Randy. 'En daar waren we verdomd goed in.'

'Ja, dat waren ze,' beaamde Jean. 'Ze vonden rijke steenkooladers op de onwaarschijnlijkste plaatsen.'

Randy zei: 'Pa had niet gestudeerd. Hij had amper de middelbare school afgemaakt. Daarna had hij een tijdje bij de marine gezeten. Maar hij wist hoe je een geologisch rapport moest lezen. En hij kende deze omgeving beter dan wie ook. En hij heeft mij alles geleerd wat hij wist.' Hij keek Jean aan. 'En ik weet er nu meer van dan wie ook. Zelfs meer dan Roger met al zijn dure apparatuur.'

'Daarom zou het ook volkomen logisch zijn als je weer voor hem ging werken.'

'Nog meer geld voor hem verdienen, bedoel je?'

Cole zei: 'Randy, als...'

Randy onderbrak haar: 'Hé, kun je hier ook iets te drinken krijgen?'

Cole zei: 'Hoe ben je hier gekomen, Randy? Lopend of met de auto?'

'Ik ga niet dronken achter het stuur zitten. Misschien blijf ik hier slapen. Hé, Jean, heb je ruimte voor me? Kom ik weer eens bij de familie logeren. Net als vroeger.'

Ze zei vlug: 'Natuurlijk, Randy. Dat zou ik leuk vinden.'

'Nou, misschien doe ik dat ook niet. Misschien heb ik morgenvroeg iets te doen. Of zelfs vannacht.'

Puller keek even naar Randy en probeerde zijn pupillen te zien. Hij ademde langzaam in. Geen alcohol. Hij keek op tijd naar Cole om te zien dat zij hetzelfde deed.

Puller zei: 'Geloof je dat je in Drake blijft?'

Randy grijnsde en schudde zijn hoofd. 'Man, ik geloof niet dat ik waar dan ook blijf.'

Cole zei: 'Randy, het is niet logisch wat je zei.'

Randy stootte Puller met zijn elleboog aan. 'Ze vinden dat alles logisch moet zijn, Puller. Ik doe niet aan die onzin. Jij wel?'

Puller voelde aan dat Randy geen antwoord verwachtte en zelfs niet wilde, en dus zei hij niets. Hij keek naar de twee zussen. Toen naar de broer. Het was duidelijk wat er ontbrak.

Pa en ma.

Cole had gezegd dat ze dood waren.

Het huis was vijf jaar oud. Randy was hier nooit geweest.

Hij vroeg zich af of pa en ma vijf jaar geleden gestorven waren.

Hij keek Cole weer aan. Hij wilde iets zeggen, maar het leek wel alsof Cole zijn gedachten kon lezen. Ze keek hem smekend aan. Puller sloot zijn mond en sloeg zijn ogen neer.

De maaltijd werd opgediend. Er waren vier gangen, en die waren allemaal goed. De Trents hadden blijkbaar niet zomaar een kok maar een heel goede. Puller wist zich niet goed raad met zijn houding toen een bediende de soep opschepte en zorgvuldig elke gang serveerde. Maar als hij was opgestaan om zichzelf te bedienen, zou hij de dienstmeisjes misschien in grote verlegenheid hebben gebracht.

Meer dan een uur later gingen ze met een volle buik van tafel. Randy veegde zijn mond een laatste keer aan zijn servet af en dronk zijn glas met naar Puller vermoedde heel dure rode wijn leeg. Toen hij een kind was, had zijn vader hem en zijn broer meegenomen naar de Provence en Toscane. Hoewel de jongens nog te jong waren geweest om te drinken, zelfs voor Europese begrippen, had hun vader hen veel over wijn geleerd. De generaal was een kenner en verzamelaar geweest. Het kon ook geen kwaad dat hij vloeiend Frans en Italiaans sprak.

'Bedankt voor het bikken,' zei Randy. 'Zwem je nog in die betonnen vijver, Jean? Bewaar je dat meisjesachtige figuur van je voor de ouwe Roger?'

Cole keek Puller verlegen aan. 'Randy, ik geloof niet dat je je Beverly Hillbillies-act hoeft op te voeren voor agent Puller.'

'O, het is geen act, agent Puller. Ik ben typisch blank uitschot met rijke familie. Maar ik verdom het om kapsones te krijgen. Laat dat een les voor je zijn. Vergeet nooit waar je vandaan komt.'

'Moet ik een kamer voor je in orde laten maken, Randy?' vroeg Jean.

'Ik ben van gedachten veranderd. Ik moet nog ergens heen. Ik moet nog wat mensen opzoeken.'

'Ook mensen als Roger?' vroeg Cole.

Randy keek haar aan, en zijn glimlach werd dieper maar ook harder, vond Puller. Evengoed was het een aanstekelijke glimlach. Puller merkte dat zijn eigen lippen ook omhoogkwamen.

'Die is de stad uit, hè? Dat heb ik gehoord.'

'Heb je informatie over waar hij is?' vroeg Puller.

'Nee, ik zag zijn vliegtuig eerder vandaag over Drake vliegen.'

'Ook mensen als Roger?' vroeg Cole opnieuw.

Puller keek Cole aan. Zo gespannen had Puller haar niet eerder meegemaakt, terwijl ze toch de nodige stress hadden doorstaan.

'Niets aan de hand, zusje agent,' zei Randy. 'Roger gaat zijn weg. Ik ga de mijne. En jullie gaan die van jullie.' Hij spreidde zijn handen om naar alle leden van zijn familie te wijzen. 'Maar ik denk dat jullie weg dezelfde is als die van Roger.'

'Praat niet over dingen waar je niets van weet,' zei Jean. 'Dat is een slechte gewoonte die je in allerlei moeilijkheden kan brengen.'

Randy stond op en liet zijn servet op tafel vallen. 'Het was verdomd leuk om bij je op visite te zijn. Laten we het over een jaar of tien nog eens overdoen.'

'Randy?' zei Jean. 'Wacht. Zo bedoelde ik het niet.'

Maar hij liep door de kamer en was weg. De deur deed hij zachtjes achter zich dicht.

·39·

Ongeveer een halfuur later gingen Puller en Cole weg. Puller zat op de passagiersplaats van de pick-uptruck en keek uit het raam. Hij zat vol vragen over de avond, maar hij wilde ze niet stellen. Die dingen gingen hem niet aan.

'Nou, dat was fantastisch,' zei Cole ten slotte.

'Dat zijn families meestal.'

'Je hebt vast wel vragen.'

'Ik hou er niet van als mensen hun neus in mijn zaken steken, en dus ga ik dat ook niet bij jou doen.'

Ze reden vijf minuten in stilte.

Cole begon: 'Onze ouders zijn omgekomen toen door een explosie in een van Rogers mijnen een stuk rots loskwam en de auto verpletterde waarin ze zaten.'

Puller keek haar even aan. 'Ongeveer vijf jaar geleden?'

'Ja, ongeveer.'

'En dat trof Randy diep?'

'Het trof ons allemaal diep,' zei ze fel. Toen werden haar gezicht en toon milder. 'Maar het trof Randy het diepst. Hij had altijd een nauwe band met onze ouders gehad. Vooral met pa.'

Cole reed nog een paar kilometer in stilte. Puller keek naar het interieur van de pick-up en zag de nieuwe vinylbekleding en het gerestaureerde dashboard, waarvoor blijkbaar origineel materiaal was gebruikt. Zelfs de vloer zag er nieuw uit, zonder een spoor van roest.

'Heeft je vader deze pick-up gerestaureerd?'

'Ja. Hoezo?'

'Hij doet me aan het huis denken. Heb je hem tegelijk met het huis gekocht?'

'Ja. Ik heb het geld aan de nalatenschap betaald.'

'Leeft Randy daarvan? Jean heeft het geld duidelijk niet nodig.'

'Ja. Zo hebben we het geregeld. Randy had het meer nodig dan ik.'

'Dat kan ik zien.'

'Het is gek. Niemand dacht dat Roger Trent het tot iets zou brengen.'

'Hoe heeft hij het dan zo ver gebracht?'

'Ik moet toegeven dat hij hard heeft gewerkt. En dat hij een visie heeft. En hij heeft ook geluk gehad. Hij heeft zich opgewerkt in de steenkoolbusiness. Hij is meedogenloos en arrogant, maar hij heeft een zesde zintuig als het op geld verdienen aankomt. En mijn vader en broer hebben inderdaad veel steenkool voor hem gevonden. Al ging het land daardoor kapot.'

'Het levert wel banen op.'

'Lang niet zoveel banen als vroeger.'

'Hoezo? Raakt de steenkool op?'

'De steenkool raakt altijd op. Vanaf de eerste schep die je neemt. Maar alle mijnbouw in Drake en een groot deel van de rest van West Virginia is tegenwoordig dagbouw.'

'En dat houdt in dat ze de bergen opblazen om bij de steenkoollagen te komen?'

'Ja. Steenkoolbedrijven zeggen dat de keuze voor dagbouw gebaseerd is op geologie, topografie en zuiver economische factoren. De natuurlijke ligging van het land, de diepte en structuur van de kolenlagen, de winningskosten in vergelijking met de winst, dat soort dingen. In werkelijkheid heb je voor dagbouw gewoon minder mensen nodig. Dat betekent dat de steenkoolbedrijven meer winst maken. Trent zal tegenwerpen dat er veel dagbouw wordt bedreven op terrein waar vroeger al met tunnels en schachten is gewerkt. Ze komen gewoon terug om uit de grond te halen wat met ondergrondse mijnbouw niet is gelukt. Het is dus een tweede poging en geeft tenminste nog enige economische activiteit. Het levert banen op. En misschien heeft hij daar gelijk in, maar het argument spreekt je niet zo aan als je geen eten op tafel hebt of geen dak boven je hoofd.'

Ze keek hem aan. 'Ik weet niet of het relevant is voor het onderzoek, maar misschien is het wel nuttig als je een paar dingen te weten komt over het steenkoolland.'

Eigenlijk wilde Puller nee zeggen. Hij interesseerde zich niet zo erg voor de finesses van de mijnbouw en hij had het gevoel dat hij van het onderzoek afdwaalde. Aan de andere kant was het duidelijk dat Cole erover wilde praten. En hij had in het leger geleerd dat het belangrijk was om het terrein te kennen waarop de strijd zou worden gestreden. Het was hem gebleken dat het met een onderzoek niet anders gesteld was.

'Goed.'

Twintig minuten later stopte ze met de pick-up en wees ze voor hen uit. Het maanlicht was krachtig en Puller zag meteen wat ze hem wilde laten zien.

'Wat zou dat zijn?' vroeg ze. Het was een heuvel van honderd meter hoog die zich tussen twee andere toppen verhief en helemaal niet op zijn plaats leek.

'Vertel het maar.'

'Dat noemen ze een "dalstort". Ze vullen een dal met wat de steenkoolbedrijven "overtollige massa" noemen. Dat is in feite alles wat ze uit de bodem hebben gerukt: bomen, aarde en gesteente, alles wat de mijnbouwers weghalen om bij de steenkoollaag te komen. Ze moeten het toch ergens kwijt. En aangezien West Virginia een wet op terugwinning heeft, die erop neerkomt dat steenkoolbedrijven het land dicht bij de oorspronkelijke plaats moeten terugstorten, gooien de bedrijven alles in een dal. Ze stoppen er zaden en kunstmest in, bedekken alles met een laag mulch en gaan weg. Die gang van zaken brengt wel het probleem met zich mee dat ze de hele geologie op zijn kop zetten. De bovengrond ligt onderaan en het gesteente dat beneden zat ligt nu bovenop. Inheemse planten en bomen willen daar niet groeien. En dus introduceren ze niet-inheemse planten en bomen, en die gooien het hele ecosysteem overhoop. Niettemin hebben ze dan aan de letter, zo niet de geest, van de wet voldaan en kunnen ze de boel achterlaten. En die dumppraktijken veranderen ook de topografie. Rivieren krijgen een andere loop. Er doen zich overstromingen voor. Bergen storten in en verbrijzelen huizen.'

'Ik zie hier niet veel mensen wonen.'

'Nee, want Trent heeft hele wijken opgekocht.'

'Waarom? Wilden de mensen verkopen?'

'Nee, ze wilden alleen niet naast een mijnbouwterrein wonen, waar het land met springstoffen werd opgeblazen. Je kunt het water niet drinken. Je kunt je wasgoed niet buiten hangen. En je krijgt gezondheidsproblemen met alles van long tot lever. Randy maakte geen grapje toen hij het over zijn longproblemen had. Die zijn bij hem vastgesteld toen hij nog een tiener was. Een voorloper van COPD. En in tegenstelling tot mij heeft hij in zijn hele leven nog nooit gerookt. Maar hij deed aan football en atletiek bij een kolenmijn. En hij is niet de enige sporter hier in de omgeving die last van zijn longen heeft gekregen. De kwaliteit van het leven hier stelt niks meer voor. Waar vroeger stadjes en dorpen lagen, zie je nu nog maar één woonwagen, of een huisje in het bos. Dat is alles wat er over is. Ooit woonden er meer dan twintigduizend mensen in Drake

County. Nu hebben we nog maar amper een derde daarvan. Over tien jaar zijn we misschien gewoon verdwenen, net als de steenkool.'

Ze reed door en stopte voor een draadgazen omheining met waarschuwingsborden. Achter de omheining verhief zich een groot metalen gebouw, vele verdiepingen hoog en met lange glijbanen die in verschillende richtingen en op verschillende hoogten naar beneden liepen.

'Dat is een loadout, een silo waar ze de steenkool verbrijzelen en in vrachtwagens en spoorwagons laden. Er gaat een spoorlijn recht naartoe.'

'Ze zijn daar nog laat aan het werk,' zei Puller, die lichten heen en weer zag schieten tussen het gebouw en denderende trucks.

'Het gaat vierentwintig uur per dag door, zeven dagen per week. Vroeger hielden ze op met werken als het donker werd, maar nu niet meer. Tijd is geld. En het enige wat ze te verkopen hebben, is de steenkool. Ze hebben er niets aan om stil te zitten. Die steenkool wordt gebruikt om elektriciteit op te wekken. Het spul laat de lampen branden en de laptops draaien, zoals ze hier graag mogen zeggen. In elk geval in de marketingfolders van het steenkoolbedrijf.'

'Ik neem aan dat jij de pest hebt aan alle aspecten van dat bedrijf.'

'Nee, niet aan alle aspecten. Het levert banen op. Het is inderdaad goed voor het land, want we hebben die elektriciteit nodig. Aan de andere kant denken sommige mensen dat er een betere manier moet zijn om bij het spul te komen dan door het land op te blazen. En op een gegeven moment komen de kosten boven de baten uit. Sommigen zeggen dat wij dat kantelmoment hier allang hebben gehad. Maar als je hier niet vandaan komt en geen zwart water in je wasbak krijgt, of grote rotsen op je dak, of dat je kind kanker krijgt omdat de lucht vergeven is van het gif – wat kan het je dan schelen? Ze noemen ons de Verenigde Staten van Amerika, maar eigenlijk zijn we helemaal niet zo verenigd. Appalachia brengt de steenkool naar de rest van het land. En wanneer alle steenkool weg is en West Virginia eruitziet als de planeet Pluto, wat kan het de rest van het land dan schelen? Het leven gaat door. Dat is de realiteit.'

'Hoe dacht je vader daarover? Zo te horen was hij een typische arbeider, het zout der aarde.'

'Hij heeft een groot deel van zijn leven naar steenkool gezocht. Ik denk dat hij op een gegeven moment niet meer bezig was met wat de mijnbouw met de planeet deed. Als hij daar al ooit mee bezig is geweest.'

'En Randy?'

'Wat is er met hem?'

'Hij zocht ook naar steenkool. Was daar blijkbaar goed in. En nu is hij een soort randfiguur geworden.' Puller zweeg even. 'Was hij degene die Roger eerder met de dood heeft bedreigd?'

Ze zette de pick-up in de versnelling. 'Ik wil je nog iets laten zien.'

•41•

Zo'n acht kilometer verder zette Cole de auto langs de kant van de weg. Ze stapte uit, reikte achter de zitting en haalde twee veiligheidshelmen tevoorschijn. Ze gaf er een aan Puller.

'Waar gaan we heen dat we die helmen nodig hebben?' vroeg hij.

'We gaan naar mijn ouders.'

Puller zette de helm op en volgde haar. Cole had een krachtige zaklamp uit de laadbak van haar pick-up gehaald en hem aangezet. Ze liepen over een grindpad door het bos. Algauw werd het een zandpad.

'Normaal gesproken moet je schriftelijk toestemming hebben en je hier laten escorteren. Maar daar doe ik niet aan. Per slot van rekening zijn het mijn ouders.'

Ze verlieten het pad en staken een veld over tot ze bij een draadgazen omheining kwamen. Puller wilde er al overheen klimmen, maar Cole wees hem op de spleet in de schakels.

'Heb jij dat gedaan?'

'Ja,' antwoordde ze.

Ze gingen naar de andere kant van de omheining en liepen door. Ten slotte ging Cole langzamer lopen. Ze waren aan de rand van een begraafplaats gekomen.

'Gaan we naar het graf van je ouders?' vroeg Puller.

Ze knikte.

'Waarom zo ingewikkeld?'

'Trent kocht het dorp, en de begraafplaats hoorde daarbij. Officieel moet je tegenwoordig een afspraak maken als je de laatste rustplaats van een overleden familielid wilt bezoeken. Maar eerlijk gezegd, Puller, word ik juist opstandig van zo'n voorschrift, terwijl ik toch politievrouw ben.'

'Daar kan ik inkomen. Ik zou er ook opstandig van worden.'

Ze leidde hem langs de graven, tot ze bij twee graven bleef staan en haar zaklamp op de stenen richtte.

'Mary en Samuel?'

Cole knikte.

'Je bent naar hem genoemd?'

Ze glimlachte bitter. 'Ze dachten dat ik een jongen zou worden. Toen ik een meisje bleek te zijn, noemden ze me Samantha, roepnaam Sam. Ze dachten namelijk dat ze geen kinderen meer zouden krijgen. Randy was een kleine verrassing die pas jaren later kwam.'

Puller las de geboorte- en sterfdata in het marmer.

'Een rots die loskwam? Verkeerde plaats, verkeerde tijd. Zinloos.'

Cole zei niet meteen iets. Toen ze sprak, klonk haar stem dieper en heser, alsof haar keel werd dichtgesnoerd. 'Wil je me even wat tijd geven?'

'Goed.'

Hij liep een meter of vijftien bij haar vandaan en keek naar andere graven. De begraafplaats verkeerde in staat van verval. Grafstenen waren omgevallen, het gras en onkruid schoten hier en daar hoog op, en alles was bedekt met een laag stof. Het was hem wel opgevallen dat de stenen van Mary en Samuel Cole recht in de grond stonden, dat er verse bloemen op de graven stonden en dat het gras was bijgeknipt. Hij nam aan dat Cole dat had gedaan.

'Hé!'

Hij draaide zich met een ruk om toen hij Cole hoorde roepen. Een paar seconden later stond hij naast haar.

'Er is daar iemand,' zei ze, wijzend naar links.

Puller tuurde in het donker. Cole scheen met haar zaklantaarn in die richting en bewoog hem langzaam opzij.

'Daar!' Cole wees naar het silhouet van een man die naar het oosten vluchtte. Ze hield haar lichtbundel op hem gericht. Haar mond viel open.

'Randy? Randy?' riep ze met luidere stem.

Even later was de man buiten bereik van hun licht.

'Je broer?' vroeg Puller.

'Ja. Wat zou hij hier doen?'

'Misschien hetzelfde als jij. Hij zei vanavond dat hij nog ergens heen moest en mensen moest opzoeken. Misschien bedoelde hij daarmee dat hij hierheen zou gaan.' Hij zweeg even. 'Wil je achter hem aan?'

'Nee. Laten we gewoon weggaan.'

Ze reed naar haar huis terug. Zijn Malibu stond op het pad. Ze stapten uit de pick-up.

'Wil je binnenkomen voor een kop koffie? Je zei dat je daar beter door kon slapen. Jean serveerde geen koffie bij haar mooie diner. Ze houdt meer van likeurtjes of soorten thee met namen die ik niet eens kan uitspreken. Ik drink het liefst gewoon een sterke bak zwarte koffie.'

Puller wilde eigenlijk naar het motel terug om nog wat werk te doen. En dat zei hij ook bijna. Maar in plaats daarvan antwoordde hij: 'Dank je. Dat klinkt goed.'

Ze zette de koffie en schonk twee koppen in. Ze liepen ermee naar buiten en gingen op de schommelbank in de achtertuin zitten. Ze trok haar schoenen uit en wreef over haar voeten.

'Geen muggen. Dat verbaast me,' zei hij.

'Ik sproei,' zei ze. 'En dat is één voordeel van de mijnbouw hier: muggen houden net zomin van kolenstof en de andere bijproducten als wij. Bovendien is er zoveel stilstaand water dichtgegooid dat de muggen zich niet goed meer kunnen voortplanten.'

Ze dronken hun koffie.

'Ik stel het op prijs dat je me vanavond mijn hart liet luchten over mijn familie.'

'Het is altijd goed om je hart te luchten. Het helpt je om je hoofd helder te krijgen.'

'Maar we moeten zeven moorden en een bomaanslag oplossen. En dan te bedenken dat ik vorige week geen grotere problemen had dan openbare dronkenschap, een paar illegale drankstokerijen en een inbraak waarbij een magnetron en een kunstgebit werden buitgemaakt.'

'Een deel van mijn hersenen is er onder het eten en tot op dit moment mee bezig geweest.'

'En wat zeggen je hersenen?'

'Dat we vooruitgang boeken.'

'Hoe weet je dat?'

'Iemand heeft geprobeerd ons te vermoorden.'

'En wat nu?'

'We blijven spitten. Maar ik moet morgen naar Washington terug.'

Haar gezicht betrok. 'Wat? Waarom?'

'Reynolds werkte voor de DIA. Ik moet daar met mensen praten. Dingen uitzoeken.'

'Kan iemand die daar al zit dat niet doen? Het leger heeft vast wel een heleboel agenten.'

'Dat is zo, maar ze hebben besloten die agenten niet voor deze zaak in te zetten.'

'Ik begrijp het nog steeds niet.'

'Het is zoals het is, Cole. Maar ik kom gauw terug.'

Haar mobiele telefoon ging. Ze nam op. Luisterde en stelde een paar vragen. Toen verbrak ze de verbinding.

'Dat was sheriff Lindemann.'

'En wat had hij te zeggen?'

'Hij vindt het niet leuk dat er moorden en bomaanslagen in zijn vredige dorpje worden gepleegd.'

'Dat kan ik me voorstellen.'

'Ze hebben de brand geblust. Het huis waar je heen ging, staat al jaren leeg. Er zitten geen vingerafdrukken op de brief die onder je deur door is geschoven. De springstof die ze gebruikten, was dynamiet, en de ATF-man zei dat de detonator van beide bommen het werk van een professional was.'

'Goed. Ik heb niet graag met amateurs te maken. Die zijn te onvoorspelbaar.'

'Ik ben blij dat je er een beetje goed nieuws in kunt zien.'

'Er zijn dus geen aanwijzingen? Geen sporen?'

'Op dit moment niet.'

'Ik kan bijna niet geloven dat iemand hier aan de noodzakelijke middelen kon komen en twee bommen kon installeren zonder dat het opviel.'

'Er zijn hier veel explosieven, Puller. En er zijn veel mensen die ermee kunnen werken.'

Hij dronk zijn koffie op en zette het kopje op de armleuning van de bank. 'Ik moest maar eens gaan.'

'Ja, misschien moest je dat maar eens doen.'

'Bedankt voor alles wat je me over de mijnstreek hebt verteld.'

'Graag gedaan. Zit die struikeldraad je nog steeds dwars?'

Hij gaf geen antwoord.

'Je bent een vreemde man.'

'Er zijn wel ergere dingen over me gezegd.'

'Ik bedoelde het eigenlijk als compliment.'

Ze keek naar de deur van haar huis en keek hem toen weer aan. 'Het is laat. Je kunt vannacht hier blijven, als je wilt.' Ze bleef hem aankijken.

Hij las haar gedachten en zei: 'Weet je, soms is het gewoon een beroerd moment voor iets.'

Ze glimlachte zwakjes en zei: 'Ja, dat is zo.' Ze stond op en pakte zijn kopje aan. 'Ga nu maar. Het is laat. Hoe laat zullen we morgenvroeg afspreken? Ik trakteer op ontbijt.'

'Laten we uitslapen. Nul achthonderd in The Crib.'

Ze glimlachte. 'Julia.'

'Nog geen tijd voor Romeo.'

Ze ging op haar tenen staan en gaf hem een kus op zijn wang, met haar hand tegen zijn borst. 'Opnieuw beroemde laatste woorden.'

Hij stapte in zijn auto en reed weg. Ze wuifde hem na vanaf de veranda en ging naar binnen.

Hij keek in zijn spiegeltje naar haar totdat hij haar niet meer kon zien.

Hij zette koers naar Annie's Motel.

•42•

Puller deed zijn lichten uit en haalde zijn M11 tevoorschijn.

In het kantoortje van het motel brandde licht. Aan de voorkant stond een pick-uptruck geparkeerd. Hij was van plan bij Louisa's kat te gaan kijken, maar er was nu iemand anders binnen.

Hij sloop naar voren. Zijn blik ging heen en weer en zijn lichaam was volkomen in balans. Misschien was er niets aan de hand, maar sinds hij bijna de lucht in was geblazen, nam Puller niets meer voor vanzelfsprekend aan. Degene die de bommen had gelegd, wist waar hij verbleef. Misschien was hij teruggekomen om het nog een keer te proberen.

Puller kwam bij de pick-up en vergewiste zich ervan dat die leeg was. Hij maakte het portier aan de passagierskant open, keek in het dashboardkastje en las de naam op de autopapieren.

Cletus Cousins.

De naam zei hem niets.

Hij liep bij de pick-up vandaan en ging naar de kleine veranda voor het kantoortje. Daar keek hij door het raam naar binnen en zag een kleine man van in de twintig die een grote kartonnen doos in zijn armen had.

Puller probeerde de deurknop. Niet op slot. Hij maakte de deur open en richtte zijn pistool op het hoofd van de man.

De jongeman liet de doos vallen.

'Alsjeblieft, niet schieten. Alsjeblieft.'

Hij had een kaalgeschoren hoofd, een slappe buik en een dun sikje, en hij zag eruit alsof hij het in zijn vuile spijkerbroek zou doen.

'Wie ben je?' vroeg Puller.

De man beefde zo erg dat Puller zijn pistool ten slotte een beetje liet zakken. Hij liet zijn badge zien. 'Onderzoeker van het leger,' zei Puller. 'Ik schiet je niet overhoop, tenzij je me daar een goede reden voor geeft. Wat doe je hier?'

'Mijn oma zei dat ik moest komen.'

'Wie is je oma? Niet Louisa. Die zei dat ze geen familie in de buurt had.'

'Dat is zo, maar mijn oma is haar beste vriendin.'

'Hoe heet je?'

'Wally Cousins. Mijn oma is Nelly Cousins. We hebben ons hele leven in Drake gewoond. Iedereen kent ons.'

'Op de autopapieren staat "Cletus Cousins".'

'Dat is mijn vader. Omdat mijn pick-up naar de garage is, heb ik de zijne genomen.'

'Oké, Wally, nog één keer: waarom ben je hier en wat neem je mee?'

De jongeman wees naar de doos op de vloer. Die was opengevallen en de inhoud lag eruit. Puller zag wat kleren, een bijbel, een paar boeken, een stuk of wat ingelijste foto's, breinaalden en balletjes gekleurd garen.

'Ik kwam deze dingen halen,' zei hij.

'Waarom? Breng je ze naar Louisa in het ziekenhuis?'

De jongeman keek verbaasd. 'Nee.'

'Wat doe je er dan mee?'

'Ik breng ze naar mijn oma.'

'Dus je brengt Louisa's bezittingen naar je oma. Waarom is dat geen stelen?'

De ogen van de jongeman werden groter. 'Nou, Louisa kan ze niet meer gebruiken. Ze is dood.'

Puller knipperde met zijn ogen. 'Dood? Louisa is doodgegaan? Wanneer?'

'Ja. Ze is ongeveer drie uur geleden gestorven. En ze had tegen mijn oma gezegd dat die deze dingen mocht hebben als ze doodging. Zoals ik al zei: ze waren goede vriendinnen. Ongeveer even oud.'

Puller keek weer naar de doos en richtte zijn blik toen weer op Cousins. 'Jullie wachten hier niet lang, hè? Jullie vallen als aasgieters op het kadaver aan.'

'Weet u het dan niet, meneer?'

'Wat niet?'

'Veel mensen hier hebben niets. Als ze zien dat je dood bent, en je hebt geen familie, dan zijn je spullen weg voor je er erg in hebt. Waarom denkt u dat zoveel onbewoonde huizen hier helemaal zijn leeggehaald? Dus toen Louisa was gestorven, zei oma tegen mij dat ik meteen hierheen moest gaan om die dingen te halen waarvan Louisa had gezegd dat ze ze mocht hebben – voordat het allemaal weg was.'

Puller liet zijn pistool zakken. 'Hoe wist je oma dat Louisa was gestorven?'

'Ze belde het ziekenhuis.'

'Iemand die ik ken, heeft ook het ziekenhuis gebeld. Ze wilden haar niets vertellen.'

'Mijn tante is daar verpleegster. Die heeft het oma verteld.'

'Ik dacht dat het beter met haar ging.'

'Dat ging het waarschijnlijk ook. Mijn tante zei dat ze er beter uitzag. Maar toen sloegen de apparaten alarm. Ze hield gewoon op met ademhalen. Dat gebeurt soms met oude mensen, zegt mijn tante. Ze zakken gewoon weg. Moe van het leven, denk ik.'

Puller keek wat beter naar de doos en zag dat er niets van waarde in zat. Hij keek naar een van de foto's. Er stonden twee jonge vrouwen op die een wijde rok, een strakke blouse en roze schoenen met hoge hakken droegen. Hun haar was zo hoog opgestoken dat het op een korf vol opgewonden bijen leek. Hij keek op de achterkant en zag dat daar met een pen een datum op was geschreven.

November 1955.

'Is een van deze dames je oma?'

Wally knikte. 'Die met het donkere haar.' Hij wees naar de jonge blonde vrouw aan de linkerkant. Die had een ondeugend glimlachje en keek alsof ze de wereld ging veroveren. 'En dat is Louisa. Ze zien er nu heel anders uit. Vooral Louisa natuurlijk.'

'Ja.' Puller keek om zich heen. 'Neem je de kat mee?'

'Nee. Oma heeft drie honden. Die zouden hem opvreten.' Hij keek naar het pistool. 'Mag ik nu gaan?'

'Ja. Ga maar.'

Wally pakte de doos op.

'Zeg tegen je oma dat ik het heel erg vind van haar vriendin.'

'Ja. Hoe heet u?'

'Puller.'

'Ik zal het tegen haar zeggen, meneer Puller.'

Even later hoorde Puller de pick-up starten en langzaam van het parkeerterrein wegrijden. Hij keek het kantoortje in en hoorde gemiauw. Hij liep langs de balie naar de slaapkamer achter het kantoortje. De kat lag op zijn rug op het onopgemaakte bed. Puller keek naar de kommetjes voor het eten en het water en naar de kattenbak. De kat had niet veel gegeten of gedronken. Misschien wachtte hij tot Louisa terugkwam. In dat geval zou hij waarschijnlijk ook gauw dood zijn. Hij leek ongeveer even oud in kattenjaren als Louisa in mensenjaren was geweest.

Puller ging op het bed zitten en keek om zich heen. Van 1955 en een mooie wijde rok, terwijl de hele wereld nog voor haar lag, naar deze armoedige toekomst, meer dan vijftig jaar later. Mensen die je spullen weghaalden terwijl je nog boven de aarde lag.

Ik dacht dat ik haar had gered. Ik kon het niet. Net als mijn jongens in Afghanistan. Die kon ik ook niet redden. Zo ging het. We beheersten het niet. Maar het leger leerde je dat je alles moest beheersen. Jezelf. Je tegenstander. Ze leerden je van alles, maar niet dat de belangrijkste dingen, de dingen die in feite beslisten over leven en dood, bijna volledig onbeheersbaar waren.

Hij wreef over de buik van de kat, stond op en ging weg.

Hij maakte zijn kofferbak open, haalde het afzettingslint eruit en spande het voor de ingang van het motel langs. Eerst had hij de deur op slot gedaan.

Het gele lint was op grote afstand zichtbaar. De boodschap was duidelijk.

Verboden toegang.

Nu keek hij naar de deur van zijn kamer. Zijn blik ging naar de plek voor de deur. Hij zocht naar draden, een nieuw stukje hout, maar zag niets. Hij pakte een grote kei uit het bloembed dat om het parkeerterrein heen lag en gooide hem naar een plek voor de deur. Toen de kei door de lucht vloog, dook hij achter zijn auto weg. De kei kwam neer en er gebeurde niets. Hij pakte nog een kei op en mikte hem op de deurkruk. Hij trof de kruk met grote kracht.

Opnieuw niets.

Hij nam zijn rugzak en haalde er een lange, uitschuifbare stok uit met flexibele handgrepen aan het eind. Hij legde zijn kamersleutel in de handgrepen en liet de stok uitvieren. Hij keek om zich heen. Nergens iemand te zien. Blijkbaar was hij op dat moment de enige die er verbleef.

Hij stak de sleutel in het slot, draaide hem om en gebruikte de stok om de deur open te duwen.

Geen explosie. Geen vuurbal.

Hij borg de stok weer op, sloot zijn auto af en ging zijn kamer in. Daar bleef hij even staan om zijn ogen aan het donker te laten wennen.

Alles zag er precies zo uit als hij het had achtergelaten. Hij keek naar zijn kleine verklikkers om na te gaan of er iemand was geweest. Er was niets veranderd.

Hij sloot de deur, deed hem op slot en ging op het bed zitten. Hij voegde in gedachten een paar dingen toe aan zijn lijst van alles wat hem was mislukt.

Hij had de struikeldraad niet op tijd gezien.

Hij had Louisa niet kunnen redden.

Hij keek op zijn horloge. Vroeg zich af of hij moest bellen.

Cole zou nu waarschijnlijk al in bed liggen. En wat had hij haar precies te vertellen?

Hij ging op het bed liggen. Zijn M11 zou de hele nacht in zijn hand blijven.

Zijn mobiele telefoon zoemde. Hij keek naar het nummer en kreunde inwendig.

'Hallo, generaal.'

'Het is me wat, sergeant,' zei zijn vader. De oude man noemde Puller beurtelings zijn adjudant, sergeant of soms simpelweg 'klootzak van een soldaat'.

'Wat is er, generaal?'

'Geen orders van het opperbevel en een zaterdagavond met niets te doen. Zullen we samen een paar whisky's achteroverslaan? We kunnen een lift naar Hongkong krijgen met een militair konvooi dat die kant op gaat. Ik ken daar een paar adresjes waar het gezellig is. Mooie dames.'

Puller maakte de veters van zijn hoge schoenen los en trapte ze uit. 'Ik heb dienst, generaal.'

'Niet als ik zeg dat je geen dienst hebt, soldaat.'

'Speciale orders, generaal. Rechtstreeks van het opperbevel.'

'Waarom weet ik daar niet van?' zei zijn vader met zijn tanden op elkaar.

'Ze zijn om mijn superieuren heen gegaan. Ik heb niet gevraagd waarom, generaal. Zo is het leger nu eenmaal. Ik volg alleen maar bevelen op, generaal.'

'Ik ga een paar mensen bellen. Die onzin moet afgelopen zijn. Als ze nog één keer iets achter mijn rug om doen, krijgen ze daar spijt van.'

'Ja, generaal. Begrepen, generaal.'

'Dan zet ik het ze betaald.'

'Ja, generaal. Veel plezier in Hongkong.'

'Hou je taai, sergeant. Ik neem weer contact op.'

'Begrepen, generaal.'

Zijn vader verbrak de verbinding en Puller vroeg zich af of ze de man zijn avondmedicijnen niet meer gaven. Als hij zijn medicijnen kreeg, was hij om deze tijd meestal in diepe slaap verzonken, maar nu had hij zijn zoon al twee keer laat op de avond gebeld. Dat zou hij moeten nagaan.

Hij trok zijn bovenkleren uit en ging weer op het bed liggen.

Telkens wanneer hij zo'n gesprek met zijn vader had, was het of er een klein stukje van zijn realiteit werd weggenomen. Misschien kwam het nog eens zo ver dat Puller alles geloofde wat de man tegen hem zei. Dat pa weer in het leger was, dat hij het bevel voerde over zijn eigen korps, dat Puller zijn adjudant was, of zijn sergeant of een van zijn honderdduizend klootzakken van soldaten.

Op een dag. Maar niet deze avond.

Hij deed het licht uit en sloot zijn ogen.

Hij had slaap nodig, en dus sliep hij.

Maar het was een lichte slaap. Drie seconden om wakker te worden, zijn pistool te richten en op de vijand te schieten.

Bommen, kogels, plotselinge dood.

Het was alsof hij nooit uit Afghanistan was weggegaan.

43

Om zes uur was Puller op. Hij had al gedoucht en zich geschoren en aangekleed. Hij zat op de veranda voor het kantoortje en dronk een kop van zijn zelf gezette koffie. Niemand had het gele afzettingslint doorbroken dat hij had gespannen nadat Wally Cousins was weggegaan.

Acht uur in The Crib: omelet met ham en grutten met nog meer koffie. Cole had haar uniform weer aan. Haar vrouwelijkheid was weer verborgen onder polyester, politiespullen en zwarte dienstschoenen.

'Louisa is gisteren gestorven,' zei Puller.

'Dat had ik nog niet gehoord,' zei Cole. Haar vork bleef halverwege haar mond in de lucht hangen.

Hij vertelde haar over het bezoek van Walter Cousins aan het motel. Cole bevestigde dat Cousins' oma en Louisa al heel lang vriendinnen waren.

'Ik heb vanmorgen naar het ziekenhuis gebeld en gezegd dat ik haar kleinzoon was,' zei hij. 'Ze zeiden dat ze in haar slaap was gestorven.'

'Geen slechte manier om dood te gaan.'

Beter dan dat een rotsblok je auto verplettert met jou erin, dacht Puller.

'Ze heeft hier geen familie meer, zei ze. Wat gebeurt er met haar lichaam? Komt er een begrafenis? En hoe zit het met haar motel?'

'Ik zal wat telefoontjes plegen. We regelen het wel, Puller. Drake is niet meer wat het geweest is, maar we hebben hier nog goede mensen die zich iets aan zulke dingen gelegen laten liggen, mensen die zich over anderen ontfermen.'

'Oké.' Hij nam een slokje koffie. 'Moeten mensen hier echt zo snel in actie komen als er iemand dood is?'

Ze haalde haar schouders op. 'Ik zal niet zeggen dat Cousins het mis had. Als mensen niets hebben, doen ze vreemde dingen.'

'Zoals in die wijk die je me liet zien, bij de betonnen koepel?'

'Ik geef toe dat die mensen de omgeving afstropen. En soms nemen ze dingen mee van mensen die nog springlevend zijn. We noemen dat inbraak, roof of diefstal, en ze moeten er de prijs voor betalen.'

'Gaan ze naar de gevangenis?'

'Ja, soms wel.'

Puller nam een hap omelet. Hij had zijn sac in Quantico gebeld om hem op de hoogte te stellen van de nieuwste ontwikkelingen. Toen hij het over de bomaanslag had gehad, had Don White gezegd: 'Blijkbaar heb je iemand kwaad gemaakt.'

'Ja,' had Puller gezegd. Maar hij had niet om ondersteuning gevraagd. Als de sac extra mensen wilde sturen, zou hij dat doen. Puller ging er niet om bedelen. Puller had ook geregeld dat hij later op die dag met een vliegtuig vanuit Charleston zou vertrekken. Hij moest in het Pentagon informatie inwinnen over wijlen kolonel Matthew Reynolds en hij moest ook een bezoek brengen aan Reynolds' huis in Fairfax City. Puller had er wel op gezinspeeld dat een andere cid-agent in Virginia dat kon doen, maar de sac had duidelijk gemaakt dat deze hele zaak, wat het leger betrof, een onemanshow van Puller was.

'Hoe lang blijf je in Washington?' vroeg ze.

'Dat weet ik nog niet. Het hangt ervan af wat ik ontdek. Maar niet langer dan twee dagen.'

'Heb je nog iets gehoord van je mooie laboratorium in Atlanta?'

'Niets over de aktetas en de laptop. Ze hebben de andere voorwerpen net binnengekregen. Ze zijn goed, maar ze hebben wat tijd nodig. Ik neem vandaag contact met ze op en vertel je wat ze hebben ontdekt.'

'En dat bedrijf in Ohio dat bodemmonsters test?'

'Dat gaat om nul negen open. En dus bel ik ze om nul negen.'

'Misschien mogen ze je zonder gerechtelijk bevel niet veel vertellen.'

'Misschien niet. Maar we kunnen een gerechtelijk bevel krijgen.'

Cole zei niets. Ze dronk haar koffie en keek naar de andere bezoekers van The Crib.

Puller keek haar aandachtig aan. 'Je hebt mijn vraag over Randy en de doodsbedreigingen nooit beantwoord.'

'Ik dacht dat je geen detective van wereldklasse hoefde te zijn om dat te begrijpen.'

'Je ouders zijn gedood door Trent. Waarschijnlijk ziet Randy het zo. En dus stuurde hij die eerdere bedreigingen. Jij hebt toen een onderzoek ingesteld en je bent vast wel achter de bron gekomen. Je hebt de zaak afgehandeld en wilt er nu niet meer over praten.'

'Dat klopt wel zo ongeveer.'

'Dan is de vraag: is hij ook de bron van die nieuwe bedreigingen?'

'Ik denk van niet.'

'Maar je weet het niet zeker?'

'Ik ben lang genoeg bij de politie om te weten dat iedereen gewelddadig kan worden, als hij maar gemotiveerd is.'

'Wil je dat ik met hem ga praten?'

Ze schudde haar hoofd. 'Puller, dat is niet jouw onderzoek. Je bent hier om maar één reden.'

'Hoe weet je dat dit niets te maken heeft met wat er met de Reynolds' is gebeurd? En dat is mijn zaak.'

'Hoe zou het ermee te maken kunnen hebben?'

'Dat weet ik niet. Daarom onderzoeken we alles. Mag ik met hem praten?'

'Ik zal erover nadenken, maar ik weet niet eens waar hij op dit moment is.'

'Waar leeft hij van? Afgezien van het geld dat je ouders hebben nagelaten.'

'Hij klust hier en daar wat bij.'

'Denkt Roger dat Randy achter de nieuwe bedreigingen zit? Heeft hij daarom rechtstreeks naar jou gebeld?'

'Waarschijnlijk wel,' gaf ze toe.

'Wanneer is Trent weer in de stad?'

'Dat weet ik niet. Ik hou zijn agenda niet bij.'

'Ik denk dat we vanmorgen best eens naar het kantoor kunnen gaan waar Molly Bitner werkte. Dan kunnen we daar wat vragen stellen.'

'Denk je echt dat er een verband is tussen hen en de Reynolds'? Ik bedoel, afgezien van het feit dat ze misschien iets hebben gezien.'

'Dat moeten we uitzoeken. Maar voor de goede orde: ik geloof niet echt in toeval.'

Ze draaiden zich allebei om naar de grote ruit, want op dat moment stopte er een lichte zilverkleurige Mercedes SL600 cabrio voor The Crib. Het dak was naar beneden en de inzittenden waren duidelijk te zien.

'Als je het over de duivel hebt...' zei Puller. 'Dat is je zus, daar achter het stuur, en je broertje zit naast haar.'

44

Toen Jean Trent en Randy Cole The Crib binnenkwamen, keek iedereen hun kant op. Jean Trent droeg een korte donkerblauwe rok, een witte mouwloze blouse en schoenen met zeven centimeter hoge hakken. Haar haar zag er ondanks de open Mercedes geweldig uit en ze was vakkundig opgemaakt. Een golf van glamour stroomde The Crib binnen. Alle aanwezigen, van de arbeiders tot en met de kantoormensen, werden er een beetje duizelig van. Het leek wel alsof een filmster om de een of andere reden had besloten in Drake, West Virginia, te gaan ontbijten.

Ze glimlachte en wuifde naar mensen aan verschillende tafels. Randy's arrogante houding van de vorige avond was helemaal verdwenen. Hij liep een beetje krom en had zijn ogen neergeslagen. Hij droeg een vuile spijkerbroek, een wit T-shirt met een zeefdrukafbeelding van Aerosmith en had een belabberde uitdrukking op zijn gezicht.

Puller keek even naar het tweetal, stond toen op en zwaaide naar hen.

'Jean? Hier bij ons is plaats.'

'Allemachtig, Puller,' fluisterde Cole.

Hij keek haar aan. 'Wil je niet dat je familie gezellig bij je komt zitten?'

Jean en Randy liepen naar hen toe. Puller stond op om Jean in de nis te laten en ging toen weer zitten. Randy nam plaats naast zijn andere zus.

Cole zei: 'Was je gisteravond op de begraafplaats? Ik ben er vrij zeker van dat ik je daar heb gezien.'

'Is dat verboden?' mompelde haar broer.

Jean zei: 'Ik heb onze afgedwaalde broer opgepikt toen ik naar de stad reed. Ik heb hem ervan overtuigd dat een maaltijd met zijn grote zus niet het einde van de wereld was.' Ze keek hem aan. 'En je ziet eruit alsof je wel wat vlees op je botten kunt gebruiken,' voegde ze eraan toe. 'Je hebt gisteravond bijna niets gegeten.'

'Wat deed je op de begraafplaats?' vroeg Cole.

'Wat deed jij daar?' was zijn wedervraag.

'Het graf van mijn ouders bezoeken.'

'Ik ook. Heb je daar een probleem mee?'

'Rustig maar. Je hoeft je niet zo kwaad te maken.'

Hij keek om zich heen. 'Kunnen we een ontbijt bestellen? Ik heb honger.' Hij wreef over zijn hoofd.

'Heb je weer hoofdpijn?' vroeg Puller.

'Wat gaat jou dat aan?' snauwde Randy.

'Ik vroeg het alleen. Misschien helpt het als je iets eet.'

Puller bracht zijn hand omhoog en wenkte de serveerster.

Terwijl Jean en Randy bestelden, bracht Puller zijn koffie naar zijn lippen. Hij nam een slokje en zette het kopje neer. 'Je ziet eruit alsof je wel een paar uur slaap kunt gebruiken.'

Randy keek hem over de tafel aan. 'Bedankt voor je zorgen.'

'Geen zorgen. Ik merk het maar op. Je bent een grote jongen. Je kunt op jezelf passen.'

'Ja, zeg dat maar tegen mijn zussen hier.'

'Zo zijn zussen nu eenmaal,' zei Puller. 'Ze maken zich zorgen. Ze maken zich zorgen om hun broers, en als ze getrouwd zijn, maken ze zich zorgen om hun man.'

Cole zei tegen haar broer: 'Ik weet niet eens waar je woont. Heb je zelfs wel een eigen woonruimte of logeer je gewoon bij de ene vriend na de andere?'

Randy lachte met een hol geluid. 'Zoveel vrienden heb ik niet in Drake.'

'Vroeger wel,' zei Jean.

'Ze zijn allemaal volwassen geworden. Ze zijn getrouwd en hebben kinderen,' zei Randy.

'En dat had jij ook kunnen doen,' zei Jean.

Randy keek haar aan. 'Ja, Jean, je hebt gelijk. Ik had met een rijke, dikke vrouw kunnen trouwen, en dan hadden we lang en gelukkig kunnen leven in een groot huis en in een dure wagen kunnen rondrijden.'

Jean gaf geen krimp. Puller dacht dat ze datzelfde waarschijnlijk al duizend keer van een heleboel verschillende mensen had gehoord.

'Ik geloof niet dat er rijke, dikke vrouwen in Drake zijn, Randy,' zei ze. 'En als je erover denkt van een ander walletje te eten: de enige rijke, dikke man in de stad is bezet.'

'Alsof we dat niet allemaal weten,' snauwde haar broer.

Jean glimlachte. 'Soms weet ik niet waarom ik me druk maak. Echt niet.'

'Ik heb het je nooit gevraagd.'

'Kom nou, Randy. Je zorgt ervoor dat we ons allemaal schuldig voelen. Je sluipt door de stad zonder dat we weten waar je bent, je duikt op en ziet er dan beroerd uit, je pakt wat geld aan en verdwijnt weer. We wachten tot je belt, en als je dat doet, doen we alles voor je. Je kwam gisteravond alleen eten omdat Roger er niet was. En je flapt er van alles uit, maakt sarcastische opmerkingen waarvan je denkt dat ze grappig zijn. Arme Randy. Ik durf te wedden dat je het allemaal prachtig vindt. Het vervangt een leven dat je toch al niet hebt.'

Puller had dat niet zien aankomen, en Cole blijkbaar ook niet.

'Jean!' zei ze verwijtend.

Puller keek even naar Randy, die zijn blik geen moment van Jean wegnam. 'Ga door, zus, ik geniet ervan.'

Jean zei: 'Ik zag hem als een zielig zwerfhondje door de straat lopen. Ik gaf hem een lift met mijn auto. Ik bracht hem hierheen om hem te eten te geven. Ik heb aangeboden hem aan werk te helpen. Ik heb aangeboden hem op alle mogelijke manieren te helpen. En ik krijg stank voor dank. Daar heb ik genoeg van.'

Ze was harder gaan praten, zodat mensen aan andere tafels in hun richting keken. Puller zag dat mensen onderling begonnen te mompelen.

Cole legde haar hand op Randy's arm. 'Dat meende ze niet.'

Jean riep uit: 'Natuurlijk meende ik dat wel. En jij zou het ook menen, als je je kop niet langer in het zand stak.'

Plotseling veranderde Randy's houding. De grijns en het zelfvertrouwen kwamen in alle hevigheid terug. 'Hé, Jean, betaalt Roger je voor elke keer dat je met hem neukt? Of krijgt hij kwantumkorting? En toen hij pa en ma had vermoord, heb je hem toen dubbel tarief in rekening gebracht om je te naaien? Je weet wel, om te laten zien hoe kwaad je op hem bent omdat hij onze ouders heeft gedood zonder dat het hem wat kon schelen?'

Jean reikte over de tafel en gaf haar broer zo'n harde klap dat Puller haar zelf ineen zag krimpen van de schok. Randy vertoonde geen reactie, al werd de huid waar ze hem had geraakt eerst roze en toen dof rood.

'Is dat het beste wat je in huis hebt?' zei Randy. 'Al dat geld heeft je slap gemaakt.'

Hij stond op. 'Ik heb dingen te doen. Hé, Jean, bedankt voor de lift. Of misschien moet je Roger namens mij bedanken. Per slot van rekening is het zijn auto. Hij is eigenaar van de auto, van het huis, van het bedrijf en van jóú.' Hij keek door het raam naar de Mercedes. 'Een beetje een oud modelletje, zus. Rog moet hem eens inruilen. Hij is zo vaak weg dat je je afvraagt wat hij allemaal doet. Ik wist niet dat steenkoolmannen zo vaak met hun privévliegtuig van hot naar her moesten vliegen. En je mag dan nog zoveel trainen en op dieet zijn, je drinkt ook een beetje te veel en je hebt twee kinderen gebaard. Zulke dingen eisen hun tol. En begrijp me nu niet verkeerd. Je ziet er nog steeds goed uit. En Roger is dik en lelijk. Maar de regels zijn anders voor mannen dan voor vrouwen. Het zijn geen eerlijke regels, maar het zijn de regels. En wie het goud heeft, maakt de regels. En dat zal Roger zijn. Nou, een prettige dag nog, grote zus.'

Randy draaide zich om en liep weg. Puller zag dat hij twee mannen aan een tafel met een high five begroette en op weg naar buiten de deur achter zich dicht smeet.

Puller keek naar Jean, die er zo verbijsterd uitzag als ze zich waarschijnlijk voelde.

Cole zei: 'Jullie zeiden allebei dingen die jullie niet meenden.'

'Ik meende elk woord dat ik zei,' antwoordde Jean. 'En Randy ook,' voegde ze er zachtjes aan toe. Ze keek weer uit het raam, naar de auto. Puller zag dat de gedachten als filmfragmenten door haar hoofd gingen. Waar was Roger op dat moment? Zou hij er werkelijk over denken haar in te ruilen?

Cole pakte haar hand vast. 'Jean, wat Randy zei, was onzin.'

'O ja?' snauwde haar zus.

Cole sloeg haar ogen neer.

Jean keek Puller aan. 'Wat denk jij? Jij bent hier de grote detective.'

Puller haalde zijn schouders op. 'Ik kan niet in het hoofd van andere mensen kijken, Jean. Maar als je man je bedriegt, moet je een scheiding aanvragen en tegen hem procederen tot hij blauw ziet. Je moet zien dat je zoveel van het goud krijgt als je advocaten maar te pakken kunnen krijgen. Omdat je met hem getrouwd bent voordat hij rijk werd, neem ik aan dat jullie in gemeenschap van goederen getrouwd zijn.'

'Ja.'

'Dan zou ik me maar geen zorgen maken. Dat is de beste raad die ik kan geven.'

Toen het eten van Jean en Randy kwam, keek de serveerster om zich heen en vroeg: 'Komt hij terug?'

'Dat betwijfel ik ten zeerste,' zei Jean vriendelijk. 'Maar als je het warm kunt houden en voor me kunt inpakken, ga ik naar hem op zoek om het hem te geven.'

'Oké.' De serveerster liep weg.

Jean sneed in haar omelet en wilde net iets zeggen toen Puller opstond.

'Ga je ergens heen?' vroeg ze.

'Ik ben zo terug.' Puller had zojuist Bill Strauss aan een tafel in de hoek zien zitten. Hij liep weg.

Jean keek Cole aan. 'Gaan jullie al met elkaar naar bed?'

'Jean, waarom hou je niet gewoon je mond? Eet nou maar door.'

Cole kwam de nis uit en liep vlug achter Puller aan, die al naast Strauss stond.

'Hallo, meneer Strauss. John Puller, CID, weet u nog wel?'

Strauss knikte. Hij droeg weer een duur driedelig pak en een overhemd met monogram en dubbele manchetten.

'Jazeker, agent Puller. Hoe gaat het met u?'

'Heel goed,' zei Puller.

'Zit er schot in het onderzoek?'

'Het komt op gang,' zei Cole, die naast Puller kwam staan.

'Wanneer verwacht u uw baas terug?' vroeg Puller.

'Dat weet ik niet.'

'De baas houdt zijn nummer twee niet op de hoogte?' vroeg Puller.

'Waarom moet u weten wanneer hij terug is?'

Puller zei: 'Dat is iets tussen Trent en ons.' Hij klopte Strauss op de schouder. 'Doe uw baas de groeten van me.'

Hij draaide zich om en liep terug naar Jeans tafel. 'Ik moet nog een keer met je man praten. Zeg tegen Roger dat we hem moeten spreken als hij weer in de stad is.'

Ze legde haar vork neer. 'Waarom?'

'Geef de boodschap nou maar aan hem door. Alvast bedankt.'

Hij liep naar de deur.

Cole legde geld voor hun eten neer, nam vlug afscheid van Jean en liep haastig achter Puller aan. Hij was al buiten en stond naar de zilverkleurige Mercedes te kijken.

'Wat probeerde je daarbinnen met Strauss te doen?' vroeg Cole.

'Ik wilde wat informatie hebben. Heeft Strauss de dagelijkse leiding van Trents onderneming?'

'Ja, hij is de directeur bedrijfsvoering.'

'Hoe lang?'

'Zo lang als Roger dit doet.'

'Strauss is ouder.'

'Ja, maar Roger is ambitieuzer, denk ik.'

'Of hij neemt meer risico's.'

Ze liepen naar de auto terug.

'Ga je nog steeds naar Washington?'

'Ja, daar kom ik niet onderuit.'

'Denk je dat de poppen hier binnenkort aan het dansen zijn?'

Puller zei: 'Er zijn al zeven mensen vermoord. Ik denk dat de poppen al een tijdje dansen.'

·45·

Ze reden in Coles politiewagen naar het kantoor van Trent waar Molly Bitner had gewerkt. Onderweg belde Puller naar het bedrijf in Ohio dat bodemmonsters testte. Nadat hij was doorverbonden met twee verschillende mensen die hem niet konden helpen, gaf Puller een teken aan Cole dat ze moest stoppen. Ze zette de auto langs de kant van de weg en keek hem aan.

Puller zei in de telefoon: 'Nou, laat me dan met een chef praten.' Hij wachtte twee minuten en toen had hij weer iemand aan de lijn.

Puller legde de situatie uit en de persoon aan de andere kant van de lijn reageerde daarop.

'Kunt u me iets door de telefoon vertellen?' vroeg hij.

Puller luisterde en knikte. Hij vroeg om hun contactinformatie en noteerde die in zijn boekje. 'Oké. Het gerechtelijk bevel komt eraan. Ik zou het op prijs stellen als u dan snel medewerking verleent.'

Hij verbrak de verbinding en keek Cole aan.

'Dus er moet een gerechtelijk bevel aan te pas komen?' zei ze. 'Je zou toch denken dat bodemmonsters niet zo vertrouwelijk waren. Konden ze je iets vertellen?'

'Alleen dat Matthew Reynolds degene was die opdracht had gegeven om de monsters te nemen. Hij betaalde per creditcard. En dat het om monsters van een organische materie ging. Ze wilden me niet vertellen waar die monsters vandaan kwamen of wat ze hadden ontdekt. Ik heb hun gegevens hier. Kun je de papierwinkel in gang zetten?'

'Ik praat vandaag met de officier van justitie.' Ze zette de auto weer in de versnelling en reed de weg op. 'Het moet om grond uit deze omgeving gaan, nietwaar?'

'Dat neem ik aan, maar we moeten zekerheid hebben.'

'En waarom wilde hij het laten testen?'

'Vervuilende stoffen,' zei Puller. 'Wat anders?'

'Dus daar gaat het misschien om? Vervuiling?'

'Nou, als ze zijn teruggekomen en Wellman hebben vermoord om dat rapport in handen te krijgen, ja, dan zou dat heel goed zo kunnen zijn. In elk geval moet het iets heel ernstigs zijn.'

'We zijn hier in West Virginia, Puller. We hebben hier al ongelooflijk veel bodem- en watervervuiling. We kunnen het water niet eens drinken. De mensen weten dat. Je hoeft maar om je heen te kijken en de troep in de lucht te zien, en je weet al dat die lucht is vervuild. Ik zie dus niet waarom ze zeven mensen zouden vermoorden om iets geheim te houden wat iedereen al weet.'

'Daar zit wat in, maar laten we het eens van een andere kant bekijken. Heeft Trent aanvaringen gehad met de Milieudienst?'

'Er is geen steenkoolbedrijf in West Virginia dat nooit een aanvaring heeft gehad met de Milieudienst en de controleurs van de staat. De economie drijft hier op steenkool, maar er zijn grenzen.'

'En als je over die grenzen heen gaat, kun je in de problemen komen?'

'Ja,' gaf ze toe. 'Maar is dat het waard om zeven mensen te vermoorden, onder wie een politieagent? Als Roger een voorschrift heeft overtreden, moet hij een boete betalen. Dat heeft hij in het verleden vaak genoeg gedaan. Heel vaak. Hij heeft daar het geld voor. Hij hoeft geen mensen te vermoorden.'

'En als het nu eens om meer gaat dan het overtreden van een voorschrift?'

'Wat bedoel je?'

'Je zei dat als er steeds meer mensen doodgingen aan kanker, Trent misschien met veren en pek de staat uit zou worden gejaagd. Vervuild water, ziekte, misschien kinderen die doodgaan. Dat kan de ondergang worden van zijn hele onderneming. Hij raakt alles kwijt, ook dat grote huis en zijn privévliegtuig. Misschien gaat hij ook naar de gevangenis, als wordt aangetoond dat hij ervan wist en niets deed. En misschien is dat precies waar iemand bij toeval achter is gekomen, en wilde Trent diegene de mond snoeren.'

Cole keek niet overtuigd. Pas na een paar kilometer verbrak ze de stilte.

'Maar hoe zouden de Reynolds' daarbij betrokken kunnen zijn? Van Bitner kan ik het begrijpen. Die werkte op een van de kantoren van Trent. Misschien had ze iets ontdekt. Iets gehoord. Iets in een dossier of op een computerscherm gezien wat niet voor haar bestemd was. Maar waarom heeft ze dan niet gewoon zelf dat bodemmonster opgestuurd? Waarom maakte ze gebruik van de Reynolds'?'

'Misschien dacht ze dat iemand iets van haar vermoedde. Ze gebruikte de Reynolds' als tussenpersoon om haar eigen betrokkenheid geheim te houden. Ze woonden tegenover elkaar. Misschien maakten ze weleens een praatje en werden ze een soort vrienden. Ze zien Matt Reynolds in zijn uniform. Hij is iets officieels. Hij is militair. Werkt in het Pentagon. Heeft gezworen zijn land te beschermen. Ze denken dat hij hen met al zijn connecties misschien kan helpen. Hij is bereid het te doen. Maar dan komt iemand erachter. Ze sturen een stel moordenaars. Die elimineren beide gezinnen.'

'Veel vuurkracht. Ik kan me moeilijk voorstellen dat Roger een team van moordenaars tot zijn beschikking heeft.'

'Hoe weet je dat? De gevechten tussen mijnbedrijven en vakbonden kunnen heel fel zijn. Hij heeft al beveiliging. En Jean heeft me verteld dat hij een wapen bij zich heeft. Wil je beweren dat hij geen gewapende kerels in dienst heeft om allerlei dingen voor hem te doen? Intimidatie? Afschrikkingstactieken?'

'Als je aan dagbouw doet, heb je niet zoveel met vakbonden te maken, want je hebt geen mijnwerkers die onder de grond moeten om de steenkool eruit te halen. Dus dat soort conflicten hebben we hier niet veel. Het vakbondsgebouw is zelfs al jaren dicht.'

'Ik geef toe dat het een theorie is waaraan we nog moeten werken. Laten we hopen dat we op Bitners werkplek iets ontdekken. En we moeten dat drugslab niet vergeten. Als dit iets met drugshandelaren te maken heeft, moeten we daar zo gauw mogelijk achter komen.'

'Dat drugslab kan dit alles volgens mij veel beter verklaren dan de mijnbouw. Drugs, wapens en geweld gaan hand in hand.'

'Maar dan heb je nog geen verklaring voor dat bodemmonster. En je weet niet wat de Reynolds' ermee te maken hadden. Of waarom Wellman is opgehangen.'

'Het begint me te duizelen. Oké, laten we ons concentreren op wat we nu gaan doen. Hoe pakken we het in Bitners kantoor aan?'

'We stellen directe vragen en hopen op even directe antwoorden. We houden onze ogen en oren open. Alles wat we daar te zien krijgen, is meegenomen.'

'Nou, als je gelijk hebt en als het bedrijf al die mensen heeft vermoord om iets geheim te houden, denk ik niet dat Bitners collega's ons veel zullen vertellen. In dat geval zullen ze doodsbang zijn.'

'Ik heb nooit gezegd dat het gemakkelijk zou gaan.'

Het satellietkantoor van Trent was een betonnen gebouw van een verdieping dat lichtgeel was geverfd. Je kwam er over een bochtige grindweg en op het parkeerterrein stonden een stuk of tien auto's. Een daarvan was een Mercedes S550. Hij stond vlak naast de deur.

'Van Bill Strauss?' vroeg Puller toen ze erlangs liepen om naar binnen te gaan.

'Hoe heb je dat geraden?'

'Ik zag die auto voor The Crib staan. Verder is Roger Trent de enige hier in de stad die zich zo'n auto zou kunnen permitteren, en die is nu niet in Drake. Op de een of andere manier is Strauss hier eerder dan wij. Hij zal ons wel hebben ingehaald toen ik je vroeg even te stoppen. Of hij volgde een andere route.' Hij keek naar het vervallen gebouw. 'Ik zou hebben gedacht dat de directeur be- drijfsvoering in een luxer kantoor werkte.'

'Het is de filosofie van de firma Trent dat je het geld mee naar huis neemt en niet verspilt aan kantoorruimte op een mijnbouwterrein. Zelfs Rogers eigen kantoor op het hoofdkwartier van de onderneming is nogal spartaans ingericht.'

'Dus er is mijnbouw hier in de buurt?'

'Een silo zoals ik je gisteravond heb laten zien. En een kleine kilometer naar het noorden is een dagbouwterrein.'

'En ze werken hier in de buurt met explosies?'

'In de hele streek heb je zo ongeveer overal explosies. Daarom wonen er hier veel minder mensen dan vroeger. Wie wil er nou in een gevechtszone wonen?' Ze wierp hem een snelle blik toe. 'Met uitzondering van militairen,' voegde ze er vlug aan toe.

'Geloof me: soldaten zijn ook liever niet in een gevechtszone.'

'Met wie wil je hier gaan praten?'

'Laten we bovenaan beginnen.'

Ze liepen naar binnen, vroegen bij de receptie naar Strauss en werden naar zijn kamer geleid. De wanden daarvan waren betimmerd met slordig geverfd tri- plex. Het bureau was goedkoop, net als de stoelen. In een hoek stonden een paar oude metalen archiefkasten. Een andere hoek werd bezet door een versle- ten bank en een tafel met putjes in het hout. Er was nog een deur, en Puller vermoedde dat die naar een privétoilet leidde. Strauss ging waarschijnlijk niet zo ver dat hij urineerde met het personeel.

Er stond een glanzende computer met een 23-inch-scherm op zijn bureau. Dat was het enige teken van moderne technologie dat Puller in het Trent-imperium had gezien. Hij dacht aan het landhuis waar hij de vorige avond was geweest en wist wat Cole had bedoeld.

Ze nemen het geld echt mee naar huis. In elk geval doen de topfiguren dat.

Strauss kwam achter het bureau vandaan om hen te begroeten. Hij had zijn jasje uitgetrokken, zodat ze zijn buikje konden zien, dat bedekt was met het gesteven witte overhemd met dubbele manchetten. Het jasje hing aan een haak op de achterkant van de deur.

Zijn vingertoppen waren vergeeld van de nicotine, en blijkbaar had hij net een sigaret in de overvolle asbak uitgedrukt, want er hing rook in de lucht. Puller wuifde met zijn hand voor zich om de rook te verdrijven, terwijl Cole een paar keer diep ademhaalde. Misschien probeerde ze zo veel mogelijk rook in te ademen, dacht Puller: welkome tweedehands rook.

'We stellen het op prijs dat je ons ontvangt, Bill,' zei Cole.

'Geen probleem, Sam. Als ik had geweten dat jullie vanmorgen met me wilden praten, hadden we dat in The Crib kunnen doen.' Hij gebaarde hun te gaan zitten.

'We zullen proberen niet te veel van je tijd in beslag te nemen,' zei Cole.

'Goed. Ik hoorde dat je gisteravond bij Jean hebt gedineerd.'

'Ja. Ze had een paar mensen uitgenodigd terwijl Roger de stad uit was.'

'Waar is Roger eigenlijk?' vroeg Puller.

'Hij is voor zaken in New York,' antwoordde Strauss.

'Zaken in New York?' zei Puller. 'Ik dacht dat dit een particuliere firma was.'

Strauss keek hem aan. 'Dat klopt. Trent Exploration is een particulier bedrijf. Maar het is ook erg winstgevend en we houden ons bezig met energie. Dat maakt het aantrekkelijk voor allerlei investeerders.'

'Dus Trent denkt erover naar de beurs te gaan?' vroeg Puller.

Strauss keek hem met een strak glimlachje aan. 'Daar kan ik echt niets over zeggen. En ik zou ook niet weten waarom het van belang is voor je onderzoek.' Hij ging weer zitten en keek Cole aan. 'Nou, wat kan ik voor je doen?'

'Zoals ik al eerder zei, moeten we met de collega's van Molly Bitner praten. Voordat we dat doen, wil ik graag dat je ons vertelt wat ze hier deed. En hoe lang ze al voor Trent werkte.'

Strauss leunde achterover en vouwde zijn handen samen achter zijn hoofd. Hij keek naar het pakje Marlboro op zijn bureau en de overvolle asbak daarnaast, maar besloot blijkbaar geen nieuwe sigaret op te steken.

Puller keek naar de man en zijn lichaamstaal en wachtte intussen op zijn antwoord.

'Ze heeft hier ongeveer vier jaar gewerkt. Daarvoor werkte ze in een van onze andere kantoren. Dat staat aan de noordkant van de stad.'

'Waarom werd ze overgeplaatst?' vroeg Puller.

Strauss keek hem meteen aan. 'We laten vaak mensen van het ene naar het andere kantoor gaan. Soms is dat voor het werk noodzakelijk; soms willen ze het zelf. Het kantoor in het noorden deed meer werk dat te maken had met de dagbouw daar. Dit kantoor houdt zich meer bezig met gecentraliseerde werkzaamheden. Het is een soort coördinatiecentrum voor verschillende locaties. Ik kan jullie niet precies vertellen waarom Molly hier is komen werken, want dat weet ik niet. Misschien kunnen collega's van haar die vraag beantwoorden.'

'We zullen het ze vragen,' zei Puller.

'En wat deed ze hier?' drong Cole aan.

'Archiefwerk, de telefoon opnemen, orders uit het veld afhandelen. Vrij normale dingen. Ze verkeerde niet in een positie dat ze iets kon bestellen zonder toestemming van hogerop. In het bedrijfsleven noem je zo iemand een secretaresse schuine streep assistent-officemanager, geloof ik.'

'Was ze een goede medewerkster? Ooit problemen gehad?'

'Voor zover ik weet, hebben we nooit problemen met haar gehad.'

'Is je de afgelopen weken iets ongewoons aan haar opgevallen?'

'Nee, maar er zou me ook niet gauw iets opvallen. Zoals ik al zei, kende ik haar natuurlijk wel, maar hadden we weinig met elkaar te maken.'

'Geen geldproblemen waar u van weet?'

'Er was geen beslag gelegd op haar salaris, als u dat bedoelt.'

Ze stelden nog een paar vragen, en toen leidde Strauss hen naar het kamertje waar de officemanager werkte. Voordat Strauss bij hen vandaan ging, vroeg Puller: 'Hoe gaat het met je zoon?'

Strauss keek hem aan. 'Goed. Hoezo?'

'Ik vroeg het me alleen maar af.'

'Weet je, je had niet het recht hem naar zijn militaire carrière te vragen. En eerlijk gezegd vond ik je vragen beledigend voor hem.'

'Jammer dat je er zo over dacht. Ben je ooit in het leger geweest?'

'Nee.'

'Als je in het leger had gezeten, zou je die vragen niet beledigend hebben gevonden.'

Strauss keek Cole aan, trok een kwaad gezicht en liep weg.

·47·

De officemanager heette Judy Johnson. Ze was een broodmagere vrouw met een krachtige handdruk en een zakelijke manier van doen. Haar haar was bruin en grijs en ze droeg het in twee staartjes. Haar gezicht was doorgroefd en haar ogen waren donker caramelbruin en levendig. Ze droeg een beige overgooier met een witte blouse. Haar zwarte schoenen met platte hakken waren versleten.

Ze vertelde hun dat Molly een goede medewerkster was geweest. Ze was vooral naar dit kantoor verhuisd omdat het dichter bij haar huis was en er een positie was vrijgekomen. Ze had geen toegang tot alle dossiers op het kantoor.

'Tot welke dossiers had ze wel toegang?' vroeg Puller.

'Vooral de dossiers die in de kamer van meneer Strauss worden bewaard,' zei Johnson. 'Er is ook een kast in zijn kantoor. In die kast staat een kluis. Daar worden ze in bewaard.'

'Ik dacht dat het een privétoilet was,' zei Puller.

'Nee, we gebruiken allemaal hetzelfde toilet,' zei Johnson.

'En de sleutel van de kluis?' vroeg Cole.

'Er is een sleutel voor de kastdeur en er is een sleutel voor de kluis. Beide sleutels heeft meneer Strauss altijd bij zich.'

'Wat is er zo belangrijk dat die maatregelen nodig zijn?' vroeg Puller.

'Nou, in dit kantoor bewaren we geologische rapporten over de locatie van steenkoollagen en andere gegevens die daarmee verband houden. Dat is waardevolle informatie voor mensen die willen weten waar steenkool te vinden is.'

'Dus Trent bezit niet al het land waar de steenkool is?'

'Nee. Ze zijn altijd op zoek naar nieuwe bronnen en sturen er teams op uit om ernaar te zoeken. Als iemand zou weten waar de steenkool was en het land zou opkopen voordat meneer Trent dat deed, zouden ze zijn werk in hun voordeel kunnen gebruiken.'

'Doet u hier ook bodemonderzoek?' vroeg Cole.

Johnson keek verbaasd. 'Bodemonderzoek? Waarvoor?'

'Vervuiling, dat soort dingen.'

'We houden ons aan alle milieuvoorschriften,' zei Johnson automatisch. Blijkbaar was ze daarin gecoacht, dacht Puller.

'Ongetwijfeld, maar dat is geen antwoord op mijn vraag,' drong Cole aan.

'We doen voortdurend bodemonderzoek,' zei Johnson.

'Oké, maar u keek verbaasd toen ik die vraag stelde.'

'Ja, omdat ik dacht dat u hier was om over Molly te praten. En zij had daar niets mee te maken.'

'Worden hier testgegevens van bodemmonsters bewaard?' vroeg Puller.

'In dat geval zou meneer Strauss ze in de kluis hebben. Maar ik denk dat het meeste werk door externe firma's wordt gedaan en dat de resultaten regelrecht naar het hoofdkantoor in Charleston worden gestuurd.'

'Ik hoorde dat Molly en Eric Treadwell alleen maar samenwoonden om kosten te besparen.'

'Dat klopt.'

'Dat gebeurt hier veel, heeft brigadier Cole me verteld.'

'Ja.'

'Hoe hebben ze elkaar leren kennen?' vroeg Puller.

Johnson zei: 'Op een bedrijfspicknick van Trent, geloof ik. Eric was met een paar vrienden gekomen. Het klikte tussen Molly en hem. Ze waren allebei al eerder getrouwd geweest en ik geloof niet dat ze er iets voor voelden het nog een keer te doen. Ze waren graag bij elkaar, en zoals brigadier Cole zei: het gebeurt hier veel.'

Ze zweeg even en speelde met haar staartjes. 'Is er verder nog iets?'

'Had u een nauwe band met Molly?' vroeg Puller.

'Ja, we waren vriendinnen.'

'Enig idee waarom iemand haar en Eric Treadwell kwaad zou willen doen?'

'Ik zou het niet weten.'

'Bent u ooit bij hen thuis geweest?' vroeg Puller.

Johnson keek even een andere kant op en antwoordde: 'Misschien een of twee keer. We kwamen meestal in de stad bij elkaar om iets te gaan eten of naar de bioscoop te gaan.'

'Hebt u ooit gedacht dat Molly of Eric misschien een drugsprobleem had?'

'Molly? Drugs? Nee, nooit.'

'Dus u kunt een drugsgebruiker herkennen?' vroeg Puller.

Johnson aarzelde. 'Ik... mijn zoon. Hij heeft daar... problemen mee gehad... Ik... Ik denk dat ik wel weet waarop ik moet letten.'

'Dus niets van dat alles bij Molly. En Eric?'

'Ik heb nooit zoiets aan Eric gemerkt, maar ik zag hem ook niet zo vaak.'

'Dus u zou niets ongewoons kunnen bedenken?'

Johnson aarzelde. 'Nou, er was wel iets. Ik weet niet of het belangrijk was, maar het was wel een beetje ongewoon.'

'Vertel het ons,' zei Cole. 'Dan komen wij er wel achter of het belangrijk is of niet.'

'Nou, Eric kwam hier een keer straalbezopen aan en maakte toen veel kabaal.'

'Hebben jullie aangifte gedaan?' vroeg Cole.

'Nee. We hebben het niet eens aan meneer Strauss verteld. Het was nadat wvu de Big East had gewonnen, dus we lieten het er maar bij. Er zullen toen wel veel mensen dronken zijn geworden. En als ik het me goed herinner, kon Molly hem kalmeren. Hij praatte maar door over de Mountaineers. Had een wvu-sweatshirt aan en zwaaide met een van die grote dingen die op een hand lijken. En toen viel hij in slaap op de bank van meneer Strauss. We deden de deur dicht en lieten hem zijn roes uitslapen. Molly ging van tijd tot tijd bij hem kijken.'
'Was Strauss er ook?' vroeg Cole.
'O, nee, natuurlijk niet. Die was de stad uit.'
'Wanneer was dat precies?'
'Afgelopen december,' zei Johnson. 'Dan spelen ze om het Big East-kampioenschap.'
'Dus dat was de enige keer dat er iets bijzonders met Molly gebeurde?'
'Voor zover ik weet.'
Ze stelden nog een paar vragen en lieten Judy Johnson toen met haar staartjes in haar kamertje achter.
Ze praatten met andere mensen die daar werkten. Niemand van hen had iets nuttigs te melden. Molly was een goede medewerkster. Ze had geen ongewone indruk gemaakt. Ze zouden niet weten waarom iemand haar zou willen vermoorden.
Toen Puller en Cole naar haar auto terugliepen, zei ze: 'Daar komen we niet veel verder mee.'
'We zijn allebei in Treadwells huis geweest.'
'Dat weet ik. En?'
'Heb je de ring aan zijn vinger gezien?'
'Ja, die zag ik.'
'Het was een ring van de Virginia Tech. En er hing een poster van de Virginia Tech in zijn slaapkamer. Oud-studenten aan de Virginia Tech blijven fervente supporters van hun footballteam. En hij mag dan nu in West Virginia wonen, ik vraag me toch af waarom hij helemaal uit zijn dak ging toen het team van West Virginia kampioen werd. Virginia Tech deed vroeger mee aan de Big East. Nu zijn ze zo ongeveer heer en meester in de acc. En die ex-student van Virginia Tech zuipt zich klem uit pure blijdschap omdat West Virginia gewonnen heeft?'
Cole keek weer naar het gebouw.
'Je bedoelt dat het een truc was om in de kamer van Strauss te komen? Misschien om in die kluis te komen?'
'Daar lijkt het wel op. De vraag is nu: is hij erin gekomen?'

•48•

Cole zette Puller bij zijn auto af.

Toen hij uitstapte, vroeg ze: 'Denk je dat Eric Treadwell in de kluis is gekomen?'

'Ja. En ik denk dat Molly hem heeft geholpen.'

'Hoe?'

'Strauss hangt zijn jasje op de achterkant van de deur. Vermoedelijk heeft hij zijn sleutels in de zak van dat jasje. Ik denk dat Molly een keer die kamer is binnengeslopen toen Strauss naar het toilet was, en dat ze toen afdrukken van die sleutels heeft gemaakt. Treadwell was een technicus. Het was een koud kunstje voor hem om kopieën van die sleutels te maken. Hij doet alsof hij dronken is en komt op de bank te liggen. Misschien gaat er iemand weg om iets voor hem te halen, zodat hij alleen in de kamer is. Hij heeft de sleutels in zijn zak. Molly sluit de deur en houdt de wacht. Hij springt overeind, maakt de kast en de kluis open en haalt uit de kluis wat hij wil hebben. Molly komt binnen, zogenaamd om een kijkje bij hem te nemen. Misschien heeft ze een paar mappen in haar armen. Ik zag een groot kopieerapparaat nogal uit het zicht staan in dat kantoor. Molly maakt kopieën van de papieren en brengt de originelen naar Treadwell terug als ze weer bij hem gaat "kijken". Hij legt de originelen in de kluis terug en niemand vermoedt dat er iets mis is. Waarschijnlijk wisten ze dat Strauss er die dag niet zou zijn. Ze kon gemakkelijk in zijn agenda kijken.'

'En wat stond er in die papieren?'

'Zoals Johnson zei, waren het geologische kaarten.'

'Belangrijk genoeg om mensen te vermoorden?'

'Blijkbaar wel.'

'Het wil er niet bij me in.'

'Op dit moment ook niet bij mij.'

Puller keek haar na toen ze wegreed en wilde toen naar zijn motelkamer lopen, waar hij zich zou voorbereiden op zijn vlucht naar Washington. Hij bleef staan toen hij Randy Cole om de hoek van het motel zag komen.

'Sorry dat ik vanmorgen ineens wegliep,' zei Randy met een grijns.

'Geen probleem. Ik geloof wel dat Jean nogal geschokt was.'

Randy ging op de veranda van het motel zitten en Puller volgde zijn voorbeeld. 'Laat je niet door haar in de maling nemen. Ze is zo hard als staal. Harder dan wij allemaal. Waarschijnlijk is ze het nu al helemaal vergeten.' Hij wreef over de wang waarop ze hem had geslagen. 'Ja, hard als staal.'

'Dat moet je misschien ook wel zijn wanneer je met iemand als Trent getrouwd bent.'

'Zeg dat wel.'

'Dus je hebt de pest aan die man.'

'Hij heeft mijn ouders vermoord.'

'Ik hoorde dat het een ongeluk was.'

'Dat zegt iedereen.'

'Jij weet dat het geen ongeluk was?'

'Dat weet ik verdomd zeker.'

'Kun je het bewijzen?'

'Hij heeft deze hele stad in zijn bezit. Al had ik alle bewijs van de wereld, dan zou ik er nog niets aan hebben.'

'Kom nou, Randy. Je zus is bij de politie. En ik geloof niet dat ze zo'n grote fan van Trent is. Als je bewijs had, zou ze haar uiterste best doen om hem te pakken te krijgen. Vergis ik me daarin?'

Randy wendde zijn ogen af. Er bleef niet veel van zijn zelfvertrouwen over. Hij wreef over zijn slapen.

'Gebeurt er veel daarbinnen?' vroeg Puller.

'Alleen maar pijn.'

'Je moet er echt eens mee naar de dokter gaan.'

'Ja, hoor.'

'Je moet het zelf weten. Als er iets mis is, wordt het erger als je langer wacht.'

'Dat waag ik erop.'

'Zoals je wilt. De grafstenen van je ouders zijn de enige die goed onderhouden zijn op de hele begraafplaats. Is dat jouw werk of doet Sam het?'

'Allebei.'

'Sam zei dat er door een mijnexplosie een rotsblok was losgeraakt en dat het op hun auto is gevallen.'

Randy knikte, en er kwam plotseling een glans in zijn ogen. Hij wreef erover en ging wat verder bij Puller vandaan zitten.

'Ze waren op weg naar Jean. Trent was daar in de buurt met explosies bezig. De rotsen vielen op de weg.' Hij zweeg even om zich te beheersen.

'En ze kwamen om?' vroeg Puller.

Randy knikte. 'De dokter zei dat ze min of meer op slag dood moeten zijn geweest. Ze hebben dus niet geleden. Dat is goed. Het duurde even voor we ze vonden.'

'Wie heeft ze gevonden?'

'Ik.'

'Je zei dat ze op weg waren naar Jean? Bedoel je hun vorige huis?'

Randy knikte.

'Waarom gingen ze daarheen?'

'Ik was jarig,' zei Randy met zo'n klein stemmetje dat Puller hem amper kon verstaan. 'Jean gaf een feestje voor me.'

'Dus ze stierven op jouw verjaardag?'

Randy knikte en boog zijn hoofd. 'Het was een rotcadeau. Ik heb daarna nooit meer mijn verjaardag gevierd.'

'Hoe heb je ze gevonden?'

'Toen ze niet kwamen opdagen, probeerden we ze te bellen. Er werd niet opgenomen. Toen splitsten we ons op. Er waren drie routes die ze konden hebben gevolgd. Vaak sluiten ze hier wegen af voor werk en zo. Ze namen dus niet altijd dezelfde weg. We moesten overal zoeken. Sam ging naar een weg, Jean naar een andere, en ik nam de derde weg. De juiste weg.' De tranen sprongen hem weer in de ogen, en ditmaal wendde Puller zich af.

'Waar was Roger toen dat alles gebeurde?'

'Die was zich in het huis aan het bezatten.' Hij schudde langzaam zijn hoofd. 'Weet je wat hij tegen me zei toen hij hoorde wat er gebeurd was?'

'Nee, wat?'

'"Zulke dingen gebeuren nou eenmaal." Dat zei de schoft tegen me. "Zulke dingen gebeuren nou eenmaal."'

'Ik vind het heel erg, Randy.'

'Ja,' zei hij kortaf.

Puller sloeg zijn ogen neer. 'Ik kan me voorstellen dat zoiets iemand een opdonder geeft.'

'Ik red me wel.'

'Geloof je dat echt?'

'Ja. Ach, je hebt je familie niet voor het uitkiezen. Je moet je gewoon zien te redden met de familie die je hebt.'

Vertel mij wat, dacht Puller.

'En Jean? Hoe reageerde zij erop?'

'Die gaat haar eigen weg. Leidt haar eigen leven. Ze zoekt bezigheden. Toen onze ouders omkwamen, was ze daar net zo kapot van als de rest van ons, maar ze is jong en rijk en heeft veel om voor te leven. Een gezin om voor te zorgen. Kinderen om groot te brengen.'

'En jij? Jij hebt nog een heel leven voor je.'

'Denk je dat?'

Hij zei dat op een vreemde manier en Puller keek hem aandachtig aan. 'Denk je erover om er voortijdig een eind aan te maken? Dat zou erg dom zijn.'

'Nee, ik ben niet zoveel verdriet waard.'

'Heb jij de nieuwe doodsbedreigingen aan Roger gestuurd?'

'Ik wist niet eens dat hij ze kreeg. Hoe gaat het met je onderzoek?'

'De hele stad zal er wel over praten.'

'Ja, dat kun je wel zeggen.'

'Het gaat langzaam.'

'Je kunt je moeilijk voorstellen dat al die mensen vermoord zijn.'

'Heb je Eric Treadwell of Molly Bitner gekend?'

'Nee, niet goed.'

'Je hebt ze gekend of niet gekend, Randy. Wat is het?'

'Ik kwam ze weleens tegen. Dat was het wel zo'n beetje.'

'Kende je ze goed genoeg om mij nu te kunnen vertellen dat ze iets met drugs deden? Er misschien in handelden?'

'Nee. Zo goed kende ik ze niet. Maar ik ben zelf niet aan de drugs, dus ik zou het niet weten. Mijn favoriete verslaving is bier.' Randy keek over zijn schouder naar het kantoortje van het motel. 'Het is mooi wat je voor Louisa hebt gedaan.'

'Ik deed alleen maar wat ieder ander had moeten doen.'

'Zo kun je het ook bekijken. Sam is een goede politievrouw. Ze zal je echt kunnen helpen.'

'Dat heeft ze al gedaan.'

'Jean heeft me over de bom verteld. Je hebt Sams leven gered.'

'Het scheelde niet veel. Ik zag het gevaar te laat.'

'Toch ben je in mijn ogen een held. Waarschijnlijk zeg ik het niet vaak tegen haar, maar ik ben trots op mijn zus.'

'Vertel het haar dan zelf. Het leven is kort.'

'Misschien doe ik dat nog eens.'

'Wil je in je familie terug, Randy?'

De andere man stond op. 'Ik weet het niet, Puller. Ik weet het echt niet.'

'Nou, op een gegeven moment moet je die keuze maken.'

'Ja, dat weet ik.'

Hij draaide zich om en liep weg in de richting vanwaar hij gekomen was.

Puller keek de man na.

Drake, West Virginia, bleek veel ingewikkelder in elkaar te zitten dan hij had gedacht.

·49·

Die avond nam Puller een lijntoestel van Charleston naar het oosten. Binnen een uur landde hij op vliegveld Dulles bij Washington. Hij huurde een auto en reed naar het CID-hoofdkwartier in Quantico om zijn SAC, Don White, in te lichten. Vervolgens reed hij naar zijn appartement en liet zijn kat AWOL uit. Terwijl het dier van de frisse lucht genoot, vulde Puller zijn etens- en waterbakjes en maakte hij de kattenbak schoon.

Hij had de volgende middag een afspraak met Matthew Reynolds' chef bij de DIA. Na zes volle uren slaap werd hij wakker. Hij ontbeet, ging acht kilometer hardlopen, trainde met gewichten in de sportschool van Quantico, nam een douche, voerde enkele telefoongesprekken en werkte ten slotte wat achterstallige administratie af.

Hij trok zijn uniform aan en reed in zijn huurauto naar het Pentagon. Bij de uitgang van metrostation Pentagon stond een agent van het bureau Contraspionage en Beveiliging van de DIA op Puller te wachten. Samen begaven ze zich naar het Pentagon. Beide mannen lieten hun papieren zien en zeiden dat ze gewapend waren. Ze kregen toestemming om zonder escorte het gebouw in te gaan.

De DIA-agent heette Ryan Bolling. Hij was een meter vijfenzeventig en compact gebouwd, een ex-marinier die al tien jaar bij de DIA werkte. Hij was nu burger, net als het overige personeel van Contraspionage en Beveiliging.

Onder het lopen zei Puller: 'Ik had gedacht dat jullie een beetje meer boven op deze zaak zouden zitten. Ik voel me daar nogal eenzaam.'

'Dat was niet mijn beslissing. Ik doe alleen wat me gezegd wordt, Puller.'

'Dat doen we allemaal.'

Ze liepen door corridor 10 naar ring A en volgden het complexe gangenstelsel van het Pentagon tot ze bij de kantoren van de J2 kwamen. Er was een grote receptie, waar de bureauchef en de secretaresses zaten. In de achtermuur zat de deur naar het kantoor van de J2. De nationale kleuren plus de kleuren van de vlagofficier. Die was rood met twee witte sterren. Puller was daar jaren geleden een keer geweest. Het kantoor was goed ingericht met een 'ik hou van mezelf'-muur vol foto's van de vlagofficier en zijn beroemde vrienden.

De J2 was het land uit. Zijn plaatsvervanger had een kantoor aan de linkerkant. Daar zat maar één ster op de rode vlag. Rechts bevond zich een kleine vergaderkamer, waar de J2 of zijn plaatsvervanger werkbesprekingen met hun ondergeschikten hield. Hij zou hier ook elke morgen om vijf uur aankomen om de dagelijkse briefing voor te bereiden die hij later aan de voorzitters van de staf-chefs zou geven.

Puller had toestemming om met het plaatsvervangend hoofd te spreken. Ze was van de landmacht, een brigadegeneraal met één ster. Ze heette Julia Carson en ze was Matt Reynolds' directe superieur.

Voordat ze het kantoor van de vrouw binnengingen, vroeg Puller aan Bolling: 'Wat is Carson voor iemand?'

'Daar moet je zelf achter komen. Ik heb haar nooit ontmoet.'

Even later zat Puller tegenover generaal Carson in haar kamer. Bolling zat in de andere stoel. De generaal was lang, slank en zwijgzaam. Haar blonde haar was kortgeknipt en ze droeg het nieuwe blauwe uniform.

'We hadden dit waarschijnlijk ook wel door de telefoon kunnen bespreken,' begon Carson. 'Ik heb u niet veel te vertellen.'

'Ik geef de voorkeur aan een persoonlijke ontmoeting,' zei Puller.

Ze haalde haar schouders op. 'Jullie van de CID hebben blijkbaar meer vrije tijd dan de rest van ons.' Ze keek Bolling even aan. 'U zult het wel fantastisch vin-den om voor babysitter te spelen.'

Bolling haalde zijn schouders op. 'Ik ga waar ze zeggen dat ik moet gaan, me-vrouw.'

Puller zei: 'Er is een kolonel vermoord. Hij had de leiding van J23 en ging over het opstellen van het briefingboek voor de J2, die de informatie vervolgens doorgeeft aan de voorzitter van de stafchefs. Zodra hij geïdentificeerd was als DIA-man, ging er een stortvloed van memo's naar u, mevrouw, en naar de J2, de directeur van de DIA en nog hoger. Zelfs de minister van de Strijdkrachten heeft interesse in de zaak.'

Ze boog zich naar voren. 'En wat wilt u daarmee zeggen?'

Puller boog zich ook naar voren. 'Eerlijk gezegd verbaas ik me over uw noncha-lante houding.'

'Mijn houding is niet nonchalant. Ik geloof alleen niet dat ik over informatie beschik waar u voor uw onderzoek iets aan hebt.'

'Nou, laten we eens kijken of ik u van gedachten kan laten veranderen. Wat kunt u me over kolonel Reynolds vertellen?'

'Onze carrièrepaden kruisten elkaar soms. We waren gelijk in rang, tot ik de laatste paar jaren snel promotie maakte. Het was ironisch dat ik uiteindelijk generaal werd en hij niet. Maar hij wilde eruit en ik wilde generaal worden. Hij was een beste kerel en een goede soldaat.'

'Wanneer hebt u hem voor het laatst gezien?'

'Op de vrijdag voordat hij vermoord werd gevonden. Hij vertrok vroeg op de dag naar West Virginia. We hadden een bespreking over een zaak waaraan hij werkte, en toen ging hij weg. We spraken elkaar in de vergaderkamer hier aan de gang.'

'Maakte hij de indruk dat hij zich zorgen maakte of dat iets hem dwarszat?'
'Nee, hij maakte een volkomen normale indruk.'
'U zegt dat u samen op andere plaatsen hebt gediend?'
'Ja. Onder andere in Fort Benning.'
'Dat ken ik goed.'
'Dat weet ik. Ik heb uw dossier ingezien. En hoe gaat het met uw vader?'
'Goed.'
'Ik heb iets anders gehoord.'
Puller zei niets. Hij keek Bolling even aan. De man wist blijkbaar niet waar ze het over hadden.
Omdat ze aanvoelde dat Puller daar toch niet op zou reageren, veranderde Carson van onderwerp. 'Hoe is een militair met uw staat van dienst en leiderschapskwaliteiten bij de CID terechtgekomen?'
'Hoezo?'
'De besten en intelligentsten zijn voorbestemd voor hogere dingen, Puller. Ze zijn voorbestemd om het bevel te voeren.'
'Begaan de besten en intelligentsten soms misdrijven?'
Ze keek verbaasd, maar zei: 'Soms.'
'Hoe kunnen we ze dan te pakken krijgen als de CID niet ook over sommigen van de besten en intelligentsten beschikt?'
'Het is geen grap, Puller. Als je naar de academie van West Point was gegaan, zou je hier binnen vijf jaar met een ster op je schouder kunnen zitten, met nog meer sterren op komst.'
'Sterren worden heel zwaar, mevrouw. Ik blijf liever lichtvoetig.'
Ze perste haar lippen even op elkaar. 'Misschien ben je niet geschikt om het bevel te voeren. Je maakt te veel grappen over serieuze zaken.'
'Misschien wel,' zei Puller, 'maar dit gesprek gaat niet over de tekortkomingen in mijn carrière, en ik wil niet meer van uw tijd in beslag nemen dan absoluut noodzakelijk is. Zoals u al zei: u hebt het druk. Wat kunt u me nog meer over Reynolds vertellen?'
'Ik kan vertellen dat hij heel goed in zijn werk was. Hij liet de mensen van J23 werken als een goed geoliede machine. De briefings waren goed en de analyses die eraan ten grondslag lagen, waren raak. Hij wilde uit het leger vertrekken, en dat was een verlies voor het land. Hij was hier bij de DIA niet betrokken bij iets wat tot de moord op hem in West Virginia kon leiden. Is dat genoeg?'
'Als hij hielp met het opstellen van de briefings, had hij toegang tot heel geheime en mogelijk waardevolle informatie.'
'We hebben hier veel mensen die toegang tot zulke informatie hebben en we hebben hier nooit problemen met personeel gehad. Ik denk niet dat we die problemen met Reynolds hadden.'

'Geldproblemen? Persoonlijke problemen? Een motief om geheimen aan een vijand te verkopen?'

'Dat is niet gemakkelijk te doen, Puller. Mijn mensen worden op alle mogelijke manieren gescreend. Reynolds had geen financiële problemen. Hij was zo vaderlandslievend als het maar kan. Hij was gelukkig getrouwd. Zijn kinderen waren normaal en goed aangepast. Hij was diaken in zijn kerk. Hij verheugde zich erop om bij de DIA weg te gaan en aan een nieuwe carrière in de particuliere sector te beginnen. In dat opzicht is er niets te vinden.'

Puller keek Bolling aan. 'Hebben jullie ooit reden gehad om je in Reynolds te verdiepen?'

Bolling schudde zijn hoofd. 'Dat ben ik nagegaan voordat ik vandaag hierheen kwam. De man was volkomen zuiver op de graat. Er is geen enkele reden om aan te nemen dat hij chantabel was of zoiets.'

Puller keek generaal Carson weer aan. 'Dus u wist dat hij naar West Virginia ging?'

'Ja. Dat heeft hij me verteld. De ouders van zijn vrouw waren ziek. Hij reisde in de weekends heen en weer. Omdat het zijn werk niet in de weg zat, was het voor mij geen probleem.'

'Heeft hij het ooit gehad over iets ongewoons wat daar gebeurde?'

'Hij heeft helemaal nooit met mij over West Virginia gepraat. Het was een persoonlijke familiekwestie en ik heb er nooit naar gevraagd. Het ging mij niet aan.'

'Nou, iemand heeft hem en zijn familie daar vermoord.'

'Ja, en het is jouw taak om de daders te vinden.'

'Dat probeer ik.'

'Oké, maar ik denk dat het antwoord in West Virginia te vinden is, niet in het Pentagon.'

'Hebt u zijn vrouw gekend?'

Carson keek op haar horloge en toen naar de telefoon. 'Ik heb straks een telefonische vergadering. En de J2 is het land uit, dus ik geef morgenvroeg de briefing aan de voorzitter van de stafchefs.'

'Ik zal proberen dit snel af te handelen,' zei Puller, maar hij keek haar afwachtend aan.

'Ik kende Stacey Reynolds alleen via Matt. Ik zag haar weleens bij een gelegenheid. We waren vrienden, maar geen goede vrienden. Dat is alles.'

'En kolonel Reynolds heeft nooit gezegd dat er iets ongewoons aan de gang was in West Virginia?'

'Ik dacht dat ik die vraag al had beantwoord.'

Puller bleef haar geduldig aankijken.

'Nee, dat heeft hij nooit gezegd,' zei ze, en Puller noteerde het in zijn boekje.

'Toen ik op deze zaak werd gezet, werd me verteld dat het "ongewoon" was.

Ik nam aan dat de zaak ongewoon was omdat er een kolonel bij de DIA was vermoord die toegang had tot uiterst geheime informatie.'

'Gelukkig komen moorden op zulke mensen niet vaak voor. Ik denk dat het woord "ongewoon" dus inderdaad op zijn plaats is.'

'Nee, ik denk dat die term werd gebruikt vanwege het feit dat we zo weinig mensen inzetten voor dit onderzoek. En als Reynolds niets van belang voor de DIA deed en u niet denkt dat de moord op hem iets met zijn werk voor de DIA te maken heeft, waarom zou dan tegen mij gezegd zijn dat het een ongewone zaak is? Dan wordt het gewoon de zoveelste moordzaak.'

'Aangezien ik niet degene was die de zaak zo noemde, kan ik die vraag niet beantwoorden.' Ze keek weer op haar horloge.

'Weet u misschien nog iets anders wat mij bij mijn onderzoek kan helpen?'

'Ik zou niets kunnen bedenken.'

'Ik moet Reynolds' collega's ondervragen.'

'Zeg, Puller, moet dat nou echt? Ik heb je alles al verteld wat er te vertellen valt. Mijn mensen zijn erg druk bezig dit land veilig te houden. Ze hebben er echt geen behoefte aan om afgeleid te worden door zoiets als dit, iets waar ze niets mee te maken hebben.'

Puller ging rechtop zitten en sloot zijn boekje. 'Uw vriend en collega is vermoord, generaal Carson. Ik heb opdracht gekregen uit te zoeken wie het heeft gedaan. Ik ben van plan die missie te volbrengen. Ik moet met zijn collega's praten. Ik zal dat efficiënt en professioneel doen, maar ik ga het doen. Nu meteen.'

Ze keken elkaar strak aan, en Puller hield het langer vol dan zij.

Ze pakte haar telefoon op en pleegde enkele telefoontjes.

Toen Puller opstond om weg te gaan, zei ze: 'Misschien heb ik me in jou vergist.'

'In welk opzicht?'

'Misschien heb je het toch wel in je om leiding te geven.'

'Misschien wel,' zei Puller.

·50·

Ze verlieten het kantoor van de J2, namen corridor 9 naar links en gingen met de lift naar het souterrain. De onderste verdieping van het Pentagon was een verbijsterend labyrint van steriele witte gangen waar nooit een sprankje zonlicht kwam. In het Pentagon zeiden ze dat er nog steeds ambtenaren van het ministerie van Defensie uit de jaren vijftig door die gangen dwaalden, op zoek naar de uitgang.

Het personeel van J23 bestond uit analisten en tekenaars. Het waren er ongeveer vijfentwintig en ze stelden elke week systematisch het briefingboek samen. Daarvoor gebruikten ze informatie die niet alleen afkomstig was van de DIA maar ook van andere diensten als de CIA en de NSA. Die informatie zetten ze enigszins naar hun hand, al naar gelang de voorkeuren van de in functie zijnde voorzitter van de stafchefs. Het was een powerpointpresentatie op papier, beknopt en ter zake. In het leger ging bondigheid bijna boven alle andere deugden.

De mensen van J23 waren een mengeling van geüniformeerden en burgers. Puller zag dan ook oude groene uniformen, nieuwe blauwe uniformen, katoenen broeken, buttondownoverhemden en hier en daar een das. J23 was dag en nacht actief en de leden van de nachtploeg hadden het voordeel dat ze een poloshirt mochten dragen. Reynolds was hier de hoogste officier geweest.

Aangezien J23 was gehuisvest in een kamer van SCIF, ofwel Sensitive Compartmented Information Facility, moesten Puller en Bolling hun mobiele telefoons en andere elektronische apparatuur in een kluisje bij de ingang achterlaten. In een SCIF mochten geen foto's worden gemaakt en mocht geen apparatuur aanwezig zijn waarmee verbinding met de buitenwereld kon worden gelegd.

Ze mochten doorlopen en Puller keek naar de receptie. Die zag er net zo uit als veel andere recepties die hij in het Pentagon had gezien. Dit was de enige in- en uitgang, misschien met uitzondering van een nooduitgang ergens achterin. Aan het eind van de gang lag een open ruimte. Langs de randen daarvan zag hij rijen hokjes waarin analisten en tekenaars op het product zwoegden waarover generaal Carson zich de volgende morgen om vijf uur zou buigen. De lichten hier waren zwak. De lichten in de hokjes waren beter. Toch, dacht Puller, had de helft van de mensen hier waarschijnlijk al een bril nodig als ze nog geen jaar bezig waren geweest om in het halfduister van achter hun bureau tegen terroristen te vechten.

Puller en Bolling legitimeerden zich en kregen toegang tot Reynolds' collega's, van wie de hoogste in rang een luitenant-kolonel was. Er was een kleine vergaderkamer waar Puller zijn ondervragingen hield. Er werd met iedere persoon afzonderlijk gesproken, een gebruikelijke ondervragingstactiek. Getuigen die tegelijk werden ondervraagd, vertelden vaak hetzelfde verhaal, ook als ze over verschillende informatie beschikten en eigenlijk ieder een eigen kijk op de zaak hadden. Puller vertelde hun – en Bolling bevestigde het – dat Puller alle betrouwbaarheidsverklaringen tot en met 'TS/SCI met leugendetector' had en 'een geldige reden had om dingen te weten'. In de inlichtingenwereld openden die frasen menige gesloten deur en mond.

De collega's waren blijkbaar dieper geschokt door de dood van Matthew Reynolds dan zijn superieur. Niettemin konden zij ook geen nuttige informatie verstrekken. Ze wisten niet waarom Reynolds vermoord zou kunnen zijn. Zijn werk was weliswaar geheim, maar had niet betrekking op iets wat tot zijn dood zou kunnen leiden, zeiden ze tegen Puller. Hij praatte ongeveer een halfuur met ieder van hen, maar was aan het eind niet verder met zijn onderzoek dan toen hij het gebouw binnenging.

Vervolgens doorzocht hij Reynolds' kamer, die afgesloten was geweest vanaf het moment dat hij naar West Virginia vertrok, waar hij was vermoord. Terwijl J23 formeel open opslagruimte was, wat betekende dat alles wat je er opborg daar veilig bleef liggen, had Reynolds misschien toch een kluis in zijn kamer. Het bleek dat hij die niet had. En verder vond Puller ook niets wat hem bij zijn onderzoek kon helpen. De kamer was schoon en spaarzaam ingericht, en de computerbestanden, die hij in het bijzijn van Bolling doornam, leverden ook niets op.

Hij verliet J23, haalde zijn mobiele telefoon uit het kluisje, liep met Bolling naar een van de hoofdingangen terug en liet de DIA-man daar achter. Over het enorme parkeerterrein liep hij naar zijn auto terug. In plaats van meteen weg te rijden ging hij op de kap van zijn groene dienstwagen zitten en keek naar het vijfhoekige gebouw, het grootste kantoor ter wereld. Het had een klap in zijn gezicht gekregen op 11 september 2001, maar daar was het ruimschoots bovenop gekomen.

Eind jaren negentig was het toen bijna zestig jaar oude Pentagon aan een langdurige verbouwing begonnen. Het eerste segment dat was voltooid was ironisch genoeg ook het deel dat getroffen werd door de jumbojet van American Airlines die tijdelijk bestuurd werd door krankzinnigen. Nu, meer dan tien jaar later, was de totale renovatie van het gebouw bijna klaar. Het vormde een bewijs voor de Amerikaanse veerkracht.

Puller keek de andere kant op en zag kinderen van Pentagon-personeel binnen de omheining van een crèche op het Pentagon-terrein spelen. Hij nam aan dat het leger daarvoor vocht: de rechten en vrijheden van de volgende generatie. Toen hij die jongens en meisjes op plastic glijbanen en speelgoedpaardjes zag, voelde Puller zich om de een of andere reden opeens wat beter. Maar niet veel beter. Hij moest nog steeds een moordenaar vinden en had het gevoel dat hij niet veel was opgeschoten sinds hij die taak had gekregen.

Zijn mobiele telefoon trilde en hij haalde hem uit zijn zak. Het sms'je was kort maar intrigerend.

ARMY NAVY CLUB BINNENSTAD VANAVOND 1900 IK VIND JE.

Hij wist niet van wie het berichtje afkomstig was, maar de afzender wist blijkbaar hoe hij met hem in contact kon komen. Puller keek nog enkele seconden naar de woorden en stopte de telefoon toen weer weg. Hij keek op zijn horloge. Hij zou genoeg tijd hebben. Hij had dit toch al willen doen toen hij naar Washington ging. En nu hij met de slecht functionerende familie Cole had kennisgemaakt, leek het hem nog belangrijker.

Hij trapte het gaspedaal in en liet het Pentagon in zijn spiegeltje achter.

'Wat doe je hier, adjudant?'

Puller stond in de houding en keek de man aan.

'Ik meld me, generaal,' zei hij.

Zijn vader zat in een stoel naast zijn bed. Hij droeg een pyjamabroek, een wit T-shirt en een lichtblauwe katoenen ochtendjas waarvan de ceintuur was dichtgeknoopt. Hij had sokken en slippers aan zijn lange, smalle voeten. Ooit was hij ongeveer een meter vijfentachtig geweest, maar de zwaartekracht en aftakeling hadden daar bijna vijf centimeter van afgehaald. Als hij rechtop stond, was hij nu niet veel langer dan de meeste mensen. Niet dat hij nog vaak rechtop stond. Eigenlijk kwam Pullers vader zijn kamer in het veteranenziekenhuis bijna nooit uit. Zijn haar was bijna helemaal weg. Het randje dat hij nog had, was wit als katoenwit. Het leek net een verzameling wattenstaafjes en het liep bijna om zijn hele hoofd heen, vlak langs zijn oren.

'Op de plaats rust,' zei Puller senior.

Puller ontspande, maar bleef staan.

'Hoe was de reis naar Hongkong, generaal?' vroeg hij.

Puller had er een hekel aan om dat fantasiespelletje te spelen, maar de dokter zei dat het beter was. Hoewel Puller niet veel vertrouwen had in de psychiaters, deed hij wat ze zeiden, maar hij bleef zich ergeren.

'Het transportvliegtuig had een lekke band bij het opstijgen. Het kwam niet goed van de grond en we stortten bijna in zee.'

'Wat erg, generaal.'

'Nou en of dat erg was, adjudant. Ik had echt behoefte aan recreatief verlof.'

'Ja, generaal.'

Altijd wanneer zijn vader hem aankeek, zag Puller eerst zijn ogen. In het leger werd ook verteld dat Puller senior je kon doden met een blik die je een diepe schaamte bezorgde omdat je tekort was geschoten, zo'n diepe schaamte dat je het liefst in een hoekje wegkroop om dood te gaan. Dat was natuurlijk niet waar, maar Puller had met veel mannen gepraat die onder zijn vader hadden gediend, en die hadden allemaal zo'n blik te incasseren gekregen. En ze zeiden allemaal dat ze zich die blik tot hun laatste dag op aarde zouden herinneren.

Maar nu waren de ogen alleen pupillen in het hoofd. Niet levenloos, maar ook niet meer vol leven. Ze waren blauw, maar leeg, dof, alsof hij al dood was. Puller keek in de kleine, saaie kamer om zich heen, een kamer zoals honderden hier in dit gebouw, en dacht dat zijn vader in veel belangrijke opzichten inderdaad al dood was.

'Nog orders, generaal?' vroeg hij.

Zijn vader gaf niet meteen antwoord. Puller kreeg bijna nooit antwoord op die vraag als hij op bezoek was. Toen er deze keer toch antwoord kwam, was hij verrast.

'Het is voorbij, adjudant.'

'Wat, generaal?'

'Voorbij. Afgelopen. Uit.'

Puller kwam een half stapje naar voren. 'Ik kan u niet volgen, generaal.'

Zijn vader had zijn hoofd laten hangen, maar keek zijn zoon nu weer aan. Zijn ogen flikkerden als blauw ijs in de zon. 'Geroddel.'

'Geroddel?'

'Je moet erop letten. Het is flauwekul, maar uiteindelijk krijgen ze je te pakken.'

Puller vroeg zich af of zijn vader nu ook nog aan paranoia leed. Misschien was dat altijd al het geval geweest.

'Wie krijgen je te pakken, generaal?'

Zijn vader maakte een achteloos gebaar om zich heen, alsof 'ze' daar bij hen waren. 'De mensen die tellen. De schoften die het voor het zeggen hebben in het leger van deze man.'

'Ik denk niet dat iemand het op u voorzien heeft, generaal.' Puller wenste nu dat hij niet op bezoek was gekomen.

'Natuurlijk wel, adjudant.'

'Maar waarom, generaal? U hebt drie sterren.'

Puller hield zich te laat in. Zijn vader was gepensioneerd als luitenant-generaal, dus een generaal met drie sterren. Dat zou een uitstekende carrièreprestatie zijn geweest voor bijna iedereen die ooit in het leger had gezeten. Maar Puller senior was niet iedereen. Hij was een van die zeer weinige mensen die de allerhoogste top verwachtten te bereiken bij alles wat ze in hun leven ondernamen.

Het hele leger wist dat Puller senior die vierde ster had moeten krijgen. En ze hadden de man ook de eer moeten bewijzen die nog zeldzamer was: de Medal of Honor. Die had hij verdiend op het slagveld in Vietnam; geen twijfel over mogelijk. Jammer genoeg ging het in het leger niet alleen om dapperheid in het veld, maar ook om politiek ver bij het slagveld vandaan. En het was nu eenmaal een feit dat Puller senior veel belangrijke mensen tegen zich in het harnas had gejaagd, mensen die veel te zeggen hadden over zijn carrièreverloop. En dus had hij de vierde ster en de Medal of Honor niet gekregen. En hoewel het ook daarna goed was gegaan met zijn carrière, was die niet meer zo steil naar boven gegaan als tevoren. En dat betekende op een gegeven moment dat de hoogste doelen niet meer bereikbaar waren. Die was hij misgelopen. Het was gebleven bij drie sterren en alle andere denkbare medailles, behalve die ene die hij het liefst had willen hebben.

'Het komt door hem,' snauwde zijn vader.

'Wie?'

'Hem!'

'Ik weet niet wie u bedoelt.'

'Majoor Robert J. Puller van de luchtmacht. Oneervol ontslagen. Door de krijgsraad veroordeeld wegens hoogverraad. Voor de rest van zijn leven gevangengezet in de USDB. Ze nemen het mij kwalijk wat die rotzak heeft gedaan.' Zijn vader zweeg even, haalde woedend adem en voegde eraan toe: 'Geroddel. De schoften.'

Pullers gezicht betrok. Zijn vader was allang met pensioen geweest toen zijn broer werd veroordeeld en opgesloten. En toch geloofde de generaal dat zijn carrièreproblemen te wijten waren aan zijn zoon, aan Pullers broer. In het veld was Puller senior nooit teruggedeinsd voor verantwoordelijkheid. Hij eiste de eer op en accepteerde de blaam als die hem trof. Maar buiten het veld was het een heel andere zaak geweest. Zijn vader had altijd met een beschuldigende vinger naar anderen gewezen. Hij zag schuldigen op de gekste plaatsen. Hij kon kinderachtig en wraakzuchtig zijn, harteloos en onredelijk, keihard en onverzettelijk. Die persoonlijke eigenschappen had hij ook als vader aan den dag gelegd.

Meestal zei Puller nog iets voordat hij bij zijn vader vandaan ging. Hij hield het fantasiespelletje vol, zoals de psychiaters hem hadden verzocht. Toen hij naar de deur liep, zei zijn vader: 'Waar ga je heen, adjudant?'

Puller gaf geen antwoord.

'Adjudant!' riep zijn vader. 'Ik ben nog niet klaar met jou.'

Puller liep door.

Hij liep door de gang van het veteranenziekenhuis, een gang vol oude, zieke en stervende soldaten die alles hadden gegeven wat ze in zich hadden, opdat de rest van het land in vrede en welvaart kon leven. Hij kon zijn vader nog horen schreeuwen tot hij op honderd meter afstand was. De oude man had nooit iets aan zijn longen gemankeerd.

Toen hij bij de uitgang kwam, keek hij niet achterom.

Het familie-uurtje was voorbij.

Nu was de Army Navy Club aan de beurt.

Hij was weer op zijn jachtterrein.

Waar hij werkelijk thuishoorde.

·52·

Oud.

Architecturaal indrukwekkend.

Efficiënte bedrijfsvoering.

Dat waren de gedachten die door Pullers hoofd gingen toen hij naar de Army Navy Club aan 17th Street N.W. in het centrum van Washington liep. Toen hij naar binnen ging, knikte hij de mannen in de bediendenkamer toe. Hij nam de korte trap naar boven en keek naar links en rechts. Hij droeg zijn groene uniform. Het leger verving de groene en witte uniformen geleidelijk door blauwe. In feite gingen ze daarmee terug naar de oorspronkelijke kleur, die overeenkwam met het blauw van het huidige uniform. Ten tijde van de Amerikaanse Onafhankelijkheidsoorlog had het continentale leger voor blauw gekozen om zich te onderscheiden van de Britse roodjassen. En het was ook de kleur van het Noordelijke leger in de Burgeroorlog geweest.

Twee grote oorlogen. Twee grote overwinningen.

Het leger wilde best voortbouwen op successen uit het verleden.

Normaal gesproken zou Puller zijn groene uniform alleen voor bijzondere militaire gelegenheden aantrekken. Hij zou het uniform dat bij zijn rang hoorde nooit dragen wanneer hij iemand ondervroeg. Hij herinnerde zich dat in de tijd dat hij nog sergeant was officieren op hem neerkeken als ze door hem werden ondervraagd. Dat gebeurde minder vaak nu hij adjudant was. En militairen met een lagere rang konden hun advocaat laten beweren dat je hun cliënten had geïntimideerd met je hogere rang. En dus droeg Puller meestal burgerkleren. Maar vanavond had hij het gevoel dat hij zijn uniform moest aantrekken.

Rechts van hem bevond zich het restaurant van de club. Links was de receptie. Puller liep beide voorbij en ging met twee treden tegelijk de trap op.

Hij was met opzet wat vroeger gekomen. Hij hield er niet van als andere mensen hem vonden. Hij had liever dat hij hen eerst vond.

Hij kwam op de eerste verdieping en keek om zich heen. Er waren daar vergaderkamers en kleine eetkamers. Op de tweede verdieping was een bibliotheek, waar een tafel stond met kogelgaten die erin waren gekomen toen hij meer dan een eeuw geleden tijdens een schermutseling in Cuba door Amerikaanse soldaten was omgegooid om als schild te dienen.

Er was op de eerste verdieping nog iets anders wat Pullers aandacht trok.

Een bar. Als je naar een militair buiten zijn basis en in zijn vrije uren zocht, kon je het best in een bar gaan kijken.

Hij keek door de glazen deuren naar de bar en zag daar vier personen, allemaal mannen. Een van het leger, een van de marine en twee in pak. Degenen die een pak droegen, hadden hun das losgetrokken. Ze namen papieren door met de kerels in uniform. Misschien hadden ze besloten een bespreking voort te zetten in de bar.

Het was duidelijk dat degene die hem het sms'je had gestuurd niet een van hen was.

Hij keek uit naar een geschikte surveillanceplaats en vond er bijna direct een. Er waren toiletten aan de gang, voorzien van een kleine voorkamer met een deuropening. Er hing een grote spiegel. Puller nam daar positie in en constateerde dat hij de ingang van de bar heel goed kon zien.

Telkens wanneer iemand naar de toiletten ging, deed Puller alsof hij daarvandaan kwam. Wanneer die mensen weer tevoorschijn kwamen, deed hij alsof hij zijn kleren rechttrok in de spiegel of praatte hij in zijn mobiele telefoon.

Hij keek op zijn horloge.

Zeven uur precies.

Toen zag hij haar.

Ze was in uniform. Een militair. Dat had hij al verondersteld op grond van de militaire tijdaanduiding in het sms'je. Militairen waren punctueel; dat werd er in het leger bij je ingehamerd.

Ze was begin dertig en slank en had een normaal postuur en kort donker haar dat een mooi gezicht omlijstte. Ze droeg een bril met metalen montuur en een blauw uniform; haar officiële pet had ze in haar rechterhand. Hij zag aan de zilveren streep op haar schouder dat ze eerste luitenant was. Ze was dus hoger in rang dan hij. Puller was onderofficier en ook als hij het tot hoofdadjudant bracht, zou hij in de militaire pikorde nog altijd onder de laagste officieren staan. Die officieren hadden op West Point of een andere militaire academie gezeten. Hij niet. Hij was een specialist. Zij waren generalisten. In het leger hadden die laatsten het voor het zeggen.

Ze keek door de glazen deuren naar de bar.

Puller had vier grote stappen nodig om bij haar te komen.

'Wilt u dit onder vier ogen doen, luitenant?'

Ze draaide zich snel om. Waarschijnlijk weerhield alleen haar militaire training haar ervan een gil te slaken.

Ze keek naar hem op. In het leger mochten vrouwen geen schoenen dragen met hakken die hoger waren dan zeven centimeter. Zij had voor de volle zeven gekozen en toch leek ze naast hem net een kind.

Toen ze niets zei, keek hij naar de rechterkant van haar uniform en zag haar naamplaatje.

'Luitenant Strickland? U wilde me spreken?'

Zijn blik ging naar links, naar haar rijen linten. Daar was niets indrukwekkends bij, en dat had hij ook niet verwacht. Omdat vrouwen niet in gevechtssituaties werden ingezet, konden ze in het veld niet veel medailles behalen. Geen bloed, geen glorie.

Hij zag dat ze naar zijn rijen linten keek, en ze zette grote ogen op toen ze besefte hoe enorm zijn gevechtservaring en militaire prestaties waren.

'Luitenant Strickland?' zei hij opnieuw, nu een beetje zachter. 'U wilde me spreken?'

Ze keek hem aan en verschoot van kleur. 'Sorry, ik verwachtte niet, ik bedoel...'

'Ik houd er niet van om gevonden te worden, luitenant. Ik vind liever zelf.'

'Ja, natuurlijk, dat kan ik me voorstellen.'

'Hoe bent u aan mijn nummer gekomen?'

'Via via.'

Hij wees naar de trap. 'Ze hebben daar privékamers.'

Ze volgde hem naar boven en ze vonden een rustig plekje waar ze plaatsnamen in versleten leren fauteuils. Toen ze geen aanstalten maakte om met het gesprek te beginnen, zei hij: 'Uiteraard heb ik uw sms'je ontvangen, luitenant.'

'Zeg maar Barbara.'

'Je mag me Puller noemen. Dus ik heb je sms'je gekregen.' Hij liet zijn woorden in de lucht hangen.

'Ik weet dat je onderzoek doet naar de dood van Matt Reynolds.'

'Ben je een van zijn collega's? In dat geval is me dat niet verteld.'

'Ik ben geen collega van hem. Maar ik heb hem wel gekend. Ik kende hem goed.'

'Dus jullie waren vrienden.'

'Het ging nog verder. Mijn vader en hij hebben samen gediend. Hij was een van mijn mentors en ook een van de voornaamste redenen waarom ik bij het leger ben gegaan. Ik was ook bevriend met zijn vrouw. En ik kende zijn kinderen. Ik heb vaak op ze gepast toen ze nog klein waren.'

'Dan moet ik je mijn deelneming betuigen.'

'Was het zo erg als... ik heb gehoord?'

'Wat heb je gehoord?'

'Dat het hele gezin is afgeslacht.'

'Wie heeft je dat verteld?'

'Het werd rondverteld. Ik weet niet van wie ik het heb gehoord.'

'Het was heel erg,' zei Puller.

'Oké,' zei ze met bevende stem. Ze haalde een papieren zakdoekje tevoorschijn en streek ermee over haar ogen.

'Zoals je zult weten, heb ik opdracht gekregen zijn moordenaar te vinden.'

'Ik hoop dat het je lukt,' zei ze met overtuiging.

'En ik heb alle hulp nodig die ik kan krijgen.' Hij zweeg even. 'Ik hoop dat je me kunt helpen, Barbara.'

'Ik... Misschien kan ik dat.'

Puller sloeg zijn officiële notitieboekje open. 'Ik moet alles weten wat je me kunt vertellen.'

'Het is niet zo gedetailleerd. Ik wist dat Matt en Stacey heen en weer reisden naar West Virginia om voor haar zieke ouders te zorgen. Ze namen de kinderen ook mee. Natuurlijk gingen ze niet graag. Ze waren daar bij hun vrienden vandaan, moesten de zomer ver van hun eigen wereld doorbrengen, maar familie is familie. En Stacey had een erg nauwe band met haar ouders.'

'Ongetwijfeld.'

'Matt ging er op vrijdag heen en kwam op zondag terug om op maandag weer aan het werk te gaan. Dat deed hij de meeste weken.'

'Dat weet ik. Ik heb met zijn chef, generaal Carson, gesproken.'

Strickland kreeg een kleur bij die opmerking, maar ze ging vlug verder: 'Twee weken geleden belde hij me. Hij zei dat hij in West Virginia met iets te maken had gekregen wat hem voor een groot raadsel stelde.'

'In welk opzicht?'

'Hij wilde niet in details treden, maar ik had de indruk dat hij op iets heel ernstigs was gestuit.'

'Misschien iets met drugs?'

Puller hield er gewoonlijk niet van om er zelf iets tussen te gooien als hij een getuige ondervroeg, maar zijn intuïtie had hem ingegeven dat hij het deze keer wel moest doen.

Ze keek hem vreemd aan. 'Drugs? Nee, ik geloof niet dat het iets met drugs te maken had.'

'Wat dan?'

'Het was iets groters. Er waren andere mensen bij betrokken. Ik kon merken dat hij een beetje bang was en niet wist wat hij moest doen.'

'Hoe was hij erop "gestuit", zoals je zei?'

'Ik geloof dat hij er van iemand anders over hoorde.'

'En die persoon was erop gestuit?'

'Dat weet ik niet. Misschien deed die persoon er al onderzoek naar.'

Pullers pen bleef boven zijn notitieboekje hangen. 'Je bedoelt, iemand van de politie?'

'Nee, het was niet iemand met een officiële functie. Daar ben ik vrij zeker van. In elk geval heeft Matt dat niet gezegd.'

'Wie was het dan wel?'

'Nou, ik denk dat het iemand was die undercover werkte.'

'Maar je zei net dat het niet de politie was.'

'Nou, de politie maakt toch weleens gebruik van burgers voor undercover-operaties, vooral wanneer die in nauw contact staan met een verdachte?'

'Ik geloof van wel. Maar dan heb je het over drugs of misschien illegale wapenhandel.'

'Ik geloof niet dat het dat was, want ik denk dat Matt dan niet zo bang zou zijn geweest.'

'Hij had daar zijn gezin. Misschien maakte hij zich zorgen om hen.'

'Misschien,' zei ze onzeker.

'Heeft hij je ooit een naam of signalement van die "undercover"-persoon gegeven?'

'Nee.'

'Heeft hij gezegd hoe hij die persoon heeft ontmoet?'

'Hij kwam die persoon op een dag tegen.'

'Waarom zou die persoon hem in vertrouwen nemen?'

'Misschien omdat hij in uniform was.'

'Maar als die persoon undercover werkte, stond hij of zij vermoedelijk al in contact met de politie. Waarom zou die persoon dan contact opnemen met iemand in legeruniform?'

'Dat weet ik niet,' gaf Strickland toe. 'Maar ik weet wel dat Matt er op de een of andere manier bij betrokken was en dat hij zich grote zorgen maakte.'

'Waar werk je?' vroeg hij.

'Ik ben analist op het ministerie van Defensie.'

'Wat analyseer je?'

'Het Midden-Oosten, met de nadruk op de grens tussen Pakistan en Afghanistan.'

'Ben je daar ooit geweest?'

Ze schudde haar hoofd. 'Nee. Jij wel, weet ik. Vaak.'

'Het geeft niet, Barbara. Sommige mensen hebben er aanleg voor om analist te zijn en anderen niet.'

'En sommige mensen zijn goed in vechten. Zoals jij.'

'Zou je een situatie voor me willen analyseren?'

Ze keek verrast, maar knikte gewillig.

'Toen ik op deze zaak werd gezet, kreeg ik te horen dat het een ongewone zaak was. Vier doden in een andere staat, onder wie een DIA-kolonel. Normaal gesproken zouden we met zwaar geschut op zoiets afgaan. Een heleboel CID-agenten, technische ondersteuning, zelfs mensen van USACIL, maar ze stuurden alleen mij, omdat het een ongewone zaak was. Weet jij misschien waarom dat het geval is?'

'Omdat de DIA erbij betrokken is?'

'Maar generaal Carson zei dat Reynolds niet bij zaken betrokken was die met de moord op hem in verband konden staan, dus daar maakten ze zich blijkbaar geen zorgen om. Toch heeft het bureau van de minister van de Strijdkrachten naar het lab in Atlanta gebeld om informatie over de zaak te krijgen. Blijkbaar denken ze dat er iets heel bijzonders aan de hand is, iets wat verder gaat dan alleen de activiteiten van de DIA. Waarom zouden ze dat denken?'

'Omdat iemand van de DIA tegen hen heeft gezegd dat het iets heel bijzonders is en dat het geheim moest blijven?' opperde Strickland.

'Ik dacht hetzelfde. Toen ik daarstraks over generaal Carson begon, kreeg je een kleur.'

Nu werd Strickland bleek.

Puller zei: 'Ik let gewoon op zulke dingen. Je moet het niet persoonlijk opvatten. Nou, vertel me eens over die vrouw.'

'Ik ken haar niet zo goed.'

'Ik denk dat je haar veel beter kent dan ik. Vertel eens: zou Reynolds met haar hebben gepraat over het probleem dat hij daar had, zoals hij met jou heeft gedaan?'

'Matt was een soldaat bij uitstek.'

'Je bedoelt dat hij de hiërarchie in acht nam. En dus zal hij het haar hebben verteld. En misschien zag ze het als een buitenkans om een overwinning te scoren en aan haar tweede ster te komen, vooral wanneer Reynolds op iets gestuit was wat met de nationale veiligheid te maken had. Zou dat kunnen? Of zoek ik het nu in de verkeerde hoek?'

Strickland stoof op: 'Ik denk dat Julia Carson nog over het lichaam van haar dode moeder zou kruipen om generaal-majoor te worden.'

'Dus ze is erg ambitieus?'

'Het is mijn ervaring in het leger dat iedereen die minstens één ster heeft zo ambitieus is.'

'En dus zegt ze tegen Reynolds dat hij verder moet gaan met de zaak. Hij moet contact opnemen met die undercoverpersoon. Ze ruikt die tweede ster. Maar in plaats daarvan worden Reynolds en zijn gezin vermoord. En nu zit ze op een potentiële bom. Als de waarheid uitkomt, loopt ze niet alleen de tweede ster mis maar raakt ze misschien ook de eerste kwijt.'

Strickland knikte. 'Ze moet zich indekken. Maar ze heeft tegen jou gezegd dat Matts werk bij de DIA niets te maken had met zijn dood. Dat hij niet aan een zaak werkte die erg gevoelig lag.'

'Wat zou ze anders moeten zeggen? Hij stond aan het hoofd van J23. Dat is op zichzelf al genoeg om te geloven dat hij door zijn werk om het leven is gekomen. Hij werkte mee aan de briefing die de voorzitter van de stafchefs dagelijks krijgt. En als iemand Carson daarover belt, zal ze zeggen dat het topgeheim was. Ze zal niet met mij meewerken, maar er wel op rekenen dat Reynolds' werk voor de DIA als de doodsoorzaak wordt beschouwd. En waarschijnlijk hoopt ze tegen beter weten in dat nooit zal uitkomen wat er werkelijk achter de moord op Reynolds zat. Dan blijft zij buiten schot. Als daarentegen wordt ontdekt dat ze iets groots onder de pet heeft gehouden om haar eigen carrièrekansen te bevorderen, heeft ze heel wat uit te leggen. Ze ging voor de homerun, maar dat is haar lelijk opgebroken.'

'Als dat zo is, verkeert ze in grote moeilijkheden.' Strickland keek bijna blij.

Maar Puller zei: 'Het is mijn taak een moordenaar te pakken te krijgen, niet een generaal van haar carrièrepad af te halen. Misschien heeft ze het verknoeid, en in dat geval zal ze het gelag moeten betalen, maar dat is niet mijn doel, oké?'

De blije uitdrukking verdween van Stricklands gezicht. 'Wat ga je doen?' vroeg ze.

'Ik ga nog een keer met een zekere generaal praten,' zei Puller. 'Ik stel je hulp op prijs, luitenant.'

Strickland verbleekte weer. 'Je gaat toch niet tegen haar zeggen dat ik...'

'Nee.'

•54•

'Wat doe jij hier nou?'

Julia Carson was niet in uniform. Ze droeg een spijkerbroek en een mouwloze legergroene blouse en ze was blootsvoets. Haar armen waren gebruind en gespierd. Waarschijnlijk ging ze dagelijks naar de sportschool en liep ze in de lunchpauze hard om in de zon te komen en slank te blijven, dacht Puller.

Ze keek op naar Puller, die voor de deur van haar appartement stond. Op de schoenen die volgens voorschrift bij zijn gala-uniform hoorden was hij ruim een meter negentig, en met zijn brede schouders vulde hij de deuropening op.

'Ik heb nog wat vragen.'

'Hoe wist je waar ik woonde?'

'Met alle respect, maar ik ben onderzoeker van het leger en u zit in het leger. Het is net zoiets als iemand opzoeken in het telefoonboek.'

'Toch staat het me niet aan.'

'Daar neem ik kennis van. Kunnen we dit binnen afhandelen?'

'Ik heb al met je gepraat.'

'Ja, en zoals ik al zei, heb ik nog wat vragen.'

'Ik heb het druk.'

'En ik doe onderzoek naar een moord. Op een van uw mensen.'

In de hal ging een andere deur open. Twee jonge mensen kwamen tevoorschijn en keken naar hen.

'Misschien kunnen we beter naar binnen gaan, generaal,' zei Puller.

Ze keek naar het jonge stel, deed een stap achteruit en liet Puller binnen. Toen sloot ze de deur achter hem en leidde hem door de gang. Puller zag dure accessoires, olieverfschilderijen en smaakvolle meubelen in haar flat tegenover de Pentagon City Mall, niet meer dan een metrostation van het Pentagon verwijderd.

'U woont gunstig, zo dicht bij uw werk.'

'Ja,' zei ze bruusk.

Ze gingen in de huiskamer zitten. Ze gebaarde hem plaats te nemen op een fauteuil en ging zelf op een bankje tegenover hem zitten.

Aan de muren hingen foto's van Carson met een hele rits hoge militairen en politici. Al die mensen, voor het merendeel mannen, konden haar helpen met haar carrière en hadden dat waarschijnlijk ook gedaan. Hij had een soortgelijke fotowand in haar kamer op het Pentagon gezien.

'Mooi appartement.'

'Het bevalt me hier wel.'

'Ik leef nog steeds als een student.'

'Dat is jammer,' zei ze zonder omhaal. 'Misschien wordt het tijd dat je opgroeit.'

'Misschien wel.'

'Ik weet niet wat voor vragen je nog kunt hebben.'

'Ze zijn gebaseerd op nieuwe informatie.'

'Wat voor nieuwe informatie?' zei ze smalend.

'Over kolonel Reynolds.' Hij zweeg en keek haar aan.

'Oké, ik wacht, of moet ik raden?'

Puller haalde op zijn gemak zijn officiële notitieboekje tevoorschijn en schroefde de dop van zijn pen. Ondertussen keek hij ook naar haar. Hij zag dat ze haar blik over zijn rijen linten liet gaan. Je droeg je linten of medailles niet op je werkkleding, maar op een groen gala-uniform prijkten ze in volle glorie. En ze was onwillekeurig onder de indruk. Zoals zijn SAC had opgemerkt, was Puller een vechtersbaas in het veld geweest. De gekleurde linten en stukjes metaal hadden nooit veel betekenis voor hem gehad. Hij herinnerde zich vooral de daden achter de officiële decoraties. Maar als je met die militaire onderscheidingstekens iemands aandacht kon krijgen, waren ze hun gewicht in goud waard.

'Je hebt veel bereikt, Puller,' zei ze schoorvoetend met bewondering.

'Het enige wat ik op dit moment wil bereiken, is het vinden van een moordenaar.'

'Dan verspil je je tijd door hier nu met mij te praten.'

'Dat denk ik niet.'

'Kom dan ter zake. Ik heb anders wel wat beters te doen. Zoals ik je al heb verteld, moet ik morgenvroeg de briefing geven.'

'Ja. Het verbaast me eigenlijk dat u niet meer op kantoor bent om ervoor te zorgen dat de presentatie perfect is voor de viersterrengeneraal.'

'Dat gaat je geen bliksem aan. En laten we niet vergeten wie van ons tweeën de ster heeft. Ik begin mijn geduld te verliezen. En vergeet ook niet dat ik goede contacten heb bij de CID.'

'Ongetwijfeld.' Hij keek naar haar fotowand en zag het hoofd van de CID naar hem terugkijken. 'En die zijn vast beter dan de mijne.'

'Dus kom ter zake!'

'Vertelt u me eens wat kolonel Reynolds tegen u heeft gezegd over wat er in West Virginia aan de hand was. Waarover maakte hij zich zorgen?'

Ze keek hem verbaasd aan. 'Ik heb je al verteld dat Reynolds niet met mij praatte over wat er in West Virginia gebeurde.'

'Dat weet ik. Ik heb het in mijn boekje genoteerd. Ik wilde u alleen de kans geven uw verklaring te herzien voordat het niet meer kan worden teruggedraaid.'

Ze keken elkaar ijzig aan.

'Ik weet niet wat je hier wilt suggereren, maar het bevalt me niet,' zei ze.

'En het bevalt mij niet dat er tegen me wordt gelogen.'

'Je gaat buiten je boekje.'

'Wat buiten het boekje gaat is dat u me onjuiste informatie geeft waardoor het veel moeilijker voor me wordt om Reynolds' moordenaar te vinden.'

'Wie heeft je verteld dat ik daar iets van wist?'

'Ik ben onderzoeker. Het is mijn werk om dingen te weten te komen.'

'Als mensen onjuiste dingen over me zeggen, heb ik het volste recht om het te weten.'

'Als die dingen onjuist zijn. Maar niet als ze waar zijn.'

Ze sloeg haar armen over elkaar en leunde achterover.

Hij zag dat. Daarstraks was haar houding agressief geweest: haar handen op haar knieën, haar bovenlijf naar hem toe gebogen, als het ware smekend om de waarheid te mogen vertellen. Nu was dat veranderd.

Ze had hem blijkbaar zien kijken, want ze zei: 'Ik heb de ondervragingstechnieken zo ongeveer uitgevonden, Puller, dus je hoeft niet te proberen me te doorgronden.'

'Hebben we het dan over de meer uitgebreide ondervragingstechnieken, mevrouw?'

'Jij weet net zo goed als ik dat het leger zich aan de conventie van Genève houdt.'

'Ja, mevrouw.'

Maar ze leunde nog meer achterover en keek hem niet meer zo recht in de ogen.

Hij besloot gebruik te maken van het moment. 'Was Reynolds een goede militair?'

'Ja, dat was hij. Dat heb ik je al verteld.'

'En goede militairen nemen de hiërarchie in acht?'

'Ja.'

'Dus als Reynolds iemand van buiten zijn hiërarchische keten over zijn bezorgdheid had verteld, zou het toch logisch zijn als hij ook zijn directe superieur op de hoogte had gesteld. U dus. Hij was de kolonel. U bent de generaal, zoals u me zo goed duidelijk hebt gemaakt.'

Ze sloeg haar benen over elkaar en liet haar kin een beetje zakken. 'Ik weet niet wat ik je zou kunnen vertellen.'

'Natuurlijk wel. De waarheid, bijvoorbeeld.'

'Voor zulke woorden kan ik je achter de tralies laten gooien.'

'Maar dat doet u niet.'

'Waarom niet? Vanwege je vader? Die is allang uit het leger vertrokken, Puller. Dus daarmee zet je me niet onder druk, of de man nu een legende is of niet.'

'Dat was niet waar ik aan dacht.'

'Natuurlijk wel. Je pokergezicht laat veel te wensen over.'

Puller ging door alsof hij haar niet had gehoord. 'Eigenlijk dacht ik aan die ster op uw schouder.'

Haar gezicht werd nog harder. Ze zag eruit alsof ze hem elk moment kon aanvliegen, maar een ervaren ondervrager als Puller kon onder die harde schaal de eerste vage angst bij de vrouw bespeuren.

'Hoezo?' zei ze. 'Denk je erover me die ster te laten verliezen? Bespaar je de moeite. Ik heb me voor die ster uit de naad gewerkt. Ik heb hem verdiend.'

'Eigenlijk, mevrouw, dacht ik dat uw schouders breed genoeg leken om die ster en waarschijnlijk nog minstens een ster erbij te kunnen dragen.'

Die tactiek verraste haar. Carson sloeg haar armen en benen over elkaar en boog zich naar voren. Ze keek naar het notitieboekje.

Hij ging op die subtiele blik in en zei: 'Dit komt allemaal in het rapport alsof het plaatsvond tijdens onze eerste bespreking in het Pentagon.'

'Eerlijk gezegd verwacht ik dat soort nuances niet van jou, Puller.'

'De meeste mensen verwachten dat niet, denk ik.'

Ze keek omlaag en wreef nerveus haar vingers over elkaar. Toen ze opkeek, zei ze: 'Zullen we ergens een kop koffie gaan drinken? Ik kan wel wat frisse lucht gebruiken.'

Hij stond op. 'Ik trakteer.'

'Nee,' zei ze vlug. 'Ik denk dat ik ga trakteren, soldaat.'

•55•

In dit deel van Arlington waren talloze plaatsen om koffie te drinken. Ze kwamen langs een aantal van zulke gelegenheden, maar overal krioelde het van de tieners met hun smartphones en laptops. Ze liepen door en gingen een gelegenheid binnen die wat minder in de loop lag en waar zij de enige klanten waren. Het was niet meer zo klam en de lucht was helder en verkwikkend. Ze gingen naast een open raam in de cafetaria zitten.

Puller nam een slokje van zijn hete koffie, zette het kopje toen neer en keek haar aandachtig aan.

Voordat ze het appartement hadden verlaten, had ze een wit T-shirt en Nike-sportschoenen aangetrokken. Er zaten lijnen om haar ogen, kraaienpoten die een beetje dieper gingen dan bij een burger. Dat kwam er gewoon van als je het bevel voerde over gewapende mannen. Haar blonde haar stak af tegen haar gebruinde huid. Ze was aantrekkelijk en in topconditie, en ze gedroeg zich alsof ze zich heel goed bewust was van beide. Hij wist dat ze tweeënveertig was en zich een slag in de rondte had gewerkt om generaal te worden. Hij had er geen behoefte aan haar carrière uit de rails te laten lopen. Iedereen had recht op één professionele fout, en dit werd waarschijnlijk de hare.

'Dat groene uniform staat je goed,' zei ze zachtjes. 'Draag je het voor een bijzondere gelegenheid?'

'Ik had een afspraak in de Army Navy Club.'

Ze knikte en nam een slokje koffie. 'Matt belde me ongeveer een maand geleden,' zei ze vlug, alsof ze dit alleen maar zo snel mogelijk achter de rug wilde hebben. Ze keek hem niet aan maar hield haar blik op het tafelblad gericht.

'Wat zei hij?'

'Hij was op iets gestuit. Zo zei hij het. Gestuit. Het was niet gepland. En ik had hem daar beslist niet voor een missie heen gestuurd. Hij reisde gewoon heen en weer om bij zijn vrouw en kinderen te zijn. Zijn telefoontje kwam volkomen onverwacht.'

'Oké.' Puller nam weer een slok koffie en zette het kopje neer.

Carson zei: 'Hij had iemand ontmoet die ergens bij betrokken was. Of beter gezegd: hij had iemand ontmoet die iets had ontdekt.'

'Wat en wie?'

'Ik weet niet wie.'

'Hoe heeft hij die persoon ontmoet?'

'Bij toeval, denk ik. Hoe dan ook, het was niet gepland.'

'En wat was het?'

'Wat het ook was, het was iets groots. Matt dacht dat het weleens zo groot zou kunnen worden dat we er iemand bij moesten halen.'

'En waarom heb je dat niet gedaan?'

Ze sprak nu snel. 'Omdat ik niet genoeg wist. Ik wilde niet de trekker overhalen om een explosie in mijn eigen gezicht te krijgen. Dit viel buiten alle missies. Buiten mijn jurisdictie. Ach, ik geloof dat het niet eens iets met het leger te maken had. Het zat me niet lekker, Puller, dat moet je begrijpen. Ik beheerste de informatiestroom niet en ik kon niets verifiëren. En Matt ook niet. Hij ging af op mensen die hij niet kende.'

'Je had evengoed naar de politie kunnen gaan. Of hem daarheen kunnen sturen.'

'En wat konden we dan vertellen? Matt beschikte ook niet over genoeg informatie, in elk geval niet voor zover hij mij vertelde. Het was voor een groot deel intuïtie.'

'Dacht hij dat die persoon misschien undercover werkte?'

'Undercover?' zei ze met oprechte verbazing. 'Als politieman, bedoel je?'

'Soms gaan burgers ook undercover.'

'Hoe vaak?' zei ze sceptisch.

'Eén keer is genoeg.'

'Nou, daar heeft Matt niets over gezegd.'

'En wat zei je dat hij moest doen? Op onderzoek uitgaan? Kijken wat hij kon ontdekken? Dacht je dat het misschien goed zou zijn voor je carrière? Iets wat buiten je normale werkterrein lag?'

'Je zegt het nogal bot, maar je hebt gelijk. En voor ik het wist, was hij dood. Zijn hele gezin was dood.' Haar lip trilde. Toen ze haar koffiekopje wilde oppakken, beefde haar hand zo erg dat ze koffie op haar kleren morste.

Puller nam het kopje van haar over, zette het neer, veegde de koffie met een servet van haar af en pakte toen haar andere hand vast.

'Zeg, misschien had je het beter anders kunnen aanpakken, maar zoiets overkomt ons allemaal weleens. En ik weet dat het nooit je bedoeling was dat er zoiets zou gebeuren.'

Ze keek vlug naar hem op en wendde toen abrupt haar blik af. Ze keek opzij en gebruikte een ander servetje om haar ogen af te vegen. Puller wachtte tot ze zichzelf onder controle had en hem weer aankeek.

'Sorry,' zei ze. 'Generaals mogen eigenlijk niet huilen.'

'Ik heb ze in tranen zien uitbarsten bij de lijken van hun mannen.'

Ze glimlachte gelaten. 'Ik had het over vróúwelijke generaals, Puller.'

'Oké. Toen je hoorde wat er met de Reynolds' was gebeurd, wat deed je toen?'

'Eerlijk gezegd raakte ik in paniek. En toen ik tot bedaren kwam, kon ik alleen maar denken aan de mogelijke repercussies die het voor mij kon hebben. Dat was niet fraai van me, maar het is de waarheid.'

'En je dacht dat de moord op het hoofd van J23 op zichzelf al genoeg belangstelling zou krijgen? Je wist dat er veel slinkse manoeuvres zouden komen van mensen die veel hoger geplaatst zijn dan wij. En misschien gaf je deze en gene een hint: zolang ze niet zeker wisten wat erachter zat, was het beter om er maar één CID-agent op af te sturen en de zaak te behandelen als een normaal moordonderzoek. En dan zou je wel zien waar het schip strandde.'

'Ik weet niet of mijn plan zo geraffineerd was, maar ik besefte meteen dat alles evengoed kon uitkomen en dat ik er dan heel slecht uit naar voren zou komen. Het heeft me daarna geen moment meer losgelaten.'

'Dat kan ik me voorstellen. Maar misschien zat je dichter bij de waarheid dan je dacht. Je zei dat hij er bij toeval mee te maken kreeg?'

'Ja. Matt zei ook dat hij dacht dat het gevolgen voor de nationale veiligheid kon hebben. Dat zei hij echt zo tegen mij. Ik kon het niet verifiëren, maar ik wist dat hij het geloofde.'

'Ben je ooit in Drake, West Virginia, geweest?'

Ze schudde haar hoofd.

'Nou, dat is niet bepaald een kweekbodem voor terrorisme, als we het daarover hebben.'

'Ik kan je alleen maar vertellen wat Matt mij heeft verteld.'

'Dat is redelijk. En iemand heeft hem daarom vermoord.' Puller dacht nog even na, terwijl Carson doodongelukkig naar haar handen keek.

'Je moet jezelf niet te erg om de oren slaan, generaal. Je dacht alleen dat je misschien iets gedaan kon krijgen, iets om het land te helpen.'

'Laten we er niet omheen draaien, Puller. Ik dacht dat ik het kon gebruiken om aan mijn tweede ster te komen. Ik was egoïstisch en kortzichtig. En nu zijn er vier mensen dood die niet dood zouden moeten zijn.'

Zeven, dacht Puller. *Er zijn zeven mensen dood.*

'Oké. Kun je verder nog iets bedenken wat mij zou kunnen helpen?'

'Matt zei nog wel dat het gauw zou gebeuren – wat het ook mocht zijn.'

'Gauw omdat ze bang waren dat het aan het licht zou komen? Of gauw omdat het plan al een tijdje klaar was en het tijd werd om het uit te voeren?'

'Waarschijnlijk beide, als je bedenkt dat ze het nodig vonden Matt en zijn gezin te vermoorden.'

'Het verbaast me dat hij je niet meer bijzonderheden heeft gegeven.'

Ze zei: 'Heeft hij echt niets achtergelaten waaruit blijkt wie die persoon zou kunnen zijn? Dat weet je zeker?'

'We hebben niet veel gevonden. We denken dat een bodemmonster een rol zou kunnen spelen.'

217

Ze keek hem vragend aan. 'Een bodemmonster?'

Hij knikte. 'De moordenaars zijn daarvoor misschien zelfs teruggekomen. Het moet dus belangrijk zijn geweest. Zegt dat je iets?'

'Nou, hij zei wel dat het iets was wat grote gevolgen zou kunnen hebben.'

'Maar hij zei niet op welke manier?'

'Nee. Ik wou dat ik op meer details had aangedrongen. Ik heb nooit gedacht dat het op deze manier zou eindigen. Daar had ik aan moeten denken. Het leger leert je overal rekening mee te houden.'

'We zijn menselijk. Dat betekent dat we niet volmaakt zijn.'

'Het leger verwacht van ons dat we volmaakt zijn,' wierp ze tegen.

'Nee, ze verwachten alleen van ons dat we beter zijn dan de tegenstander.'

Ze keek in het notitieboekje. 'Hoe ga je dit rapporteren?'

'Dat je heel goed hebt meegewerkt en me waardevolle inlichtingen hebt verstrekt.'

'Ik sta bij je in het krijt, Puller. Ik had je helemaal verkeerd beoordeeld.'

'Nee, waarschijnlijk heb je mij wel goed beoordeeld, maar de situatie niet helemaal.'

'Als je naar een ster hengelt en tegelijk een vrouw bent, kun je eenzaam worden.'

'Je hebt een grote familie om je heen: het leger van de Verenigde Staten.'

Ze glimlachte zwakjes. 'Ja, misschien wel. Als dit voorbij is, moet je me eens komen opzoeken. Misschien kunnen we dan samen iets drinken.'

'Misschien,' zei Puller. Hij sloot zijn notitieboekje en stond op.

Op weg naar buiten keek hij op zijn horloge. Hij moest nog naar één plaats, daarna kon hij een ochtendvlucht naar West Virginia nemen.

Helaas zou hij dat waarschijnlijk niet halen.

De vier mannen hadden hem omsingeld.

·56·

'John Puller?'

De vier mannen doken bij Pullers auto in de parkeergarage op. Hij zag twee gelijke zwarte suv's met draaiende motor in de buurt staan.

'Wat wil het ministerie van Binnenlandse Veiligheid van mij?'

De leider van het stel, een kleine, slanke man met donker krulhaar en diepe rimpels in zijn voorhoofd, zei: 'Hoe weet je dat we van Binnenlandse Veiligheid zijn?' Puller wees naar de taille van een van de mannen. 'Hij heeft de sig 9.' Hij wees naar een andere man. 'En hij heeft de sig .40. Binnenlandse Veiligheid is een van de weinige diensten die hun mensen zelf laten kiezen. En verder heb jij een BV-speld op je jasje. Ten slotte zit er een parkeersticker van Binnenlandse Veiligheid op een van jullie auto's daar.'

De man keek om zich heen en glimlachte. 'Je hebt goede ogen. Moeten we ons ook nog legitimeren?'

'Ja. En dan doe ik dat ook. Ik ben van de cid.'

'Ja, dat weet ik.'

'Ik weet dat je het weet.'

'Je moet met ons meekomen.'

'Waarheen en waarom?'

'Het "waarom" wordt je uitgelegd door anderen. Wat het "waarheen" betreft: het is niet ver.'

'Heb ik een keus?'

'Nee, eigenlijk niet.'

Puller haalde zijn schouders op. 'Laten we dan maar gaan.'

De rit duurde tien minuten. Ze kwamen in een andere parkeergarage, reden twee verdiepingen naar beneden, lieten de auto's achter en gingen met een lift vijf verdiepingen omhoog. Puller werd door een gang geleid waar alle deuren afgesloten waren met sleutel- en cijfersloten. Aan niets was te zien dat dit een gebouw van de federale overheid was, en dat was niet ongewoon, wist Puller. Vooral het ministerie van Binnenlandse Veiligheid had in het hele land zulke onopvallende kantoorruimten. Toch kon iemand die wist waarop hij moest letten wel zien dat dit een federaal kantoor was. De vloerbedekking was overheidsbeige, de muren waren overheidsbeige, en de deuren waren van metaal. De overheid gaf veel geld uit, wist Puller, maar niet aan de afwerking van haar kantoorgebouwen.

Hij werd naar een kamer gebracht en daar aan een tafeltje achtergelaten, met de deur aan de buitenkant op slot. Hij telde in zijn hoofd vijf minuten af en begon zich al af te vragen of iemand was vergeten dat hij daar zat, toen de deur openging.

De man was in de vijftig en bezat de soliditeit en ernst van iemand die jarenlang voor de overheid had gewerkt, en dan niet op een plaats met veel papieren en paperclips. Hij had een dossier in zijn handen. Hij ging zitten. Nadat hij in het dossier had gebladerd, keek hij Puller eindelijk aan.

'Wil je iets te drinken hebben?' vroeg de man. 'We hebben koffie, al is het geen goeie. We hebben water. Alleen kraanwater. Het dure mineraalwater is vorig jaar uit het budget gehaald. Die bezuinigingen zijn pure ellende. Straks pakken ze ook nog onze wapens af.'

'Ik hoef niets.' Hij keek naar de map. 'Gaat dat over mij?'

'Nee, niet echt.' Hij tikte op de map. 'Ik ben trouwens Joe Mason. Hij reikte over de tafel om Puller een hand te geven.

'John Puller.'

'Daar was ik al achter,' zei Mason. Hij friemelde aan de nagelriem van een van zijn vingers. 'Hoe gaat het in West Virginia?'

'Ik dacht al dat het daarover ging. Eigenlijk niet zo goed. Ik neem aan dat je op de hoogte bent?'

'Je mag je SAC bellen, als je wilt. Don White is een beste kerel.'

'Ik wil mijn SAC bellen.'

Mason haalde zijn telefoon tevoorschijn. 'Laten we de formaliteiten snel afhandelen, dan kunnen we ter zake komen. Bel hem nu.'

Puller voerde het telefoongesprek. Don White vertelde hem over Joe Mason van Binnenlandse Veiligheid en zei tegen Puller dat hij met de man moest samenwerken.

Puller schoof de telefoon naar Mason terug en keek weer naar de map. 'Dus ik ben degene die op de hoogte moet worden gesteld?'

'Ik dacht net hetzelfde, Puller.'

'En ben je tot een besluit gekomen?'

'Uit alle informatie over jou blijkt dat je een kei bent in je werk. Vaderlandslievend tot op het bot. Zo hardnekkig als een buldog, en als je achter iets aan gaat, krijg je het altijd te pakken.'

Puller zei niets. Hij keek de man alleen maar aan. Hij wilde dat hij bleef praten. Hij wilde blijven luisteren.

Mason ging verder: 'We zitten met een probleem. Dat klinkt afgezaagd, hè? We zitten met een probleem. Hoe dan ook, het probleem is dat we niet weten wat het probleem is.' Hij keek op van de map. 'Kun je ons daarmee helpen?'

'Is de minister van de Strijdkrachten daarom zo geïnteresseerd in de zaak? Hebben ze me daarom in mijn eentje daarheen gestuurd?'

'De minister van de Strijdkrachten interesseert zich voor de zaak omdat wij ons ervoor interesseren. En hoewel jij op dit moment de enige zichtbare onderzoeker bent, hebben we hier meer mensen op gezet. En niet alleen van Binnenlandse Veiligheid.'

'Ik heb begrepen dat de DIA hier niet in geïnteresseerd is.'

'Zo zou ik het niet stellen.'

'Is de FBI erbij betrokken?'

'De FBI is bij alles betrokken, of we dat nu willen of niet. Maar omdat we niet willen dat je allerlei diensten met afkortingen over je heen krijgt, ben ik uitgekozen om het contact te onderhouden.'

'Oké, er is een probleem, alleen weet je niet wat het is. Ik zou toch denken dat Binnenlandse Veiligheid wel iets beters te doen heeft dan zich hier druk over te maken.'

'Dat zou ik met je eens zijn, als onze aandacht niet door nog iets anders was getrokken.'

'Wat dan?'

'Een telefoongesprek dat de NSA zes weken geleden heeft opgepikt. Drie keer raden waar het vandaan kwam.'

'Drake, West Virginia.'

'Zo is het.'

'Ik dacht dat de NSA alleen naar het buitenlandse deel van telefoongesprekken kon luisteren. Dat ze niet naar de gesprekken van Amerikanen konden luisteren en ook hun e-mails en sms'jes niet konden lezen.'

'Tot op zekere hoogte is dat meestal wel zo.'

'Wat werd er in dat gesprek gezegd?'

'Nou, het was in een taal die je niet in een landelijk deel van West Virginia zou verwachten.'

Toen de man hem niet vertelde welke taal het was geweest, ergerde Puller zich een beetje en zei hij: 'New Jersey? De Bronx?'

'Probeer het nog eens, en ga dan wat meer naar het oosten.'

'Arabisch?'

'Dari. Zoals je weet, is dat een van de belangrijkste dialecten die in Afghanistan worden gesproken.'

'Ja, dat weet ik. Dus Afghanistan. Is het vertaald?'

'Ja. Er werd gezegd: "De tijd komt gauw." En ze zeiden dat iedereen voorbereid moest zijn. En dat ze gerechtigheid zouden krijgen.'

'En jullie dachten dat het over een aanval op de Verenigde Staten ging?'

'Ik word ervoor betaald om dat te denken, Puller. En ook om het te voorkomen.'

'Waarom was dit zo bijzonder? Mensen zeggen zo vaak domme dingen die tot niets leiden. Zelfs in het Dari.'

'Het was geen gewoon gesprek. Het was versleuteld. En niet met een of ander ingewikkeld computeralgoritme. Het was in code. Mijn mensen zeggen dat die code in de tijd van de Koude Oorlog heel populair was bij de oude KGB. We weten tegenwoordig ook dat de taliban oude KGB-codes is gaan gebruiken om met cellen in andere landen te communiceren. Dat zal wel teruggaan tot de tijd dat het Rode Leger daar in tanks rondreed.'

'De taliban die in West Virginia een KGB-code in het Dari gebruikt. Dat is nog eens wat anders. Maar ze hebben die code gebroken?'

'Blijkbaar, anders zat ik hier nu niet met jou te praten. Ironisch genoeg komen die oude codes weer in de mode, Puller, omdat we zo goed zijn geworden in het kraken van gecomputeriseerde encryptie. In elk geval waren we meteen alert.'

'Ik heb in Drake niet één tulband gezien. Alleen een stel trotse Amerikanen met rode nekken. Hoe kunnen jullie er zeker van zijn dat het plan in Drake wordt uitgevoerd? Misschien houden de terroristen zich daar alleen maar schuil en is hun doelwit heel ergens anders.'

'Andere delen van het gesprek maken aannemelijk dat het doelwit zich in de buurt van Drake bevindt.'

Puller leunde achterover en dacht erover na. 'Nou, er is daar een grote betonnen koepel waar in de jaren zestig geheim werk voor de overheid werd gedaan. Waarschijnlijk is het goed om daarmee te beginnen. Het is trouwens het enige bijzondere daar in de buurt. Afgezien van een stel lijken.'

'Was het maar zo gemakkelijk.' Mason haalde een stel papieren uit zijn map en schoof ze naar Puller toe. Hij zei: 'We hebben uitgezocht waar dat complex voor werd gebruikt. Dat helpt ons niet veel verder.'

Puller keek de papieren door. Het was een geheim document, maar hij was bevoegd om het te lezen. Het kwam uit de jaren zeventig. Hij zei: 'Maakten ze daar onderdelen van bommen?'

'Essentiële onderdelen. Niet het plofgedeelte. De betonnen koepel is gebouwd omdat een deel van het materiaal waarmee ze daar werkten radioactief was. In die tijd zwom het ministerie van Defensie in het geld. En er was nog geen Milieudienst. Dus in plaats van de boel schoon te maken hebben ze er gewoon een koepel overheen gebouwd.'

'Vormt het complex een bedreiging?'

'Voor het milieu? Wie zal het zeggen? Misschien wel. Maar daar hoeven wij ons niet druk om te maken. In het rapport staat duidelijk vermeld dat alle materialen en apparatuur uit het complex verwijderd zijn. En je maakt geen gat in een meter beton om te kijken of je geigerteller helemaal wild wordt.'

'En stel dat iemand het gebouw opblaast en de radioactiviteit vrijkomt, als daar tenminste nog een restant van is achtergebleven?'

'Tuurlijk, Puller. Je zou een vrachtwagenlading explosieven nodig hebben, en een heleboel mensen, terwijl je niet eens weet of er daarbinnen iets is wat het de moeite waard maakt. En gesteld dat er een beetje radioactiviteit vrijkomt in Drake, wie kan dat dan wat schelen?' Mason leunde achterover in zijn stoel. 'Nee, het antwoord moet ergens anders te vinden zijn.'

Puller schoof de papieren terug. 'Oké. Wat nog meer?'

'We weten dat je met generaal Carson hebt gepraat.'

'Ze werkte goed mee.'

'Reynolds wist iets. Daarom is hij vermoord. Hij wist dat er iets in Drake te gebeuren stond.'

'Daar ben ik net achter gekomen. Als jullie het al een tijdje wisten, hadden jullie het me eerder kunnen vertellen.'

'Drake bestond voor mij niet totdat we dat telefoongesprek hadden ontcijferd. En dat was nog maar twee dagen geleden. Jij ligt waarschijnlijk ver op ons voor.'

'Omdat jullie daar niet zijn. Jullie hebben het aan mij en de plaatselijke politie overgelaten. Twee dagen geleden – dat was kort na de moorden. Er moet een verband zijn. Jullie hadden daar een team naartoe kunnen sturen. Waarom hebben jullie dat niet gedaan?'

'Moeilijke vragen, nog moeilijker antwoorden.'

'Ik ben aan beide gewend.'

Mason glimlachte. 'Dat denk ik ook. Het soldatenleven is veel ingewikkelder dan het eruitziet.'

'Het soldatenleven is gemakkelijk in vergelijking met alle andere onzin. Als je goed wilt leren schieten, is dat alleen een kwestie van oefenen. Maar geen enkele oefening op de wereld bereidt je voor op de spelletjes die in achterkamers worden gespeeld.' Hij zweeg even. 'Ben je ooit in het leger geweest? Je lijkt me het type.'

'Bij de mariniers. Ik heb niet mijn hele termijn uitgediend. Ik stapte eruit, ging studeren en liep uiteindelijk toch in overheidsdienst met een pistool rond. Alleen draag ik een pak in plaats van een uniform.'

'Mariniers hebben me vaak het leven gered.'

'En jij hebt ongetwijfeld vaak hetzelfde voor hen gedaan. Maar om op je vraag terug te komen: we zijn het er hier over eens dat we deze zaak een beetje moeten laten begaan. Als we met zwaar geschut komen, schrikken we die mensen af.'

'Afschrikken is misschien niet zo'n slecht idee. Vooral wanneer ze een tweede 11 september aan het plannen zijn. Maar ik weet niet waarom ze na New York deze keer voor Drake hebben gekozen. Je kunt daar gewoon niet zoveel schade aanrichten.'

'Daarom maken we ons zorgen. Als we er met zwaar geschut op afgaan, verspreiden ze zich om zich daarna te hergroeperen en later op een even onwaar-schijnlijke plaats toe te slaan. En dan zouden ze die fout met de telefoon niet opnieuw maken. We maken ons zorgen over hun locatiekeuze, Puller. Het is geen traditioneel doelwit. Het heeft geen enorme impact. Als je een aanslag pleegt op een vliegveld, winkelcentrum of station, gaan ze in het hele land dicht en is iedereen in rep en roer.'

'Maar als je een aanslag pleegt op een provinciegat, gebeurt dat niet.'

'Dat betekent dat zij iets weten wat wij niet weten. Dit zit niet in ons tactische of strategische systeem. We hebben hier geen handboek voor. Eerlijk gezegd zijn wíj degenen die worden afgeschrikt.'

'Jullie strategie kan betekenen dat jullie met de levens van iedereen in Drake spelen.'

'Ja, dat zou kunnen.'

'Maar aangezien het er zo weinig zijn en de meesten straatarm zijn, zou het niet zo erg zijn, hè?'

'Zo ver zou ik niet willen gaan. Het zijn nog steeds Amerikanen, of ze nu arm zijn of niet.'

'Maar als we het nu over New York zouden hebben, of over Houston, Atlanta of Washington?'

'Elke situatie is anders, Puller.'

'Hoe meer verschillen er zijn, hoe meer overeenkomsten er evengoed zijn.'

'Een militair die ook filosoof is. Ik ben onder de indruk. Maar serieus: ik wil niet dat er onschuldige burgers doodgaan. Toch is het een lastig geval. Maar als het om New York, Chicago, Los Angeles of zeker Washington ging, zouden we er met groot geschut op afgaan.'

'Dus Drake is een gelegenheid om met tactieken te experimenteren?'

'Drake biedt een kans.'

'Oké, Reynolds was een militair, en misschien was dat genoeg om hem tot een doelwit te maken. Maar Molly Bitner en Eric Treadwell?'

'Die woonden aan de overkant van de straat.'

'Zou een van hen degene kunnen zijn op wie Reynolds is gestúít? Dat woord gebruikte Carson.'

'Waarom zeg je dat?' vroeg Mason.

'Voor zover ik kan nagaan, gingen de Reynolds' nooit ergens anders heen dan het verpleegtehuis of het ziekenhuis, dat niet eens in Drake staat. De enige mensen met wie ze automatisch in contact zouden komen, zouden de buren zijn. Natuurlijk concentreer ik me op de enige buren die ook vermoord zijn.'

'Ik begrijp waar je heen wilt, en ik zie er wel wat in. We weten niets concreets over hen, maar het zou een spoor kunnen zijn.'

'Nou, wat willen jullie van mij?'

'Dat je blijft doen wat je doet. Dat je blijft zoeken. Er verandert maar één ding: voortaan rapporteer je niet meer aan je SAC, maar rechtstreeks aan mij. Jij fungeert als onze ogen en oren ter plaatse, Puller.' Mason stond op. 'Ik weet dat je terug wilt.'

'Ik wilde nog even bij het huis van de Reynolds' in Fairfax City gaan kijken.'

'Dat hebben wij al gedaan. We zijn daar niets te weten gekomen. Als je daarheen wilt, kun je dat gerust doen.'

Puller aarzelde niet. 'Ik ga liever zelf kijken.'

'Ik wist wel dat je dat zou zeggen. Je hebt volledige toegang. Je kunt er meteen naartoe gaan als je hier weggaat.'

'Bedankt.'

'Nou, nu we dit hebben afgehandeld, kun je me over je onderzoek vertellen.'

Puller gaf hem een samenvatting. Mason keek op toen Puller zei dat er waarschijnlijk video-opnamen van de familie Reynolds waren gemaakt.

'Dat klinkt onheilspellend,' zei hij.

'Inderdaad,' zei Puller.

Toen hij over het bodemmonster vertelde, onderbrak Mason hem. 'Ik wil dat rapport graag zien.'

'Jazeker.'

'Waarom een bodemmonster?'

'Het moet op de een of andere manier belangrijk zijn geweest.'

'En we weten niet waar het is genomen?'

'Nee.'

'Als je bij het huis van de Reynolds' bent geweest, moet je naar Drake terug. Ik zou je een vliegtuig van Binnenlandse Veiligheid ter beschikking kunnen stellen, maar je weet nooit wie er meekijkt. Op dit moment vertrouw ik veel mensen niet.'

'Geen probleem. Ik ga terug zoals ik hier gekomen ben.'

Toen ze door de gang liepen, vroeg Mason: 'Is Samantha Cole een aanwinst of een risicofactor?'

'Een aanwinst.'

'Goed om te weten.'

'Wat geeft je gevoel je in?'

Mason keek recht voor zich uit. 'Dat dit veel mensen 11 september zal doen vergeten.'

Mason sloeg links af, een andere gang in.

Puller liep rechtdoor.

Op dat moment was dat de enige richting waarin hij kon gaan.

·57·

Puller reed regelrecht naar het huis van de Reynolds' in Fairfax City. Het stond in een oudere buurt met bescheiden huizen. Reynolds was in de loop van zijn militaire carrière waarschijnlijk verschillende keren naar Washington en naar elders overgeplaatst. Voor mensen die hun huis op het dieptepunt van de onroerendgoedmarkt moesten verkopen en later op het hoogtepunt een nieuw huis moesten kopen waren het zware tijden. Puller kende Reynolds' persoonlijke situatie niet, maar hij dacht dat de man zich waarschijnlijk had verheugd op een veel hoger salaris in het bedrijfsleven. Dat zou een tegenwicht zijn geweest voor al die jaren dat hij zich voor zijn land had ingezet en veel minder had verdiend dan hij waard was.

Twee uur later zat Puller in de huiskamer van het huis met een foto van de familie Reynolds' in zijn handen. Hij had handschoenen aangetrokken, want hoewel het huis al door Binnenlandse Veiligheid was onderzocht, hield hij zich altijd aan de procedures voor een plaats delict.

Op de foto zagen de Reynolds' er gelukkig, normaal en vooral levend uit.

Nu waren ze geen van dat alles. Hij had honkbalspullen in de kamer van de jongen zien liggen en zwem- en tennisposters zien hangen in de kamer van het meisje. Er waren foto's van Matt en Stacey tijdens allerlei militaire gelegenheden. En op vakantie. Zeilen, skydiven, zwemmen met dolfijnen. Er waren foto's van kinderen op tennisbanen en basketbalvelden. De dochter in haar jurk voor het schoolbal. De zoon, op een van de foto's nog maar een peuter, die zijn armen om zijn geüniformeerde vader heen sloeg. Puller kon de uitdrukkingen op hun gezichten gemakkelijk lezen.

Pa werd naar het buitenland gestuurd.

De zoon was daar niet blij mee. Hij sloeg zijn armen heel strak om zijn vader heen om hem tegen te houden.

Puller legde de foto terug. Op weg naar buiten deed hij de deur op slot. Hij zat nog een tijdje in zijn auto naar een huis te kijken waarvan alle bewoners dood waren. Het zou te koop worden gezet en worden verkocht. De bezittingen zouden worden verspreid, en de Reynolds' zouden alleen nog voortleven in de herinneringen van hun vrienden en familie.

En in mijn herinneringen.

Puller reed naar zijn appartement en stopte een plunjezak vol schone kleren. Het was inmiddels erg laat geworden. Hij bracht een paar minuten met AWOL

226

door en dacht intussen na over de gebeurtenissen van die avond. Hij had zijn terugvlucht naar Charleston omgeboekt en zou nu de volgende morgen vroeg vertrekken. De laatste directe avondvlucht had hij gemist.

Generaal Carson had meer gelijk gehad dan ze dacht, en ook meer ongelijk. Er was inderdaad iets groots op komst, maar ze had gedacht dat Reynolds en zij de enigen aan de federale kant waren die ervan wisten. Dat was niet zo. Ze had gedacht dat ze het had verknoeid doordat ze geen contact met de autoriteiten had opgenomen, maar blijkbaar hadden de autoriteiten er al van geweten, zij het pas toen Reynolds al dood was. Dat laatste, in combinatie met het feit dat de familie Reynolds evengoed was vermoord, gaf Puller niet veel vertrouwen in het ministerie van Binnenlandse Veiligheid. Als het erop aankwam, zouden ze hem niet beschermen. Als ze dat telefoonverkeer niet hadden opgepikt, zouden ze nog geen flauw idee hebben.

Terwijl hij AWOL's oren aaide, dacht hij aan Sam Cole. Kon hij haar hier iets van vertellen, en zo ja, hoeveel? Het officiële antwoord was eenvoudig: hij kon haar weinig of niets vertellen. Het officieuze antwoord was veel ingewikkelder. Hij hield er niet van mensen risico's te laten lopen zonder hun te vertellen hoe het zat. Hij zou een korte vliegreis en daarna een langere autorit vanuit Charleston hebben om erover na te denken.

Hij keek op zijn horloge. Hij had dit van tevoren geregeld. Dat moest wel, anders kon het niet gebeuren.

Hij belde het nummer, sprak met een aantal mensen en gaf de juiste antwoorden. Ten slotte kreeg hij de vertrouwde stem aan de lijn.

'Ik was verbaasd toen ze zeiden dat jij me vanavond zou bellen,' zei Robert Puller.

'Ik wilde wat bijpraten.'

'Het is laat aan de oostkust.'

'Ja, dat klopt.'

'Het gesprek wordt gevolgd,' zei zijn broer. 'Er luisteren mensen mee.' Hij veranderde van stem, ging met opzet over op een diepe bariton. 'Kun je ons goed genoeg horen, officiële meeluisteraar? Zo niet, dan willen we best wat harder praten terwijl we plannen maken voor de ondergang van de wereld.'

'Hou op, Bobby, straks kappen ze het gesprek af.'

'Dat zou kunnen, maar het gebeurt niet. Dit is het enige vertier dat ze hebben.'

'Ik ben bij hem geweest.'

Voor de gebroeders Puller was dit geen subtiele code. Er was maar één 'hem' in hun levens.

'Oké. Hoe gaat het met hem?' Roberts stem was vlug ernstig geworden.

'Nou, eigenlijk niet zo goed. Hij is dwalende.'

'Binnen en buiten de sterren?'

'Ja. Precies.'

'En verder?

'Gezond. Hij wordt honderd.'

'Wat nog meer?'

'Hij is kwaad.'

'Op wie?'

'Hij geeft iedereen de schuld van alles. Nog steeds de sterren, denk ik. Maar hij is helemaal de weg kwijt.'

Het kon Puller niet schelen of de afluisteraars begrepen dat ze het over hun vader hadden. Tenzij hun gesprekken in enig opzicht crimineel of ongepast waren, was dit telefoongesprek vertrouwelijk. En militaire carrières konden worden afgeremd of zelfs verwoest als delen van een telefoongesprek van een gedetineerde op ongeoorloofde wijze in de openbaarheid kwamen, vooral wanneer er een zwaar gedecoreerde oorlogsveteraan aan de andere kant van de lijn was.

'Laat me één keer raden,' zei Robert.

'Je hebt het goed,' zei Puller.

'Gelooft hij dat echt? De jaartallen kloppen bij lange na niet.'

'Voor zijn gevoel wel.'

Puller hoorde zijn broer een lange zucht slaken.

Puller zei: 'Ik dacht erover het je niet te vertellen.'

'Omdat het er toch niet toe doet?'

'Zoiets. Misschien had ik het je niet moeten vertellen.'

'Toch wel, klein broertje. Ik stel het op prijs.' Hij zweeg. 'Werk je aan iets interessants?'

'Ja en nee. Ja, ik werk aan iets interessants, en nee, ik kan je er niet over vertellen.'

'Nou, veel succes. Ik denk dat je het wel oplost.'

Ze praatten nog een halve minuut over koetjes en kalfjes en namen toen afscheid. Toen Puller de verbinding verbrak, keek hij nog even naar zijn telefoon en stelde zich voor dat zijn broer naar zijn cel terug werd geleid. Daar zou hij niets anders kunnen doen dan wachten tot hij de volgende dag een uur uit zijn kooi werd gelaten. Wachten op het volgende telefoontje van zijn broer. Of het volgende bezoek. Hij kon het zelf niet bepalen. Er was geen enkel aspect van zijn leven waarop hij echt invloed had.

Ik ben het enige wat hij nog heeft.

Ik ben het enige wat de oude man nog heeft.

God helpe me.

En hen.

228

·58·

De volgende morgen steeg het vliegtuig in alle vroegte op van het vliegveld Dulles om soepel het luchtruim te kiezen. Puller dronk een flesje water en keek gedurende het grootste deel van de korte vlucht uit het raam. Op een gegeven moment keek hij op zijn horloge. Bijna nul zes uur. Hij had de afgelopen nacht geprobeerd wat te slapen, maar zelfs zijn legertraining had het laten afweten, want zijn geest bleef even snel draaien als de motoren van het vliegtuig.

Ongeveer een uur later landde het vliegtuig in Charleston en haalde hij zijn Malibu van het parkeerterrein. Hij kwam op tijd voor het ontbijt in Drake aan. Hij ontmoette Cole in The Crib Room nadat hij haar onderweg had gebeld. Hij dronk nog twee koppen koffie en bestelde het grootste ontbijt dat The Crib te bieden had.

Ze keek naar hem en zag de berg voedsel verdwijnen.

'Geven ze je in de grote stad niet te eten?' vroeg ze.

Hij nam een hap eieren en pannenkoek. 'Deze keer niet. Ik weet eigenlijk niet wanneer ik voor het laatst heb gegeten. Misschien het ontbijt van gisteren.'

Ze nam een slokje van haar koffie, scheurde een stukje toast af en at het op.

'En was het een productieve trip?'

'Ja. We hebben veel om over te praten. Alleen niet hier.'

'Belangrijk?'

'Anders zou ik je tijd niet verspillen. Is hier nog iets gebeurd?'

'Ik heb het gerechtelijk bevel laten faxen.' Ze haalde papieren tevoorschijn. 'En ik heb de resultaten van het bodemonderzoek.'

Puller legde zijn vork neer en keek naar de papieren. 'En?'

'En ik ben geen wetenschapper.'

'Laat mij eens kijken.'

Ze schoof het rapport naar hem toe.

Toen hij het oppakte, zei ze: 'De eerste twee bladzijden zijn juristerij. Ze dekken zich in voor het geval hun rapport niet klopt of ze een test niet goed hebben gedaan. Als deze resultaten ooit een rol spelen in een rechtszaak, zijn ze absoluut niet aansprakelijk.'

'Dat is geruststellend,' mompelde Puller.

Hij ging naar de derde bladzijde en begon te lezen. Na een minuut zei hij: 'Ik ben ook geen wetenschapper, maar terwijl ik termen zie als apatiet, rutiel, marcasiet, galeniet, sfaleriet en dat soort dingen waarvan ik nooit heb gehoord, zie ik ook uranium, en dat ken ik beslist wel.'

'Stel je er niet te veel van voor. Er is steenkool in drieënvijftig van de vijfenvijftig county's van West Virginia, en waar steenkool is, is ook bijna altijd uranium. Maar het niveau van de radioactiviteit is laag. Mensen ademen voortdurend uraniumdeeltjes in zonder dat ze er problemen van ondervinden. En uit het aantal uraniumdeeltjes per miljoen blijkt dat het daar van nature voorkomt.'

'Weet je dat zeker? Je zei dat je geen wetenschapper bent.'

'Zo zeker als dat ik weet dat steenkool meer een gesteente dan een mineraal is. Aangezien het uit organische resten bestaat, is het strikt genomen geen echt mineraal. Het bestaat in feite uit andere mineralen.'

'Weet iedereen in West Virginia die dingen?'

'Nou, niet iedereen, maar veel mensen wel. Wat kun je anders verwachten van een staat waarvan het officiële mineraal een brok vette steenkool is?'

Hij bladerde in het rapport. 'Weten we zelfs waar dit bodemmonster vandaan komt?'

'Dat is de ellende: dat weten we niet. Het kan overal vandaan komen. Het rapport zegt daar niets over. Ze gingen er zeker van uit dat Reynolds wel wist waar hij het monster had genomen.'

'Nou, vermoedelijk komt het ergens uit Drake, want ik denk niet dat Reynolds vaak ergens anders naartoe ging als hij hier was.'

Cole speelde met een suikerzakje. Ze boog het heen en weer tot het scheurde en de witte kristallen omlaag regenden. Ze veegde ze op haar schoteltje. 'Denk je dat Reynolds aan iets werkte wat niets met Drake te maken had? Misschien komen die monsters wel uit Washington.'

'Dat denk ik niet, zeker niet na wat ik daar heb ontdekt.'

'Eet dan maar vlug je bord leeg, dan kunnen we hier weggaan en kun jij me er alles over vertellen.'

'Oké, maar we moeten langs het politiebureau. Ik moet dat bodemmonster naar een paar mensen faxen.'

Ze betaalden hun rekening en stapten in haar politiewagen, die buiten geparkeerd stond. Ze reed naar het politiebureau en Puller faxte het rapport naar Joe Mason in Washington en Kristen Craig van USACIL in Georgia.

Toen ze weer in de auto zaten, draaide Cole zich naar hem opzij. Ze droeg haar uniform, en haar wapenriem maakte die manoeuvre moeilijker dan de bedoeling was, maar blijkbaar wilde ze absoluut de confrontatie met hem aangaan.

'Voor de dag ermee, Puller. En niets weglaten.'

'Heb je een betrouwbaarheidsverklaring?'

'Ik heb je al verteld dat ik die niet heb, tenzij je het certificaatje meerekent dat ik kreeg toen ik politieagente werd. Daar zijn jullie federale types vast niet erg van onder de indruk.'

'Akkoord. Wat ik je ga vertellen, is waarschijnlijk geheim, en als ik het je vertel, kan dat me mijn baan kosten.'

'Akkoord. En ze krijgen het van mij niet te horen.'

Hij keek uit het raam. 'Dickie Strauss en zijn grote vriend zaten in The Crib naar ons te kijken.'

'Net als de rest van Drake,' voegde Cole daaraan toe.

'We moeten nog steeds uitzoeken waarom hij dezelfde tatoeage heeft als Tread-well.'

'Ja, maar op dit moment moet jij vooral je verhaal doen.'

'Ga maar rijden. Ik ben liever onderweg als ik je vertel wat ik ga doen. En ga naar het oosten.'

'Waarom?'

'Omdat je nadat je het hebt gehoord, misschien wel door wilt rijden tot je bij de zee bent.'

59

Puller deed er ongeveer een uur over. Hij stelde Cole op de hoogte van het meeste van wat hij in Washington te weten was gekomen. Hij vertelde haar wel over het belang dat het ministerie van Binnenlandse Veiligheid bij de zaak had, maar niet dat Drake in feite als lokaas werd gebruikt om een terroristische cel te pakken te krijgen die daar opereerde. Dat vertelde hij haar niet omdat Cole dan vanwege haar functie verplicht zou zijn alarm te slaan in het stadje. En dan kwam er niets meer terecht van Masons poging om de kerels te pakken te krijgen die in gecodeerd Dari met elkaar communiceerden.

Toch was Puller in de verleiding gekomen het haar juist wel te vertellen.

'Het zou mooi zijn geweest als we die dingen al veel eerder hadden gehoord,' klaagde Cole. 'Spelen ze daar altijd dit soort spelletjes?'

'Voor hen is het geen spelletje. Ze dekken zich aan alle kanten in en ze weten niet wie ze kunnen vertrouwen.'

'Ik zou het daar amper vijf seconden uithouden. Ik ben niet goed in die spelletjes.'

'Je zou van jezelf staan te kijken.'

'Nee, ik zou iemand overhoopschieten. Waar gaan we nu naartoe?'

'Naar de plaats delict. Toen ik op de terugweg in het vliegtuig zat, kreeg ik een idee.'

Lan Monroe kwam net uit het huis van de Halversons toen zij kwamen aanrijden. Er bungelde een koffertje voor bewijsmateriaal tegen een van zijn korte benen.

Hij stak zijn andere hand op en glimlachte toen ze uit de auto stapten.

'Welkom terug, Puller,' zei hij. 'Ik zie dat Washington je niet levend heeft opgevreten.'

Puller keek Cole aan en zei met gedempte stem: 'Ga je altijd zo discreet met informatie om?'

Ze keek beschaamd en zei tegen Monroe: 'Ben je daar klaar?'

'Ja. Wat mij betreft, kan het huis worden vrijgegeven.'

Ze knikte en keek naar hem terwijl hij zijn spullen in zijn auto laadde.

Puller zag de politiewagen voor het huis staan en herkende de agent die Dwayne heette. Op dat moment gooide Dwayne net een sigarettenpeuk door het open raam van zijn auto.

'Ze mogen niet roken onder diensttijd,' zei Cole, 'maar Dwayne doet erg zijn best om te stoppen, en als hij zijn dosis nicotine niet krijgt, is hij niet te genieten. Niemand weet dat zo goed als ik, en...'

Ze wilde nog iets zeggen, maar Puller was abrupt weggelopen.

'Hé,' riep ze, en toen liep ze achter hem aan.

Puller liep tussen het huis van de Halversons en dat van de buren door. Hij bleef staan en keek naar de veranda van de buren, aan de achterkant van het huis. Die was gemaakt van geïmpregneerd hout dat grijs was geworden van de zon en de elementen. Hij keek van de veranda naar het bos dat ertegenover lag. Cole kwam bij hem staan.

'Wat doe je?'

'Ik heb een openbaring.'

'Is dit het idee dat je in het vliegtuig had?'

'Nee. Dit is het idee dat ik vijf seconden geleden had.'

Hij keek naar de dikke glazen asbak op een van de verandahekken. Die lag vol met peuken. Hij vroeg zich af waarom hij daar niet eerder op had gelet.

'Wie woont er in dat huis?'

'Een oud echtpaar. Ze heten Dougett. George en Rhonda, als ik het me goed herinner. Ik heb met ze gepraat toen we het buurtonderzoek deden.'

'Wie is de roker?'

'Hij. Toen ik hem ondervroeg, hoorde ik dat hij van zijn vrouw niet in het huis mag roken en dat hij daarom die asbak op de veranda heeft staan. Waarom is het zo belangrijk dat hij rookt? Ben jij een eenmansactiegroep die de zielen wil redden van al ons arme, domme nicotineverslaafden?'

'Nee, maar die asbak staat op een veranda die uitkijkt op het bos.' Hij wees van de ene naar de andere plaats.

Cole keek in de aangewezen richting. 'Wat bedoel je?'

'Hoe oud is Dougett? De man, bedoel ik.'

'Achter in de zeventig. Slechte conditie. Te dik en te pafferig, en toen ik met ze praatte, zei hij dat hij nierproblemen had. Hij had het toch al veel over zijn gezondheid. Dat zal wel iets van oudere mensen zijn. Hun leven heeft verder niet veel inhoud.'

'Dat betekent dat hij 's nachts opstaat om te pissen en dat er dan niets uitkomt. Hij raakt gefrustreerd, kan niet slapen en gaat op de veranda zitten roken. Overdag is het daar te heet voor.'

'Waarschijnlijk. Maar hij heeft me ook verteld dat hij overdag met draaiende motor en de airco aan in de auto zit om te kunnen roken. Nou en?'

'Zijn ze nu thuis?'

'De auto staat op het pad. Ze hebben er maar een.'

'Laten we mijn idee dan op de proef stellen.'

60

Puller liep met twee treden tegelijk het trapje naar de voordeur van de Dougetts op, gevolgd door Cole. Hij klopte aan. Vier seconden later ging de deur open en stond George Dougett tegenover hen. Hij was amper een meter zestig, en aan zijn gezwollen lichaam, bleke kleur, trillende knieën en kromme rug was te zien dat hij een opeenstapeling van gezondheidsproblemen had. Hij zag eruit alsof hij elk moment dood kon neervallen, en waarschijnlijk wilde hij dat soms ook.

'Brigadier Cole,' zei hij. 'Komt u terug voor nog meer vragen?'

Hij klonk bijna verheugd. Puller nam aan dat de man een nogal saai leven leidde. Zelfs een moordonderzoek was waarschijnlijk beter dan niets anders doen dan in je auto zitten roken, wachtend tot je leven voorbij was.

'Ik ben John Puller, van de CID, de militaire recherche. Mag ik u een paar vragen stellen?' Puller haalde zijn badge tevoorschijn, en de man werd nog enthousiaster. 'Natuurlijk mag u dat.' Zijn stem klonk alsof er grind in was gestort tot het gat helemaal dichtzat. Hij hoestte zo hard dat zijn voeten bijna van de vloer kwamen.

'Die verrekte allergieën. Neemt u me niet kwalijk.' Hij snoot zijn neus in een dikke prop papieren zakdoekjes die hij in zijn ene hand had en leidde hen het huis in.

Ze volgden hem door een kort gangetje naar een kleine huiskamer met een goedkope betimmering van donker gelakte triplex. De meubelen waren veertig jaar oud en zagen daar ook naar uit. De hoogpolige vloerbedekking was zijn hoge polen allang kwijt en de glans op het meubilair was waarschijnlijk al twintig jaar geleden verdwenen. Ze gingen zitten en Dougett zei: 'Ik heb in het leger gezeten. O, dat is natuurlijk vele jaren geleden. In Korea. Geweldig land. Maar heel koud. Ik was blij dat ik hier terug was.'

'Ongetwijfeld,' zei Puller.

'Past u goed op uzelf, meneer Dougett?' vroeg Cole.

Hij glimlachte gelaten. 'Ik ben oud en dik en ik rook. Afgezien daarvan gaat het goed. Bedankt voor het vragen.' Hij keek Puller aan. 'Hé, u ziet er goed uit. Als ik u op het slagveld naar me toe zag komen, zou ik me meteen overgeven.'

'Ja, meneer,' zei Puller, die zich afvroeg hoe hij dit ging spelen. 'Ik zag dat u op de veranda achter het huis rookte.'

'Ja, mijn vrouw wil die stank niet in huis.'

'Waar is uw vrouw?' vroeg Cole.

'Nog in bed. Haar artritis wil 's morgens nog weleens lelijk opspelen. Tegen de middag komt ze eruit, net op tijd voor het eten. Word nooit oud – dat is mijn boodschap voor jullie tweeën.'

'Nou, het alternatief is ook niet zo aanlokkelijk,' zei Puller. Hij rekende terug in zijn hoofd. 'Zondagavond. Hebt u toen iets ongewoons gezien? Of gehoord? Bijvoorbeeld een schot?'

'Mijn gehoor is niet zo best meer. En zondagavond zat ik op mijn knieën voor de toiletpot. Mijn vrouw had die avond iets te eten gemaakt wat me niet goed bekwam. Dat gebeurt tegenwoordig wel vaker. Ik ben niet buiten geweest. Dat heb ik al tegen mevrouw hier gezegd toen ze me maandag vragen kwam stellen. En mijn vrouw lag in bed te slapen. Blijkbaar lag ze er niet wakker van dat ik de hele nacht zat te kotsen.'

'Oké. En maandagavond laat? Was u om ongeveer vier uur 's nachts op de veranda?'

'Ja. Ik ga laat naar bed en sta steeds eerder op. Het duurt niet lang meer of ik lig een eeuwigheid in een kist, dus waarom zou ik het beetje tijd dat ik nog over heb verspillen aan slapen? Ik ben graag 's morgens heel vroeg buiten. Dan staat er een koel briesje en ruik je de dauw op de bomen en het gras. Dat is prettig.'

'Herinnert u zich dat u toen iets ongewoons hebt gezien?'

Hij propte de papieren zakdoekjes in zijn zak en wreef zo hard over zijn kin dat het leek alsof hij hem probeerde te poetsen. Hij grijnsde en wees eerst naar Puller. 'Ik heb u gezien.' Toen wees hij naar Cole. 'En ik heb haar gezien. Op patrouille of zoiets in het bos. Dat was in de nacht van maandag op dinsdag.'

'We zochten naar iemand. Een paar minuten eerder had ik iemand door het bos zien rennen. Hebt u hem ook gezien?'

Dougett knikte al. 'Ja. Iemand rende hard. Hij wist de weg. Er is daar een pad.'

'Meneer Dougett, waarom hebt u me dat niet verteld toen ik hier de vorige keer was?' vroeg Cole geërgerd.

'Nou, niemand vroeg me ernaar. En ik wist niet dat het belangrijk was. Bovendien gebeurde het nádat u hier was en me vragen stelde. En natuurlijk wist ik niet dat het iets te maken had met wat er bij de Halversons is gebeurd.' Hij ging zachter praten. 'Had het er iets mee te maken?'

Puller zei: 'Kunt u die persoon beschrijven?'

'Het was absoluut een man. Lang, maar niet zo lang als u. Stevig gebouwd, met brede schouders. Kaal. Hij bewoog zich als iemand die jong was. Het was donker, maar er stond een beetje maanlicht. De man had littekens op zijn arm, of oude brandwonden of zoiets. Die arm was helemaal zwart uitgeslagen.'

'Dus hij droeg een shirt met korte mouwen?'

'Ja, een soort tanktopje.'

'U hebt goede ogen,' zei Cole. 'Het was nogal ver weg en het was donker, zelfs met dat maanlicht.'

'Laser,' zei George, wijzend naar zijn ogen. 'Ik ben oud en dik, maar ik heb me laten behandelen om goede ogen te krijgen. En zo ver weg was het nou ook weer niet.'

'Denkt u dat hij hier uit de buurt kwam?' vroeg Cole.

'Dat weet ik niet zeker. Zoals ik al zei, wist hij blijkbaar goed de weg in het bos. Ik zou hem er misschien uitpikken als hij op het politiebureau in een rij stond.'

'Vertel ze de rest, George.'

Ze draaiden zich alle drie om en zagen een vrouw op een scootmobiel de kamer in rijden. Ze droeg een roze ochtendjas en haar gezwollen voeten zaten in pantoffels die te klein waren. Puller zag dat ze een parelgrijze pruik droeg die korter was geknipt. Ze woog met gemak honderd kilo en zag er net zo ongezond uit als haar man, maar ondanks haar artritis stuurde ze de scootmobiel met geoefende hand door de kamer. Ze stopte vlak naast Puller.

'Ik ben Rhonda, zijn veel betere helft,' stelde ze zich voor.

Puller zei: 'John Puller, CID. Over welke "rest" hebt u het?'

George Dougett schraapte zijn keel, keek zijn vrouw behoedzaam aan en zei: 'Een paar andere dingen die ik heb gezien.'

'Die wíj hebben gezien,' verbeterde zijn vrouw. Ze keek Puller triomfantelijk aan. 'Ik keek door het raam.'

'Waarom?' vroeg Cole.

'Omdat mijn man soms buiten in slaap valt als hij zijn kankerstokken rookt. Ik kijk naar hem om er zeker van te zijn dat hij zichzelf niet in brand steekt.'

'Ik heb mezelf nooit in brand gestoken,' zei George verontwaardigd.

'Nee, omdat je een liefhebbende vrouw hebt met wie je al zesenvijftig jaar getrouwd bent en die voor je zorgt,' zei Rhonda op de toon van een ouder tegen een kind.

'En wat hebt u gezien?' vroeg Puller.

'Het was niets,' zei George nerveus.

Rhonda snoof. 'Reken maar dat het iets was.' Ze wees naar Cole. 'Ik zag die agent van u die is omgekomen.'

'Larry Wellman? Wat zag u hem doen?'

'Hij liep om het huis en keek om zich heen.'

'Hij patrouilleerde,' zei Cole. 'Dat was zijn werk.'

'Hebt u hem het huis zien binnengaan?' vroeg Puller.

'Nee.'

'Was hij alleen?' vroeg Puller.

Rhonda knikte.

'Hoe laat was het?' vroeg Cole.

'Ik zou zeggen, tussen halfeen en één uur 's nachts. George had vier kankerstokken gerookt en hij rookt ze op tot het laatste puntje.'

'Wil je nou eens ophouden ze kankerstokken te noemen?' snauwde hij.

'O, sorry, meneertje Lichtgeraakt. George had vier van zijn *doodkistspijkers* gerookt en daar is hij meestal mee bezig tot kort voor één uur 's nachts.'

George mopperde: 'Ik zit al zesenvijftig jaar met die vrouw opgescheept. Een wonder dat ik haar niet heb vermoord.'

'Gaat u verder, mevrouw,' zei Puller tegen Rhonda.

'Nou, toen ging ik naar het toilet. Nu moet George het verhaal overnemen.'

Cole zei: 'Wacht even. Heeft agent Wellman niet gezien dat u op de veranda aan het roken was?'

George schudde zijn hoofd. 'Ik lag op onze schommelbank. Die hangt met zijn achterkant naar het huis van de Halversons toe.'

'Hoe kon u dan iets zien?'

'Ik keek om de hoek van de bank. Ik kon alles zien, maar was zelf heel moeilijk te zien. En ik had mijn sigaret toen uitgedrukt.'

'Dus Wellman was aan het patrouilleren. Wat gebeurde er toen?'

'Toen moet ik in slaap zijn gevallen.'

'Zie je wel!' zei Rhonda triomfantelijk. 'Ik ging naar de plee en jij had levend kunnen verbranden. Een crematie op een koopje.'

Haar man trok een smalend gezicht. 'Ik zei net dat ik de sigaret al had uitgedrukt. En jij zou best willen dat ik mezelf cremeerde, hè? Dan kon je met mijn begrafenisgeld naar dat casino waar je zo graag komt.'

'Meneer Dougett, wilt u zich concentreren op wat u hebt gezien?' drong Cole aan.

'O, goed. Nou, ik werd wakker en het volgende wat ik zag, was dat die grote, kale man het huis uit kwam.'

'Wacht eens even. Was die kale man in het huis?' vroeg Cole. 'Dat had u nog niet verteld.'

'O nee? Nou, dan vertel ik het nu. Hij liep hard toen hij naar buiten kwam. Hij rende het bos in. Toen hoorde ik een auto stoppen. Dat was om ongeveer halfvijf. Ik weet dat nog, want ik keek op mijn horloge.'

'Dat was ik,' zei Puller. 'Ik kwam aanrijden, belde brigadier Cole en ging toen het huis in. Ik keek om me heen, trof Wellman dood aan en hoorde toen dat Cole kwam aanrijden.' Hij keek Cole aan. 'Ik zag een man het bos in rennen en liep weer naar buiten. Toen praatte ik met jou en gingen we samen achter die kerel aan.'

'Dus die kale man die uit het bos kwam, moet in het huis zijn geweest toen jij daar ook was,' zei Cole.

'Dat moet wel,' beaamde George. 'Ik zag hem wegrennen, en bijna meteen daarop hoorde ik de achterdeur opengaan en kwam u naar buiten. Ik heb niet gezien waar u toen naartoe bent gegaan.'

Puller zei: 'Ik verstopte me achter de auto die op het pad stond.'

Cole zei: 'Maar Larry's auto is meegenomen. Hoe is dat gebeurd? Wie heeft dat gedaan?' Ze keek de Dougetts aan. 'Heeft een van u daar iets van gezien?'

Ze schudden allebei hun hoofd.

George zei: 'Dat kan zijn gebeurd terwijl ik sliep.'

'En ik ben een hele tijd op de wc geweest,' zei Rhonda. 'Dat krijg je als je oud bent,' voegde ze eraan toe. 'Alles duurt langer.'

Puller zei: 'Voor de goede orde: u zag Wellman voor het laatst toen hij tussen halfeen en één uur liep te patrouilleren. Hij ging het huis niet binnen. Het volgende dat u zag, was dat Kaalkop het huis verliet vlak voordat ik aan kwam rijden. Ik heb Wellman om ongeveer vijf uur dood aangetroffen. En hij was ongeveer drie uur daarvoor vermoord, om ongeveer twee uur. Dus ongeveer een uur nadat u Wellman zag patrouilleren, en daarna viel u in slaap. Maar Kaalkop kan al in het huis zijn geweest, of hij is naar binnen gegaan toen u sliep.'

Cole merkte op: 'Kaalkop kan Larry hebben vermoord en daarna zijn gevlucht.'

Puller schudde zijn hoofd. 'Maar wat is er met de auto gebeurd? Die man is er blijkbaar niet mee weggereden. En als Kaalkop hem heeft vermoord, waarom bleef hij dan in het bos rondhangen? Waarom maakte hij niet gewoon dat hij wegkwam? Doordat hij daar rondhing, zag ik hem.'

'Het is een echte breinbreker,' merkte George op.

Puller zei: 'Hebt u erop gelet of de politiewagen weg was toen u wakker werd? Of hebt u een auto horen starten?'

'Nee en nee,' zei Dougett. 'Ik moet echt buiten westen zijn geweest.'

'Wilt u koffie en cakejes?' vroeg Rhonda.

'Het is godbetert nog ochtend, Rhonda. Wie eet er nou 's morgens cakejes?' blafte haar man.

'Ik,' zei ze nuffig.

'We hebben al gegeten,' zei Puller.

'Nou, we hopen dat we u hebben kunnen helpen,' zei George.

'Denkt u dat we in gevaar verkeren?' vroeg Rhonda. Aan haar stem was te horen dat ze dat een spannend vooruitzicht vond.

'Ik heb een pistool,' zei George grimmig.

'Je hebt er geen kogels voor,' zei zijn vrouw. 'En trouwens, je hebt er in geen jaren mee geschoten. Waarschijnlijk zou je jezelf overhoopschieten voordat je iets anders raakte.'

Cole en Puller lieten het echtpaar kibbelend achter en liepen naar de politiewagen terug.

'Wat doen we nu?' vroeg ze.

'We gaan op zoek naar Kaalkop.'

'Heb je daar ideeën over?'

'Ja.'

·61·

Toen ze door Drake terugreden, stopte Cole langs de kant van de weg. Puller zag haar ergens naar kijken en volgde haar blik.

'Roger Trent is terug,' zei hij.

Een zwarte Cadillac Escalade met goudkleurige sierstrippen stond met draaiende motor langs de stoeprand, met een man die hij nooit eerder had gezien achter het stuur. Puller keek nog eens goed naar de bestuurder. Hij nam alle relevante details in zich op, liet die observaties nog eens goed door zijn hoofd gaan en kwam tot conclusies.

Interessant.

Naast de auto stond Roger Trent. Hij had een pak aan. Puller zag dat het er verfomfaaid uitzag, alsof de man erin had geslapen. Hij had het portier van de auto opengemaakt en stond op het punt om in te stappen.

'Zo te zien is hij net uit het vliegtuig gekomen,' merkte Puller op. 'Laten we een praatje met hem maken.'

Ze stopten naast de Escalade en Puller draaide zijn raampje open. 'Hé, Roger, heb je tijd voor een kop koffie in The Crib?'

Trent keek Puller kwaad aan en richtte zijn blik toen op Cole. 'Ik heb daar net een kop koffie gehad.'

'We hebben het een en ander met je te bespreken. Het duurt niet lang.'

'Gaat het over die doodsbedreigingen?'

'Ja.'

'Ik geef jullie tien minuten.' Hij draaide zich om en liep het restaurant in.

Even later zaten Puller en Cole tegenover hem. Ze bestelden koffie. Het restaurant zat voor driekwart vol en iedereen wierp nerveuze blikken op het trio.

Puller zag dat en zei: 'Kom je hier vaak? Ik begrijp dat je de eigenaar bent.'

'Ik ben eigenaar van zo ongeveer alles in Drake. Nou en?'

Puller liet zijn blik over het verkreukelde pak van de man gaan. 'Ben je net in de stad terug?'

'Opnieuw ja, nou en?' Hij keek Cole scherp aan. 'Ik dacht dat jullie met me over die doodsbedreigingen wilden praten.'

'Daar zijn we mee bezig, Roger.'

'Ja ja. Nou, misschien moeten jullie wat dichter bij huis kijken. Net als de vorige keer.'

'Dat heb ik gedaan. En het lijkt me niet de bron. Dat wilde ik je laten weten.'

'Ik weet niet of jij de meest objectieve persoon bent om die beslissing te nemen.'

'We denken dat de moord op Molly Bitner iets te maken heeft met het feit dat ze op jouw kantoor werkte, Roger,' zei Puller.

Die woorden leverden hem een scherpe blik van Cole op, maar die ontging Trent. Hij keek Puller aan.

'En waarom denken jullie dat?'

'Bodemrapporten.'

'Ik weet niet wat je bedoelt. Wat voor bodemrapporten?'

'Je weet wel. Voor het milieu.'

'Ik begrijp het nog steeds niet.'

'Eric Treadwell en Dickie Strauss waren vrienden. Wist je dat?'

'Nee, dat wist ik niet.'

'Ze hebben dezelfde tatoeages op hun arm. Dickie zei dat hij ze heeft gekopieerd van die van Eric.'

'Wat heb ik met dat alles te maken?'

'Dat weet ik niet precies, Roger,' zei Puller. Hij nam een slok koffie en keek aandachtig naar de man. 'Hoe is je reis naar New York verlopen?'

Trent keek geschrokken. 'Hoe wist jij dat ik daarheen ging?'

'Bill Strauss heeft het ons verteld. Hij wilde ons niet vertellen waarom, maar hij zei wel dat je onderneming erg winstgevend was en dat er overal mogelijkheden waren om te investeren.'

Trent wendde zijn ogen af en Puller zag dat de linkerhand van de man enigszins begon te trillen.

'Iedereen heeft energie nodig,' voegde Puller eraan toe.

'Ja,' zei Trent kortaf. 'Zijn we nu klaar? Want het is duidelijk dat jullie me niets nuttigs te zeggen hebben.'

Cole keek Puller aan. Hij zei: 'Ja, we zijn klaar. Waarschijnlijk kun je het beste naar huis gaan om te slapen. Je ziet er doodmoe uit.'

'Dank je voor je goede zorgen,' snauwde Trent.

Toen de andere man opstond, deed Puller dat ook. Hij kwam dichterbij en zei met gedempte stem: 'Ik zou die doodsbedreigingen maar serieus nemen, Roger. Maar misschien niet om de reden die jij denkt.'

Trent werd een beetje bleker, draaide zich om en liep weg. Even later zette de Escalade zich bulderend in beweging.

Toen Cole en Puller naar buiten liepen, vroeg ze: 'Waar ging dat precies over?'

'Die man is bang. Om een heleboel redenen. Persoonlijke. Zakelijke. Waarom denk je dat hij bang is? Hij heeft de hele stad in zijn bezit. Een grote vis in een kleine vijver.'

'Ik weet het niet,' zei Cole.

'Een grote vis in een kleine vijver,' herhaalde Puller.

Cole begreep het. 'Er is een grotere vis in de stad.'

'Dat zou kunnen.'

'Wie?'

'Laten we Kaalkop gaan zoeken.'

'Hoe? Je zei dat je een idee had.'

'Laat me het anders stellen. Laten we Dickie Strauss gaan zoeken.'

'Denk je dat hij degene is die Dougett uit het huis zag wegrennen?'

'Hij voldoet aan het signalement. Brandwonden op zijn arm? Zijn hele arm zit onder die tatoeages. En als het Dickie niet was, was het misschien iemand anders uit zijn tatoeageclubje.'

'Er zijn geen bendes in Drake, Puller.'

'Niet dat jij weet,' verbeterde hij.

'Waarom zou Dickie Strauss in dat huis zijn geweest? En als hij er was, moet hij Larry Wellman hebben vermoord. Waarom zou hij dat doen?'

'Dat hoeft niet.'

'Wat bedoel je? Ze waren allebei in het huis en aan het eind was Larry dood. Iemand moet hem hebben vermoord. Hij heeft zichzelf niet opgehangen.'

'Mee eens,' zei hij.

'Dus wat bedoel je?'

'Laten we Dickie gaan zoeken in plaats van te kibbelen. Enig idee waar hij zou kunnen zijn?'

Ze zette de auto in de versnelling. 'Ja.'

'Waar?'

'Dat zie je wel als we er zijn. Ik kan ook dingen voor me houden.'

De betonnen koepel. Puller keek er in het voorbijgaan naar.

'Misschien moet Drake daar een toeristische attractie van maken,' zei hij.

'Ja, dat zou veel volk trekken. Voor een dollar naar beton kijken,' zei Cole.

Ze reed een straat in en ze kwamen in de buurt waar ooit personeelsleden van het overheidscomplex hadden gewoond. Ze reden langs leegstaande, vervallen huizen, en langs huizen die door bewoners enigszins leefbaar waren gemaakt. Puller keek naar kleine kinderen met vuile gezichten en magere moeders die achter hen aan draafden. Hij zag niet veel mannen, maar nam aan dat die naar hun werk waren.

Hij snoof de lucht op. 'Ruikt lekker.'

'We proberen ze over te halen hun vuilnis naar de stortplaats te brengen, maar dat is onbegonnen werk. En de wc's in die huizen doen het al een hele tijd niet meer. De meesten hebben privaten of zoiets gebouwd.'

'Een leuk leven voor burgers van het rijkste land ter wereld.'

'Nou, die rijkdom moet dan in handen zijn van een kleine groep mensen, want wij hebben er niets van.'

'Dat is zo,' zei Puller. 'Bijvoorbeeld in handen van je zwager.' Hij keek om zich heen. 'Dat zijn masten van elektriciteitsleidingen, maar die transformatoren lijken me niet meer in werking.'

'De mensen hier probeerden illegaal stroom af te tappen en werden geëlektrocuteerd. We hebben het elektriciteitsbedrijf dit deel van het net laten afsluiten.' Ze wees naar een telefoonpaal waarvan een kabel naar de grond liep en naar een paar van de huizen leidde.

'Zoals je kunt zien, worden de telefoonlijnen door de mensen hier afgetapt. We laten dat maar zo. Ze hebben hier niet allemaal geld voor een mobiele telefoon, maar op deze manier kunnen ze nog wel met anderen praten. Het telefoonbedrijf vindt het goed. Tegenwoordig hebben steeds meer mensen helemaal geen vaste telefoon meer. Die telefoonbedrijven verdienen hun geld aan mobieltjes, dataverkeer en dat soort dingen.'

Cole wees naar voren. 'Daar is onze bestemming.'

Het gebouw stond aan het eind van de straat en was veel groter dan de andere huizen. Puller keek naar de zware roldeuren. Die waren rood, al was de verf grotendeels afgebladderd.

Puller besefte waar hij naar keek. 'Een brandweergebouw?'

'Vroeger wel. Het is daar niet meer voor gebruikt sinds ze die koepel over het complex heen hebben gebouwd. Tenminste, dat heb ik als kind gehoord.'

'Waar gebruiken ze het tegenwoordig voor?'

Het volgende moment hoorde Puller een motor starten. Eigenlijk waren het meer motoren.

'De Harley Club,' zei Cole. 'Daar is Dickie Strauss lid van. Ze noemen het Xanadu. Sommigen van hen weten misschien niet eens wat dat betekent. In elk geval helpt de club de meeste jongens om niet in de problemen te komen.'

'En Treadwell ook? Die had een Harley. Komt die tatoeage daarvandaan?'

'Ik weet niet hoe het met die tatoeage zit. En nee, niet iedereen in de club heeft er een.'

'Maar het zou leuk zijn geweest om te weten dat Dickie en Treadwell lid waren van dezelfde club.'

'We hebben nog maar net ontdckt dat Dickie misschien degene was die uit het huis van de Halversons wegrende. Tot dan toe had ik geen reden om te vermoeden dat hij met de zaak te maken had.'

'Maar misschien had de motorclub iets met Treadwells dood te maken.'

'Het is een club, Puller, geen bende. De meeste leden zijn oudere mannen. Ze hebben een gezin en rekeningen te betalen.'

Ze stopte voor het oude brandweergebouw en ze stapten uit. Door de deuropening zag Puller een oude brandweerwagen met vergane wielen in een hoek staan, met de te verwachten glijstang daarachter. Aan beide kanten van de muur stonden houten kasten, en er lagen stapels met oud brandweermaterieel.

In de andere hoek stonden zes oude Harleys. Puller telde vijf mannen binnen. Twee van hen zaten op hun Harleys en lieten ze ronken, terwijl de anderen aan hun machines sleutelden.

'Waarom zijn die kerels niet naar hun werk?'

'Waarschijnlijk omdat ze geen baan kunnen vinden.'

'En dus hangen ze hier maar wat rond en spelen met hun dure motoren?'

'De meeste van die motoren zijn twintig jaar oud, Puller. Niemand speelt ergens mee. Ik ken de meesten van die mannen. Ze werken hard. Maar als er geen werk is, wat moet je dan doen? De werkloosheid ligt in deze county op bijna twintig procent, en dan heb je het over mensen die nog op zoek zijn. Veel mensen hebben het gewoon opgegeven.'

'Laten ze hun motoren hier staan?'

'Soms. Hoezo?'

'Je zei dat de mensen die hier wonen alles stelen wat los- en vastzit.'

'Ja, maar ze blijven van de spullen van de motorclub af.'

'Waarom?'

'Omdat de clubleden hen helpen.'

'Hoe?'

'Ze zamelen eten en dekens in en nemen soms mannen in dienst als ze werk voor hen hebben. De meeste clubleden hebben een vak geleerd: monteur, loodgieter, elektricien, timmerman. Zoals ik al zei: harde werkers. Ze repareren dingen voor de mensen die hier wonen en brengen daarvoor niets in rekening.'

'Een stel barmhartige Samaritanen.'

'Die hebben we hier in Drake ook.'

'Ik heb nooit gezegd dat ze er niet waren.'

Ze liepen over het pad van gebarsten beton naar de voorkant van het vroegere brandweergebouw. Sommige mannen keken op. Puller zag Dickie Strauss uit een achterkamer komen. Dickie bleef staan en keek naar hen. Hij veegde zijn vettige handen af aan een lap.

Cole zei: 'Hé, Dickie, we willen even met je praten.'

Dickie draaide zich om en rende naar de achterkant van het gebouw.

'Hé,' riep Cole. 'Stop! We willen alleen maar praten.'

Puller was al naar voren gekomen, het gebouw in.

Twee mannen die aan hun Harleys hadden gewerkt, versperden Puller de weg. Ze waren allebei groot en breed, ouder dan Puller, met gekleurde doeken om hun hoofd geknoopt en overdreven zelfverzekerde gezichten. Ze hadden handen als kolenschoppen, en aan de spierbundels in hun onderarmen was te zien dat ze zwaar lichamelijk werk verrichtten om de kost te verdienen.

Puller hield zijn badge omhoog. 'Uit de weg. Nu.'

Een van de mannen zei: 'Dit is privébezit. Heb je een huiszoekingsbevel?'

'Laat hem door,' zei Cole.

Puller keek tegelijk naar de vluchtende Dickie en de voorste man met de doek om zijn hoofd.

'Ik moet met hem praten,' zei Puller. 'Alleen maar praten.'

'En ik hoef alleen maar je huiszoekingsbevel te zien.'

'Dit gebouw staat leeg.'

'Ziet het eruit alsof het leegstaat, goochem?' vroeg de andere man.

Cole wilde net haar pistool trekken toen de man met de doek om zijn hoofd zijn hand op Pullers schouder legde. Een seconde later lag hij op zijn buik op de betonvloer. Aan zijn verbijsterde gezicht was te zien dat hij geen idee had hoe hij daar gekomen was. De andere man gaf een schreeuw en haalde uit naar Puller. Die greep de arm van de man vast, trok hem omlaag en draaide hem om, en meteen daarop lag de man naast zijn vriend op het beton. Toen ze overeind probeerden te komen, zei Puller: 'Als jullie dat doen, sla ik jullie allebei het ziekenhuis in. Maar van mij hoeft dat niet.'

Beide mannen lieten zich weer zakken en bleven liggen.

Puller had zich net opgericht toen Dickies kolossale vriend Frank vanuit een donkere hoek van het gebouw op hem af stormde. Zijn neus zat in het verband en hij had twee blauwe ogen van de kopstoot die Puller hem eerder had gegeven. Hij hield een lange plank in zijn handen.

'Die had je nog tegoed,' snauwde Frank.

Hij wilde de plank net tegen Pullers hoofd laten zwaaien toen de kogel langs hem floot en een stuk plank meenam. Door de schok vloog het hout uit Franks handen.

Frank, Puller en de andere Harley-mannen keken naar Cole. Haar Cobra was nu op Franks kruis gericht.

'De keus is aan jou,' zei Cole. 'Wil je kinderen of niet?'

Frank deinsde terug, zijn handen beschermend over zijn edele delen.

Puller rende hen voorbij en vloog de achterdeur uit.

De crossmotor vloog de hoek om en recht op hem af. Dickie had de tijd genomen om een helm op te zetten, anders zou Puller niet hebben gedaan wat hij nu ging doen.

Hij trok zijn voorste M11, richtte twee seconden en schoot de achterband kapot. De motor gleed opzij, Dickie viel eraf en de motor kwam ongeveer zeven meter bij hem vandaan met draaiende wielen tot stilstand.

Even later werd Dickie door Puller overeind getrokken.

'Je had me kunnen vermoorden,' schreeuwde Dickie.

'Als ik je voorband had kapotgeschoten, zou je naar voren zijn gevlogen en op je kop terecht zijn gekomen. Nu heb je alleen je kont bezeerd. Hoewel ik in jouw geval niet veel verschil zie tussen dat lichaamsdeel en je hersenen, als je die al hebt.'

Cole kwam vlug naar hen toe en stak haar Cobra in de holster. Ze keek Dickie fel aan. 'Ben je gek geworden? Wat was dat voor een idiote stunt?'

'Ik raakte in paniek,' jengelde Dickie.

'Zat je echt bij de infanterie?' vroeg Puller. 'Want de Eerste Divisie houdt er nogal strenge normen op na. Volgens mij zouden ze zo'n oetlul als jij nooit in hun gelederen opnemen.'

'Rot toch op!' snauwde Dickie.

'Dan kun jij oprotten naar de gevangenis,' snauwde Cole terug.

'Waarvoor?'

'Bijvoorbeeld voor een poging tot doodslag op een federaal agent,' zei Puller. 'Daarvoor zit je in de bak tot je van middelbare leeftijd bent.'

'Ik heb niet geprobeerd je te doden.'

'Hoe zou jij het dan noemen dat je me met je motor probeerde te overrijden?'

'Jij probeerde mij te doden,' wierp Dickie tegen. Hij keek Cole woedend aan. 'Hij schoot mijn band kapot. Dat had mijn dood kunnen worden.'

'Daar heb je hem vast een verdomd goede reden voor gegeven. Nou, vertel me maar eens waarom je er zo hard vandoor ging. We wilden alleen maar met je praten.'

'Die kerel heeft Frank al in elkaar geslagen. Ik wilde niet dat hij achter me aan ging. Het is een psychopaat.'

Cole zei: 'Dat is onzin, en dat weet je zelf ook wel. Waarom ging je ervandoor, Dickie?'

De jongeman zei niets. Hij keek alleen maar naar de grond. Zijn borst ging op en neer en er zat bloed op de elleboog waarmee hij op de grond was gevallen.

'Oké, jij je zin.' Cole deed hem handboeien om en las hem zijn rechten voor.

'Reken maar dat mijn vader hier kwaad om is.'

'Vast en zeker,' zei Cole. 'Dat is jouw probleem. Maar als je praat, krijg je het niet zo moeilijk.'

'Ik zeg helemaal niks. Ik wil een advocaat. Dit is gelul. Mijn vader procedeert jullie kapot.'

'Heb jij agent Wellman vermoord?' vroeg Puller. 'Dat komt je geheid op levenslang te staan. Jammer dat West Virginia de doodstraf niet heeft.'

Dickies gezicht trok zich samen en de woede spoot uit hem weg alsof er een slagader was gesprongen.

Puller ging verder: 'En als we je nou eens vertelden dat we een ooggetuige hebben die zegt dat je bij de Halversons was rond de tijd dat agent Wellman werd vermoord? En die jou toen zag wegrennen van dat huis?'

Toen hij sprak, was Dickies stem zo zacht dat ze hem nauwelijks konden horen.

'Dat is niet... Diegene is gestoord.' Er zat niets achter die woorden. Dickie keek alsof hij moest overgeven.

Puller zei: 'Wat jij wilt. Maar er is die ooggetuige, en verder durf ik te wedden dat je iets in dat huis hebt aangeraakt. We nemen vingerafdrukken en DNA-monsters van je. We hebben onbekende sporen op de plaats van het misdrijf gevonden en ik heb het gevoel dat ze van jou zijn. Als we dat hebben geconstateerd, kun je dag met je handje zeggen tegen de rest van je leven.'

Cole voegde daaraan toe: 'En door die stomme stunt van jou hebben we nu een gerede aanleiding om die vingerafdrukken en monsters te nemen.'

'En die hoeven we niet eens van jou te krijgen. Omdat je in het leger hebt gezeten, zitten je afdrukken en DNA in het dossier,' zei Puller.

'Die mogen jullie niet gebruiken voor een rechercheonderzoek,' zei Dickie. 'Alleen om een lijk te identificeren.'

Puller glimlachte. 'Dus dat ben je nagegaan? Interessant.'

Dickies gezicht kreeg de kleur van vanille. 'Ik heb niemand vermoord.'

'Maar je was in het huis?' zei Puller.

Dickie keek om zich heen. De Harley-mannen stonden bij de achterkant van het brandweergebouw naar hen te kijken. Vooral Frank en de twee die door

Puller waren gevloerd, keken moorddadig, maar ze maakten geen aanstalten om op hen af te gaan.

'Kunnen we hierover praten op een plaats met meer privacy?' vroeg Dickie.

'Dat zijn je eerste verstandige woorden sinds ik je heb leren kennen,' antwoordde Puller.

·63·

Dickie zat op de achterbank van Coles politiewagen, met Puller naast hem. De jongere man staarde uit het raam en keek alsof hij naar zijn executie werd gebracht. Puller bestudeerde hem, probeerde zijn gedachten te doorgronden. Hij had hem vragen kunnen stellen, maar deed dat niet. Hij wilde dat Dickie nu nadacht. Een schuldig persoon zou deze tijd gebruiken om een web van leugens uit te denken waarmee hij zijn misdrijven probeerde te camoufleren. Een onschuldige zou gespannen zijn, bang dat zijn woorden zouden worden verdraaid. Hij zou zich afvragen hoe hij zijn onschuld het best tot uiting kon brengen. Iemand die in sommige opzichten onschuldig en in andere opzichten schuldig was, zou ingewikkelder gedachten hebben. Puller geloofde dat Dickie Strauss tot die laatste categorie behoorde.

Cole riep vanaf de voorbank: 'Als we je naar het politiebureau brengen, weet iedereen in de stad het binnen vijf seconden.'

'Kunnen we dan ergens anders naartoe gaan?'

'Wat zou je zeggen van mijn motelkamer?' vroeg Puller. 'Je weet toch waar dat is? Je hebt me toch in de gaten gehouden?'

'Mij best,' zei Dickie met doffe stem.

Ze kwamen bij het motel. Zonder dat Dickie het kon zien constateerde Puller dat al zijn verklikkers nog op hun plaats zaten, al kon hij aan Coles gezicht zien dat ze wist wat hij deed.

Dickie ging op het bed zitten, Cole in de stoel tegenover hem. Ze had de handboeien afgedaan. Puller stond met zijn rug tegen de muur.

'Ik hoorde dat je Louisa hebt geholpen,' begon Dickie. 'Dat was goed van je.'

'Ja, nou, ze is evengoed doodgegaan. Ik heb haar als barmhartige Samaritaan dus niet kunnen redden. Maar het gaat nu om jou, Dickie.'

'Hoeveel van dit alles moet in de openbaarheid komen?' vroeg hij.

'Het hangt ervan af wat het is,' antwoordde Cole. 'Als je Larry hebt vermoord, komt alles in de openbaarheid.'

'Zoals ik al zei: ik heb niemand vermoord.' Dickies handen waren tot vuisten gebald. Hij leek net een kleine jongen, maar dan wel met een arm vol tatoeages. Puller verwachtte min of meer dat hij in een driftbui over de vloer zou gaan rollen.

'Nou, je begrijpt wel dat we je niet gewoon op je woord kunnen geloven,' zei Cole. 'Je moet het ons bewijzen.'

Dickie keek Puller aan. 'Heb je mijn ontslagpapieren nog ingekeken?'

Puller schudde zijn hoofd.

'Zoals ik al zei: het leger en ik konden niet met elkaar opschieten. Maar dat had niets te maken met mijn capaciteiten. Ik was een goede soldaat. Er was niets op mij aan te merken. Ik zou mijn hele termijn hebben uitgediend, als dat had gekund. Ik vond het daar prettig. Ik mocht mijn maten graag. Ik wilde mijn land dienen. Maar het was niet mijn keuze. Ze wilden mijn soort niet.'

Puller dacht daarover na. Toen hij in het gezicht van de jongeman keek, kwam het antwoord bij hem op.

'Niet vragen, niet vertellen,' zei Puller.

Dickie sloeg zijn blik neer. Hij knikte.

'Het beleid van het leger ten aanzien van homo's?' vroeg Cole, die Puller nu aankeek.

Puller zei: 'Ja. *Don't ask, don't tell.* Je mag best blijven zolang je het geheim-houdt. Jij vertelt het niet en zij vragen er niet naar. Maar als het uitkomt, moet je weg.' Hij keek Dickie aan. 'Wat gebeurde er?'

'Iemand heeft me verlinkt. En er waren foto's van mij en een paar vrienden. Ach, tegenwoordig zou het nog geen vijf views op YouTube krijgen. Maar in die tijd kon dat het leger niet schelen.'

'Je vloog eruit?'

'Van de ene op de andere dag. Ze zeiden dat het slecht met me zou aflopen als ik het ontslag niet accepteerde.'

'Dat kan ik geloven.'

'Weet je vader dat je homo bent?' vroeg Cole.

Dickie glimlachte bitter. 'Waarom denk je dat ik bij het leger ben gegaan? Mijn vader dacht dat het me zou "genezen".'

'Oké, dus je bent homo,' zei Puller. 'Dat is jouw zaak en het is beslist geen mis-drijf.'

'Voor sommige mensen wel. Vooral hier in de buurt.'

'Nou, wij horen niet bij die sommige mensen,' zei Cole.

Puller zei: 'Laten we het weer over agent Wellman hebben. Waarom was je in het huis?'

'Larry en ik waren vrienden.'

Cole leunde op haar stoel achterover en zette grote ogen op. 'Jullie gingen daar toch niet naar binnen om...? Larry had een vrouw en kinderen. En het was nog een plaats delict ook.'

Dickie zei vlug: 'Zo was het niet. We hebben als tieners wat gerommeld, maar Larry was hetero. We gingen niet naar binnen om seks te hebben.'

'Waarom gingen jullie dan wel naar binnen?' wilde Cole weten.

Dickie wreef nerveus in zijn handen. Puller zag het zweet op zijn huid, en dat kwam niet alleen doordat de airconditioning van de motelkamer niets meer deed dan hete lucht van de ene naar de andere kant van de kamer verplaatsen.

'Ik wilde alleen zien wat er was gebeurd.'

'Waarom?'

'Er waren mensen vermoord. Ik wilde het zien.'

'En Wellman liet je in het huis?' zei Cole. 'Dat geloof ik niet.'

'Dat deed hij ook niet.'

Cole keek verbaasd. 'Dan kan ik het niet helemaal volgen. Haal even diep adem en begin opnieuw.'

'Ik belde hem, zei tegen hem dat ik alleen maar even wilde kijken. Ik kon merken dat hij het niet wilde.'

'Natuurlijk niet,' snauwde Cole. 'Het zou hem zijn baan hebben gekost als ik erachter was gekomen. Als jij daarbinnen was, raakte de plaats delict besmet.'

'Maar was hij van plan je binnen te laten?' vroeg Puller.

'Hij zei dat ik daarheen kon komen. Misschien kon hij me dan een paar dingen laten zien die ze hadden gevonden. Foto's.'

'Dit is ongelooflijk,' zei Cole.

Puller stak zijn hand op en keek de man recht aan. 'Ga verder, Dickie.'

'En dus ging ik daarheen.'

'En toen heb je hem vermoord?' vroeg Cole.

'Ik heb al gezegd dat ik hem níét heb vermoord.'

'Wat gebeurde er toen?'

'Hij was er niet. Ik bedoel, zijn auto was weg. Ik dacht dat hij misschien ziek was geworden of niet meer durfde. Maar toen dacht ik: je mag een plaats van een misdrijf niet zomaar onbewaakt achterlaten. Ik kijk naar *Law and Order* en *NCIS*. Ik weet die dingen.'

'Ja. Je hebt gelijk. Dat mag niet,' zei Puller. 'Dus wat deed je toen?'

'Ik probeerde hem op zijn mobieltje te bellen, maar hij nam niet op.'

'Hoe laat was dat precies?' vroeg Puller.

'Ik weet het niet precies. Misschien om een uur of vier.'

'Ga verder.'

'Ik ging naar de achterkant van het huis. De deur daar stond op een kier en ik maakte hem wat verder open. Ik riep, want misschien was Larry om de een of andere reden naar binnen gegaan. Ik kreeg geen antwoord. Ik was bang.'

'Maar je ging toch naar binnen. Waarom?' vroeg Puller.

'Ik dacht dat Larry misschien iets was overkomen. Hij zei dat ik kon komen en toen was hij er niet. Ik maakte me zorgen om hem.'

'Onzin. Je wilde de lijken zien.'

Dickie keek met een kwaad gezicht naar hem op, maar toen ontspande hij. 'Je hebt gelijk. Dat is zo. Ik dacht dat Larry misschien voor iets anders was weggeroepen. Hoe het ook zij, ik ging naar binnen.' Hij bleef staan. Het laatste restje kleur trok uit zijn gezicht weg.

'Je hebt ze gezien,' zei Puller.

Dickie knikte langzaam. 'Ik zal ze in mijn dromen, in mijn nachtmerries, blijven zien tot ik doodga.'

'Heel poëtisch,' zei Cole sarcastisch.

'Wat deed je toen?' vroeg Puller.

'Ik wilde weggaan. Maar toen hoorde ik iets. Iets in de kelder.'

'Wat voor geluid was dat?' Puller was meteen gespannen. Er hing veel van dit antwoord af.

'Er piepte iets, alsof iemand iets uitrekte.'

Puller ontspande. 'Oké. En toen?'

'Ik had mijn mes bij me. Ik riep langs de trap omlaag. Ik dacht dat het misschien Larry was. Ik wilde niet dat hij op me schoot. Er kwam geen antwoord.'

Cole zei ongelovig: 'Dus je ging midden in de nacht naar een kelder in een huis vol doden omdat je een geluid had gehoord? Weet je, je zou niet alleen naar die misdaadseries moeten kijken, maar ook naar een paar films als *Halloween* en *Friday the 13th*. Je gaat zo'n kelder niet in, Dickie.'

'Maar jij deed het toch,' zei Puller. 'Wat gebeurde er toen?'

'Toen zag ik hem. Larry. Hij hing daar.'

'Heb je gecontroleerd of hij dood was?' vroeg Cole. 'Of ben je meteen van hem weg gerend en liet je hem gewoon hangen?'

'Hij was dood,' zei Dickie. 'Ik heb doden gezien toen ik in het leger zat. Ik voelde zijn pols en keek naar zijn ogen.' Hij zweeg even en kon toen moeizaam uitbrengen: 'Hij was dood.'

'En wat toen?' vroeg Puller.

'Ik maakte dat ik daar weg kwam. Ik rende door de achterdeur naar buiten.'

'En toen rende je gewoon door?' Puller was weer gespannen.

Dickie slaakte een zucht. 'Nee. Ik... ik hield op met rennen. Ik dacht dat ik moest kotsen. Ik hurkte neer in het bos. Een minuut of tien, denk ik. Kreeg mezelf weer in bedwang. Toen hoorde ik een auto stoppen. Ik dacht dat het misschien de politie was. Of...'

Puller zei: 'Of Larry's moordenaar die terugkwam?'

Dickie knikte. 'In dat geval wilde ik die schoft zien. Dan kon ik de politie over hem vertellen.'

'Of haar,' zei Cole. 'Het kan een vrouw zijn geweest.'

Dickie wees naar Puller. 'Maar jij was het. Ik zag je naar binnen gaan. Ik wist niet wie je was, maar toen zag ik je jasje. De CID. Ik wist wat dat was. Larry had me verteld dat de dode een legerofficier was. Dat verklaarde waarom jij daar was.'

'En toen?' vroeg Puller.

'Even later hoorde ik weer een auto stoppen.' Hij wees naar Cole. 'Dat was jij. Toen ben ik ervandoor gegaan.'

251

'En toen zag ik jou door het raam,' zei Puller. Hij keek Cole aan. 'Het verhaal komt overeen met wat we weten.'

Ze knikte en keek Dickie kwaad aan. 'Het zou mooi zijn geweest als we dit eerder hadden geweten. Ik zou je moeten arresteren voor het achterhouden van belangrijk bewijsmateriaal.'

'En voor pure stomheid,' voegde Puller eraan toe. 'Waren jij en Eric vrienden?'

'Ik kende hem. Hij was lid van Xanadu.' Hij hield zijn arm omhoog. 'Ik heb je al verteld dat ik net zulke tatoeages op mijn arm heb als hij.'

'Toen je die nacht het huis van de Halversons binnenging, wist je toen dat Eric en Molly dood aan de overkant lagen?'

'Natuurlijk niet.'

Puller liet dat antwoord in de lucht hangen.

'Maar ik maakte me wel zorgen om hem.'

'Waarom?' vroeg Puller.

'Dingen.'

'Hebben die dingen een naam?'

Dickie haalde zijn schouders op. 'Niet dat ik weet.'

'Enige reden waarom Eric en Molly een bodemonderzoek wilden laten doen?' vroeg Cole.

'Een bodemmonster? Nee, ik zou niet weten waarom.'

'En een methamfetaminelab?' vroeg Puller. 'Weet je daar "dingen" over?'

'Eric gebruikte geen methamfetamine.'

'Oké, maar maakte hij het spul om het te verkopen? Dat is de vraag waar het om draait.'

Dickie gaf niet meteen antwoord. 'Ik denk dat ik een advocaat nodig heb.'

'Denk je dat of weet je dat?' vroeg Puller, terwijl Cole hem behoedzaam aankeek. Puller maakte zich los van de muur en kwam bij Dickie staan. 'Laten we dit intelligent bekijken, Dickie. Laten we eens nagaan welke gevolgen dit voor jou heeft. Heb je een paar minuten om dat met mij te doen?'

Cole zei: 'Puller, hij zei dat hij een advocaat...'

Puller wierp haar een blik toe en ze hield haar mond. Hij wendde zich weer tot Dickie en legde zijn hand op zijn schouder. 'Luister nou maar even naar me, Dickie. Wat heb je te verliezen? Het leger heeft je eruit geschopt. Ze stonden niet toe dat je je land diende, terwijl ik weet dat je dat wilde. Dit is een tweede kans voor jou om iets voor je land te doen.'

'Ik luister,' mompelde Dickie.

Puller trok met zijn rechterhand een stoel bij, draaide hem om en zette hem recht tegenover Dickie neer. Toen Puller erop ging zitten, kwamen zijn knieën bijna tegen die van de andere man aan.

'Ik zal je een paar dingen vertellen die heel geheim zijn, Dickie, maar in ruil daarvoor wil ik van jou ook iets horen. Je bent toch vaderlandslievend? Je wilt je land helpen?'

'Net als iedereen. Ik zou nog in het leger zitten als ze me dat niet hadden geflikt.'

'Dat weet ik. Ik begrijp het. Ik heb met homo's en hetero's gediend. Het maakte mij niet uit, zolang ze het doelwit maar raakten waarop ze schoten en me dekking gaven als ik dat nodig had.'

Dickie keek nu minder gespannen. 'Wat is er aan de hand?'

'Er komen moeilijkheden naar Drake. Eigenlijk zijn ze er al. Al die mensen zijn dood. Sommigen van hen waren vrienden van je.'

'Dat weet ik. Dat weet ik, man.'

'Maar het zijn niet alleen die mensen. De federale diensten denken dat er iets groots op komst is. Iets heel groots.'

'Hier in Drake?' zei Cole, geschokt door dit nieuws.

'Wat bedoel je met groot?' vroeg Dickie.

'Als ik dat wist, zou het niet zo'n probleem zijn. Maar ik weet het niet. En als dat zo blijft, kunnen we het allemaal wel schudden. Dat zie je toch wel in?'

Dickie knikte. 'Ja, ik denk van wel.'

'Ik wist wel dat je slim was. Gemechaniseerde jongens moeten allemaal slim zijn. Jullie moeten veel onthouden, met al dat materieel dat jullie bij je hebben. Ik hoefde alleen maar om mijn geweer en mijn persoonlijke spullen te denken. Jullie reden rond in pantserwagens van dertig ton.'

'Nou en of. Ik reed in de Bradley. En zelfs in die verrekte Abrams. En ik was goed.'

'Dat wil ik wel geloven. Een verlies voor het leger. Dat voorschrift over homoseksualiteit was toch al grote onzin.'

'Zeg dat wel,' beaamde Dickie.

'Dus er is iets groots op komst. Mensen dood, puzzelstukjes die niet bij elkaar passen. Vreemde telefoongesprekken vanuit Drake, opgevangen door federale oren. Nu wil ik van jou een beetje HUMINT. Je weet toch wat dat is?'

'Ja. *Human intelligence*. Informatie uit menselijke bronnen.'

'Hier in Drake tussen de mensen. Jij weet dingen. Jij kent mensen. Je kent mensen die Eric en Molly hebben gekend. Je vader werkt voor Trent.'

'Denk je dat Roger Trent hierbij betrokken is?' zei Dickie op scherpe toon.

'Ik weet niet wie erbij betrokken zijn en wie niet. Daarom heb ik jouw hulp nodig. Wil je het doen?'

'Wat wil je dat ik doe?'

'Luisteren. Hier en daar naartoe gaan. Met mensen praten. Nog meer luisteren. Doe het niet te opvallend. Ga niet voor detective spelen. Ik wil dat je doet wat je anders ook doet, maar dan op een andere manier. Luisteren, goed opletten. Als iets vreemd lijkt, onthoud het dan en neem contact met me op. Oké?'

Dickie knikte al. 'Ja. Goed.'

Puller gaf hem een kaartje. 'Mijn contactinformatie. Ik neem aan dat je weet hoe je brigadier Cole kunt bereiken.'

Puller stond op.

'Is dat alles?' zei Dickie. 'Kan ik gaan?'

'Ik heb niets aan je als je in mijn motelkamer zit. Ik wil dat je tussen de mensen komt. Het geeft je een kans om je land opnieuw te dienen, al heeft dat je een lelijke loer gedraaid.'

Dickie stond op, keek Cole aan en stak Puller zijn hand toe.

'Er zijn niet veel mensen die me zo'n kans willen geven.'

'Ik ben anders dan de meeste mensen.'

'Ik denk dat ik je verkeerd had beoordeeld.'

'Wij jou ook, denk ik,' merkte Cole op.

'Heb je een lift nodig?' vroeg Puller.

'Nee, ik red me wel.'

Toen Dickie weg was, zei Cole: 'Waarom heb je mij niet verteld dat er iets groots op komst is in Drake?'

'Omdat ze zeiden dat ik dat niet mocht vertellen en ik mijn bevelen wilde opvolgen.'

'Waar is het op gebaseerd?'

'Telefoonverkeer dat door de NSA is opgepikt. In het Dari. Er is gerechtigheid op komst, zeiden ze. Wat er ook gaat gebeuren, het gebeurt gauw.'

'In het Dari? Wat is dat nou weer?'

'Een dialect dat in Afghanistan wordt gesproken.'

'In Afghanistan? Een telefoongesprek vanuit Drake?'

'Blijkbaar. Of in de buurt van Drake. Ze konden de locatie niet exact bepalen. En dat gesprek was versleuteld met een oude KGB-code. En het was kort na de moorden. Binnenlandse Veiligheid is in alle staten.'

'Wat weet je nog meer?'

'In elk geval lang niet genoeg. Er is trouwens één ding dat Dickie niet heeft uitgelegd.'

'Wat dan?'

'Hoe is hij die avond bij de Halversons gekomen? Hij reed niet. Er stond geen auto voor het huis. Hij rende het bos in. Op die manier is hij ontsnapt. Het is een heel eind lopen naar het stadje.'

'Dat is waar.'

'Die jongen zit ingewikkeld in elkaar. Wie had dat kunnen denken?'

'Denk je dat hij meer weet dan hij ons vertelt?'

'Ik denk dat hij in het nauw zit. Hij is betrokken bij iets wat hij voor ons verborgen wil houden. Maar ik denk niet dat het iets met dat telefoonverkeer te maken heeft.'

'Maar ik begrijp niet waarom je hem hebt gerekruteerd om ons te helpen. Vooral wanneer je denkt dat hij bij iets crimineels betrokken is.'

'Ik heb het grootste deel van mijn volwassen leven geprobeerd mensen te doorgronden. Vooral militairen en ex-militairen. Mijn instinct geeft me in dat Dickie geholpen wil worden. Ik denk dat hij die avond naar het huis van de Halversons ging omdat hij iets vermoedde. Of iemand verdacht. Ik denk dat hij gewoon een nieuwe kans wilde om te bewijzen dat het een grote fout van het leger was om hem eruit te gooien. En die kans heb ik hem gegeven.'

'Nou, als hij omkomt, betaalt hij een hoge prijs voor die tweede kans.'

'Dat geldt voor wel meer tweede kansen. En meestal zijn ze het waard.'

'Denk je dat hij wist dat Treadwell en Bitner dood in het huis aan de overkant lagen toen hij naar het huis van de Halversons ging?'

'Ik denk dat hij het misschien wist. Ik denk dat hij probeerde te bellen en dat er niet werd opgenomen. Misschien is hij die nacht ook naar hun huis gegaan, maar kon hij niet naar binnen. Het was donker in het huis. Hij kan de lijken niet door het raam hebben gezien. En er waren geen sporen van braak.'

'Op welke manier staat hij met Treadwell in verband? Niet alleen via de Harleyclub. Hij is bang.'

'Nou, als je bedenkt dat er zeven mensen zijn vermoord, zou hij wel een idioot zijn als hij niet bang was. Net als ieder ander.'

·65·

Cole ging weg om papierwerk af te handelen op het bureau. Ze spraken af om elkaar later weer te treffen. Puller reed weg in zijn auto. Drie minuten later parkeerde hij en toetste hij een telefoonnummer in.

De stem zei: 'Mason.'

'Agent Mason, met John Puller.'

Puller hoorde het piepen van de stoel van de man, die vermoedelijk achterover-leunde. Terwijl de normale wereld om hem heen verderging, was Mason dag en nacht in touw om de monsters buiten de deur te houden.

'Ik ben blij dat je belt. We hebben nu dat stukje telefoonverkeer en nog wat extra informatie. Samen brengen die de hele zaak op een hoger niveau.'

'Ik dacht dat het al vrij hoog was. Wat voor nieuwe informatie hebben jullie?'

'Nog een stukje Dari in KGB-code. Deze keer zeiden ze wat onzin over Allah die groot en goed is. Daar werd ik niet opgewonden van. Maar wel van de cijfers.'

'Welke cijfers?'

'Een datum, Puller. Ze noemden ons de D-Day, tenminste, dat denken we.'

'En wat was die datum?'

'Je zult dit niet prettig vinden, want dat vind ik zeker niet. Over drie dagen.'

'Je zei dat jullie nog meer informatie hebben. Is daar tenminste enigszins uit af te leiden wat ze van plan zijn?'

'Ja, dat raadsel is eindelijk opgelost. En dat is nog het ergste. Er loopt een gas-leiding door Drake. In de noordwesthoek van de county.'

'Oké.'

'We hadden daar eigenlijk helemaal niet aan gedacht. Pijplijnen zijn voor de hand liggende doelwitten, maar niet zo populair, omdat er bij een aanslag op een gasleiding meestal niet veel slachtoffers vallen. Die pijplijn levert aardgas aan drie staten: natuurlijk West Virginia en ook Kentucky en Ohio. De pijplijn is eigendom van een Canadese onderneming, maar wordt beheerd door een Amerikaans bedrijf. Trent Exploration. Je hebt me verteld dat je contact hebt gehad met Roger Trent, nietwaar?'

'Ja.' Puller dacht snel na. 'Denk je dat iemand van Trent hierbij betrokken is?'

'Ik sluit op dit moment helemaal niets uit.'

'Maar wat is de kwetsbaarheid van een pijplijn? En zelfs wanneer ze er een bomaanslag op plegen, over hoeveel schade hebben we het dan? Zoals je al zei: de schade zou beperkt zijn.'

'De structurele schade kan groot zijn, maar te overzien. En de gastoevoer zou

verstoord zijn. Dat alles is niet genoeg voor terroristen. Die zien graag lichaamsdelen aan bomen hangen, niet gasafnemers die klagen omdat er niets uit hun
branders komt. En daar in die omgeving hebben ze materieel om elke schade
aan de pijplijn te verhelpen en de zaak weer onder controle te krijgen.'

'Oké, dus de pijplijn is het doelwit?'

'We denken dat het niet zo eenvoudig is.' Hij zweeg even. Puller stelde zich
voor hoe de man de woorden in zijn hoofd op een rijtje zette. 'Wat is een heel
populaire tactiek van de taliban in Afghanistan? Uitgerekend jij zou dat moeten
weten.'

Puller wist het. 'Een schijnaanval en dan de echte aanval. Een eerste bom om de
hulpdiensten naar buiten te laten komen. Een tweede bom om ze te doden.'

'Precies, alleen denken we dat ze hier een variant op die tactiek gaan gebruiken.
We denken dat de aanval op de gaspijplijn een afleidingsmanoeuvre is.'

Puller voelde dat zijn nekharen overeind gingen staan. 'Wat is dan het echte
doelwit?'

'Als die gaspijplijn explodeert, komen hulpdiensten tot honderd kilometer in
de omtrek zo gauw mogelijk in actie. Dat is niet zomaar een vermoeden van
ons. Er zijn afspraken gemaakt door diensten uit de drie staten voor het geval
die pijplijn in vlammen opgaat. Die middelen staan daarvoor klaar en kunnen
niet worden tegengehouden.'

'Oké.'

Mason ging verder: 'Nu heb je daar veel bos. Het is de laatste tijd kurkdroog. Voor
je het weet, breekt er een brand uit die zich over delen van drie staten uitstrekt en
die gevoed wordt door een ontzaglijke hoeveelheid gas, in elk geval totdat ze de
toevoer kunnen afsluiten. Zoals ik al zei, kunnen honderdduizenden huishoudens
zonder gas komen te zitten. Het is niet te voorspellen wanneer ze de gastoevoer
weer op gang kunnen krijgen, zeker niet als daar overal bosbranden woeden.'

'Dat klinkt erg, zoals je al zei, maar niet erg genoeg voor een terrorist. Wat is
dan het primaire doelwit?' vroeg Puller opnieuw. 'Dat moet per definitie erger
zijn dan het doelwit van de afleidingsmanoeuvre.'

'Zestig kilometer bij die pijplijn vandaan staat een lichtwaterreactor die stroom
levert aan het landelijke elektriciteitsnet.'

Puller haalde diep adem. 'Denk je dat ze daarop uit zijn?'

'Voor zover wij kunnen zien, is dat daar het enige doelwit dat voor hen de
moeite waard zou zijn.'

'Hoe zouden ze die reactor aanvallen?'

'Op dit moment lijkt het of de beveiliging streng is, maar we kunnen niet afwachten of die inderdaad goed genoeg is. Als ze door de beveiliging heen kunnen komen en de reactors tot ontploffing kunnen brengen, zou dat verwoes-
tende gevolgen hebben. De stralingswolk zou zich binnen een paar dagen over

verschillende staten kunnen uitbreiden. En als je dan ook nog bedenkt dat alle nooddiensten met de explosie van de pijplijn en de mogelijke bosbranden in de weer zijn... Het zou een catastrofe worden.'

'Versterk dan als de gesmeerde bliksem de beveiliging van die kerncentrale.'

'We denken dat ze daar hulp van binnenuit hebben. Dat was het afzonderlijke stukje informatie waar ik het over had, Puller.'

'Kunnen jullie uitzoeken wie het is?'

'Waarschijnlijk niet binnen drie dagen. En als we de beveiliging daar in enig opzicht veranderen...'

Puller maakte de gedachte voor hem af. 'Dan komt die persoon binnen de centrale daarachter en vertelt hij het zijn mensen. Die komen dan extra vroeg en proberen het ding evengoed de lucht in te laten vliegen. En hetzelfde geldt voor de pijplijn.'

'Precies. Op een gegeven moment moeten we die beslissing nemen, Puller. We moeten de beveiliging op beide plaatsen versterken. Maar het zou ideaal zijn wanneer we die schoften te pakken kregen voordat die maatregelen noodzakelijk zijn.'

'Noodzakelijk? Joe, het gebeurt over drie dagen.'

'Ik heb je gezegd dat het erg was.'

'Ik heb niemand uit het Midden-Oosten in Drake gezien toen ik daar was.'

'Nou, ik neem aan dat ze op de achtergrond blijven.'

'Wat wil je dat ik doe? Ik ben maar alleen.'

'Blijf doen wat je doet. Vind die kerels, Puller.'

'En als ik ze niet op tijd vind?'

'Dan moet ik de trekker overhalen.'

'En dan halen zij ook de trekker over.'

'Zo gaat dat. Houd me op de hoogte, dan doe ik dat ook met jou.' Hij zweeg even. 'Ik wou dat ik je wat mensen kon sturen, maar de hoge bazen hier denken dat we ons dan in de kaart laten kijken.'

'Ja, dat weet ik. Ik heb hier trouwens wel een helper.'

'Ja, Cole de politievrouw.'

'Nee, een zekere Dickie Strauss.' Puller vertelde Mason wat hij Dickie liet doen. 'Het levert me in elk geval een extra paar ogen op. Hij is soldaat geweest.'

'Ik vind het niet zo geweldig dat je die kerel erbij hebt betrokken, Puller. We weten niets van hem af.'

'Ik had niet veel keus,' merkte Puller op.

Hij hoorde Mason zuchten. 'Wanneer spreek je hem weer? We hebben niet veel tijd.'

'Ik kan vanavond met hem afspreken.'

'Heb je daar een veilige plaats voor?'

Puller dacht even na. 'Ja. Het heet Xanadu.'

Puller stapte uit en liep de bibliotheek van Drake County in. Het was een gebouw zonder bovenverdieping, opgetrokken van oranje baksteen, van het begin
af architecturaal smakeloos en er ook niet mooier op geworden in de loop der
jaren. Hij ging naar binnen, stelde enkele vragen aan een bibliothecaresse achter de balie, die hem liet zien wat hij nodig had. Hoewel er een paar computers
in de bibliotheek stonden, zocht Puller op de ouderwetse manier in papieren
kranten. Hij keek naar de periode die hem relevant leek. Hij vond niets, en dat
was op zichzelf al veelzeggend.

Toen hij de bibliotheek verliet, ging zijn telefoon. Het was Kristen Craig, de
forensisch onderzoekster van het USACIL in Georgia.

'Ik heb een paar voorlopige uitslagen voor je, Puller.'

Hij ging met de airco aan in de auto zitten en noteerde wat ze hem vertelde.

'We hebben een supersnel onderzoek gedaan met de DNA-monsters die je ons
hebt gestuurd. Als we de bekende personen wegstrepen, blijft er één onbekende
over. We hebben de gegevens ingevoerd in het Combined DNA Indexing System
van de FBI. Misschien levert het een hit op.'

'Geweldig, Kristen. Wat nog meer?'

'We hebben de viltproppen in het lichaam van kolonel Reynolds geïdentificeerd. Het was een kaliber 12.'

'Verder nog iets? De fabrikant?'

'Nee, sorry.'

'Oké. Ga verder.'

'De dokter daar die de secties heeft verricht, was goed. Onze mensen hebben in
feite alles goedgekeurd wat hij heeft gedaan. We hebben de lichamen natuurlijk
niet hier, maar hij wist wat hij deed.'

'Oké.' Puller was blij dat te horen, maar hij wilde vooral informatie die hem
kon helpen de zaak op te lossen.

'We hebben iets vreemds gevonden op de .22-patroon die je hierheen hebt gestuurd.'

'Wat dan?'

'Nou, ik heb het hier door drie verschillende mensen laten bevestigen, want het
is niet iets wat je zou verwachten van een kogel die in iemands hersenen is geschoten.'

'Hou me niet in spanning, Kristen.'

'Het was goudfolie. West Virginia is toch steenkool, geen goud?'

Puller dacht aan de Trents in het grote huis. 'Nou, voor sommige mensen hier zijn dat blijkbaar identieke begrippen. Maar goudfolie?'

'Dat is het. Slechts een bijna microscopisch klein beetje, maar we hebben vastgesteld dat het dat is. Ik weet niet wat het betekent.'

'Ben je wijzer geworden van dat bodemrapport dat ik je stuurde?'

'Het rapport over het bodemmonster heeft niets schokkends aan het licht gebracht. De uraniumspiegel was normaal, zeker voor steenkoolland. Verder was er niets opmerkelijks. Als iemand vanwege dat bodemmonster is vermoord, zou ik echt niet weten waarom.'

'Ik net zomin. En de spullen uit het methamfetaminelab?'

'Dat was interessant. Weet je zeker dat het een methamfetaminelab was?'

'Daar leek het wel op. Er waren spullen die je in zo'n lab zou verwachten.'

'Ja, maar er was ook één ding dat je daar niet zou verwachten.'

'Wat dan?'

'Wolfraamcarbide.'

'Waar hebben jullie het op aangetroffen?'

'Op flessen, buisjes en slangen. Zoveel dat het niet zomaar een klein residu kan zijn.'

'Dus het zat misschien op de handen van Treadwell of Bitner?'

'Misschien. We hebben Treadwells vingerafdrukken ook op de materialen aangetroffen.'

'Dus het is daar niet door iemand anders aangebracht,' zei Puller. 'Dat is goed om te weten.'

'Dacht je dat iemand dat had gedaan?'

'Nee, maar net als iedereen heb ik graag dat mijn ideeën worden bevestigd. Dus wolfraamcarbide? Dat wordt toch gebruikt voor industrieel gereedschap, snij- en boorapparatuur en sieraden?'

'Dat klopt. Het is stijver en dichter dan staal of titanium.'

'Treadwell had een ring. Misschien was die van wolfraam gemaakt en was dat op zijn huid gekomen.'

'Dat is niet zo. We hebben de ring onderzocht.'

'Hij werkte op een bedrijf dat chemische stoffen levert. En hij had een Harley.'

'Nogmaals: dat kan de aanwezigheid van die stof niet verklaren.'

'Verder nog iets?'

'Is dat niet genoeg?' vroeg Kristen.

'Je hebt me geen antwoorden gegeven.'

'Ik lever alleen feiten. Je moet zelf de antwoorden vinden.'

Ze verbrak de verbinding en Puller stopte langzaam zijn telefoon weg.

Er was nog een andere toepassing van wolfraamcarbide. Als militair wist hij dat heel goed. Wolfraamcarbide werd vaak gebruikt voor pantserdoorborende munitie, vooral wanneer het materiaal dat daarvoor eerste keus was, verarmd uranium, niet beschikbaar was.

Maar als Treadwell zulke munitie maakte, was daar in zijn huis niets van terug te vinden. Om zulke munitie te maken had je ruimte en gespecialiseerde apparatuur nodig. En geld. En veel componenten die je nodig had om munitie met verarmd uranium te maken, stonden onder streng toezicht van de overheid. Hoe kon een Harley-rijdende boerenkinkel in een afgelegen deel van West Virginia die op een bedrijf werkte dat chemische stoffen leverde, dat voor elkaar krijgen? En als Treadwell dat voor elkaar had gekregen, waarom was hij dan vermoord? Misschien had degene voor wie hij die munitie maakte ontdekt dat hij niet meer durfde en via Reynolds met de overheid was gaan samenwerken.

Puller zou naar Treadwells werk moeten gaan om uit te zoeken of ze daar een hoeveelheid wolfraamcarbide kwijt waren, gesteld dat ze die stof leverden. Zo ja, dan kwam de zaak misschien in een heel nieuw licht te staan. Hij vroeg zich af hoe dit alles in verband stond met de dingen die Mason hem had verteld. Als de pijplijn en de reactor de doelwitten waren, kon dat soort munitie worden gebruikt om de pijplijn en misschien ook de reactors te doorboren. Dat zou betekenen dat Treadwell in contact had gestaan met jihadisten. En Puller vroeg zich af hoe dat mogelijk was. Hoe konden zulke mensen in zo'n omgeving opereren zonder dat iemand iets in de gaten kreeg?

Toen dacht hij aan de pijplijn. Die was eigendom van een Canadees bedrijf, maar werd beheerd door Trent. Werkte Trent met terroristen samen? Werd hij betaald om hen te helpen die missie uit te voeren? Maar waarom zou een fabelachtig succesvolle steenkoolmagnaat dat doen? Waarom zou hij eraan meewerken dat een kernreactor werd opgeblazen die alle kolenmijnen van Trent radioactief kon maken?

Puller reed weg met de Malibu. Hij had nog geen drie dagen om achter de waarheid te komen. Hij wist dat hij weinig kans maakte, maar hij had zijn uniform aangetrokken om zijn land te dienen. En dienen zou hij het. Al kostte het hem zijn leven.

Of zouden ze Trent meer hebben betaald dan zijn onderneming waard was? Dat zou de doodsbedreigingen kunnen verklaren. En Trents nervositeit. Misschien had hij ruzie gekregen met zijn 'zakenpartners'.

·67·

De Mercedes SL600 stond voor Pullers motelkamer geparkeerd toen hij daar om twee uur kwam aanrijden. Jean Trent zat achter het stuur. De motor van de auto draaide en de airco stond aan. Puller parkeerde naast de andere auto en stapte uit. Jean Trent deed dat ook. Ze droeg een mouwloze lichtgele jurk met een V-hals en een witte trui om haar schouders, bijpassende pumps en een wit parelsnoer. Haar haar en make-up waren onberispelijk. Het oude motel paste als achtergrond niet bij zoveel glamour.

'Zoek je een kamer in het motel?' vroeg Puller, toen hij bij haar kwam staan.

Ze glimlachte. 'Toen ik vijftien was, maakte ik hier kamers schoon voor vier dollar per uur en dacht ik dat ik rijk was. Sam deed dat ook, maar zij kreeg drie dollar per uur.'

'Waarom dat verschil?'

'Ze was kleiner en kon niet zo hard werken. Mensen hier geven je geen cent te veel.'

'Dat wil ik wel geloven.'

'Heb je tijd om te lunchen? Of heb je al gegeten?'

'Nee. In The Crib?'

Ze schudde haar hoofd. 'Ergens anders. Een mooiere gelegenheid. Over de grens van de county. Ik rij wel.'

Puller dacht na. Hij had maar heel weinig tijd om een mogelijke catastrofe af te wenden. Had hij tijd voor een uitgebreide lunch? Toen dacht hij weer aan wat Mason had gezegd: Trent beheerde die pijplijn.

'Wat is de bijzondere gelegenheid?'

'Het is lunchtijd en ik heb honger.'

'Heb je hier lang gewacht?'

'Lang genoeg. Je had het zeker druk.'

'Ja.'

'Hoe gaat het met het onderzoek?'

'Het vordert.'

'Je bent opvallend zwijgzaam.'

'Dat heb ik in het leger geleerd.'

'Nee, ik denk dat het bij je politiewerk hoort. Mijn zus is net zo.'

'Ik zag dat je man weer in de stad is. Luncht hij met ons mee?'

Haar glimlach werd net een beetje minder stralend. 'Nee. Ben je zover?'

Hij keek naar haar mooie kleren en toen naar zijn eigen werkkleding.

'Een duur restaurant? Ik weet niet of ik daar wel op gekleed ben.'

'Je ziet er goed genoeg uit.'

Ze reed als een expert over de landwegen. In de bochten gaf ze gas op het juiste moment, zodat de zware motor van de Mercedes een optimaal toerental bereikte op de rechte stukken.

'Heb je er ooit over gedacht te gaan racen?' vroeg hij.

Ze glimlachte en drukte het gaspedaal op een wat langer recht stuk in, zodat de auto naar honderdveertig kilometer per uur ging. 'Ik heb over veel dingen gedacht.'

'Waarom ga je eigenlijk met me lunchen?'

'Ik heb wat vragen en hoop dat je antwoorden hebt.'

'Dat betwijfel ik. Je weet hoe zwijgzaam ik ben.'

'Dan misschien je mening. Zou je die willen geven?'

'We zullen zien.'

Vijftien kilometer later kwamen ze in een andere county, en nog eens drie kilometer verder nam ze een met bomen omzoomde oprijlaan van asfalt. Na twee bochten werd het terrein open. De bomen trokken zich terug en Puller zag een groot gebouw van twee verdiepingen, opgetrokken van natuursteen met stucwerk. Het zag eruit alsof het in zijn geheel uit Toscane was overgeplaatst. Aan de voorkant waren twee oude fonteinen en dichtbij draaide een waterrad langzaam rond in een stroompje. Naast het gebouw was een betegeld terras aangelegd. Een verweerde houten pergola met bloemrijke ranken vormde een plafond voor dat terras.

Puller keek naar het bord dat boven de voordeur hing. '"Vera Felicita." Het ware geluk?'

'Spreek je Italiaans?' vroeg ze.

'Een beetje. Jij?'

'Een beetje. Ik ben er vaak geweest. Ik vind het een prachtig land. Ik denk erover daar op een dag te gaan wonen.'

'Dat zeggen mensen altijd als ze naar Italië gaan. Maar dan komen ze thuis en beseffen ze dat het niet zo gemakkelijk is als het lijkt.'

'Misschien.'

Puller keek naar de dure auto's die op het parkeerterrein van klinkers stonden. Aan de meeste terrastafels zaten mensen die even goed gekleed waren als Jean Trent. Ze dronken wijn en aten hun met zorg geserveerde gerechten.

'Een populair restaurant,' zei hij.

'Ja, dat klopt.'

'Hoe heb je het gevonden?'

'Ik ben de eigenares.'

263

68

Jean Trent stapte uit en Puller liep achter haar aan naar de hoofdingang. Ze bleef staan en draaide zich naar hem om.

'We zijn ook een bed & breakfast. Vier kamers. Ik denk erover er een kuurhotel van te maken. Ik heb een topkok in dienst genomen, en een professioneel team om alles te runnen. We hopen dit jaar onze eerste Michelin-ster te krijgen. Na anderhalf jaar was onze cashflow positief. We hebben een grote reputatie opgebouwd. Mensen komen uit Tennessee, Ohio, Kentucky en North Carolina.'

'En geen kolenmijnen in de buurt?'

'Dit is een van de weinige county's in West Virginia zonder steenkool.' Ze keek om zich heen. 'Je hebt hier nog onbedorven natuur. Bergen, rivieren. Ik heb een hele tijd naar de perfecte locatie gezocht, en dit is het. Ik heb een businessplan opgesteld en demografie- en marketingonderzoeken laten doen. Ik wilde een behoefte bevredigen. Dat is de beste manier om iets blijvends op te bouwen.'

'Ik wist niet dat je zakenvrouw was.'

'Waarschijnlijk weet je een heleboel dingen niet van mij. Wil je meer te weten komen?'

'Waarom niet?'

Ze gingen naar binnen en werden naar een privékamer met boeken aan de wanden geleid, waar een tafel voor twee personen was gedekt. Puller wist weinig van binnenhuisarchitectuur, maar hij zag dat de interieurs met een kennersoog waren samengesteld. Alles was van goede kwaliteit, comfortabel, nooit overdreven. Hij was vaak in Italië geweest, en waarschijnlijk zou je in West Virginia niets kunnen vinden wat er zo dichtbij kwam.

De ober droeg een wit jasje met een zwart strikje en bediende hen met professionele discretie. Ze keken in hun menu's, maar Puller liet Jean voor hen beiden bestellen. De fles witte wijn kwam het eerst, en er werden twee glazen ingeschonken.

Ze zei: 'Ik weet dat je dienst hebt, maar ik ben erg trots op deze chardonnay en wil graag dat je hem probeert.'

Hij nam een slokje en liet de wijn langzaam op zich inwerken. 'Hij heeft veel meer body dan je van een Italiaanse witte wijn zou verwachten.'

Ze liet haar glas tegen het zijne tikken. 'Hij heet Jermann Dreams, 2007. Maar een legerman die verstand van wijn heeft. Hoe is dat zo gekomen?'

'Mijn vader nam mijn broer en mij vaak mee naar het buitenland toen we nog jong waren. Toen ik negen was, proefde ik in Parijs mijn eerste wijn.'

'Parijs toen je negen was,' zei ze jaloers. 'Ik was achter in de twintig toen ik voor het eerst in het buitenland kwam.'

'Sommige mensen komen daar nooit.'

'Dat is waar. Tegenwoordig ga ik elk jaar maanden achtereen. Ik vind het prachtig. Soms kom ik bijna niet terug.'

'Waarom doe je dat dan toch? Terugkomen, bedoel ik?'

Ze nam een slokje wijn en bette haar mond af. 'Hier hoor ik thuis.'

'Je kunt overal thuishoren.'

'Dat is waar, maar hier is mijn familie.'

Hij keek om zich heen. 'Is dit restaurant mede-eigendom van Roger?'

'Nee. Het is helemaal van mij.'

'Een dure onderneming.'

'Hij heeft het niet gefinancierd, als je dat bedoelt. Ik heb dit opgebouwd met bankleningen en hard werken.'

'Toch kon het vast geen kwaad dat je met hem getrouwd was.'

'Nee,' gaf ze toe. 'Dus hij is in de stad terug?'

'Ik heb een kop koffie met hem gedronken in The Crib.'

'Waarom?'

'Om over die doodsbedreigingen te praten. O ja, ik geloof niet dat Randy er deze keer achter zit.'

Ze zette haar wijnglas neer. 'Heeft Sam je daarover verteld?'

'Ja.' Hij zweeg even. 'Ik neem aan dat het heel goed gaat met Rogers onderneming.'

'Ik ben daar niet echt bij betrokken.'

'Hij laat veel aan Bill Strauss over.'

'Dat is de directeur bedrijfsvoering. Het is zijn werk.'

Hij aarzelde, vroeg zich af of hij de pijplijn ter sprake moest brengen. Uiteindelijk vond hij het te riskant. Toen hij haar argwanend zag kijken, zei hij: 'Ik stel meer vragen dan jij. Sorry, zo zit ik nu eenmaal in elkaar.'

'We zullen later zien wat we daaraan kunnen doen,' merkte ze op.

Hun eten kwam en Puller werd er een paar minuten door in beslag genomen. Toen hij zijn laatste stukje vis doorslikte, zei hij: 'Ik denk dat jullie die Michelin-ster wel krijgen.'

Haar gezicht klaarde op. 'Ik stel het vertrouwen op prijs.'

'Het zal niet gemakkelijk zijn om hier in deze wildernis zoiets op te bouwen.'

Ze dronk haar wijnglas leeg. 'Heb je een bijzondere reden om me zoveel complimentjes te maken?'

'Ik ben alleen maar eerlijk. Maar je hebt me voor deze lunch uitgenodigd. Je zei dat je vragen had. Begin maar.'

'Maar jij hebt alleen meningen in plaats van antwoorden aangeboden.'

'Ik kan niets beloven wat ik niet kan leveren.'

'Wil je koffie? We laten onze bonen uit Bolivia komen. Ze leveren tegenwoordig een geweldig goed product. Een speciale melange.'

'Ik sla zelden koffie af.'

'Ben je in Bolivia geweest?'

'Nee.'

'Zuid-Amerika in het algemeen?'

'Ja.'

'Voor zaken of plezier?'

'Ik reis niet voor mijn plezier. Ik reis met een pistool.'

Ze gaf de bestelling op en de koffie kwam meteen. De kopjes zagen er delicaat uit, met een patroon van bloemen en ranken. Puller wist instinctief dat Jean Trent ze persoonlijk had uitgekozen. Ze leek hem typisch iemand die overal de controle over wilde houden, hoe klein het ook was.

'Goede koffie,' zei hij.

Ze knikte en zei: 'Nu mijn vragen. Eigenlijk heb ik er maar één. Denk je op grond van wat je tot nu toe hebt ontdekt dat mijn man werkelijk in gevaar verkeert?'

'Dat kan ik niet nagaan. Ik ben hier gekomen om onderzoek te doen naar de moord op een legerkolonel en zijn gezin. Ik heb wel tegen hem gezegd dat hij die bedreigingen serieus moet nemen.'

'Waarom?'

'Een voorgevoel.'

'Ik weet dat je vond dat ik nogal nonchalant over de veiligheid van mijn man praatte, maar ik kan je verzekeren dat ik er veel over nadenk.'

'Maar zoals je ook zei: hij neemt maatregelen.' Puller dronk zijn koffie op en zette het kopje neer. 'Heb je een reden om aan te nemen dat je man in gevaar verkeert? Of dat hij misschien in enig opzicht in verband staat met de moorden die zijn gepleegd?'

'Nou, een van de slachtoffers werkte voor zijn bedrijf. Maar ik geloof niet dat Roger haar zelfs kende. Ik kan niet geloven dat hij iets te maken heeft met die mensen die zijn vermoord. Ik bedoel, wat zou zijn motief zijn?'

'Dat weet ik niet. Is Roger momenteel betrokken bij gerechtelijke procedures?'

'Hij is altijd betrokken bij gerechtelijke procedures. Meestal voert hij processen tegen de Milieudienst of actiegroepen. Soms wordt er een proces tegen hem aangespannen wanneer een van zijn personeelsleden door een bedrijfsongeval is omgekomen.'

'Over wat voor milieuprocessen heb je het?'

'Ik ken de bijzonderheden niet. In het algemeen is dagbouw slecht voor het milieu. Je mag me niet citeren, maar het is wel zo. Mensen maken zich kwaad en gaan procederen. De overheid denkt dat Roger zich niet aan zijn juridische verplichtingen heeft gehouden of een of ander voorschrift heeft overtreden, en dan gaat die ook procederen. Zo houdt hij de advocaten van de straat. Waarom vraag je dat?'

Puller dacht aan het bodemrapport, maar wilde haar dat niet vertellen.

Ze zei: 'Oké, ik heb gelogen. Ik heb nog een vraag.'

'Zeg het maar.'

'Waarom ben je hier werkelijk?'

'Dat leek me wel duidelijk.'

'Een dode kolonel? Buiten zijn post? Ik heb onderzoek naar je gedaan. Je bent van de 701ste. Ze hadden de CID uit Fort Campbell kunnen sturen. De 701ste is bijzonder. Dus waarom jij?'

'Jij kent het leger goed, hè?'

'Mijn vader zat bij de marine. Veel mannen hier in de buurt hebben in het leger gezeten. En zoals ik zei: ik ben het nagegaan.'

'Met wie heb je gesproken?'

'Ik heb mijn contacten. Meer hoef je niet te weten. En als ik daarop mag afgaan, moet het wel een betekenis hebben dat ze iemand als jij hebben gestuurd. Dit is geen routinemoord.'

'Voor mij is geen enkele moord routine.'

'Dus je wilt het me niet vertellen?'

'Ik doe alleen mijn werk, Jean. Afgezien daarvan kan ik echt niet veel zeggen.'

Ze zette hem bij het motel af. Puller keek haar na tot ze uit het zicht was verdwenen. Toen draaide hij zich om en keek naar zijn motelkamer. Meteen daarna vestigde hij zijn blik op zijn auto. Hij liep erheen. Bleef er vijf meter vandaan staan. Keek er nog eens goed naar. Liep tegen de klok in om de auto heen. Zag iets. Een stukje elektriciteitsdraad met opengelegde koperkern. Het was klein, een paar centimeter, maar de zon scheen er zo op dat het glinsterde als een stukje goud.

Hij zakte op zijn knieën en boog zijn hoofd. Een seconde later was hij opgestaan en liep hij bij de auto vandaan. Hij belde Cole.

'Ik heb een bom onder mijn auto. Wil je iemand sturen om hem te komen halen?'

Terwijl Cole met de explosievenspecialist onderweg was, ging Puller op het trapje van het motelkantoor zitten en dacht hij rustig over de situatie na.

Ze hielden daar blijkbaar veel van explosieven.

En nu begreep hij misschien ook waarom Jean hem voor de lunch had uitgenodigd.

69

De bom was niet zo geraffineerd als die in het leegstaande huis. Tenminste, dat zei de gepensioneerde ATF-agent die twee minuten na Cole arriveerde.

Puller stond naast Cole toen de bom uit de auto werd verwijderd en weggebracht.

'Ze hadden niet veel tijd,' zei hij.

'Wat?' vroeg Cole.

'Die bom was niet zo geraffineerd omdat ze niet genoeg tijd hadden om hem te maken.'

'Over wie heb je het?'

'Je zus heeft me vandaag voor de lunch uitgenodigd. Ze wachtte me hier op. Ze stond erop dat we met haar auto gingen. Ik liet mijn auto hier staan. Ik wist eigenlijk niet waarom ze wilde dat ik met haar naar Vera Felicita ging, maar dat wilde ze.'

'Ze is met je naar haar bed & breakfast geweest?'

'Ja. Toen we terugkwamen, reed ze heel hard weg, en toen zag ik gelukkig dat stukje draad. Anders zou je nu mijn stoffelijk overschot identificeren, als er nog genoeg van me over was.'

Cole zei niet meteen iets. Ze trok de punt van haar schoen door het zand en dacht intussen diep na. 'Beschuldig je haar ervan dat ze hierbij betrokken is?'

'Ik beschuldig niemand ergens van. Ik geef je alleen maar de feiten.'

'Waarom zou ze jou willen vermoorden?'

'Nou, als haar man bij die moorden betrokken is en achter de tralies verdwijnt, gaat zijn onderneming waarschijnlijk naar de bliksem en dan kan ze haar grote huis en haar mooie bed & breakfast gedag zeggen.'

'Ze heeft die bed & breakfast met haar eigen geld en financiering opgebouwd.'

'Dat zegt ze, maar het moet miljoenen hebben gekost om zoiets op te zetten. Welke bank zou haar geld lenen, tenzij Roger garant stond?'

'Maar hoe zou Roger achter de moorden kunnen zitten? Hij kreeg zelf doodsbedreigingen.'

'Dat zégt hij. We hebben daar geen onafhankelijk bewijs voor.'

'Dat is waar,' gaf ze toe.

'En ik ben vandaag naar de bibliotheek geweest en heb in de kranten gekeken. De explosies van zondagavond zijn niet aangekondigd. Ze gebruikten de springstoffen zonder de verplichte voorafgaande bekendmaking.'

'Dat is heel wat, Puller. Goed werk.'

'We hebben dus schoten en explosieven die ongeveer tegelijk afgaan. Het een dekt het ander. En die mijn was van Trent. Wie had het gezag om zonder de vereiste bekendmaking die explosies te veroorzaken?'

'Strikt genomen niemand. Degene die de opdracht voor die explosie heeft gegeven, kan in grote problemen komen.'

'Ik denk dat we het moeten uitzoeken. En we moeten ook uitzoeken of mensen vanmiddag iemand bij mijn auto hebben gezien.'

'Ik ga er meteen achteraan. Maar, Puller, ik kan niet geloven dat mijn zus er iets mee te maken had.'

'Dat wil ik ook niet graag denken, Cole, maar de omstandigheden zijn verdacht.'

'Dat is zo,' beaamde ze.

Ze trok de punt van haar schoen weer door het grind. 'Ik weet niet of ik wel de beste persoon ben om dit te onderzoeken.'

'Als je het goedvindt, kan ik het doen.'

'Dat vind ik goed. Maar, Puller, nog één ding.'

'Ja?'

'Ja, ze is mijn zus. Maar je moet je alleen door de feiten laten leiden. Oké?'

'Oké.'

'Wanneer ga je het doen?'

'Nu meteen.'

70

Slag. Slag. Slag. Slag. Ademhalen. Slag. Slag. Slag. Slag. Ademhalen.
De lucht was vochtig, de geur drukkend. Je hoefde maar een beetje vlug te lo-
pen of het zweet brak je al uit.
Nog vier slagen. Een keer ademhalen. Dan nog vier slagen en Jean Trent kwam
boven water nadat ze de zijkant van het zwembad voor de zestigste keer had
aangeraakt.
'De pondjes van de lunch aan het wegwerken?'
Ze draaide zich met een ruk in het water om en keek naar de verste rand van
het dertig meter lange zwembad.
Puller zat in een teakhouten stoel, zijn grote handen op zijn dijen.
'Hoe ben je hier gekomen?' zei ze.
Hij wees naar de glazen wand. 'Door die deur daar. Je zou hem echt op slot
moeten doen.'
'Ik bedoel, hoe ben je op het terrein gekomen?'
Hij stond op, kwam naar haar toe en keek omlaag. 'Je bedoelt hoe het me is
gelukt die dikke, oude man in dat gehuurde uniform daar te omzeilen?'
Ze liep naar het trapje, kwam het zwembad uit en wrong haar haar uit. Ze
droeg een zwart eendelig badpak. Ze was slank, met stevige spieren.
En misschien had ze ook zojuist geprobeerd zijn auto op te blazen met hem
erin.
'Zwem je weleens?' vroeg ze.
'Alleen als iemand die ik achtervolg in het water springt. Ik wilde met je pra-
ten.'
Ze liep naar een teakhouten chaise longue die tegen de muur stond. Er lag een
blauw kussen met witte biezen op. Er lag daar ook een badjas. Ze trok hem aan
en liet zich op de chaise longue zakken.
'Waarover? Is de lunch je niet goed bekomen? Het lijkt wel of je van streek
bent.'
Hij ging op een stoel naast haar zitten. 'Ik vroeg me af of ik je moet arresteren.'
Ze keek geschrokken. 'Wat? Waarom?'
'Voor poging tot moord op een federaal agent.'
Ze boog zich naar voren. 'Hoe kom je daar precies bij?'
'Toen ik van mijn lunch met jou terugkwam, zat er een bom onder mijn auto.
Ik krijg er genoeg van dat mensen een bergje gehakt van me proberen te ma-
ken.'

'Daar weet ik niets van. En omdat ik met jou heb geluncht, kan ik moeilijk een bom onder je auto hebben gelegd.'

'Je kunt iemand hebben betaald om dat te doen.'

'En waarom zou ik dat doen?'

'Dat kom ik hier uitzoeken.'

'Ik moet me aankleden. Ik heb vanavond een diner. Als je dit gesprek wilt voortzetten, moet het een andere keer.'

'Nee, we doen het nu meteen.'

Ze stond op. 'Ik wil dat je mijn huis uit gaat. Nu!'

'En ik wil antwoorden. Ik ben hier met instemming van het politiekorps.'

Jeans lippen kwamen van elkaar, maar ze zei niets.

'Met andere woorden: je zus weet dat ik hier ben.'

'Ik heb geen bom in je auto gelegd.'

'Onder mijn auto.'

'Dat heb ik ook niet gedaan. Waarom zou ik jou vermoorden?'

'Dat is geen moeilijke vraag. Ik ben hier om onderzoek te doen naar een stel moorden. Als jij of iemand die jij kent bij die misdrijven betrokken is, wil je me natuurlijk uit de weg hebben. En dus nodig je me uit voor een lunch. Je staat erop zelf te rijden. We komen terug en ik vlieg bijna de lucht in. Je begrijpt wel dat ik achterdochtig ben.'

Ze ging weer zitten. Van haar zelfvertrouwen was niet veel meer over. 'Ik... ik kan dat niet verklaren. Ik weet niet wat er aan de hand is.' Toen ze weer opkeek, had ze tranen in haar ogen. 'Ik spreek de waarheid, Puller.'

Hij keek naar haar en vroeg zich af of die tranen echt waren. Hij had veel verdachten zien huilen, van keiharde soldaten tot aanstaande moeders en tieners die als kinderen van militairen waren ontspoord.

'Dat jij dat zegt, is voor mij niet genoeg,' zei hij. 'Dus totdat ik iets anders ontdek, ben jij officieel een verdachte. Begrijp je dat?'

Ze knikte verdoofd.

'En als je over informatie beschikt die mij bij mijn onderzoek kan helpen, zou dit een goed moment zijn om het me te vertellen.'

'Wat voor informatie?'

'Bijvoorbeeld waarom je man zich zoveel zorgen maakt. En ga me niet vertellen dat het door die doodsbedreigingen komt. Dat is volgens mij volslagen onzin. Het is al eerder gebeurd, met je broer, en ik denk dat hij het alleen als excuus gebruikt.'

'Als excuus waarvoor?'

'Hij heeft zijn beveiliging opgeschroefd, Jean. De chauffeur van zijn Escalade is een ex-marinier.'

'Hoe weet je dat?'

'Het leger ruikt mariniers op honderd kilometer afstand. Die kerel is een pro- fessional en hij is gewapend. En hij is nieuw, nietwaar?'

'Ja.'

'Het was een goede keuze. Hij is lichtjaren beter dan die ouwe lul hierbuiten.'

'Maar zijn beveiliging hier is niet echt opgeschroefd. We hebben nog steeds die gepensioneerde politieagent hierbuiten.'

'Ja, omdat Roger op dit moment niet thuis is. Ik denk dus dat hij zich niet zo druk maakt om jouw veiligheid of die van je dochter. Zijn professional gaat al- leen met hem mee.'

'Waar zou hij bang voor zijn?' vroeg ze.

'Je zei dat hij veel vijanden heeft. Maar dat zijn dezelfde vijanden van vroeger, nietwaar? Zou er nu iets nieuws zijn, een nieuwe vijand? Dat zou verklaren waarom hij die nieuwe lijfwacht heeft ingehuurd.'

'Ik zou niet weten wat het was. Zoals ik al zei, bemoei ik me niet met Rogers zaken.'

'Als je tegen me blijft liegen, Jean, doe ik je handboeien om en sleur ik je hier weg.'

Er kwamen nog meer tranen uit haar ogen. 'Ik wil niet naar de gevangenis.'

'Vertel me dan de waarheid. Je hebt alles voor je bed & breakfast zelf uitgeko- zen. Tot en met de koffiekopjes. Je hebt verstand van zakendoen. Ik durf te wedden dat je toezicht hebt gehouden op de bouw van dit huis, want als ik op de inrichting van Trent Exploration mag afgaan, is dat niet Rogers sterkste punt. En wil je me nu vertellen dat je de zaken helemaal aan hem overlaat? Daar trap ik niet in.'

Ze zaten een tijdje zwijgend bij elkaar. De vochtige lucht drukte op Puller neer. In de woestijn was de hitte tenminste droog geweest. Hij keek naar Jean. Hij was niet van plan de stilte te doorbreken. Hij was niet van plan op te staan en weg te gaan. Hij zou gewoon wachten tot ze het eindelijk niet meer uithield.

'Er zijn problemen bij Trent Exploration.'

'Zoals?'

'Er is bijvoorbeeld geld verdwenen. Overboekingen. Fantoomrekeningen bij buitenlandse banken. Dingen die er niet zouden moeten zijn, zijn er wel. Din- gen die er zouden moeten zijn, zijn er niet.'

'En weet Roger daarvan?'

'Nou en of.'

'Wat doet hij eraan?'

'Alles wat hij kan, maar zijn mogelijkheden zijn beperkt. Hij heeft vorig jaar zakelijke beslissingen genomen waarvoor extra kapitaal nodig is. Veel kapitaal. Hij had gedacht dat uit die zakelijke beslissingen veel inkomsten zouden voort- komen, maar dat is niet gebeurd. De schulden zijn er nog. Hij dacht dat hij geld had om die schulden te dekken. Maar nu al dat geld is verdwenen, komt hij in de problemen met zijn cashflow. Daarom was hij in New York; hij probeerde extra financiering te krijgen. Maar de banken willen hem niets lenen. Ze hebben het overal geprobeerd.'

'En nu wordt hij met de dood bedreigd. Misschien door de mensen die hem bestelen?'

'Ik weet het niet,' zei Jean. 'Echt niet.'

'Oké, Trent is een groot bedrijf, maar het is niet General Electric. En het zit in een klein stadje. Wil je beweren dat niemand van hier weet of zelfs maar vermoedt wie al dat geld van het bedrijf steelt? Wat zou je zeggen van Randy?'

'Randy? Waarom zou hij dat doen?'

'Nou, hij neemt Roger bijvoorbeeld de dood van jullie ouders kwalijk.'

'Gesteld dat hij geld van Roger zou willen stelen, dan zou hij daarvoor niet in de positie verkeren. Hij weet niets van computers of financiële transacties. Dit is gedaan door mensen die goed op de hoogte zijn van beide.'

'Misschien iemand met wie Randy samenwerkt.'

'In Drake? Dat denk ik niet. Maar de situatie wordt wel wanhopig. Roger en Bill kunnen bijna nergens meer terecht.'

'En jij?' zei hij. 'Als het bedrijf ondergaat, raak jij dan alles kwijt, ook het huis?'

'Waarschijnlijk wel. Maar daarom heb ik mijn bed & breakfast opgebouwd. Niet omdat ik vermoedde dat Roger geldproblemen had, maar omdat ik... Ik wilde gewoon wat onafhankelijker worden.'

Puller had onwillekeurig medelijden met haar.

'Dus Roger weet echt niet waar al die financiële manoeuvres vandaan komen? Hij is heel intelligent. Hoe kan het dat hij wordt bestolen en niet weet hoe dat gebeurt?'

'Hij en Bill worden er gek van. Dat bedrijf is hun leven. Als het naar de bliksem gaat, sleurt het hen mee.'

Puller zei niets. Hij staarde somber voor zich uit.

Jean keek naar de littekens op zijn hals.

'Midden-Oosten?'

Hij knikte.

'Weet je nog dat ik je vertelde over die jongeman van wie ik hield?'

'Die niet uit de Eerste Golfoorlog terugkwam?'

'Hij leek een beetje op jou.'

'Zou je nog steeds willen dat hij was teruggekomen?'

'Nog steeds,' zei ze.

Hij keek om zich heen. 'Dan zou je dit alles niet hebben.'

'Misschien heb ik het nu ook niet.'

'Nee, misschien niet.'

Hij stond op.

'Ga je me niet arresteren?'

'Nee. Maar wat je me hebt verteld, helpt me wel verder. Dat stel ik op prijs.'

'Ik was vroeger altijd eerlijk. Toen trouwde ik met Roger en veranderden de dingen.'

Hij liep terug in de richting vanwaar hij gekomen was.

'Wat ga je doen?' riep ze hem na.

'Een moordenaar zoeken.'

71

'Hé, Bill, hoe gaat het?'

Bill Strauss was net uit het kantoor van Trent gekomen en liep naar zijn auto. Puller leunde tegen zijn Malibu. Hij had daar bijna een uur gewacht.

'Puller? Wat doe jij hier?'

Puller kwam bij de auto vandaan en liep naar de man toe. 'Mijn werk. Ik heb een paar vragen. Heb je even tijd?'

Strauss keek op zijn horloge. 'Eigenlijk ben ik al laat voor een afspraak.'

'Het duurt niet lang.'

'Kan het niet wachten?'

'Nee, eigenlijk niet.'

'Oké, vraag maar.'

'Die explosies van zondagavond. Die zijn niet van tevoren bekendgemaakt. Wie heeft er toestemming voor gegeven?'

Strauss keek geschokt. 'Waar heb je het over?'

'Vorige week zondagavond hebben er explosies plaatsgevonden op een van de Trent-terreinen. Jullie moeten dat van tevoren bekendmaken. En explosies vinden meestal niet plaats op zondag. Daar moeten jullie speciale toestemming voor hebben. De bekendmaking is niet gedaan. Hadden jullie die speciale toestemming?'

'Ik zou in de gegevens moeten kijken.'

'Roger zei dat hij er niets van wist. Wie van jullie bedrijf gaat over dat soort dingen?'

'Formeel ik, als directeur bedrijfsvoering. Maar ik heb veel taken en ik moet delegeren. We hebben mensen die de overheid om toestemming voor explosies vragen en voor de bekendmakingen zorgen.'

'Zijn dat dan degenen met wie ik moet praten?'

'Ja, maar jammer genoeg werken ze niet in dit kantoor. Ze zijn in Charleston.'

'Kan ik hun contactinformatie krijgen?'

'Waarom is dat zo belangrijk? Die mensen zijn niet gedood op een mijnterrein.'

'Evengoed is het belangrijk. Kan ik die gegevens van je krijgen?'

'Oké,' zei Strauss langzaam.

'Geweldig. Ik verwacht ze morgen.'

'Ik weet niet...'

Puller onderbrak hem: 'Heb je je zoon de laatste tijd gezien?'

'Nee, hoezo?'

'Ik vroeg het me af. Ben jij lid van de Xanadu-club?'

'Wat? Nee, ik niet.'

'Ga nu maar naar je afspraak.'

Puller stapte in de Malibu en reed weg. Onder het rijden belde hij Dickie en sprak met hem af dat ze elkaar die avond zouden ontmoeten.

Toen Puller bij het motel terugkwam, stond er een glanzende blauwe Bentley aan de voorkant, met Roger Trent achter het stuur.

72

'Ik neem aan dat je mij zoekt, want er is hier verder niemand meer,' zei Puller. Trent droeg een donkere broek en een wit overhemd met open boord. Hij had een sigaar in zijn hand. Zijn gezicht was rood en de aderen op en bij zijn dikke neus waren gezwollen. Toen Puller dichterbij kwam, rook hij alcohol in de adem van de man.

'Weet je zeker dat je in jouw conditie met dat ding kunt rondrijden?'

'Welke conditie bedoel je?'

'In kennelijke staat van dronkenschap.'

'Ik kom niet eens in de buurt. Als het op eten en drinken aankomt, kan ik veel hebben.'

Puller keek naar de dikke pens van de man. 'Dat zie ik. Heb je er ooit over gedacht om bij de Weight Watchers te gaan?'

'Je probeert me al op stang te jagen vanaf het moment dat we elkaar voor het eerst zagen.'

'Het is moeilijk om van je te houden, Roger.'

Tot Pullers verbazing schoot de andere man in de lach. 'Nou, je bent tenminste eerlijk. Ik hoorde dat je vandaag met mijn mooie vrouw hebt geluncht. Bij Vera Felicita.'

'Zij had mij uitgenodigd, niet andersom.'

'Dat zeg ik ook niet. Maar je zei ja.'

'Inderdaad.'

'Heb je je geamuseerd?'

'Ze is heel prettig gezelschap. Heeft ze je verteld wat er daarna gebeurde?'

'Dat iemand een bom onder je auto had gelegd? Ja, dat zei ze. Daarom ben ik hier gekomen. Om je te vertellen dat ze er niets mee te maken had.'

'Dank je. Dat is een hele opluchting.'

'Ik dacht net dat wij veel met elkaar gemeen hebben.'

'Ja? Wat dan wel?'

'Het is duidelijk dat iemand ons dood wil hebben.'

'Jij wordt alleen maar gebeld. Ik krijg de bommen.'

Trent leunde tegen zijn Bentley aan. 'Heb je je ooit afgevraagd waarom ik hier ben blijven wonen? Ik zou overal kunnen wonen, weet je.'

'Je vrouw gaat liever naar Italië. Dat weet ik.'

'Dat is mijn vrouw. Ik heb het over mezelf.'

'Oké. Ja, dat heb ik me afgevraagd. En ik merk dat je popelt om het me te vertellen. Het syndroom van de grote vis in de kleine vijver?'

'Zo simpel ligt het niet. Weet je, Puller, ik heb er geen behoefte aan dat mensen van me houden. Verre van dat. Je gaat niet in de mijnbouw om populair te worden. Ik houd ervan dat mensen de pest aan me hebben. Dat geeft me energie. Ik houd daar echt van. Iedereen tegen mij. Weet je, in Drake ben ik de underdog. Een rijke underdog, zelfs de rijkste. Maar toch de underdog.'

'Heb je er ooit over gedacht om in therapie te gaan?'

Trent lachte weer. 'Ik mag jou wel. Ik weet niet waarom. Ach, misschien weet ik het ook wel. Jij haat mij ook, maar je doet het op een ander niveau. Je haat me recht in mijn gezicht, niet achter mijn rug om, zoals alle anderen hier.'

'Heb je het nu ook over je familie?'

Trent blies op zijn gemak een rookkring uit en keek hoe hij opsteeg en verdween.

In het bos kwamen de krekels op gang.

'Waarschijnlijk. Sam kan me niet uitstaan. Randy is niet goed bij zijn hoofd. Jean houdt van mijn geld.'

'Een grote, gelukkige familie.'

'Maar ik kan het ze niet kwalijk nemen. Weet je nog dat ik het over jaloezie had? Het is waar. Ik durf te wedden dat je een fantastische soldaat was. Waarschijnlijk heb je in het Midden-Oosten veel gevechten meegemaakt. Je hebt een hele rij medailles.'

'Heb je dat nu opeens zelf bedacht?'

'Ik heb me in jou verdiept. Ja, je zult het daar echt wel zwaar hebben gehad. Maar ik zal je vertellen hoe een echt gevecht is. Het zakenleven is een gevecht. En om te winnen moet je een schoft zijn. Aardige mensen komen niet aan de top. Het is doden of gedood worden. En als je niet aan de top staat, lig je op de bodem. En daar blijven de meeste mensen hun hele leven.' Hij tikte as van zijn sigaar en bracht hem naar zijn lippen.

'Bedankt voor je les over het zakenleven, Roger. Vertel me nu eens over je financiële problemen.'

De sigaar zakte omlaag en de opgewekte blik verdween uit zijn ogen. 'Welke financiële problemen?'

'Jij hebt je in mij verdiept. Ik heb me in jou verdiept.'

'Dan ben je verkeerd ingelicht.'

'Je hebt tegenwoordig een keiharde marinier als lijfwacht. Waar is hij trouwens? Je wordt met de dood bedreigd, dus je kunt beter niet in je eentje ergens naartoe gaan.'

'Ik vind het ontroerend dat je je zoveel zorgen om me maakt.'

'En ik begrijp dat de bankiers in New York niet erg gevoelig waren voor je cashflowproblemen?'

Trent gooide zijn sigaar op de grond en drukte hem uit met zijn voet. 'Wat heeft Jean je in godsnaam verteld? De stomme trut.'

Minder dan drie dagen. Meer had Puller niet. Hij besloot recht op zijn doel af te gaan.

'Je hebt overal een vinger in de pap, Roger. Steenkool, maar je beheert ook gasleidingen, nietwaar?'

'Wat heeft dat ermee te maken?'

'Zeg jij het maar.'

'Ik heb je niets te zeggen.'

'Weet je dat zeker?'

'Heel zeker.'

'Het is erg om schulden te hebben. Verraad is nog erger.'

'Ben jij aan de drugs of zoiets?'

'Ik geef je alleen maar raad.'

'Waarom zou ik naar raad van jou luisteren?'

'Omdat ik het beste met je voorheb.'

Trent lachte. 'Heel grappig.'

'Nee, niet echt. En als de dingen gaan zoals ik denk dat ze gaan, zul je meer dan één marinier nodig hebben om jezelf te beschermen.'

'Bedreig je me?' bulderde Trent.

'Je bent intelligent genoeg om te weten dat de bedreiging niet van mij komt, Roger.'

Trent stapte weer in zijn Bentley en reed weg.

Blijkbaar had ook dit gesprek niets opgeleverd. Puller moest maar hopen dat Dickie iets nuttigers te melden had.

73

Toen hij aankwam, was het bijna tien uur. Het was stil in de buurt. Er was niemand buiten. Puller kon het de mensen niet kwalijk nemen. Het was heet en klam en er waren overal muggen. Het was een avond om binnen de muren te blijven, niet om buiten rond te huppelen.

Hij stuurde zijn Malibu door het netwerk van straten en volgde de route die Cole en hij eerder hadden gevolgd, totdat hij het brandweergebouw voor zich zag staan. Daar brandde geen licht, maar dat had hij ook niet verwacht. Er was hier geen elektriciteit. Dat was waarschijnlijk ook de reden dat ze allemaal naar huis gingen als het donker begon te worden. De roldeuren waren omlaag getrokken. Puller vroeg zich af of ze ook op slot zaten. Hij stopte, stapte uit zijn auto, keek om zich heen en snoof de lucht op. Een mug gonsde om zijn gezicht. Hij sloeg hem weg, al wist hij dat hij daarmee alleen maar meer muggen naar zich toe lokte. Hij had in genoeg moerassen getraind om dat te begrijpen. Hij deed zijn Malibu op slot met de afstandsbediening. Hij had de auto dicht bij het gebouw gezet, want hij wilde hem voortaan zo dicht mogelijk bij zich hebben. Hij liep naar een van de roldeuren, reikte omlaag en gaf er een ruk aan. De deur gleed gemakkelijk omhoog over het geoliede loopwerk. Hij keek nog eens om zich heen en zag niemand. Evengoed liet hij zijn rechterhand op de bovenkant van zijn voorste M11 rusten. Hij had zijn Maglite uit de kofferbak gehaald en deed hem aan. Toen hij naar binnen ging, sneed de lichtstraal door de duisternis. Terwijl hij op Dickie wachtte, wilde hij een theorie beproeven.

Rechts van hem stonden twee Harleys geparkeerd; hun voorwielen waren met een ketting aan elkaar verbonden. Links zag hij een verrijdbare gereedschapskist met een groot hangslot. Blijkbaar hadden de leden van de Harley Club toch geen volledig vertrouwen in hun buren. Beide Harleys hadden grote zadeltassen. Daar zaten sloten op. Dat was niet zo vreemd, en Puller had het ook wel verwacht.

Hij forceerde de sloten en scheen met zijn Maglite in de tassen. In de derde vond hij wat hij hoopte te vinden: een beetje plastic, een stukje ducttape en een paar bijna onzichtbare glanzende vlokken. In een andere zadeltas vond hij een paar kruimelige bruine korrels. De glanzende vlokken waren zuivere methamfetamine. De bruine vlokken waren een onzuivere versie daarvan, die pindakaascrank werd genoemd. Drugs waren in het leger een groter probleem dan de generaals wilden toegeven. In de loop der jaren had Puller zo ongeveer alle drugs gezien die er waren.

Hij had dus nu het distributiesysteem van Eric Treadwells bescheiden metham-fetaminebedrijfje gevonden. De leden van de Xanadu-motorclub stopten het spul in hun zadeltassen en brachten het naar hun klanten. En in verarmde ge-bieden, waar mensen de realiteit wilden vergeten omdat die zo beroerd was, hadden drugshandelaren vrij spel.

Treadwell en Bitner waren dus kleine drugshandelaren geweest. Maar dat was vast niet de reden dat ze vermoord waren. Hij zou het aan Cole vertellen, maar het hielp hem niet de terroristen tegen te houden.

Hij keek in de kasten aan de linkermuur. Niets. Ze waren voor het grootste deel gevuld met spullen van de Harley-rijders. Toen hij de kasten aan de rechterkant probeerde open te maken, merkte hij dat ze stevig op slot zaten. Hij forceerde het slot van een van de kasten en trof niets aan. Hij maakte nog twee kasten open en trof hetzelfde aan: niets. Aan de andere kasten verspilde hij geen tijd.

Hij keek op zijn horloge. Hij was hier met opzet wat eerder gekomen, voor het geval Dickie hem bedroog en iemand een hinderlaag had gelegd. Hij had nu nog wat tijd over en die wilde hij gebruiken om het gebouw te doorzoeken. Het was heel goed mogelijk dat mensen die methamfetamine verspreidden ook wa-ren over te halen om iets veel ergers te doen, al hield dat in dat ze hun land kwaad deden. Misschien hadden de mensen daar in de buurt het gevoel dat hun land hen al in de steek had gelaten, dus wat maakte het uit?

Er was nog een kamer aan de linkerkant. Hij ging daar naar binnen en kwam in een spelonkachtige duisternis, want er waren daar geen ramen. De kamer was leeg. Hij liep terug en spitste intussen zijn oren, bedacht op geluiden van ie-mand die naderde.

Hij liep de trap op. Er was een keuken die eruitzag alsof hij door de club werd gebruikt. Hij maakte een paar kastjes open en vond blikken soep en dozen ont-bijtvlokken.

Er was nog een kamer naast de keuken. Hij maakte de deur open, keek naar binnen en scheen met zijn Maglite. Dit moest de kamer van de brandweercom-mandant zijn geweest, dacht hij. Een oud bureau, oude archiefkasten, planken en twee roestige stoelen. Hij keek in de archiefkasten, maar die waren leeg, net als de planken. Hij ging achter het bureau zitten en maakte laden open. Hij vond niets, tot hij zijn hand verder in een van de laden stak nadat zijn licht op iets was gevallen.

Hij keek naar het vergeelde papier. Er stond het jaartal 1964 op.

De kop luidde 'FIA'. Hij wist niet wat dat betekende.

Hij las de tekst. Het ging over procedures in geval van brand in het overheids-complex. Er stond niets in waaruit bleek wat er in het complex werd gedaan. Misschien had dit iets te maken met wat Mason hem had verteld: de onderde-len van bommen die ze daar maakten.

Hij zag iets wat in de marge was geschreven. De inkt was verbleekt, maar hij kon het nog onderscheiden.

De getallen 92 en 94.

Hij stopte het papier in zijn zak en stond op.

Hij hoorde het geluid zodra hij het kantoortje verliet.

Een ronkende motor die snel dichterbij kwam. Puller liep vlug naar een paar ramen op de eerste verdieping die uitkeken over het terrein dat voor het brandweergebouw lag.

Het moest Dickie zijn. Hij scheen met de Maglite op zijn horloge. Het was tijd. Hij zag de koplamp van de motor door de duisternis priemen. De motor reed het gebarsten beton voor het brandweergebouw op. Nu kon Puller het silhouet van de man beter zien. Brede schouders. Zwaar bovenlijf. Het was Dickie.

Het geluid van het schot liet Puller ineenkrimpen en instinctief wegduiken. De kogel trof de motorrijder recht in zijn hoofd. Hij boorde zich door de helm, drong in de schedel en de hersenen binnen en kwam er aan de andere kant met een explosie uit. De motorrijder liet het stuur los en de Harley vloog naar rechts. De man viel naar links en dreunde tegen het beton. Hij maakte nog een stuiptrekkende beweging en bleef toen stilliggen. De motor reed door om ten slotte tegen de muur van het brandweergebouw te botsen en op zijn kant te vallen, ronkend en al.

Puller zag dat laatste niet meer. Hij was over de glijstang naar beneden gegaan. Het schot was van links gekomen. Een schot uit een scherpschuttersgeweer. Puller nam aan dat de schutter ergens op het terrein was. Er waren daar geen heuvels, alleen huizen. De schutter kon in een daarvan zitten. En het waren er veel. Ze waren allemaal leeg. Nou ja, misschien niet.

Puller glipte door de opening van de roldeur, naast de nog draaiende motor. Hij bukte, zette de motor uit en liet zijn M11 defensieve boogbewegingen maken. Hij drukte met zijn duim op toetsen van zijn mobiele telefoon.

Cole nam bijna meteen op.

Hij vertelde in drie bondige zinnen wat er aan de hand was.

Ze zou hem voor de tweede keer die dag hulptroepen sturen.

Hij telde tot drie en liep toen zigzaggend naar de Malibu. Met de auto tussen hemzelf en de plaats waar het schot vandaan was gekomen maakte hij zijn kofferbak open en pakte er vlug uit wat hij nodig had.

Een nachtbril.

En zijn kogelvrije vest. Dat was een modulaire configuratie van zacht materiaal die een 9mm-kogel kon tegenhouden. Maar dat was die avond niet goed genoeg. Puller nam even de tijd om keramische platen in de daarvoor bestemde vakken van het vest te steken. Die zouden hem extra bescherming geven. Hij zette zijn nachtbril aan en de wereld kreeg meteen scherpe groene contouren.

Hij keek naar het lijk. Omdat de helm nog op het hoofd zat, kon hij het gezicht niet zien. Het laatste wat Puller uit zijn kofferbak haalde, was waarschijnlijk het belangrijkste.

Een H&K MP-5 machinepistool. Dat was het favoriete wapen van commando-troepen voor gevechten op korte afstand. Het maximale bereik was honderd meter, en dat betekende dat Puller veel dichter bij zijn doelwit zou moeten komen. Een scherpschuttersgeweer tegen een wapen voor de korte afstand: degene die het laatste had, was in het nadeel. Bovendien was Puller ervan overtuigd dat de schutter een nachtvizier had om het soort schot te lossen waarmee hij de motorrijder had neergeschoten. Hij had liever zijn eigen scherpschuttersgeweer bij zich gehad, maar dat had hij niet. Hij zou zich met zijn H&K moeten behelpen. Puller zette het wapen op twee schoten achter elkaar en liet de kofferbak dichtvallen.

Hij moest op verkenning uitgaan. Hij stapte in zijn auto, startte hem en reed achteruit naar het lijk toe. Toen hij uitstapte, gebruikte hij de auto als schild.

Hij zag de gaten in de helm waar de kogel naar binnen en naar buiten was gegaan. Hij klapte het vizier open en zag Dickie Strauss naar hem terug staren.

Hij keek naar links en zag hem. De kogel lag op het beton. Hij keek er aandachtig naar zonder hem aan te raken.

Het was een .338 Lapua Magnum. Pullers IBA-platen konden zo'n kogel niet altijd tegenhouden. De Lapua had ook een bereik van vijftienhonderd meter. En onder ideale omstandigheden en met een beetje geluk kon een getalenteerde schutter zijn doelwit op nog grotere afstand raken.

Puller overtrad alle regels voor een plaats delict door de dode snel te fouilleren en diens mobiele telefoon en portefeuille in zijn zak te steken.

Puller stapte weer in zijn auto, hield zijn hoofd gebogen en reed naar het brandweergebouw. Hij stapte aan de passagierskant uit en schoof de steunriem van de MP-5 over zijn hoofd.

Het was tijd om op jacht te gaan.

74

Sam Coles zwaailichten sneden door de duisternis en haar sirenes gilden door de stilte. Ze kende deze wegen beter dan zo ongeveer iedereen, maar een paar keer vergde ze zoveel van zichzelf en haar auto dat ze dacht dat ze van de weg af zou raken en door de lucht zou vliegen om duizend meter neer te storten naar een vroegtijdige dood.

Ze vloog de laatste bocht in en trapte op het gas toen ze op het rechte eind kwam. Even later zag ze het brandweergebouw. Toen ze stopte, viel het licht van haar koplampen op het lichaam dat daar op het beton lag. Ze trok haar pistool en maakte haar portier open. Ze belde Puller met haar mobiele telefoon, maar hij nam niet op.

Ze glipte de auto uit en hield het portier tussen haarzelf en de plaats waar de schutter zou kunnen zijn. Ze keek naar de verwoeste motor bij het brandweergebouw en toen naar de Malibu. Ze hoorde sirenes in de verte. Even later stopten er twee politiewagens naast haar.

Ze riep: 'Er is daar ergens een schutter.'

Ze zag de agenten hun portieren openmaken en erachter wegduiken.

'Geef me dekking,' zei Cole.

Ze droeg het kogelvrije vest dat haar door de politie was verstrekt en hoopte dat het goed genoeg was. Ze rende naar voren, naar het lijk. Ze lichtte het vizier van de helm op en keek naar het gezicht.

Dickie Strauss zag er niet uit alsof hij sliep. Hij zag eruit alsof iemand een kanon op zijn hoofd had laten vallen.

Ze riep naar de agenten: 'Dood.' Ze keek naar de gaten in de helm. 'Schot in het hoofd. Zwaar geschut.'

'Je kunt beter dekking zoeken, brigadier,' zei een van haar mannen.

Cole liep vlug naar de auto terug en verschanste zich achter het portier. Ze keek naar haar agenten. 'Roep assistentie op. Ik wil dat alle wegen hier worden afgezet. We moeten systematisch gaan zoeken. Wie het ook is, hij mag niet wegkomen.'

'En die legerkerel?' vroeg een van haar mannen.

Cole keek de duisternis in.

Kom op, Puller. Laat je niet doodschieten. Laat je niet doodschieten.

Puller had positie ingenomen naast een leegstaand huis, ongeveer vijfhonderd meter bij het brandweergebouw vandaan. Hij was daar gekomen door de vermoedelijke baan van de kogel terug te volgen. Een enigszins getalenteerde schutter kon een doelwit op zeshonderd tot duizend meter raken, als hij over het juiste materieel beschikte. De Lapua-kogel was voor Puller een teken dat de schutter inderdaad het juiste materieel had.

Scherpschutters van de politie schoten in een stedelijke omgeving meestal op een afstand van nog geen dertig meter. Militaire scherpschutters werkten met veel grotere afstanden, want aan het front ging het heel anders toe. Omdat Puller de knal had gehoord, wist hij dat het schot op niet meer dan anderhalve kilometer afstand was gelost. Militaire scherpschuttersgeweren waren meestal langer dan die van de politie. Daardoor kon de kruitlading volledig opbranden, zodat de flits die uit de loop kwam minder hevig was en de kogel een hogere snelheid had. Daardoor was het moeilijker om de positie van de schutter na te gaan en werd de kans op een dodelijk schot groter.

Puller vroeg zich af of de schutter ook een spotter had. In dat geval was het twee tegen één. Hij hoorde sirenes in de verte. Cole en haar team waren er bijna. Dat was zowel goed als slecht nieuws. Goed in de zin dat versterkingen altijd welkom waren. Slecht in de zin dat de schutter nu des te gemotiveerder was om zich terug te trekken en te maken dat hij wegkwam.

Puller tuurde naar het terrein dat voor hem lag, op zoek naar een teken van een laserzoeker. Die apparaatjes waren enorm handig voor het zoeken van een doelwit, maar op het slagveld werden ze afgeraden om de simpele reden dat ze je positie verrieden. Puller had altijd op zijn vizier en spotter vertrouwd en de hoogte van doelwitten vergeleken met hun silhouet in het militaire vizier. Het was vrij goed mogelijk een schatting te maken van de grootte van een menselijk hoofd, de breedte van schouders en de afstand van de heupen tot de kruin van het hoofd. Als je die afstanden had, kon je je vizier op de afstand instellen. De politie mikte op de 'abrikoos', de medulla oblongata, een ongeveer zeven centimeter lang deel van de hersenen dat onwillekeurige bewegingen beheerste. Als je dat raakte, was het doelwit op slag dood. Militaire scherpschutters mikten bij een afstand van meer dan driehonderd meter meestal op niets in het bijzonder. Die mikten op het hele lichaam, want de romp vormde een groter doelwit.

De schutter met wie Puller nu te maken had, had zich niet aan die scherpe tweedeling gehouden. Hij had op een afstand van meer dan driehonderd meter iemand in zijn hoofd geschoten.

Politie of leger?

Of beide?

Als de man nog een keer schoot, zou Puller door middel van driehoeksmeting zijn positie kunnen inschatten. Maar als de schutter opnieuw schoot en Puller in zijn hoofd of romp trof, zou de Lapua-kogel hem ernstig letsel toebrengen en hem waarschijnlijk doden.

Hij keek naar wat er voor hem lag: lege huizen, stille straten. Maar niet alle huizen stonden leeg. Voor sommige stonden auto's geparkeerd. Hij zag zwak licht achter de ramen. Wisten die mensen niet dat ze een schutter in hun midden hadden? Hadden ze het schot niet gehoord?

Hij keek weer in de richting van het brandweergebouw en concentreerde zich op de exacte positie van Dickie Strauss' lichaam. Na de inslag van de kogel was de motor doorgereden. Dickie was na ongeveer drie seconden van de motor gevallen. Daar moest hij rekening mee houden. Waar was de kogel vandaan gekomen? Hij keek in de tegenovergestelde richting en ging de waarschijnlijke vuurlijn nog eens na. De enige rechte zichtlijn. Het huis aan het eind van de doodlopende straat. Donker, geen auto's aan de voorkant. Daarachter stonden nog meer huizen, maar in de volgende blokken stonden ze allemaal de andere kant op.

Hij luisterde en dwong zichzelf de sirenes te negeren. Geen geluiden. Geen rennende voetstappen.

Hij nam een besluit.

Even later was hij in beweging. Ondanks zijn grootte kon hij bijna geruisloos lopen. Dat was zowel gemakkelijk als moeilijk. Lange benen, dus minder beweging om meer afstand af te leggen. Maar grote mannen stonden er niet om bekend dat ze lichtvoetig waren. Mensen dachten altijd dat iemand van zijn grootte evenveel geluid zou maken als een naderende olifant. Sommigen hadden dat kort voor hun dood gedacht.

Puller hoopte dat hij daar vanavond weer een voorbeeld van zou meemaken.

75

Het scherpschuttersgeweer woog zes kilo en was meer dan een meter lang, bijna net zo lang als een korte halter. Daarom schoot je meestal vanuit liggende positie. Hij droeg het geweer in zijn rechterhand. Het inklapbare statief aan het eind van de loop was gesloten. Hij liep snel, maar doelbewust. Hij had die avond één doelwit gedood en hoefde er niet nog een te doden. Niet deze avond. Hij keek weer over zijn schouder. Er keek niets dan duisternis naar hem terug. Hij was zeven meter bij de bomen vandaan. Daarna zou het vijf minuten lopen zijn door het bos. Er stond een auto op hem te wachten en hij zou snel wegrijden, voordat de politie de wegen kon afzetten. Hij hield van deze omgeving. Een uitgestrekt gebied met lang niet genoeg politieagenten om alles af te zetten. Hij bleef staan en keek om.

Sirenes, ja, maar nog iets anders. Iets onverwachts.

Zijn hand ging naar zijn middel.

'Nog een centimeter met die hand, en je mag je darmen bekijken.'

De hand van de man bleef waar hij was.

Puller kwam niet tussen de bomen vandaan. Hij wist niet of de andere man alleen was. Hij hield zijn MP op de man gericht.

'Eerst pak je het geweer bij de loop vast en gooi je het van je af. Dan ga je op je buik liggen, met je handen samengevouwen achter je hoofd, je ogen dicht en je voeten wijd uit elkaar.'

De man zette het geweer met de kolf voorop op de grond, pakte de loop vast en gooide het wapen weg. Het kwam op twee meter afstand neer, en dreunde zo hard tegen de grond dat aarde en gras in het rond vlogen.

'Dat was één. Nu stap twee,' zei Puller.

'Hoe heb je me ingehaald?' vroeg de man.

Puller hield niet van die vraag, maar nog minder van de toon waarop hij was gesteld. De man klonk ongehaast, oprecht nieuwsgierig en maakte zich blijkbaar helemaal niet druk om de gevolgen van het feit dat hij was gepakt. Hij liet zijn blik over het veld voor hem gaan. Was daar ergens een spotter? Een ondersteuningsteam om de schutter vlug weg te brengen?

'Een kwestie van meetkunde,' zei hij. 'Ik werkte naar de logische conclusie toe en maakte dat ik hier snel kwam.'

'Ik heb je niet gehoord.'

'Dat klopt. Waarom schoot je Dickie dood?'

'Ik weet niet waar je het over hebt.'

'Ik durf te wedden dat niet iedereen hier met Lapua-kogels rondloopt.'

'Je kunt hier nog van weglopen, Puller. Nu meteen. Misschien moet je dat doen.'

Puller hield nog minder van die verandering van tactiek. Het was net of die andere man hem onder schot hield en bereid was hem te laten gaan.

'Ik luister,' zei hij.

'Je hebt er vast al wel over nagedacht. Van mij krijg je niets meer te horen. Ik hoef jouw werk niet te doen.'

'Er zijn nu acht mensen dood. Daar moet een goede reden voor zijn.' Puller bracht zijn vinger naar de trekkerbeugel van de MP-5. Als hij die vinger eenmaal binnen de beugel had, zou hij schieten.

'Dat moet wel.'

'Als je praat, kunnen we misschien een deal maken,' zei Puller.

'Nee, dat denk ik niet.'

'Ben je zo loyaal?'

'Als je het zo wilt noemen. Ik liet je bij me komen. Mijn schuld. Mijn verantwoordelijkheid.'

'Ga op je buik liggen. Dit is de laatste keer dat ik het zeg.'

Puller richtte het geweer. Op deze korte afstand zou de man zeker dood zijn. Hij zette de MP tegen zijn rechter borstspier. Met zijn linkerhand liet hij zijn M11 een boog van dertig graden beschrijven.

De man liet zich op zijn knieën zakken. Toen op zijn buik. Hij begon zijn handen samen te vouwen. Maar toen ging zijn hand bliksemsnel naar zijn middel. Puller pompte twee schoten in de armen van de man en stapte toen naar links achter een boom. De vuurflits van zijn geweer had zijn positie verraden. Hij had geen dodelijk schot gelost omdat dat niet nodig was. De man was niet in de gelegenheid geweest op hem te schieten. En nu hij zijn armen niet kon gebruiken, zou hij zijn wapen niet eens op Puller kunnen richten. Misschien had de man twee redenen gehad om naar zijn wapen te grijpen.

Ten eerste had hij gewild dat Puller hem doodschoot.

Puller had besloten hem niet ter wille te zijn. Hij wilde een getuige die hij kon ondervragen.

Ten tweede had hij gewild dat Puller schoot, zodat diens positie zichtbaar werd; vandaar dat Puller zich achter die boom had teruggetrokken.

Hij verwachtte vuur uit een andere sector.

Dat kwam niet.

Hij wierp een blik achterom naar de gewonde man, die daar nog lag, met bloed dat uit zijn armen gutste. Het was geen slagaderlijk bloed, want daar had Puller niet op gemikt.

Hij merkte een seconde te laat dat de man zijn hand onder zich had liggen. Het schot galmde.

'Shit,' mompelde Puller terwijl hij het bovenlijf van de man met een ruk omhoog zag komen, waarna het op de grond terugviel en stil bleef liggen.

De kogel was door de rug van de man naar buiten gekomen. Precies in het midden. Een contactschot, maar dan omgekeerd. Door het slachtoffer zelf gelost.

Puller had een mogelijke getuige verloren, een mogelijke doorbraak in de zaak. Wie die mensen ook waren, ze waren toegewijd. Het was geen gemakkelijke beslissing om de dood boven het leven te verkiezen. Blijkbaar was de man dat al die tijd van plan geweest. Vanaf het moment dat hij wist dat Puller hem had gezien en bijna gevangen had genomen.

Even ontspande Puller. Dat was bijna een fatale vergissing geweest.

Hij blokkeerde het mes met de loop van zijn geweer, maar de man haalde met zijn andere hand naar Pullers arm uit, en door de schok viel zijn MP-5 in het zand. Puller bracht zijn M11 omhoog, maar de helper van zijn tegenstander stootte dat wapen ook in het zand. De man kwam opnieuw op hem af en liet zijn mes alle kanten op zwaaien om Puller in verwarring te brengen. Hij was een meter vijfentachtig, negentig kilo, met dik, donker haar, een mager gebruind gezicht en de ogen van iemand die het gewend was andere mensen te doden.

Maar Puller was dat ook gewend.

Puller drukte de arm waarmee de man het mes vasthield tegen diens bovenlijf, dook omlaag en stootte zijn hoofd tegen de keel van de man. Het mes viel op de grond. Puller draaide zich bliksemsnel om, greep met zijn rechterhand de bovenkant van het hoofd van de man vast en trok het naar rechts, terwijl hij tegelijk hard met zijn elleboog tegen de linkerkant van de hals van de man stootte.

De man gorgelde en het bloed liep uit zijn neus en mond.

'Geef het op, en je blijft in leven, klootzak,' zei Puller.

De man bleef zich verzetten. Hij schopte naar Pullers kruis, stak naar zijn ogen. Dat was ergerlijk, maar beheersbaar. Puller wilde dat deze man in leven bleef. Maar toen de man zijn hand op Pullers achterste M11 kreeg en hem probeerde los te trekken, vond Puller het beter om zonder gevangene in leven te blijven dan dood te zijn.

Puller zorgde dat hij achter de man kwam, sloeg zijn lange arm met de elleboog omhoog om de beschadigde hals van zijn tegenstander, greep met zijn andere arm diens bovenarm vast en trok in verschillende richtingen. Toen hij hoorde dat de man begon te schreeuwen, tilde hij hem van de grond, draaide hem snel rond en gooide hem tegen de dichtstbijzijnde boom. Hij hoorde de wervelkolom knappen en liet de hele lading in het zand vallen. Snel ademhalend keek hij naar de puinhoop die hij van het menselijk lichaam had gemaakt. Hij keek naar het mes. Een gekarteld lemmet. Een versleten heft. Vaak gebruikt. Het was de bedoeling geweest dat het nu onder zijn bloed zou zitten. Puller had geen greintje spijt.

'Puller!'

Hij keek naar rechts.

Hij herkende Coles stem.

'Hier. Kom niet dichterbij. Ik heb een dode schutter en zijn helper, maar misschien zijn er nog meer. Ik ben ongedeerd.'

Er verstreken tien minuten en Cole zei: 'Kunnen we nu bij je komen?'

Puller keek nog een laatste keer langs de bomen. 'Oké.'

Even later verschenen Cole en twee van haar agenten in zijn gezichtsveld.

'Puller?'

'Rechts van je.' Hij kwam naar voren om te laten zien waar hij was.

Cole en haar agenten schuifelden naar voren en kwamen bij hem om de dode mannen heen staan.

Puller knielde neer en draaide de schutter om. 'Schijn eens op zijn gezicht.'

Cole deed het.

De agent die Lou heette, slaakte een zucht. Hij zei: 'Dat is de man die deed alsof hij in het huis van Treadwell woonde.'

Puller stond op. 'Dat dacht ik al.'

'Waarom dacht je dat?' vroeg Lou.

'Hij voldeed aan het signalement dat je eerder van hem gaf. Nu weten we dat hij niet alleen goed mensen van dichtbij kan vermoorden maar ook een goede scherpschutter is.'

Lou keek naar het verwoeste lichaam. 'Wat heb je in godsnaam met hem gedaan?'

'Ik heb hem gedood,' zei Puller simpelweg. 'Voordat hij mij doodde.'

'Dat was Dickie Strauss daar bij het brandweergebouw,' zei Cole.

'Dat weet ik.'

'Wat deed hij hier?'

'Hij had een afspraak met mij.'

Cole keek naar de wonden in de armen van de man. 'Jouw kogels?'

Puller knikte. 'Toen hij naar zijn pistool greep. Ik dacht dat hij me zo ver wilde krijgen dat ik hem doodde. Dat deed ik niet. Toen schoot hij zelf een kogel door zijn lijf. Dat had ik moeten zien aankomen. Maar als iemand zelfmoord wil plegen en hij heeft een pistool bij de hand, kun je er niet veel aan doen.'

'Misschien niet,' zei Cole kortaf.

Puller keek om zich heen en zei: 'Laten we de plaatsen delict afschermen. Roep Lan Monroe op en wie je verder nog nodig hebt. Daarna kunnen jij en ik praten.'

'Waarover?'

'Over een heleboel dingen.'

•76•

Cole wachtte in haar huis op hem. Hij was onderweg nog even naar zijn motel-kamer geweest. Ze begroette hem bij de voordeur en hij volgde haar door de gang naar de keuken.

'Wil je iets drinken?' vroeg ze. 'Ik neem een biertje.'

'Nee, dank je,' zei hij.

Ze gingen in een achterkamer met uitzicht op de tuin zitten. Het was warm en klam en Coles airco was niet veel beter dan die in zijn motelkamer. Hij dacht dat hij de steenkool in de lucht kon proeven en kon voelen hoe zijn huid vettig zwart werd, alleen doordat hij daar was.

Ze ging tegenover hem zitten, haar vingers om de hals van haar flesje bier.

'Terwijl jij een paar sporen volgde,' begon ze, 'heb ik op Treadwells werkplek gekeken. Het enige nuttige stukje informatie dat ik daar heb opgedaan, is dat er niets uit hun magazijn is verdwenen. En ze wisten niet waarom hij wolfraam-carbide in zijn huis had. Ze leveren zoiets helemaal niet.'

'Dus het had niets met zijn werk te maken?'

'Nee.'

'Ik weet nu hoe het met het methamfetaminelab zit.'

'Hoe dan?'

Hij vertelde haar wat hij in het brandweergebouw had ontdekt.

'Verdomme. Dus de Xanadu-bende handelt in meth?'

'Daar ziet het naar uit,' zei Puller, 'maar wij komen er niet verder mee. En de tijd dringt.'

'Wat bedoel je?'

Hij vertelde haar over zijn gesprek met Joe Mason. Over de gaspijplijn die door Trent werd beheerd. En over de kernreactor die blijkbaar het echte doelwit was. En ten slotte vertelde hij haar over Trents financiële problemen.

Toen hij klaar was, zette ze haar bier neer en leunde ze in haar stoel achterover. 'Ik weet niet waar ik moet beginnen,' zei ze. 'Jean heeft me nooit iets over geld-problemen verteld. En jou wel?'

'Ik denk dat ze op dat moment nogal kwetsbaar was. En ik ben geen familie. Misschien wilde ze gewoon niet dat jij het wist. Misschien schaamde ze zich omdat ze misschien weer arm zou worden.'

'Heb je trek? Ik voel me plotseling uitgehongerd.'

'Cole, ga nou niet eten. We hebben minder dan...'

Met bevende stem zei ze: 'Ik moet sandwiches klaarmaken, Puller. Ik... ik moet iets normaals doen. Anders ga ik eronderdoor. Dat meen ik. Voor zoiets als dit ben ik niet bij de politie gegaan. Zulke dingen gebeuren niet in plaatsen als Drake.'

Sussend zei hij: 'Oké. Oké. Zal ik je helpen?'

Ze gingen naar de keuken en maakten kalkoensandwiches klaar, met schijfjes augurk bovenop en chips als garnering. Ze aten ze staande aan het aanrecht.

'Wat denk je?' vroeg ze zachtjes.

Puller nam een hap sandwich en at ook een paar chips.

'De schutter wist wat hij deed. Zijn geweer was eersteklas, en zijn keuze van munitie was dat ook. Hij koos zijn positie goed, loste zijn schot en kwam bijna weg. Ik moest hard rennen om hem in te halen en had daar ook nog een beetje geluk bij nodig. En dat terwijl ik er heel goed in ben om schutters in zo'n omgeving te pakken te krijgen.' Hij zweeg even. 'En evengoed kwam hij bijna weg. En zijn helper was ook goed. Niet zo goed als ik, maar heel goed.'

'Wat ben je toch bescheiden,' zei Cole nuffig.

'Ik ben alleen maar realistisch,' zei Puller. 'Het kan fataal zijn als je jezelf onderschat of overschat. Er zijn mensen die beter zijn dan ik. Hij was daar niet een van.'

'Oké.'

'Laten we even veronderstellen dat Dickie, Treadwell en Molly in de methamfetamine zaten. Ik zei al dat Dickie op me overkwam als iemand die in het nauw zat. Hij dealde in meth, en dat wilde hij natuurlijk geheimhouden, maar hij was ook op iets gestuit wat veel erger was.'

'Je zei dat Dickie vanavond een afspraak met je had. Enig idee wat hij te melden had?'

'Nee. Misschien niets. Ik was degene die om de ontmoeting vroeg.'

Ze maakte de koelkast open en haalde er twee flesjes mineraalwater uit. Ze gaf hem er een.

'Een gaspijplijn en een kernreactor,' zei ze. 'En we hebben twee dagen de tijd. Dat is idioot, Puller. Idioot.'

'Het is wat het is.'

'Je moet om hulptroepen vragen.'

'Dat heb ik geprobeerd, Cole. Mijn superieuren houden voet bij stuk.'

'Dus ze laten ons aan ons lot over?'

Ze stonden dicht tegenover elkaar, maar de afstand leek Puller wel een kilometer. Het grootste deel van zijn volwassen leven had hij zijn land gediend. En als je je land diende, betekende dat in feite dat je de burgers daarvan diende. Mensen zoals de vrouw die hem op dat moment wanhopig aankeek. In zijn hele leven had hij nog nooit zo erg in tweestrijd verkeerd als nu.

'Ik weet niet wat ik tegen je moet zeggen, Cole. Echt niet.'

Ze zei: 'Nou, er is één ding dat ik moet doen.'

'Wat dan?' vroeg Puller behoedzaam.

'Ik moet Bill Strauss vertellen dat zijn zoon dood is.'

'Ik ga met je mee.'

'Dat hoeft niet.'

'Dat moet wel.'

Ze stonden op en gingen samen weg.

77

Ze reden er in de Malibu van Puller heen. Nu, in de avond, voelde de lucht nog benauwender aan dan overdag, toen het zo'n vijfendertig graden was geweest, met veel vocht in de atmosfeer. In het schijnsel van zijn koplampen doken zwermen muggen op, wachtend op slachtoffers. Vijftien meter voor hen sprong een hert uit het bos aan hun linkerkant. Puller tikte op de rem. Even later sprong opeens een dier dat eruitzag als een kleine poema de struiken uit. Het was in twee sprongen over het asfalt en verdween in het bos aan de andere kant. Blijkbaar was er die avond geen gebrek aan roofdieren.

'In het Midden-Oosten was het nog heter dan dit, maar dat was tenminste een droge hitte. Dit doet me eerder aan Florida denken,' zei Puller, terwijl hij over de bochtige achterwegen reed. Het leek wel alsof Drake geen ander soort wegen kende.

'Ik ben nooit in Florida geweest,' zei Cole. 'Eigenlijk ben ik nooit buiten West Virginia geweest. Hier hoor ik thúís.'

Hij zette de airco op de hoogste stand en wreef een streep zweet van zijn voorhoofd. Haar woorden deden hem pijn.

'Laten we het uitpraten,' zei hij.

'Dit brengt me in een moeilijke positie, Puller.'

Hij keek haar even aan. 'Dat weet ik. Je bent ordehandhaver. Een dienaar van de samenleving. Het is je taak om Drake te beschermen en verdedigen.'

'Ja. Dus wat moet ik doen? De county evacueren?'

Puller hield het stuur nog steviger vast en tuurde de duisternis in. Cole had hem verteld hoe hij naar het huis van Strauss moest rijden, maar blijkbaar zaten ze op een lang recht eind, tenminste lang voor Drakes begrippen, en Cole maakte daar gebruik van om uiting te geven aan haar zorgen.

'Ja, dat kun je proberen. Maar met de gegevens die we nu hebben zal het je waarschijnlijk niet lukken.'

'Maar als jij me steunt? En de mensen in Washington?'

'Dat gebeurt niet,' zei Puller botweg.

'Waarom niet?'

Puller besloot haar de waarheid te vertellen. 'Ze zien jullie als een gelegenheid om een nieuwe bladzijde in het oefenboek te schrijven en tegelijk een paar schurken te pakken te krijgen.'

'Je bedoelt dat we proefkonijnen zijn?' snauwde ze.

'Ja, jullie zijn proefkonijnen. De federale diensten hebben liever niet dat we op de paniekknop drukken, want dan gaan de schurken gewoon ergens anders heen om het daar te doen.'

'Maar ik kom hiervandaan. Ik ben hier geboren. Ik ken de mensen. Ik kan niet lijdzaam afwachten tot iedereen wordt weggevaagd.'

Puller had naar haar gekeken, maar wendde zijn blik nu af.

'Puller? Begrijp je waar ik vandaan kom?'

'Ja, en dat betekent dat ik het je waarschijnlijk niet had moeten vertellen.'

'Natuurlijk wel!'

'Het komt erop neer dat de federale diensten niets doen om de zaken te bespoedigen. Ze willen kijken hoe het gaat. Ze sturen de troepen pas op het laatste moment. Dat moet genoeg zijn om de bijkomende schade tot een minimum te beperken.'

'Dat "moet genoeg zijn"? "Bijkomende schade tot een minimum beperken"?'

Hij onderbrak haar. 'Maar dat betekent niet dat we rustig moeten afwachten. We kunnen proberen deze zaak op te lossen voordat de trekker wordt overgehaald.'

'Maar als we dat niet kunnen?'

'Het is het beste plan dat ik heb.'

'Je vraagt me een keuze te maken tussen mijn land en mijn eigen mensen.'

'Ik vraag helemaal niets van je, Cole. Ik vertel je alleen wat ze mij hebben verteld. Het bevalt mij net zomin als jou.'

'Wat zou jij doen?'

'Ik ben soldaat. Voor mij is het gemakkelijk. Ik volg gewoon bevelen op.'

'Dat is onzin.'

'Ja, je hebt gelijk. Het is onzin.'

'Nou?'

Hij greep het stuur zo stevig vast dat het een beetje meegaf. 'Nou, ik weet het niet.'

Ze reden een tijdje in stilte. Cole verbrak die stilte alleen om hem te vertellen hoe hij moest rijden om bij Strauss' huis te komen.

Toen ze er bijna waren, zei ze: 'Als ik nu eens besluit alarm te slaan?'

'Die beslissing is aan jou.'

'Schiet je me dan niet dood?'

'Die beslissing is aan jou,' herhaalde Puller. 'En nee, ik schiet je niet dood.' Hij haalde diep adem. 'Sterker nog: ik zal je steunen.'

'O ja? Waarom?'

Hij keek opzij en zag dat ze naar hem keek.

'Dat doe ik gewoon,' zei Puller. 'Het is de juiste handelwijze. Soms vergeten mijn superieuren dat kleine detail. De juiste handelwijze,' zei hij opnieuw.

Ze zagen de lichten van Strauss' huis dichterbij komen. Toen Puller het pad op reed, zei hij: 'We kunnen hier doorheen komen als we blijven samenwerken.'

Ze drukte met haar handpalmen tegen het dashboard, alsof er allerlei wilde gedachten uit haar weg dreigden te rennen en ze die gedachten probeerde tegen te houden.

Hij stak zijn hand uit en gaf een kneepje in haar schouder. 'Je bent niet alleen, Sam. Ik ben hier bij je.'

Ze keek hem aan. 'Dat is de eerste keer dat je me Sam noemt.'

'Ik zit in het leger. We zijn formeel ingesteld.'

Dat leverde hem een zeldzaam glimlachje van haar op. Ze gaf een klopje op zijn hand.

'Ik red me wel... John.' Ze keek hem aan. 'Is het goed dat ik je soms John noem? Ik weet dat het waarschijnlijk idioot klinkt dat ik me druk maak om zoiets, met alles wat er aan de hand is.'

'Het is goed. En het is beter dan Romeo.'

'Of Julia,' antwoordde ze.

78

Het huis van Strauss was ruim half zo groot als dat van de Trents. Dat betekende dat het voor Drakes begrippen enorm groot was. En ook voor de meeste Amerikaanse begrippen, dacht Puller. Het stond op zijn eigen terrein van twee hectare en had zelfs een klein hek aan de voorkant. Al stond daar geen bewaker, zoals bij het landhuis van Trent.

Cole had vooruit gebeld, en Strauss en zijn vrouw waren uit hun bed gekomen. Het echtpaar zat op hen te wachten toen de deurbel ging. Mevrouw Strauss was een breedgebouwde, vlezige vrouw die de tijd had genomen haar kapsel in model te brengen nadat ze midden in de nacht was gewekt. Ze droeg een broek met een blouse daar los overheen. Haar gezicht was totaal ontredderd, zoals ook te verwachten was.

Bill Strauss droeg een spijkerbroek en een poloshirt. Hij had een niet brandende sigaret tussen zijn vingers. Misschien hield mevrouw Strauss er net zomin als Rhonda Dougett van dat er in haar huis werd gerookt.

Ze zaten tegen elkaar aan op een bank, terwijl Cole vertelde wat er gebeurd was. Toen ze bij het schot kwam, keek Bill Strauss op.

'Bedoel je dat iemand hem heeft vermoord? Dat iemand Dickie met opzet heeft gedood?'

Puller zei: 'Ik was erbij. Dat is precies wat er is gebeurd.'

Strauss keek hem aan. 'Was jij daar ook? In het brandweergebouw? Wat deed je daar?'

Cole gaf antwoord: 'Dat doet er niet toe.'

'Hebben jullie sporen die naar de moordenaar leiden?'

'We hebben iets beters,' zei Puller. 'We hebben de moordenaar.'

Beide Straussen keken hem met grote ogen aan. Bill zei: 'Jullie hebben hem te pakken gekregen? Wie is het? Waarom heeft hij onze zoon vermoord?'

'We weten niet wie het is. En we kunnen hem niet vragen waarom hij Dickie heeft vermoord, want hij heeft een paar minuten daarna zelfmoord gepleegd.'

Mevrouw Strauss huilde zachtjes in haar handen, en haar man legde zijn hand om haar schouders. Toen de vrouw even later helemaal instortte en onbedaarlijk begon te snikken, leidde haar man haar weg door de gang.

Puller en Cole zaten te wachten tot hij terugkwam. Na een paar minuten stond Puller op en keek hij om zich heen.

Even later kwam Strauss terug. 'Sorry,' zei hij, 'maar jullie begrijpen wel hoe erg we allebei van streek zijn.'

'Absoluut,' zei Cole. 'We kunnen later terugkomen, als je dat liever wilt. Ik weet dat dit heel moeilijk is.'

Strauss leunde achterover en schudde zijn hoofd. 'Nee, laten we het afhandelen.' Ditmaal stak hij een sigaret aan en blies hij de rook opzij.

'We proberen erachter te komen wie de dode is. Als we dat weten, kan dat ons helpen de zaak op te lossen.'

'Dus jullie weten zeker dat hij niet hier uit de buurt komt?' vroeg Strauss.

'We denken van niet, maar we zullen het nagaan.'

'Kun je enige reden bedenken waarom iemand je zoon kwaad zou doen?' vroeg Cole.

'Nee. Dickie had geen vijanden. Hij had vrienden. Hij had zijn maten in de Harley Club.'

'Waar werkte hij?' vroeg Puller.

'Hij... eh, hij had op het moment geen baan,' zei Strauss.

'Nou, waar heeft hij voor het laatst gewerkt?'

'Er is niet veel werk in Drake.'

'Er is Trent Exploration,' zei Puller. 'En jij bent de directeur bedrijfsvoering.'

'Zeker. Dat klopt. Maar Dickie wilde niet voor Trent werken.'

'Waarom niet?'

'Daar had hij gewoon geen zin in.'

'Dus jij onderhield hem?' vroeg Puller.

'Wat?' zei Strauss, die er even niet bij was. 'Wij, dat wil zeggen, ik gaf hem van tijd tot tijd wat geld. En hij woonde thuis. Hij was ons enig kind. Misschien hebben we hem verwend.' Hij zweeg even en haalde diep adem, zodat er nog meer nicotine in zijn longen kwam. 'Maar hij verdiende het niet om vermoord te worden.'

'Natuurlijk niet,' zei Cole.

'Als hij hier woonde,' zei Puller, 'moeten we op een gegeven moment zijn kamer doorzoeken.'

'Maar niet vannacht,' zei Cole op scherpe toon.

'Hij heeft me verteld waarom hij uit het leger is gegooid,' zei Puller. Die opmerking leverde hem een scherpe blik van Strauss op.

'Dat was... onfortuinlijk,' zei Strauss.

'De homoseksualiteit of het ontslag uit het leger?' vroeg Puller.

'Beide,' zei Strauss eerlijk. 'Ik ben geen homohater, Puller. Je denkt misschien dat mensen in zo'n klein stadje niet openstaan voor zulke dingen, maar ik hield van mijn zoon.'

'Oké,' zei Puller. 'Het was een goed mens. Hij wilde het goede doen.'

'Wat bedoel je?'

'Hij hielp ons bij ons onderzoek,' zei Cole.

'Hij hielp jullie? Hoe dan?'

'Hij hielp ons gewoon.'

'Denk je dat hij daarom is vermoord?'

'Ik weet het niet.'

'Allemachtig,' zei Strauss. 'Al die mensen die in een paar dagen tijd in Drake zijn vermoord. Denk je dat die moorden iets met elkaar te maken hebben?'

'Ja,' zei Cole.

'Waarom?'

'Daar kunnen we niet op ingaan,' zei ze.

Puller keek enkele ogenblikken naar Strauss en vroeg zich af of hij het over een andere boeg moest gooien. Ten slotte besefte hij dat hij niet veel tijd meer had. 'Heb je nog iets ontdekt over de vergunning voor die explosies?'

Met een vage blik in zijn ogen zei Strauss: 'Ik heb naar het kantoor gebeld waar ze die dingen regelen. Ze zijn het nagegaan. De voorman daar vroeg om de speciale vergunning en die kregen we. Maar het ging niet helemaal goed met de openbare bekendmaking. Die ging niet op tijd de deur uit. De voorman had dat niet gehoord en dus werkte hij evengoed met de explosieven. Dat gebeurt niet vaak, maar soms wel.'

'Wie zouden van het tijdstip van de explosies hebben geweten?'

'Ik. De voorman. Veel mensen bij Trent.'

'Roger Trent?' vroeg Puller.

'Ik weet het niet zeker, maar als hij het had willen weten, kon hij er gemakkelijk genoeg achter komen.'

Cole stond op en gaf Strauss haar kaartje. 'Als je nog iets bedenkt, moet je me bellen. Ik vind het heel erg dat je je zoon hebt verloren.'

Strauss reageerde verbaasd op het abrupte einde van het gesprek, maar kwam toen wankelend overeind. 'Dank je, brigadier Cole.'

Puller was de laatste die opstond. Hij kwam dicht bij Strauss staan en zei tegen hem: 'Er zijn veel mensen gestorven. We willen niet nog meer lijken zien.'

'Natuurlijk niet.' Zijn gezicht werd rood. 'Je wilt toch niet suggereren dat ik iets...'

'Ik suggereer niets.'

'Je denkt dat hij liegt, nietwaar?' zei Cole toen ze naar de auto terugliepen.

'Ik denk dat hij meer weet dan hij ons wilde vertellen.'

'Je bedoelt dat hij heeft geholpen zijn zoon te laten vermoorden? Ik had de indruk dat hij er helemaal kapot van was.'

'Misschien wilde hij niet dat zijn zoon bij dit alles betrokken raakte.'

Ze stapten in en Puller reed bij het huis van Strauss vandaan.

Cole keek door de achterruit. 'Ik kan me niet voorstellen hoe het is om je kind te verliezen.'

'Dat kan niemand zich voorstellen. Niemand wil het zelf ondergaan.'

'Heb je er ooit over gedacht om te trouwen?'

Puller dacht: *Ik ben getrouwd. Mijn vrouw is het leger van de Verenigde Staten. En ze kan soms heel lastig zijn.*

'Ik denk dat iedereen daarover denkt,' zei hij. 'Op een gegeven moment.'

'Het is moeilijk om getrouwd te zijn en bij de politie te werken.'

'Dat doen heel veel mensen.'

'Als je ook nog vrouw bent, bedoel ik.'

'Ook dat gebeurt veel.'

'Waarschijnlijk wel. Zeg, als je denkt dat Strauss iets achterhoudt, had ik het doorzoeken van de kamer van zijn zoon misschien beter niet kunnen uitstellen.'

'We komen daar nog aan toe, maar ik denk niet dat Dickie daar iets belangrijks bewaarde.'

'Nou, waar zou hij dan wel belangrijke dingen bewaren?'

'Misschien op dezelfde plaats waar Eric Treadwell zijn wolfraamcarbide bewaarde.'

'Zou dat echt belangrijk zijn?'

'Het is belangrijk omdat het onverklaarbaar is.' Hij keek op zijn horloge. 'Moe?'

'Nee. Ik voel me alsof iemand me tegen een stroomdraad aan heeft getrokken. Maar je zou vannacht bij mij moeten blijven.'

'Waarom? Ik heb een kamer.'

'Iemand heeft ook geprobeerd jou te vermoorden. Twee keer.'

'Oké, misschien heb je gelijk.'

Ze pikten haar auto op en hij volgde Cole naar haar huis. Ze bracht hem naar zijn kamer en zorgde ervoor dat hij alles had wat hij nodig had.

Toen hij op het bed ging zitten en zijn legerschoenen uittrok, bleef ze bij de deur staan.

Hij keek op. 'Ja?'

'Waarom Drake? Alleen omdat we een gaspijplijn en een kernreactor in de buurt hebben?'

'Misschien is dat voor sommige mensen genoeg.'

Hij liet zijn tweede schoen op de vloer vallen en haalde zijn voorste M11 uit de holster.

'Denk je dat je je hele leven met een pistool blijft rondlopen?' vroeg ze. 'Jij?'

'Ik weet het niet. Op dit moment lijkt het me wel een goed idee.'

'Ja. Zo denk ik er ook over.'

'Puller, als we hier levend uitkomen...' Ze zweeg even. 'Misschien kunnen we dan...'

Hij keek naar haar op. 'Ja, dat dacht ik ook.'

·79·

Om één uur 's nachts was Puller weer in Afghanistan, midden in een vuurge-vecht dat hij elke keer zou winnen, al kon hij de mannen die hij had verloren niet naar huis brengen. Langzaam en kalm ontwaakte hij uit de droom. Maar hij werd ook wakker met iets anders.

Een idee.

Er was een spoor geweest dat hij niet had gevolgd. Terwijl hij in de woestijn Afghanen doodde, had zijn geest zich ten slotte op dat spoor gericht. En hij had niet veel tijd om er iets aan te doen. Hij stond op, kleedde zich aan en verliet het huis zo zachtjes als toen hij op patrouille was in het Midden-Oosten. Hij had alleen nog even bij Cole gekeken. Ze lag in haar bed te slapen, met alleen een laken over zich heen omdat het buiten zo warm was. Hij liet een briefje op de koelkast voor haar achter, lette erop dat haar voordeur goed op slot zat en duwde zijn auto het pad af en een eindje de straat door voordat hij hem startte. En toen was hij weg.

Een halfuur later keek hij naar het grimmige betonnen gebouw. Er was geen beveiligingssysteem. Dat was hem de vorige keer al opgevallen.

Hij keek nog een laatste keer om zich heen en liep toen door. Het slot van de voordeur kostte hem niet meer dan een halve minuut.

Hij liep door het interieur. Hij had zijn zaklantaarn nog niet gebruikt, want hij wist nog van zijn vorige bezoek hoe het interieur eruitzag. Door de gang, vijf-tien stappen, de deur aan de linkerkant. Terwijl hij het licht van een penlight op het slot liet vallen, gebruikte hij zijn gereedschap om het te forceren.

Twintig seconden later stond hij aan de andere kant van de deur en had hij hem achter zich dichtgedaan. Hij keek naar de andere deur. Verrassend genoeg zat die niet op slot. Hij maakte hem open; hij droeg handschoenen. De grote, vrij-staande kluis staarde hem aan. Dit zou een lastiger slot worden, maar hij had gereedschap meegebracht om het open te krijgen.

Hij scheen met zijn penlight op de metalen voorkant van de kluis. Die was oud, maar stevig. Hij stak zijn gereedschap in het slot en werkte vijf minuten met geoefende hand. Er volgde een zacht klikgeluid, en toen trok hij aan de arm van het slotmechanisme en kreeg hij de deur open. Na tien minuten zoeken vond hij datgene waarvan hij vrij zeker wist dat het was wat hij zocht.

Hij vouwde de blauwdrukken open en legde ze op het bureau. Hij scheen er met zijn penlight op en nam ze bladzijde voor bladzijde door. Toen maakte hij foto's van alle bladzijden, vouwde de blauwdrukken weer op, legde ze in de kluis terug, maakte de deur dicht en vergewiste zich ervan dat die goed op slot zat. Vijf minuten later reed hij weg met zijn Malibu. Hij kwam bij Coles huis, nam de camera mee naar binnen en ging op het bed zitten om elke foto te bekijken. Toen hij klaar was, leunde hij achterover en dacht hij erover na. Hij probeerde de dingen op een rijtje te zetten. Strauss had dit in zijn kluis gehad. Eric Treadwell en Molly Bitner hadden een plan bedacht om het uit de kluis te krijgen en er kopieën van te maken. Als hij nog niet zeker had geweten dat ze dat hadden gedaan, had hij die zekerheid nu wel.

Hij had vingerafdrukkaarten van zowel Treadwell als Bitner meegebracht. Ze hadden allebei gezweet toen ze hun inval in Strauss' kantoor deden, want het vocht van hun afdrukken was perfect op het papier gekomen. En het was het soort papier dat vingerafdrukken voorgoed vasthield. De afdrukken kwamen perfect overeen, zowel die van Treadwell als die van Bitner.

Hiervoor hadden ze zoveel op het spel gezet. Hiervoor hadden ze uiteindelijk hun leven opgeofferd. Het ene spoor dat hij niet had gevolgd.

Tot nu toe.

Nu was de vraag: moest hij het Cole vertellen?

Het antwoord was duidelijker en dringender dan hij had verwacht.

Hij keek op zijn horloge: halfvijf.

Het was ironisch. Nu zou hij haar opnieuw wakker moeten maken.

Sam Cole rolde zich om, deed haar ogen open en gaf bijna een schreeuw.

Puller zat naast haar op een stoel die hij naar het bed toe had getrokken.

'Wat doe jij hier?' vroeg ze terwijl ze rechtop ging zitten.

'Ik wachtte tot je wakker werd.'

'Waarom maakte je me niet wakker?'

'Je lag zo vredig te slapen.'

'Ik dacht dat jij je daar niet druk om maakte. Je hebt me al eens eerder uit een diepe slaap gehaald.'

'Het was prettig om naar je te kijken terwijl je sliep.'

Ze wilde iets zeggen, maar hield zich in. 'O,' zei ze.

Puller sloeg zijn ogen neer.

Een beetje in de war zei ze: 'En dus besloot je te wachten en me de stuipen op het lijf te jagen?'

'Dat was niet mijn bedoeling, maar zo is het wel ongeveer gegaan.'

Voordat ze iets kon zeggen, hield hij zijn camera omhoog.

'Wil je soms een foto van me maken?' vroeg ze verbaasd.

'Ik wil dat je naar een paar foto's kijkt.'

'Waar moet ik op letten?'

'Blijf hier. Ik ga koffiezetten, dan kunnen we er samen naar kijken.'

Een halfuur en twee koppen koffie later zat Cole tegen haar kussen geleund.

'Oké. Wat betekent dit allemaal?'

'Het betekent dat we nog heel wat uit te zoeken hebben. En daar hebben we niet veel tijd voor.'

'En je weet zeker dat dit belangrijk is?'

'Het is de reden dat ze Strauss' kluis hebben opengemaakt. En ik denk dat het ook de reden is dat de Reynolds' en Treadwell en Bitner zijn vermoord. Dus ja, het is belangrijk.'

'Maar ik dacht dat dat bodemrapport juist de reden was dat ze zijn vermoord.'

'Dat dacht ik ook. Maar er stond niets bijzonders in dat rapport. Ze zijn vermoord omdat op de een of andere manier was gebleken dat ze deze plattegronden uit Strauss' kluis hadden gehaald. En iemand ontdekte ook dat Bitner en Treadwell er met Reynolds over hadden gepraat. En dus moesten de Reynolds' ook sterven.'

'Hoe zit het dan met dat bodemrapport?'

303

'Weet je nog, die stukjes van een bonnetje voor aangetekende stukken die we onder de bank hebben gevonden?'

'Ja.'

'Ik denk dat de moordenaars ze daar hebben neergelegd. Om ons op het verkeerde been te zetten.'

'Waarom? En waarom hebben ze dan niet gewoon het hele rapport voor ons achtergelaten?'

'Dan hadden we niet zoveel tijd aan dat spoor verspild. Eigenlijk hadden we moeten bedenken dat het wel heel toevallig was dat die groene stukken van dat bonnetje voor ons waren achtergebleven.'

'En Larry Wellman?'

'Die was op patrouille toen ze daar waren. Hij moest tot zwijgen worden gebracht.'

'Verdomme, Puller, dat zou best eens kunnen.' Ze keek zorgelijk. 'Dus ze hebben Larry alleen vermoord om stukjes papier neer te leggen die ons op een dwaalspoor zouden brengen?'

'Zo zie ik het.'

'En Dickie?'

'Die was in iets verzeild geraakt wat hem veel te ver ging. Ik denk niet dat hij iets met die moorden te maken had. Toen hij erachter kwam, was het alleen maar een kwestie van tijd. En toen ik zijn hulp inriep, tekende ik in feite zijn doodvonnis.'

Ze keek hem vragend aan. 'Wanneer heb jij dit allemaal bedacht?'

'Toen ik in Afghanistan terug was.'

'Wat?'

'Alleen in mijn hoofd,' zei hij. 'Mijn hersenen werken sneller als ik daar ben,' voegde hij er zachtjes aan toe.

'Dat kan ik me voorstellen,' zei Cole langzaam.

Ze keek naar de foto's op zijn camera. 'Wat doen we hiermee?'

'Ik zet ze op mijn computer en druk ze dan af. Maar het is vooral belangrijk dat we daarheen gaan.'

'Daarheen? Je bedoelt, alleen om te kijken?'

'Nee, ik bedoel meer dan dat.' Hij keek op zijn horloge. 'Het is nog donker buiten. Doe je mee?'

'Natuurlijk doe ik mee. We hebben geen tijd te verspillen. Maak dat je uit mijn slaapkamer komt, dan kan ik me aankleden.'

81

Puller en Cole liepen naar de rand van het bos, knielden neer en keken vlug naar voren. Puller verplaatste de plunjezak van zijn linker- naar zijn rechterschouder.

Hij keek nog eens om zich heen. Ze mochten absoluut geen fouten maken. Het begon al licht te worden.

Cole volgde zijn voorbeeld en keek ook een hele tijd om zich heen.

Geen lichten.

Donkere huizen.

Geen auto's die voorbijkwamen.

Het leek wel alsof ze de enigen op de planeet waren.

Hij keek naar rechts, naar links en naar zijn doelwit. Toen knikte hij Cole toe. Ze kwamen tussen de bomen vandaan.

Puller droeg zijn gevechtsuniform en had zijn gezicht zwart gemaakt. Zijn beide M11-pistolen zaten in hun holsters en zijn MP-5 hing aan een riem voor zijn borst.

Cole droeg een zwarte broek en een donker shirt. Haar gezicht was ook zwart gemaakt. Ze had haar Cobra en nog een klein pistooltje in een riemholster.

Het zweet maakte vlekken op Pullers hemd. De luchtvochtigheid was ongelooflijk. De combinatie van hitte en luchtvochtigheid was verlammend. Puller kon zich voorstellen hoe benauwd de mensen het in die oude huizen zonder elektriciteit hadden. Maar misschien waren ze al blij dat ze een dak boven hun hoofd hadden.

Hij keek naar de betonnen koepel. Die verhief zich in de nachtelijke hemel als een grote tumor tussen organen die verder nog helemaal gezond waren. Hij gebruikte een draadschaar om een gat in de omheining te maken en stond tien stappen later naast de tumor.

Cole haalde papieren uit haar plunjezak en ze bekeken ze in het schijnsel van een penlight die Puller in een van zijn broekzakken had meegenomen.

'We moeten ongeveer weten hoe groot dat ding is,' zei hij, en ze knikte.

Terwijl Cole op diezelfde plaats bleef wachten, draaide hij zich naar het westen en liep in die richting. Honderd lange stappen verder bleef hij staan. Hij had overdreven grote stappen van meer dan een meter gemaakt. Met al die struiken viel dat niet mee, maar het was hem min of meer gelukt. Honderdtwintig meter. Langer dan een voetbalveld.

Vervolgens paste hij de breedte van de koepel af.

Tweehonderd stappen later bleef hij staan. De breedte was tweehonderdveertig meter. Bijna een kwart van een kilometer. Hij rekende de oppervlakte binnen de koepel uit en was onder de indruk. De federale overheid deed bijna nooit iets in het klein, zeker niet in de tijd dat ze nog flink wat geld te besteden had.

Een groot complex. Groot genoeg waarvoor?

Dat hadden de blauwdrukken die hij in Strauss' kluis had gevonden niet helemaal duidelijk gemaakt.

Op die blauwdrukken had ook een waarschuwing van de federale overheid gestaan: binnen drie kilometer van de koepel mochten geen explosies plaatsvinden. Bovendien waren verschillende punten op de blauwdrukken van een gevarenteken voorzien. Er had geen datum op het papier gestaan. Er hadden geen verklarende briefjes bij gezeten. Puller en Cole hadden naar elke vierkante centimeter van de plattegronden gekeken en wisten nog steeds niet waarvoor het complex was gebruikt.

Clandestien. Topgeheim. Dat was waarschijnlijk de reden dat ze Drake hadden uitgekozen. Het was een klein plaatsje, ver van de bewoonde wereld.

Puller liep naar Cole terug. 'Hoe groot?' vroeg ze.

'Groter dan het lijkt,' antwoordde hij zachtjes.

Hij keek door het bos terug naar de woonwijk. De stijl van het eind van de jaren vijftig. Meer dan een halve eeuw oud. In die tijd gebeurde er van alles in de wereld.

Hij keek haar aan. 'Wat hebben je ouders je hier nog meer over verteld?'

'Niet veel. Er ging een keer een sirene af. Niemand kreeg te horen wat er was gebeurd, zei mijn vader. Voor zover ik weet, werd de politie hier nooit heen gestuurd. In die tijd was de voorganger van Lindemann nog sheriff. Ik heb lang na zijn pensionering met hem gesproken. Dit complex viel ver buiten zijn bevoegdheden, zei hij.'

Puller haalde het papier dat hij uit het brandweergebouw had meegenomen uit zijn zak. Een schema voor als er brand uitbrak. In de marge stonden de getallen 92 en 94.

'Weet je wat die getallen betekenen?' vroeg Cole.

'Misschien.'

'Wat dan?'

Als hij het bij het rechte eind had, stond deze zaak op het punt een geheel nieuwe en mogelijk catastrofale richting in te slaan.

'Ik vertel het je als ik er zeker van ben.'

'Waarom niet nu? Je hebt me wel vaker iets verteld waar je niet zeker van was.'

'Dat was anders. Ik wil zekerheid hebben. Ik wil geen paniek veroorzaken als ik het mis heb.'

Ze likte over haar lippen. 'Ik ben al in paniek, Puller. Ik bedoel: gaspijplijn, kernreactor. Hoeveel erger kan het nog worden?'

'Het kan nog veel erger worden.'

'Oké, je hebt me nu officieel tot boven mijn uiterste paniekgrens gebracht.'

Hij knielde in het bos neer en luisterde naar de geluiden van het wild dat dicht bij hem in de buurt was. Het werd ochtend. Hij hoorde het ratelen van een slang. Hij wist dat er daar ook koperkoppen zaten. In de moerassen van Florida had het gewemeld van de agressieve mocassinslangen. In de laatste fase van de Rangertraining waren de meeste verwondingen het gevolg van slangenbeten. Sommigen van zijn mede-Rangers waren bang geweest voor slangen, maar ze mochten nooit iets van die angst laten blijken. Een van hen was bijna door de beet van een dodelijke koraalslang gestorven, maar hij was erbovenop gekomen – om vier jaar later te sterven in Afghanistan, toen een bermbom onder zijn voeten explodeerde.

Slangenbeten waren erg. Bermbommen waren nog erger.

Puller luisterde en dacht na over wat hij kon doen. Daar had hij niet veel tijd voor nodig. Hij had niet veel mogelijkheden. Hij liep naar de betonnen muur aan de achterkant. Hij baande zich een weg door de dichte ranken waarmee het oppervlak was begroeid en raakte de ruwe buitenkant van het ding aan.

'Weet je zeker dat je vader zei dat dit een meter dik was?'

'Ja. Hij heeft het gebouwd zien worden.'

Omdat het zo'n groot bouwwerk was, moest er wel een zee van beton voor nodig zijn geweest. Alleen een federale dienst kon zoiets voor elkaar krijgen. In zekere zin was het net zoiets als het bouwen van de Hoover Dam.

En waarvoor?

'We moeten in dat ding zien te komen,' zei hij.

'Oké. Hoe?'

Hij raakte het oppervlak aan. In tegenstelling tot hout werd beton geleidelijk zwakker, vooral wanneer het werd blootgesteld aan de elementen. Evengoed was het een meter dik en zou het lang duren voordat het verval ver genoeg gevorderd was. Puller keek omhoog langs de zijkant, die tien verdiepingen hoog was. Een paar bomen waren hoger, maar niet veel. Hij zou misschien over de ranken naar de top kunnen klimmen, maar wat dan?

Een meter dik. Daar kon hij niet doorheen hakken. Tenminste niet zonder dat iemand het merkte. Hij zou een pneumatische boor en dynamiet nodig hebben. Hij keek omlaag naar de plaats waar het beton de grond in ging. Eronderdoor graven?

Hij haalde een inklapbare schop uit zijn plunjezak en begon te graven. Op een halve meter diepte kwam hij tegen iets aan. Hij haalde nog wat aarde weg en scheen met zijn zaklantaarn in het gat.

'Dat lijkt ijzer,' zei Cole.

'Ja, roestig, maar nog intact.'

Hij vroeg zich af tot hoe ver van de rand het zich uitstrekte. Waarschijnlijk heel wat meters. Mensen die gigantische koepels lieten bouwen, bezuinigden vast niet op de details.

Hij kon er niet onderdoor. En er ook niet overheen.

Toch moest er een manier zijn om binnen te komen. Je bouwde zoiets niet zonder een achterdeur te maken, want het was altijd mogelijk dat er iets gebeurde en je toch naar binnen moest.

Er schoot hem iets te binnen. 'Laat me de plattegronden nog eens zien.'

Ze gaf hem het pak. Hij bladerde het door tot hij de plattegrond vond die hij zocht. Hij keek naar de bijschriften. Het was duidelijk. Hij had er alleen niet eerder op gelet. Dat was het.

Hij keek Cole aan. 'We hebben je broer nodig.'

'Randy? Wat heeft hij hiermee te maken?' Ze trok een kwaad gezicht. 'Je gaat me toch niet vertellen dat hij hierbij betrokken is? Eerst denk je dat mijn zus een bomaanslag op je probeerde te plegen en...'

Hij pakte haar arm vast. 'Nee, ik denk niet dat je broer hierbij betrokken is, maar wel dat hij kan helpen. We moeten hem vinden.'

•82•

Ze knapten zich op bij Cole thuis en gingen op zoek. Het bleek moeilijker te zijn om Randy Cole te vinden dan je in zo'n klein stadje zou verwachten. Binnen een uur had Cole alle mogelijke plaatsen afgewerkt. Ze belde haar zus, maar Jean wist ook niet waar hij was. Ze gingen naar The Crib en zochten in de kleine binnenstad, blok voor blok.

Niets.

'Wacht even,' zei Puller ten slotte.

Met Cole in zijn kielzog liep hij vlug naar Annie's Motel. Puller trapte deuren open. Bij de vijfde deur keek Cole in de kamer en zei ze: 'Randy?'

Haar broer lag volledig aangekleed op het bed.

Puller en Cole gingen naar binnen en Puller maakte de deur achter hen dicht. Hij deed het licht aan.

'Randy? Word wakker.'

De man bewoog niet.

Cole kwam dichterbij. 'Is het wel goed met hem? Randy?'

'Er mankeert hem niets. Zijn borst gaat op en neer.' Puller keek om zich heen en zei: 'Wacht even.'

Hij pakte een oude vaas van een houten bureau met veel barsten en ging ermee naar de badkamer, waar Cole water hoorde stromen. Puller kwam weer met een volle vaas water de kamer in en gooide het in Randy's gezicht.

Randy vloog overeind en rolde van het bed. 'Wat...!' riep hij uit toen hij op de vloer viel.

Puller greep hem bij de achterkant van zijn overhemd vast, tilde hem van de vloer en gooide hem op het bed terug.

Randy richtte zijn nog niet helemaal heldere ogen op Puller en zag toen zijn zus naar hem kijken.

'Sam? Wat is dit?'

Puller kwam naast hem zitten. 'Is het bed beter dan de struiken?' vroeg hij.

Randy keek hem aan. 'Was dat water?'

'Hoe dronken ben je?'

'Niet erg. Niet meer.'

'We hebben je hulp nodig.'

'Waarvoor?'

'De Bunker,' zei Puller.

Randy wreef over zijn ogen. 'Wat is daarmee?'

'Je bent daarbinnen geweest, nietwaar?'

'Wat?'

Puller pakte hem bij zijn arm vast. 'Randy, we hebben niet veel tijd, en het beetje tijd dat we hebben, kan ik niet verspillen aan uitleg. We hebben een blauwdruk van de Bunker gevonden. Daar staat op dat er binnen een straal van drie kilometer geen mijnexplosies mogen plaatsvinden. Die waarschuwing kunnen ze er alleen maar op hebben gezet als daar al een mijngang was geweest, of de mogelijkheid van een gang. Ze wilden er zeker van zijn dat niemand daar in de buurt met springstoffen ging werken. Je vader was de beste steenkoolzoeker tot ver in de omtrek. En jij werkte met hem samen. Waarschijnlijk ken jij deze county beter dan iedereen. Nou, is er een mijngang die naar de Bunker leidt?'

Randy wreef over zijn hoofd en gaapte. 'Ja, die is er. Op een dag zijn pa en ik erop gestuit. Hij was er natuurlijk al. We zochten naar iets heel anders. Het zijn eigenlijk twee mijngangen. We volgden de eerste naar binnen en vonden een tweede die in die richting ging. Die volgden we ook een tijdje. Pa dacht dat we op dat moment onder de Bunker waren. En hij had gelijk. Die gang dateerde waarschijnlijk uit de jaren veertig, dacht pa.'

'Maar jullie zijn naar binnen gegaan?' vroeg Puller.

Randy keek weer slaperig. 'Wat? Nee, nee, dat hebben we niet gedaan. Tenminste niet toen. Ik denk dat pa nieuwsgierig was. Hij had ons altijd verhalen over de Bunker verteld. We hadden het erover dat we naar binnen zouden gaan. Maar toen kwam hij om het leven.'

Randy haalde diep adem en keek alsof hij moest overgeven.

'Beheers je, Randy,' zei Puller. 'Dit is heel belangrijk.'

'Toen pa dood was, ging ik daarheen en groef ik nog wat meer. Ik vond een zijgang. Toen ben ik er een hele tijd niet mee bezig geweest. Ik dronk dagen achter elkaar door. Ik stuurde doodsbedreigingen naar die klootzak van een Roger. Maar toen, anderhalf jaar geleden, ging ik daar weer heen. Ik weet niet waarom. Misschien wilde ik iets afmaken wat pa begonnen was. En toen vond ik een manier om binnen te komen. Het was een heel gezoek en er kwam nogal wat spierkracht aan te pas, maar binnen een paar maanden was ik binnen. Ze hadden dan wel die koepel over het gebouw heen gezet, en de vloer was ook van beton, maar die vloer was hier en daar gebarsten, waarschijnlijk op plaatsen waar de grond was verschoven. Misschien doordat ze een heel eind daarvandaan met dynamiet hadden gewerkt om bij steenkoollagen te komen.'

'Dus je ging naar binnen. En wat trof je daar aan?' vroeg Puller.

'Een gigantische ruimte. Natuurlijk zo donker als de nacht. Ik keek wat rond. Zag wat dingen. Werkbanken, troep op de vloer, een stel vaten.'

'Vaten met wat?'

'Weet ik niet. Ik ben niet zo dichtbij geweest.'

Cole zei: 'Randy, dat was hartstikke gevaarlijk. Dat spul daarbinnen zou giftig kunnen zijn. Het zou radioactief kunnen zijn. Misschien voel je je daarom altijd zo beroerd. Die hoofdpijn en zo.'

'Het zou kunnen.'

'Wat heb je daarbinnen nog meer gezien?' vroeg Puller.

'Niets. Ik maakte dat ik wegkwam. Ik voelde me daar helemaal niet op mijn gemak.'

'Oké, volgende grote vraag. Heb je iemand verteld wat je hebt ontdekt?' vroeg Puller.

'Nee. Waarom zou ik?'

'Niemand?' zei Puller. 'Weet je het zeker?'

Randy dacht even na.

'Nu ik erover nadenk, heb ik het misschien toch aan iemand verteld.'

'Dickie Strauss?'

Randy keek hem aan. 'Hoe weet jij dat nou weer? We hebben samen gefootballd. Gingen veel met elkaar om. Ik ben een tijdje lid geweest van Xanadu, tot de bank mijn motor terughaalde. Ja, ik heb het hem verteld. En? Wat doet dat ertoe?'

'Dickie is dood, Randy,' zei Cole. 'Iemand heeft hem vermoord. En we denken dat het iets met de Bunker te maken heeft.'

Randy ging nog meer rechtop zitten. Hij was nu helemaal wakker. 'Heeft iemand Dickie vermoord? Waarom?'

Puller zei: 'Omdat hij iemand anders over de Bunker had verteld. En die persoon is daar ook binnen geweest. En wat die persoon toen vond, is de reden dat al die mensen zijn vermoord.'

'Wat is daar dan?' vroeg Randy.

'Dat ga ik uitzoeken,' zei Puller.

'Heb je ideeën?' vroeg Cole. 'Over wat daarbinnen is, bedoel ik.'

'Ja, die heb ik,' antwoordde Puller.

'Wat dan?' vroeg Cole. 'Vertel het me.'

Puller zei niets. Hij keek haar alleen maar aan. Zijn hart sloeg veel te snel.

83

Hoewel het in Kansas nog maar nul twee uur in de ochtend was, klonk Robert Puller niet erg slaperig. De jongere Puller geloofde niet dat zijn broer in de USDB veel sliep. Hij was briljant, en briljante mensen sliepen niet veel in de buitenwereld, waar steeds weer een beroep op hun tijd en intellect werd gedaan, en nog minder als ze niets anders hadden om naar te kijken dan drie muren van beton en een metalen deur die drieëntwintig van de vierentwintig uur van elke dag dicht bleef.

'Hoe gaat het, broertje?' vroeg Robert.

'Het is weleens beter gegaan, en ook slechter.'

'Het is goed om evenwicht in je leven te hebben.'

'Tweeënnegentig en vierennegentig. Wat betekenen die getallen voor jou?'

'Het zijn even getallen.'

'Vanuit een ander perspectief.'

'Geef me de context.'

Zijn broer klonk nu echt geïnteresseerd in plaats van alleen maar nieuwsgierig.

'Zuivere wetenschap. Jouw terrein.'

Er gingen twee tikken van de klok voorbij.

'Tweeënnegentig is het atoomnummer van uranium. Vierennegentig is dat van plutonium.'

'Dat had ik me ook herinnerd.'

'Hoezo?'

'Het is zuiver hypothetisch.'

'En?'

'Wat voor soort uranium en plutonium zou je nodig hebben om een atoombom te maken?'

'Wat?'

'Geef nou maar antwoord op de vraag.'

'Waar ben je in godsnaam bij betrokken geraakt, John?'

Zijn broer noemde hem niet vaak John. Voor zijn oudere broer was Puller 'broertje' of soms 'Junior'. Al gebruikte hij die laatste naam tegenwoordig niet vaak meer omdat die hem aan hun vader deed denken.

'Geef me nou maar het beste antwoord dat je kunt bedenken.'

'Je hebt veel nodig. Het meeste kun je kopen. De rest kun je maken. Als je tijd hebt en weet wat je moet doen, is het niet zo moeilijk. Het is wel moeilijk om aan de kernbrandstof voor het proces te komen. Daar zijn er maar twee van.'

'Uranium en plutonium.'

'Ja. En je hebt hoogverrijkt uranium, U-235, nodig om een kernbom te maken. Daarvoor heb je een heel complex nodig, veel geld, veel wetenschappers en een aantal jaren.'

'En plutonium?'

'Moeten we hier wel over praten? Ze luisteren dit gesprek af.'

'Er luistert niemand mee, Bobby,' zei Puller. 'Daar heb ik voor gezorgd.'

Zijn broer zei een hele tijd niets.

'Dan denk ik dat je bezig bent met iets wat veel verder gaat dan iets hypothetisch.'

'En plutonium?'

'Je krijgt plutonium-239 vooral door straling van uranium in een nucleaire kweekreactor. In feite verwijder je plutonium-240, dat veel voorkomt in reactorplutonium maar dat tot een fiasco kan leiden wanneer je het als nucleair wapen gebruikt.'

'Maar ook dat is moeilijk te krijgen.'

'Onmogelijk voor een gewone burger. Wie heeft een kweekreactor in zijn achtertuin?'

'Maar hoe kun je eraan komen?'

'Misschien kun je het stelen of op de zwarte markt kopen.'

'En in de Verenigde Staten? Hoe maken die het?'

'De enige gascentrifugefabriek die de Verenigde Staten hebben, staat in Paducah in Kentucky, maar die wordt alleen gebruikt om uranium te verrijken dat als brandstof in kernreactors wordt gebruikt. Dat is een heel ander proces.'

'Maar kan het door dat proces ook hoogverrijkt worden? Om het als brandstof voor een nucleair wapen te gebruiken?'

'Paducah is opgezet om uranium te verrijken dat in kernreactors wordt gebruikt, niet om brandstof voor bommen te produceren.'

'Maar zou een fabriek als Paducah hoogverrijkt uranium kunnen produceren?'

'In theorie wel.' Hij zweeg even. 'Wat wil je hier allemaal mee zeggen?'

'Hoeveel U-235 zou je nodig hebben om een bom te maken?'

'Dat hangt af van het type bom en van de methode die je gebruikt.'

'Zo ongeveer,' zei Puller.

'Om een eenvoudige bom te maken, met een explosieve kracht die te vergelijken is met wat er op Nagasaki is gevallen, zou je tussen de vijftien en vijftig kilo hoogverrijkt uranium of zes tot negen kilo plutonium nodig hebben. Als je wapenprogramma heel geraffineerd is en als het ontwerp van je bom perfect is, kun je dezelfde knal krijgen met ongeveer negen kilo hoogverrijkt uranium of niet meer dan twee kilo plutonium.'

'Dus Nagasaki?'

'Het equivalent van meer dan eenentwintigduizend ton dynamiet plus de radioactieve neerslag. Dat is twintig miljoen kilo TNT. Massavernietiging.'
'En een beetje meer hoogverrijkt uranium of plutonium?'
'Dan gaan je resultaten exponentieel omhoog. Het ligt er maar aan hoe je bom in elkaar zit. Je kunt de kanonmethode gebruiken, die helemaal niet goed is, al werkte de eerste atoombom die ze op Japan lieten vallen daar wel mee. Het is in feite een lange buis. De helft van je nucleaire lading aan het ene eind, met een conventionele springstof, en de andere helft van je nucleaire brandstof aan het andere eind. De conventionele springstof wordt tot ontploffing gebracht, en die stuwt de brandstof door de buis, zodat hij tegen de andere helft van de brandstof botst en je je kettingreactie hebt. Het is primitief, heel inefficiënt, en je explosiebereik is heel beperkt. Met die methode kun je nooit een thermonucleaire reactie krijgen. Je zou een buis van oneindige lengte nodig hebben om de kettingreactie in stand te houden. En je kunt alleen uranium gebruiken, geen plutonium, vanwege de onzuiverheid. Daarom zijn ze overgegaan op de implosiemethode.'
Puller zei: 'Leg me eens in het kort uit hoe die implosiemethode werkt.'
'Je kunt uranium of plutonium gebruiken. In feite gebruik je conventionele explosieven, die explosielenzen worden genoemd, om de kern met je nucleaire brandstof samen te drukken tot een superkritische massa. De schokgolf waarmee het uranium of plutonium wordt samengedrukt, moet perfect bolvormig zijn, anders ontsnapt het kernmateriaal door een gat en krijg je wat ze een sisser noemen. Je hebt ook een initiator, stampers en duwers nodig, en het liefst ook een reflector om neutronen in de kern terug te duwen. Je moet voorkomen dat de kern te vlug uit elkaar vliegt, dus voordat je de optimale superkritische massa hebt bereikt. Hoe langer het splijtingsmateriaal mag reageren, hoe meer atomen er gesplitst worden en hoe groter de knal is. Als je ontwerp goed is, kun je je explosiekracht verdrievoudigen zonder dat je een grammetje nucleaire brandstof extra gebruikt.'
'Kun je een paar elementen noemen die je nodig zou hebben?'
'Wat bedoel je precies?'
'Vertel me eens over goudfolie en wolfraamcarbide.'
Het bleef drie seconden stil. 'Waarom die twee in het bijzonder? Weet je dat ze aanwezig zijn in de zaak die je onderzoekt?'
'Ja.'
'Jezus.'
'Vertel, Bobby. Ik heb hier niet veel tijd meer.'
'Goudfolie kan worden gebruikt voor de initiatorcomponent. Je gebruikt een kleine bol met lagen beryllium en polonium die door goudfolie van elkaar gescheiden zijn. Dat wordt midden in de kern gezet en vormt dan natuurlijk een kritiek onderdeel van de bom.'

'En de wolfraamcarbide?'

'Dat is drie keer stijver dan staal en verrekte dicht. Daarom is het heel geschikt om de neutronen weer in de kern te krijgen en zo de superkritieke fase te maximaliseren. Bedoel je dat... Waar zit je eigenlijk?'

'In de Verenigde Staten.'

'Hoe zijn ze aan de brandstof gekomen?'

'Als ik je nu eens vertelde dat de overheid hier in de jaren zestig een geheim complex heeft gehad? Dat complex is lang geleden gesloten en er is een betonnen koepel van een meter dik overheen gebouwd. Daarna is er niets meer mee gedaan. Alle personeelsleden waren daar vanbuiten heen gehaald en woonden in huizen die er dichtbij stonden. Ze mochten niet met de plaatselijke bevolking omgaan, en toen het complex werd gesloten, hebben ze alle personeelsleden weggehaald. Komt dit je bekend voor? Je had met zulke dingen te maken toen je bij de luchtmacht zat.'

'Beton van een meter dik?'

'In koepelvorm.'

'Ergens op een afgelegen plaats?'

'Zo afgelegen als het maar kan. De hele bevolking daar bestaat uit minder mensen dan één blok in Brooklyn. Het complex had zijn eigen brandweer en ik heb daar een vel papier gevonden waarop de getallen 92 en 94 geschreven staan. En ik heb ook ontdekt dat er binnen een aantal kilometers van de koepels geen explosies voor de mijnbouw mogen plaatsvinden.'

'Hebben ze daar in de buurt explosies? Meen je dat nou?'

'Ja.'

'Dat is bijna niet te geloven. Al zijn die explosies op kilometers afstand, dan nog kunnen barsten in het gesteente groter worden. Dat zou catastrofale gevolgen kunnen hebben.'

'Wat deden ze in dat complex?'

'Ik weet het niet. Ik leefde in de jaren zestig nog niet eens.'

'Maar als je moest raden? Op grond van je ervaring?'

Er volgde een lange zucht. 'Als ik nog in uniform was, zou ik je dit niet mogen vertellen.' Hij zweeg even. 'Dan kon ik voor hoogverraad worden veroordeeld. Maar omdat ik daar toch al voor ben veroordeeld, maakt het niet meer uit.' Hij zweeg opnieuw. 'Ik heb vroeger wel gehoord van verwerkings- en verrijkingsfabrieken die in afgelegen delen van Amerika werden gebouwd. Dat was na de Tweede Wereldoorlog, toen niets zo belangrijk was als dat we de Sovjets op hun donder gaven. Die faciliteiten werden gebouwd om uranium te verrijken en ook om aan plutonium te werken voor toepassing in kernwapens. De meeste of alle van die fabrieken zijn gesloten.'

'Waarom?'

'Hun technieken waren onstabiel of kostten te veel. Het was een heel nieuwe wetenschap. Mensen leerden met vallen en opstaan. Vooral met vallen.'

'Oké. Ze gingen dicht. En dan namen ze al hun materiaal mee, nietwaar?' Zijn broer gaf geen antwoord. 'Bobby? Ja?'

'Als ze al hun "materiaal" meenamen, waarom zouden ze er dan een betonnen koepel van een meter dik overheen bouwen om alles af te dekken?'

'En niemand klaagde daarover? Omwonenden? Overheidsfunctionarissen?'

'Je moet niet vergeten in welke tijd het was, John. De jaren zestig. De grote, lelijke Sovjets. Het nieuws had nog geen cyclus van vierentwintig uur. De mensen vertrouwden hun regering, al zouden Vietnam en Watergate daar gauw verandering in brengen. En omdat er intussen niets gebeurde, zal de plaatselijke bevolking wel hebben gedacht dat alles in orde was.' Hij zweeg even. 'Staat het in het open veld?'

'Er staat hier niets in het open veld. En het bos is er voor een groot deel overheen gegroeid.'

'Wat denk je dat er aan de hand is?'

'Hetzelfde wat jij waarschijnlijk denkt.'

'Je moet dit snel aan je superieuren doorgeven.'

'Dat zou ik ook doen, als er niet een probleem was.'

'Wat dan?'

'Ik weet niet of ik mijn eigen mensen kan vertrouwen.'

'Is er iemand die je kunt vertrouwen?'

'Ja. Maar ik wil graag dat je nog iets voor me doet.'

'Ik jou helpen? Ik zit in de gevangenis, John.'

'Dat geeft niet. Je kunt me vandaaruit ook helpen. De CID steunt me hierbij. Ze kunnen je zelfs daar een beetje flexibiliteit geven. Maar ik heb je echt nodig, Bobby.'

Zijn broer gaf meteen antwoord. 'Vertel me maar wat ik moet doen.'

84

Puller reed naar Coles huis en wachtte. Twee uur later werd hij gebeld, en daarna kwam het telefoontje waarop Puller had gewacht. Als het leger iets voor elkaar wilde krijgen, kon het verbijsterend snel in actie komen. Het kon ook geen kwaad dat de minister van Defensie zich er met zijn volle gewicht achter had gezet.

Cole zat tegenover hem in haar huiskamer en keek gespannen.

Puller nam de telefoon op.

Aan de andere kant van de lijn had hij een gepensioneerde kolonel van achter in de tachtig, een zekere David Larrimore, die in Sarasota in Florida woonde. De man was Pullers laatste hoop, want hij was ingenieur geweest en had in de jaren zestig namens het leger toezicht gehouden op het complex in Drake. Volgens gegevens van het ministerie van Defensie was hij zelfs de enige die daar had gewerkt en nog in leven was.

Larrimores stem was zwak, maar beefde niet. Puller had de indruk dat hij nog heel gezond van geest was. Hij hoopte dat de man ook een goed geheugen had. Hij zou elk stukje informatie nodig hebben dat hij kon krijgen.

Larrimore zei: 'Als je het uniform draagt, ga je volgens mij nooit echt met pensioen.'

'Dat denk ik ook.'

'Bent u toevallig familie van Fighting John?'

'Dat is mijn vader.'

'Ik heb nooit dat geluk gehad onder hem te dienen, maar het leger en zijn land kunnen trots op hem zijn, agent Puller.'

'Dank u. Dat zal ik hem laten weten.'

'Ik ben gebeld door een tweesterrengeneraal. Ik heb al bijna dertig jaar geen uniform meer aan, maar evengoed deed ik het bijna in mijn broek. Hij zei dat ik u alles moest vertellen. Hij zei niet waarom.'

'Het is ingewikkeld. Maar we hebben echt uw hulp nodig.'

'Drake? Wilt u daar iets over weten?'

'Alles wat u me kunt vertellen.'

'Het is een gevoelig punt, jongeman, in elk geval in mijn geheugen.'

'Waarom?'

Puller keek naar Cole, die zo intens naar hem keek dat hij dacht dat ze een beroerte zou krijgen. Hij drukte op de speakerknop van zijn mobiele telefoon en legde hem op de tafel tussen hen neer.

Larrimores stem zweefde de kamer in. 'Ik werd naar Drake gestuurd omdat het de laatste faciliteit voor de ontwikkeling van kernwapens was die de overheid nog had. Ik had nucleaire technologie gestudeerd en was in Los Alamos gestationeerd geweest. Ik had ook aan de bommen voor Hiroshima en Nagasaki gewerkt. We hebben het nu over de jaren zestig, dus de bommen die we in 1945 op de Jappen hadden laten vallen lagen ver achter ons, maar toch was er nog veel wat we niet over thermonucleaire wapens wisten. De atoombom op Hiroshima maakte gebruik van de kanonmethode. Vergeleken met wat we tegenwoordig doen is dat kleuterwerk. We hadden bommen met een kracht van hooguit nul komma zeven megaton. De Sovjets gooiden een waterstofbom op Antarctica; die noemden ze de Tsaar. Het was een explosie van vijftig megaton, de grootste ooit. Met zoiets kon je een heel land wegvagen.'

Puller zag dat Cole in haar stoel wegzakte en haar hand op haar borst drukte.

'Ik heb een geheim dossier gezien,' zei Puller, 'waarin stond dat het complex werd gebruikt om onderdelen van bommen te maken. Er kan misschien een beetje radioactiviteit zijn achtergebleven, maar dat was dan ook alles.'

Larrimore zei: 'Dat klopt niet, maar het verbaast me niet dat er zo'n officieel dossier is. Het leger mag graag zijn sporen uitwissen. En in die tijd waren de regels van het spel lang niet zo streng als nu.'

Puller zei: 'Dus u maakte nucleaire brandstof voor kernwapens. Moest die met de implosiemethode worden gebruikt?'

'Bent u een kernkop?'

'Wat?'

'Zo noemden we elkaar toen. Kernkoppen.'

'Nee. Maar ik heb vrienden die dat wel zijn.'

'Wij van Defensie werkten met een toeleverancier. De naam zou u niets zeggen. Die firma is allang in andere handen overgegaan. En het bedrijf dat hem kocht, is verkocht, en nog een keer verkocht, en nog een keer.'

Puller voelde aan dat Larrimore oude herinneringen wilde ophalen, en daar had hij geen tijd voor.

'U zei dat het een gevoelig punt voor u was. Waarom?'

'Dat komt door de manier waarop we daarheen gingen. We bouwden dat monsterlijke complex en vertelden niemand wat het was. We haalden alleen mensen vanbuiten daarheen. We moedigden het personeel niet aan om contact te leggen met de plaatselijke bevolking. En als ze toch naar het stadje gingen, lieten we ze volgen. Zo ging dat toen. Iedereen was paranoïde.'

'Ik geloof niet dat er zoveel veranderd is,' merkte Puller op. 'Was dat de enige reden dat het zo gevoelig voor u lag?'

'Nee, de manier waarop we de dingen achterlieten stond me niet aan.'

'U bedoelt die betonnen koepel van een meter dik?'

'Wat?!'

'U wist dat niet?'

'Nee. Het complex zou worden ontmanteld en weggehaald, tot en met de laatste molecuul. Dat moest vanwege alles wat daar lag.'

'Het is er allemaal nog. Tenminste, dat denk ik. Onder een gigantische koepel van beton. Ik weet niet hoe groot de oppervlakte is, maar het is veel.'

'Wat stelden ze zich in godsnaam daarbij voor?'

'Waarom wist u er niet van?' vroeg Puller.

'Ik deed mijn werk toen het complex geleidelijk werd stopgezet. Toen werd ik overgeplaatst naar een ander complex in het zuiden. Zeker, ik hield toezicht namens het leger, maar de jongens uit de particuliere sector hadden de leiding en de generaals zetten hun handtekening onder alles wat hun werd voorgelegd.'

'Nou, blijkbaar wilden die particulieren het niet ontmantelen maar met beton overdekken. Waarom zouden ze dat hebben gedaan?'

Larrimore zei niets.

'Meneer Larrimore?'

'Ik ben er nog.'

'Ik wil graag een antwoord op die vraag.'

'Agent Puller, ik ben al heel lang niet meer in dienst. Ik schrok me een ongeluk toen ik vandaag werd gebeld. Ik heb een goed pensioen, waar ik hard voor heb gewerkt, en nog een paar jaar om hier in de zon te liggen. Ik wil dat niet kwijtraken.'

'U raakt niets kwijt, maar als u me niet helpt, verliezen misschien veel Amerikanen hun leven.'

Toen Larrimore weer sprak, was zijn stem krachtiger. 'Misschien heeft het iets te maken met de reden dat we het complex sloten. Dat bedoelde ik toen ik zei dat de manier waarop we de dingen hadden achtergelaten me niet aanstond.'

'Wat was die reden?'

'We hadden het verprutst.'

'Hoe? Ging er iets mis in het diffusieproces?'

'We werkten niet met gasdiffusie.'

'Ik dacht dat we het daarover hadden. Zoals ze in Paducah doen.'

'Bent u ooit in het complex in Paducah geweest, jongeman?'

'Nee.'

'Dat is gigantisch. Dat moet ook wel, als je met gasdiffusie werkt. Het is veel groter dan wat we in Drake hadden.'

Puller keek Cole verbaasd aan. 'Wat deden ze dan in Drake?'

'Experimenten.'

'Waarmee?'

'In feite probeerden ze een superkernbrandstof voor onze wapens te maken. Je zou kunnen zeggen dat het ons doel was de Sovjet-Unie te vernietigen voordat ze ons vernietigden.'

85

Superkernbrandstof?

Puller keek Cole aan. Ditmaal wilde ze niet naar hem terugkijken, maar dwaalde haar blik af naar de vloer.

Puller zei: 'Meneer Larrimore, ik heb een vel papier gevonden in een brandweergebouw in de buurt van het complex van Drake.'

'Ik ken dat brandweergebouw goed. We hebben een paar incidenten gehad waarvoor we die kerels nodig hadden.'

'Op het vel papier zijn de getallen tweeënnegentig en vierennegentig geschreven.'

'De atoomnummers van uranium en plutonium.'

'Ja. Maar de gasdiffusiemethode wordt alleen gebruikt om uranium te verrijken,' zei Puller. 'Je kunt geen gasdiffusie gebruiken voor plutonium. Dan werk je met kweekreactors.'

'Dat klopt. Ze vangen een neutron op om tot P-239 te komen.'

'Maar als beide atoomnummers op dat papier stonden, wil dat zeggen...'

'We gebruikten in Drake zowel plutonium als uranium.'

'Waarom?'

'Zoals ik al zei, probeerden we een superkernbrandstof voor wapens te maken. We wisten niet of het zou werken of niet. We waren van plan uranium en plutonium voor een nieuw soort bom te gebruiken. We jongleerden met combinaties en concentraties van beide stoffen om na te gaan welke configuratie de grootste knal opleverde. In termen van leken: we zochten naar een soort hybride van de kanon- en implosiemethode, als u me kunt volgen.'

'Maar ik heb me laten vertellen dat de kanonmethode erg inefficiënt was en dat je daar geen plutonium voor kon gebruiken.'

'Dat waren de obstakels die wij probeerden te overwinnen. We probeerden de communisten in hun eigen spel te verslaan. En in dat spel draaide het om het bereik van de explosie.'

'Maar u zei dat ze het hebben verprutst?'

'Nou, laten we zeggen dat de wetenschap en ontwerplogica tekortkomingen vertoonden. Het kwam erop neer dat het niet werkte. Dat was de reden dat het complex dichtging.'

'Maar als ze het complex sloten, zouden ze dat nucleaire materiaal toch hebben meegenomen?'

'Uit het feit dat ze het met beton van een meter dik hebben overkoepeld leid ik af dat ze dat niet hebben gedaan.'

'Maar waarom zouden ze zoiets dodelijks achterlaten?'

Larrimore wachtte even met zijn antwoord. 'Daar kan ik alleen maar naar raden.'

'Doet u dat,' zei Puller.

'Waarschijnlijk waren ze bang dat het in hun eigen gezicht zou ontploffen en een groot deel van het land zou bestralen. Ik kan niet zeggen dat ik erg verbaasd was toen u zei dat ze er een betonnen koepel overheen hebben gebouwd. Eerlijk gezegd dekten ze in die tijd een heleboel dingen af. Ze lieten het staan waar het was. Dat zullen ze wel veiliger hebben gevonden dan te proberen het te vervoeren. Waarschijnlijk bent u te jong om u dat te herinneren, maar in die tijd zijn er een paar incidenten geweest die het hele land de stuipen op het lijf hebben gejaagd. Een B-52 met een waterstofbom op een van zijn vleugels stortte ergens in Kansas neer. De bom ontplofte natuurlijk niet door de klap, want zo werken atoomwapens niet. En dan hadden we nog de plutoniumtrein.'

'Plutoniumtrein?'

'Ja, het leger wilde een deel van zijn plutoniumvoorraad van A naar B vervoeren. Dwars door het land. Die trein reed door grote steden. Er gebeurde niets, maar de media kregen lucht van zowel het vliegtuig als de trein. Het leger kwam in het nauw. Er waren hoorzittingen op Capitol Hill en sommige kerels raakten hun sterren kwijt. Kunt u zich voorstellen hoe dat tegenwoordig zou gaan, met onze nieuwscyclus van vierentwintig uur? Hoe dan ook, dat zat bij iedereen toen nog vers in het geheugen, vooral bij de generaals. En dus zullen ze wel hebben gezegd: "Laat het maar mooi liggen waar het ligt."'

'En het lag op een afgelegen plaats, met niet veel mensen in de buurt.'

'Het was niet mijn beslissing. Ik zou het anders hebben gedaan.'

'Je zou toch denken dat iemand erop terug zou komen.'

'Dat hoeft niet. Als je daar nu naartoe gaat en er iets aan doet, krijgen de media er lucht van. En dan moet de overheid het allemaal uitleggen. En misschien zijn ze bang dat als ze die koepel openmaken ze iets aantreffen waar ze niet blij mee zijn.'

'Het is vijftig jaar geleden,' zei Puller. 'Denkt u dat het spul, als het daar is, nog steeds gevaarlijk is?'

'Plutonium-236 heeft een halfwaardetijd van vierentwintigduizend jaar. Ik zou dus zeggen dat het nog lang niet veilig is.'

Puller haalde diep adem en keek Cole aan. 'Hoeveel ligt daar nog?'

'Dat kan ik u niet met zekerheid vertellen. Als ze de gebruikelijke voorraad aanhielden, en als dat op de een of andere manier het complex uit komt, kan dat een ontzaglijk veel grotere ramp worden dan wat wij met de Japanners hebben gedaan. Ik kan u dit vertellen: degenen die de beslissing hebben genomen om het daar achter te laten, horen achter de tralies thuis. Alleen zijn ze nu waarschijnlijk allemaal al dood.'

'Hebben zij even geluk,' merkte Puller op.

Larrimore zei: 'Wat gaat u nu doen?'

'We moeten in die koepel komen. Hebt u ideeën?'

Cole tikte hem op zijn arm en vormde met haar lippen: 'Mijngang.'

Hij schudde zijn hoofd en keek weer naar de telefoon. 'Ideeën?' vroeg hij opnieuw.

'Drie meter beton, jongeman. Hebt u een pneumatische hamerboor?'

'We moeten het stiekem doen.'

Puller hoorde dat Larrimore een paar keer diep ademhaalde.

'Denkt u dat iemand...?' Zijn stem stierf weg.

'Daar moeten we rekening mee houden, nietwaar? U bent daar waarschijnlijk goed bekend. Alles wat u kunt bedenken, zou meer zijn dan wat we op dit moment hebben.'

'Kunt u langs de rand graven?'

'Er zijn ijzeren staken die verder naar buiten gaan dan waar ik omheen kan.'

Hij haalde weer een paar keer diep adem. Puller keek Cole aan en ze keek naar hem terug. Het was niet erg warm in de kamer, maar hij zag zweetdruppels op haar voorhoofd. Een van die druppels gleed omlaag naar haar wang. Ze maakte geen aanstalten hem weg te vegen. Puller voelde ook een laagje zweet op zijn eigen gezicht.

'Ventilatiekokers,' zei Larrimore.

Puller ging rechtop zitten. 'Oké.'

'In het gebouw mocht je nergens stof en dergelijke laten ophopen, en in de lucht zat ook van alles wat we kwijt moesten. We hadden zo ongeveer het krachtigste ventilatie- en filtersysteem dat je in die tijd kon krijgen. We hadden ventilatiekokers aan de oost- en westkant. Het filtersysteem was enorm groot. Om allerlei redenen zat het niet in het gebouw zelf. De lucht werd erheen geleid, gefilterd en opnieuw in het gebouw in omloop gebracht. Om voor de hand liggende redenen had het gebouw geen ramen. Het was onafhankelijk van de buitenwereld. Het kon daar heel warm worden, vooral in deze tijd van het jaar.'

'Ik moet precies weten waar die kokers zijn. En waar was het filtersysteem ondergebracht?'

'Ik kan u ongeveer vertellen waar die kokers waren. Het is meer dan veertig jaar geleden dat ik daar voor het laatst ben geweest, jongeman. Mijn geheugen is niet perfect. Maar ik weet wel precies waar het filtersysteem was. En allebei de kokers kwamen daar recht in uit. En die kokers zijn groot. Zo groot dat een lange man er rechtop in kon staan.'

'Waar zat het filtersysteem?' vroeg Puller gretig.

'Onder het brandweergebouw.'

Puller en Cole keken elkaar aan.

Larrimore zei: 'Dat leek ons de beste plek daarvoor. Met filtersystemen heb je altijd het risico dat er brand uitbreekt. Als er iets misgaat, zijn er meteen mensen bij om er iets aan te doen. Het brandweergebouw was dag en nacht bemand. Het filtersysteem was van een alarm voorzien. Als zich een probleem voordeed, zouden ze het dus meteen weten.'

'Hoe kom je vanuit het brandweergebouw bij het filtersysteem?'

'Bent u daar geweest?'

'Ja.'

'Dan hebt u de houten kasten gezien. Ik bedoel die aan de rechterkant op de begane grond.'

'Ja.'

'Er zit een hendel achter een paneel op de binnenkant van de meest linker kast. Je ziet niet dat het er is, als je niet weet waar je moet kijken. Er zit een drukplaatje aan de binnenkant van die kast om het paneel open te krijgen. Dat plaatje bevindt zich aan de linkerkant in de bovenhoek. Achter het paneel zit een hendel. Als u die hendel overhaalt, schuift de hele rij kasten naar rechts. U ziet dan ook een trap die naar beneden gaat. Een knap stukje techniek. Over die trap komt u bij het filtersysteem. En vandaar kunt u bij de kokers komen.'

'Ik stel dit erg op prijs, meneer Larrimore,' zei hij.

'Agent Puller, als u daar echt naartoe gaat, houdt u dan een paar dingen in gedachten. U moet een beschermend Hazmat-pak dragen met het krachtigste filter dat u kunt vinden. U moet een zaklantaarn meenemen, want er is daar geen licht. De plutonium- en uraniumkoeken zitten in roestvrije vaten met een bekleding van lood. Op de plutoniumkoeken zit een rood etiket met een doodskop, terwijl die met uraniumkoeken een blauw etiket met dezelfde doodskop hebben. We werkten op een gloednieuw terrein en moesten onze eigen tekens bedenken.'

'Dus het zijn kóéken?'

'Ja. De term "brandstof" is wat dat betreft misleidend. Het uranium en plutonium zien eruit als ronde koeken. Ze zijn radioactief op het hoogst verrijkte niveau. Maar plutonium is superradioactief. Als de personeelsleden iets met het spul deden, gebruikten ze beschermende schilden en robotarmen. Zelfs uw beschermende Hazmat-pak zal u waarschijnlijk niet volledig tegen directe blootstelling beschermen. En dan nog één ding, agent Puller.'

'Ja?'

'Ik wens u veel geluk. Dat zult u nodig hebben.'

·86·

Puller stond voor de gebarsten spiegel in zijn badkamer in Annie's Motel. Hij droeg zijn ACU-uniform en had zwarte en groene vegen op zijn gezicht. Zijn twee M11's zaten in hun holsters, met de patronen in kamers. De MP-5 was helemaal geladen en afgesteld op twee schoten tegelijk. Hij had vier extra magazijnen in de grote vakken van zijn broek. Om zichzelf helemaal in de spiegel te kunnen bekijken moest hij zich naar voren buigen.

In het Midden-Oosten was het in het veld moeilijk geweest om aan spiegels te komen. Puller had zelf iets gemaakt van een glasscherf met een of ander goedje op de achterkant om het licht en zijn spiegelbeeld op te vangen. Sommigen van zijn mannen vonden het nogal vreemd van hem dat hij zichzelf in de spiegel bekeek voordat hij ging vechten. Het kon Puller niet schelen wat ze dachten. Hij deed dit om één reden en alleen daarom.

Als hij zou sterven, wilde hij dat het laatste wat hij van zichzelf zag een man in uniform was die ging vechten voor iets wat het vechten waard was. In Irak en Afghanistan was de motivatie geen probleem geweest. Die was toen grotendeels gekomen van de man die naast hem vocht. Puller had gevochten om die man in leven te houden. Het was ook motiverend geweest dat hij deel uitmaakte van de troep, dus van het Amerikaanse leger in het algemeen en van de Rangers in het bijzonder. Op de derde plaats was zijn land gekomen. Een burger zou dat ongewoon hebben gevonden. Die zou denken dat hij zijn prioriteiten niet in de juiste volgorde had, maar Puller wist wel beter. Zijn prioriteiten waren dezelfde als die van de meeste mensen die het uniform droegen en telkens weer naar een gevarenzone werden gestuurd.

Toen hij zijn ritueel had voltooid, deed hij het licht uit, deed hij de deur van zijn kamer misschien wel voor de laatste keer op slot en liep hij naar zijn auto. Hij controleerde zijn uitrusting en vergewiste zich ervan dat ieder voorwerp dat hij nodig zou hebben aanwezig was. Daar zaten ook een paar dingen bij waaraan Cole hem had geholpen. Toen hij wegreed, dacht hij aan het moment waarop hij in Drake was aangekomen. Dat was dagen geleden, maar die dagen voelden aan als maanden. Het was drukkend heet geweest, zoals het nu ook was. Hij voelde dat de hitte en het zweet zich in zijn gevechtskleding verzamelden.

Hij keek naar het kantoor van het motel, dacht aan het kamertje waar het kleine vrouwtje god mocht weten hoeveel jaren had gezeten. Van rokken uit de jaren vijftig, hoog opgestoken haar en waarschijnlijk dromen die ver voorbij Drake gingen, naar de dood van haar versleten lichaam, zes decennia later. Hij had de vrouw maar twee keer ontmoet en wist niet eens haar achternaam, maar om de een of andere reden dacht hij dat hij Louisa nooit zou vergeten, al was het alleen maar omdat het hem niet was gelukt haar te redden. Hij hoopte dat het hem beter zou lukken de rest van de mensen in Drake te redden.

Hij had enkele uren aan de telefoon gezeten en gesproken met verschillende mensen, steeds hoger in de hiërarchie. Zijn verzoek was ongewoon geweest, en in het leger stuitte je altijd op weerstand wanneer je om iets ongewoons vroeg. Puller was blijven aandringen, en het leger had voet bij stuk gehouden.

En toen had Puller het geëist. En daar had hij het volkomen logische feit aan toegevoegd dat als er mensen doodgingen omdat het leger had geweigerd de juiste stappen te zetten er carrières op het spel kwamen te staan. En niet alleen de zijne.

Toen hadden ze naar hem geluisterd, en intussen waren alle voorbereidingen voor Pullers plan getroffen.

Hij trapte het gaspedaal in en hield zijn blik op de weg gericht. Vele haarspeldbochten later stopte hij op de afgesproken plaats en wachtte daar tot Coles koplampen door de duisternis sneden. Zijn horloge gaf nul elf tien aan en hij vroeg zich al af of ze soms was teruggekrabbeld, toen haar lichtblauwe pick-uptruck naast hem stopte. Ze stapte uit, boog zich in haar laadbak, haalde er een grote rol kabel uit en tikte op Pullers kofferbak. Hij liet hem openspringen en ze legde de kabel erin. Toen ging ze op de passagiersplaats van de Malibu zitten.

Ze droeg haar leren jasje, een zwart T-shirt, een donkere spijkerbroek en hoge schoenen. Hij zag de Cobra in haar holster. Hij keek wat lager en zag de bult van haar tweede wapen.

'Kaliber?' vroeg hij.

'Achtendertig met korte loop. Zilverpunten.' Ze maakte haar jasje enigszins open en hij zag het slagersmes in een leren schede. 'En dit is voor echte noodgevallen.'

Hij knikte goedkeurend.

Ze keek hem even aan. 'Jij ziet eruit alsof je klaar bent voor het gevecht.'

'Ik bén klaar voor het gevecht.'

'Denk je echt dat er iemand zal zijn?'

'Daar gok ik niet op. Ik ben op alles voorbereid.'

'Ik kan bijna niet geloven dat mijn broer Dickie Strauss over die mijngang heeft verteld en dat dit alles daardoor is begonnen.'

'Dat is ook de reden dat we op een andere manier in de Bunker moeten komen.'

'Anders lopen we misschien in een hinderlaag.'

'Precies.'

Ze bereikten het punt dat vierhonderd meter bij de oostkant van de Bunker vandaan lag.

Puller haalde zijn plunjezak tevoorschijn en hing hem om. De zak zat vol materieel. Hij hing de telefoonkabel aan een van zijn schouders en pakte het kogelvrije vest uit de kofferbak.

'Doe dit aan. Je moet de riempjes aantrekken om het te laten passen. Dan is het evengoed te groot voor je, maar het is veel beter dan dat je in je huid en je botten wordt geraakt. Ik weet niet wat voor munitie ze gebruiken.'

'Is dat vest zwaar?'

'Lang niet zo zwaar als wanneer ik je lijk moet terugslepen.'

'Dank je. Ik snap het. En jij?'

'Ik heb er al een aan.'

Hij hielp haar het vest aan te trekken, en nadat hij haar vanuit alle hoeken had geïnspecteerd en een paar kleine dingen had bijgesteld, liepen ze het bos in.

Cole volgde Puller, die zelfverzekerd tussen het dichte geboomte door liep en paden volgde die onzichtbaar waren voor Cole totdat ze eroverheen liepen.

Ze fluisterde: 'Ik heb hier mijn hele leven gewoond, en toch zou ik in tien seconden verdwaald zijn.'

Puller liep in noordelijke richting langs de Bunker, tot hij aan het eind van het beton was gekomen. Toen zette hij weer koers naar het westen. Hij keek op zijn lichtgevende horloge. Hij lag twee minuten voor op het schema. Op het slagveld was te vroeg zijn soms even erg als te laat zijn. Hij ging een beetje langzamer lopen.

Toen ze eindelijk de rand van het bos hadden bereikt, hurkte Puller neer. Cole, rechts van hem, deed dat ook.

Recht voor hen verhief zich het brandweergebouw.

Puller wees naar de rechterkant van het gebouw. 'De telefoonlijn gaat daar naar binnen. Er is een aansluiting in het kantoor op de eerste verdieping.'

Er schoot Cole iets te binnen. 'De gang van het brandweergebouw naar de Bunker stond niet op die plattegronden.'

'Dat klopt,' zei hij. 'Die stond er niet op.'

'Waarom niet?'

'Om een heel goede reden. Het was een achterdeur die ze geheim wilden houden.' Hij stond op. 'Ben je klaar? Want het is tijd.'

Cole stond op. Haar benen wankelden een beetje, maar ze hervond haar evenwicht. Ze slikte een brok ter grootte van een vuist door en zei: 'Laten we gaan.'

·87·

Het eerste deel van de missie verliep buitengewoon soepel. Ze liepen naar de achterdeur van het brandweergebouw. Puller ging het slot geruisloos te lijf en even later zwaaide de deur open.

'Leren ze je ook inbreken in het leger?' vroeg Cole zachtjes.

'Dat heet stedelijke oorlogvoering,' antwoordde hij.

Nadat ze hadden vastgesteld dat zich op de begane grond niets bevond wat ademhaalde, namen ze de trap naar de eerste verdieping. Daar had Puller tien minuten nodig om de telefoonkabel aan te sluiten. Uit zijn plunjezak haalde hij een apparaat dat op een ouderwetse satelliettelefoon ter grootte van een baksteen leek.

'Hoe kom je daaraan?' vroeg Cole.

'Van het leger. Ze gooien nooit iets weg.'

Hij bevestigde de kabel aan de telefoon. Toen drukte hij op een knop van de telefoon en hield hem bij zijn oor.

'We hebben de kiestoon,' zei hij.

'Ga je over grote afstand bellen?' vroeg ze met een zwak glimlachje.

'Over heel grote afstand,' zei hij.

Ze liepen de trap af en kwamen bij de kasten waarover David Larrimore hem had verteld. Die zaten allemaal op slot en zagen eruit alsof niemand ze had aangeraakt sinds de brandweer uit het gebouw was vertrokken.

Hij liet zijn plunjezak van zich af glijden en zei: 'Tijd om ons aan te kleden.' Hij haalde twee Hazmat-pakken met de bijbehorende filterapparatuur uit de plunjezak.

'Die kolonel zei dat plutonium een halfwaardetijd van vierentwintigduizend jaar heeft,' zei Cole.

'Dat klopt.'

Hij gaf haar het pak. Ze keek ernaar. 'Die Larrimore zei ook dat die pakken ons waarschijnlijk niet tegen directe blootstelling aan die troep zouden beschermen.'

'Deze pakken zijn veel beter dan alles wat hij in de jaren zestig had. Maar jij kunt hier blijven, als je wilt, en mij vanaf deze plaats dekken. Dat is misschien zelfs een beter plan dan dat je met me mee naar binnen gaat.'

'Dat is onzin, en dat weet jij net zo goed als ik.' Ze begon het pak aan te trekken. Toen ze klaar waren, keek ze naar hem op. 'We zijn net astronauten die een maanwandeling gaan maken.'

'Misschien zit dat niet zo ver naast de waarheid.'

Puller brak de laatste kast open, vond het drukplaatje voor het paneel, duwde erop, en het deurtje sprong open. Hij tastte naar de hendel. Hij hoopte dat het mechanisme na al die decennia nog zou werken.

Hij slaakte een zucht van verlichting toen hij een plopgeluid hoorde, gevolgd door een lichte luchtstroom. De hele kastenwand kwam met een gierend geluid in beweging. Het ding was waarschijnlijk niet meer open geweest sinds de jaren zestig. Hun tegenstanders waren niet op deze manier in de Bunker gekomen. Ze hadden de mijngang gebruikt.

Cole scheen met haar zaklantaarn in de opening. Ze zagen een trap.

'Je keek teleurgesteld,' zei Puller door zijn masker heen.

Ze schrok en keek naar hem op.

'Hoopte je dat we niet naar binnen konden?'

'Misschien,' gaf ze toe.

'Je kunt je angst beter onder ogen zien dan ervoor wegvluchten,' zei hij.

'En als het een angst is die je niet kunt overwinnen?'

'Dan is het misschien beter om dood te zijn,' antwoordde hij.

Hij haalde twee nachtbrillen tevoorschijn. 'Vermoedelijk is het binnen pikkedonker. Dit is de enige manier waarop we iets kunnen zien. Zodra we weten dat we daar de enigen zijn, kunnen we onze zaklantaarns gebruiken. Ik zal je laten zien hoe de nachtbril werkt. Je moet er even aan wennen. En als mij iets overkomt, moet je hem zo snel mogelijk kunnen gebruiken.'

'Als jou iets overkomt, overkomt het mij waarschijnlijk ook.'

Hij schudde zijn hoofd. 'Dat hoeft niet. We moeten de kans vergroten dat minstens een van ons het overleeft.' Hij legde haar uit hoe het apparaat werkte, schoof het over haar hoofd en klapte de lenzen omlaag over het doorzichtige scherm van haar masker. Hij zette hem aan en legde haar uit wat ze nu zag.

'Oké, nu ben je officieel gecertificeerd voor nachtbrillen.'

Hij zette zijn eigen bril aan en schoof hem voor zijn ogen. Toen gaf hij haar de rol kabel. 'Laat hem vieren onder het lopen.'

'Ik heb de langste rol meegenomen die ik kon krijgen. Denk je dat het genoeg is?'

'We moeten het doen met de uitrusting die we hebben. Als die kabel niet lang genoeg is, moeten we iets anders bedenken.'

Ze knikte.

Hij ging voorop de trap af. Zijn gezichtsveld werd in sommige opzichten verkleind door al dat groen, dat hem het idee gaf dat hij zich in een vuil aquarium bevond. Toch waren bepaalde details veel beter zichtbaar dan wanneer hij er met het blote oog naar zou kijken.

Puller hield van details. Ze maakten vaak het verschil tussen zelf teruglopen of door anderen gedragen moeten worden.

Ze kwamen onder aan de trap, waar een lange gang van geel geverfd beton begon. Ze hadden de helft daarvan afgelegd toen hij de filterapparatuur zag. Hij tikte Cole op haar schouder en wees naar voren. 'Filterstation.'

Ze tikte hem op zijn rug om te kennen te geven dat ze het ook had gezien.

De machinerie was groot en uitgebreid, waarschijnlijk het beste dat in die tijd te krijgen was geweest. Puller zag iets wat hij daar had verwacht, ook al had het filterstation niet op de plattegronden van het complex gestaan. Een grote ventilator. Twee keer zo groot als hij. Dit zou lastig worden, al hoefden ze tenminste niet bang te zijn dat het ding opeens zou aanslaan. Hij draaide zijn lichaam zo dat hij erlangs kon en hielp Cole toen hetzelfde te doen. Ze letten er goed op dat de telefoonkabel niet tegen de schoepen van de ventilator kwam. Het laatste waaraan ze behoefte hadden, was een telefoonlijn die het niet meer deed. Puller leidde de lijn langs de vloer, waar hij alleen tegen de onderkant van de ventilator kwam, die van glad en rond metaal was.

Ze liepen nog een meter of dertig door. In zijn hoofd rekende Puller afstanden uit en hij kwam tot de conclusie dat ze dichtbij waren. Hij hing zijn plunjezak in een betere positie en haalde zijn voorste M11 uit de holster. De MP-5 rustte tegen zijn borst en hij kon hem binnen enkele seconden tegen iemand gebruiken. Hij keek om en zag dat Cole haar Cobra ook in haar hand had.

De binnenkant van het gebouw was groot, maar een MP-5 was een verwoestend wapen in bijna alle confrontaties waarbij niet op grote afstand werd geschoten. Als er daar ergens een sluipschutter was met dezelfde nachtbril als Puller, waren Cole en hij zo goed als dood.

Ze passeerden nog twee barrières, waarvan Puller er een moest ontmantelen, en kwamen in een ruimte die naar alle maatstaven enorm groot kon worden genoemd. Er heerste daar volslagen duisternis. Zonder de nachtbrillen zouden ze blind zijn. Ze hadden nog ongeveer zestig meter telefoonkabel over. Hij hoopte dat het genoeg was. Hij stapte meteen naar rechts en vond dekking achter een lange metalen werkbank. Cole kwam vlug achter hem aan. Het rook daar naar schimmel en rotting. De betonnen bunker die over alles heen was gebouwd, bood geen bescherming tegen het vocht dat van onderen kwam.

Puller keek om zich heen naar de wanden van het gebouw. Die waren hoog, raamloos en van baksteen. Het plafond bevond zich ongeveer tien meter boven hem. Het zag er stevig uit, met tl-banken aan stellages. Er zaten nog meer verdiepingen boven, die ook op de plattegronden te zien waren geweest. Waarschijnlijk hadden ze daar de administratie en de ondersteunende diensten gehad. Blijkbaar waren ze hier beneden in de voornaamste werkruimte van het complex.

En over het hele gebouw heen was die koepel van beton gebouwd. Puller had het gevoel dat hij zich in een gebouw bevond dat in een ei zat.

'We moeten de ruimte systematisch doorzoeken,' zei hij door zijn masker heen.

'Waar zoeken we precies naar?'

'Alles wat ademhaalt, met lood beklede vaten van meer dan honderd liter en alles wat eruitziet alsof het hier niet zou moeten zijn.'

'En wat is dat precies?' vroeg Cole geërgerd.

'Alles wat er níéuw uitziet,' antwoordde hij. 'Jij gaat naar links en ik ga naar rechts, en dan werken we naar het midden toe.' Hij gaf haar een walkietalkie. 'Deze dingen werken hier binnen. Ze sturen geen signalen naar een satelliet of zoiets. Maar ze zijn ook onveilig. Er kan altijd iemand meeluisteren.'

Een halfuur later had Puller ze gevonden.

Hij telde de vaten. Het waren er vijf. Hij kon niet nagaan of ze een loodbekleding hadden, maar hij hoopte van wel. Toen hij dichterbij kwam, zag hij schimmel en viezigheid op de zijkanten van het metaal. Hij hoopte dat er geen gaten in zaten. Waren die er wel, dan was hij waarschijnlijk al dood. Hij kwam nog dichterbij en wreef met zijn hand, waaraan hij een handschoen droeg, iets van de viezigheid weg en zag toen een verbleekt blauw etiket met een schedel en botten. Blauw betekende uranium.

In het volgende vat van de rij zat hetzelfde. Hij duwde met zijn hand tegen elk vat. Ze waren vol, of tenminste, zo voelden ze aan. Het gewicht kon ook van de loodbekleding komen, maar de vaten zagen eruit alsof ze hermetisch afgesloten waren, en er zat zo'n dikke korst op de deksels dat ze vermoedelijk in geen tientallen jaren open waren geweest. Twee andere vaten hadden een rood etiket met de schedel en de botten.

Plutoniumkoeken. Hij duwde. Die zaten ook vol.

Het laatste vat van de rij had hetzelfde rode etiket. Plutonium. Maar daar keek hij niet naar.

Het deksel was van het vat af. Hij ging een paar stappen dichterbij. Toen waagde hij het erop en kwam hij zo dichtbij dat hij erin kon kijken. Inderdaad met lood bekleed. Dat was goed. De elementen hadden geen gaten in het lood gemaakt. Dat was uitstekend.

Het vat was ook leeg. Het plutonium was foetsie.

Dat was catastrofaal.

En toen zag hij iets anders. Op de betonvloer waren zes identieke ringen naast de vaten te zien. Puller wist precies wat dat betekende. Er hadden daar nog zes vaten gestaan. Uranium en/of plutonium. En nu waren ze weg.

Hij nam zijn walkietalkie.

'Ik heb het spul gevonden. En er is één leeg vat. Daar heeft plutonium in gezeten. En er ontbreken zes vaten.'

De walkietalkie knetterde en Cole zei met bevende stem: 'Ik heb ook iets gevonden.'

'Cole, gaat het wel goed met je?'

'Ik... Ik kom hier net aan. Ik ben aan de oostkant, ongeveer honderd meter van de plaats waar we zijn binnengekomen.'

'Wat is er? Wat heb je gevonden?'

'Roger. Ik heb Roger Trent gevonden.'

·88·

Ze keken samen naar de man die daar lag. Puller geloofde niet dat hij dood was, want hij was vastgebonden. Lijken bond je niet vast. Puller knielde voor alle zekerheid bij hem neer, trok zijn handschoen uit en voelde zijn pols. Hij keek op naar Cole. 'Langzaam maar regelmatig. Hij is gedrogeerd.'

'En ik heb dit gevonden,' zei Cole.

Puller keek in de aangewezen richting. Het was wel het laatste wat hij daar had verwacht te vinden.

Het waren archiefdozen. Hij maakte er een open. Ze zaten vol met financiële gegevens. Puller keek in een paar mappen. Er zat ook een zakje met geëtiketteerde USB-sticks bij.

'Wat zijn dat?' vroeg Cole.

'Zo te zien zijn het financiële gegevens. Zoals je weet, zei je zus dat Roger problemen had. Misschien vertellen deze gegevens een verhaal waarvan iemand niet wil dat het ooit wordt ontdekt. Net als Roger.'

'Maar wie zou dat doen?'

'Ik heb mijn vermoedens.'

'Wie? Ik bedoel...' Ze zweeg, want Puller keek over haar schouder.

Hij zei: 'Heb je de hele kant daar onderzocht?'

'Nee. Ik keek eerst in het rond, en toen ik hierheen keek, zag ik Roger liggen. Waarom?'

Hij wees. 'Daarom.'

Cole draaide zich om en zag wat zijn aandacht had getrokken.

Er kwam licht van de andere kant van de Bunker. Zacht groen licht. Het was net aangegaan. Anders zou hij het in het donker al eerder hebben gezien.

Ze liep vlug achter hem aan, haar Cobra naar voren gestoken.

Puller bleef staan en zij deed dat ook.

Ze keek waar hij keek.

De doos was ruim een meter lang en even groot. Zo te zien was hij van roestvrij staal. Hij was glad en ongeschonden, zonder zichtbare naden. Het metaal zag eruit alsof het in één keer gegoten was; een knap stukje vakmanschap. Puller knielde erbij neer en legde zijn hand op de doos. Toen haalde hij hem weg.

Hij keek op naar Cole. 'Warm.'

'Waar komt de energie van dit ding vandaan?' vroeg ze. 'Er is hier geen elektriciteit.'

'Er is hier veel energie, Cole. Waarschijnlijk zit er in die vaten genoeg energie om New York duizend jaar van stroom te voorzien, tenminste als je het spul door een reactor haalt.'

Ze keek naar de doos. 'Is... is dit het? Is dit een bom? Het ziet er niet uit als een bom.'

'Hoeveel atoombommen heb jij in je leven gezien?'

'Ik heb ze op de vleugels van vliegtuigen gezien. Ik heb een programma op History Channel gezien over de bommen die ze op Japan hebben gegooid. Die leken niet op een doos.'

'Nou, schijn kan bedriegen.'

'Is hij net aangegaan? Ik heb dat licht niet eerder gezien.'

'Ik ook niet. Dat betekent dat het ding net wakker is geworden.'

Ze hield haar adem even in. 'Zit er een timer op? Tikt hij?'

'Jij hebt te veel films gezien.' Puller keek naar elke vierkante centimeter van de doos, op zoek naar een naad, een scharnier, een onderbreking van het metaal. Hij streek met zijn vingers over de bovenkant, tastend naar iets wat hij niet door de nachtbril had gezien.

'Dus hij heeft geen timer?'

'Cole, ik weet het niet,' snauwde Puller. 'Ik ben nooit bij een kernwapen in de buurt geweest.'

'Maar je hebt in het leger gezeten.'

'Niet in dat deel van het leger. En de meeste kernwapens vallen onder de marine en de luchtmacht. Wij infanteristen zijn het gewone volk dat onder alle mogelijke weersomstandigheden schiet en beschoten wordt, precies zoals dat tweehonderd jaar geleden al gebeurde. Het grootste wapen waar ik ooit zo dichtbij ben geweest, was een .50. Met een .50 kun je honderden mensen doden. Met dit ding kun je tienduizenden mensen doden, misschien nog meer.'

'Puller, als je dat ding openmaakt, zal de inhoud ons dan niet doden?'

'Misschien wel. Maar als ik het niet openmaak, zal de inhoud ons waarschijnlijk ook doden. Plus een heleboel andere mensen.'

Zijn vingers hielden op met tasten en bleven op een bepaald punt, vijftien centimeter bij de rechterkant van het roestvrij staal vandaan.

'Heb je iets gevonden?' vroeg ze.

Bij wijze van antwoord pakte hij zijn grote telefoontoestel op en toetste een nummer in.

'Als je nu eens geen verbinding krijgt?'

'Dan kunnen we het wel schudden.'

Ze wilde iets zeggen, maar hij stak zijn vinger op. 'De telefoon werkt.' Hij sprak erin.

'Hé, Bobby. Heb je tijd om je kleine broertje een paar tips te geven over het onschadelijk maken van een atoombom?'

89

Robert Puller had de afgelopen twee uur zitten wachten in de USDB-gevangenis. Dat was gebeurd in directe opdracht van de minister van Defensie. Hoewel Defensie over veel experts op het gebied van kernwapens beschikte, had Puller volgehouden dat hij alleen zijn oudere broer vertrouwde. Hij wilde niemand anders hebben. Het feit dat de man een levenslange gevangenisstraf uitzat wegens hoogverraad maakte die keuze problematisch, maar toen Puller zelfs tegen viersterrengeneraals voet bij stuk had gehouden, was de minister tussenbeide gekomen en had hij Pullers plan goedgekeurd. En zelfs die generaals moesten toegeven dat maar weinig mensen ter wereld meer over nucleaire wetenschap wisten dan Robert Puller.

Robert was alert en ook gespannen. Per slot van rekening zat zijn broer naast een atoombom. In een eerder telefoongesprek had Puller hem op de hoogte gesteld van alles wat David Larrimore hem had verteld.

'Beschrijf die doos voor me,' zei Robert.

'Klein, ruim een meter in het vierkant. Roestvrij staal. Aan de vloer verankerd.'

'Harder praten. Ik kan je niet goed verstaan.'

'Sorry, ik praat door een masker.' Hij herhaalde de informatie met luidere stem.

'Oké, niet de kanonmethode, maar implosie.'

'Ja.'

'Vertel me over de vaten. In die lege heeft plutonium gezeten?'

'Ja. Tenminste, dat stond erop.'

'Weet die Larrimore hoeveel plutonium er in elk vat zat?'

'Als hij dat wist, heeft hij het niet gezegd. Ik denk niet dat hij ooit heeft geloofd dat ze die troep zouden achterlaten. En ik zou dat ook niet hebben geloofd.'

'Ik ga ervan uit dat de bom niet bijzonder verfijnd is. We hebben het dus over minstens zes kilo en misschien nog meer.'

'In dat vat kon veel meer dan zes kilo, zelfs met de loodbekleding.'

'Dat begrijp ik, maar uit de grootte van de doos waarover je het hebt blijkt duidelijk dat ze daar niet het equivalent van een vat van meer dan honderd kilo plutonium in hebben gestopt. Zoveel zou niet nodig zijn.'

'Misschien zijn ze gek. Heb je daar ooit bij stilgestaan?'

'Misschien wel, maar ik maak me alleen druk om de wetenschappelijke aspecten.'

'Kan ik het deksel eraf halen, of ga ik dan meteen dood aan straling van het plutonium?'

'Hoe zwaar is het deksel?'

Puller trok eraan en tikte erop. 'Niet zo zwaar.'

'Dus de doos heeft waarschijnlijk geen loodbekleding of andere afscherming. Het plutonium zal helemaal omringd zijn door de explosieven, en ook door een stamper/duwer en misschien nog een laagje of twee dat je beschermt. En we weten dat er een neutronenreflector met wolfraamcarbide in zit. Dat ding is superdicht. Waarschijnlijk overkomt je niets.'

'Waarschijnlijk?'

'Meer durf ik er niet over te zeggen, broertje.'

Puller haalde diep adem en gaf Cole een teken dat ze achteruit moest gaan. Dat deed ze. Hij trok aan het deksel. Het kwam omhoog. Hij werd niet getroffen door een verblindend blauw licht.

'John?'

'Niets aan de hand. Ik geef geen licht. Dat vat ik op als een positief teken.'

'Zie je een timer?'

Puller keek op naar Cole, die haar schouder ophaalde en glimlachte achter haar masker.

Puller zei: 'Zitten er echt timers op deze dingen?'

'Ja, maar niet voor een melodramatisch effect, zoals in films. Ze hebben een echte functie. De conventionele explosies moeten precies tegelijk plaatsvinden, anders komt er een gat door de schokgolf en ontsnapt de kern daardoorheen. Dan krijg je een sisser. Zoals we al eerder hebben besproken.'

Puller zocht in de doos. Hij trok een bundel draden opzij en zag de timer.

'Oké. Ik heb hem. Dat moet het licht zijn dat we eerder zagen. Het ding heeft een interne energiebron, want er is hier verder geen elektriciteit.'

'Waar staat de timer op afgesteld?'

'Tweeënzestig minuten, afnemend.'

'Oké,' zei Robert. 'Draden?'

Cole hield een krachtige zaklantaarn boven de doos om hem voor Puller te verlichten. Hij had een nachtbril van de nieuwste generatie waarmee hij zelfs in een verlichte omgeving goed kon zien.

'Een heleboel,' zei Puller. 'Ze lagen over de timer heen. Moet ik proberen sommige door te knippen? Misschien houdt de timer dan op.'

'Nee. De kans is groot dat die draden een boobytrap zijn. Van de twintig draden zijn er misschien maar drie bij die enig nut dienen. Dat is een veelvoorkomende list bij het maken van conventionele bommen, en dezelfde regel zal ook wel gelden voor atoombommen. Als je een van die andere draden doorknipt, springt de timer waarschijnlijk meteen naar nul en dan kun je dag met het handje zeggen.'

'Oké, dan knip ik geen draden door,' zei Puller met ferme stem. Het was daar benauwend heet en zijn Hazmat-pak maakte het nog heter. Zijn masker besloeg steeds weer. Hij veegde over zijn voorhoofd om de condens weg te halen, en dat werkte niet zo goed, want datzelfde voorhoofd was de voornaamste bron van zweet. Ten slotte trok hij het masker weg, streek over zijn ogen en zette het masker weer op.

'De initiator zal helemaal in het midden van de bom zitten,' zei Robert. 'Tijdens de detonatie wordt de kern met neutronen bekogeld. De goudfolie die op de plaats delict is gevonden, werd waarschijnlijk als laag tussen het beryllium en het polonium gebruikt, zoals we al eerder veronderstelden. Het plutonium zal daar als een bal omheen liggen. De stamper/duwer zal weer om het plutonium heen liggen. De duwer verhoogt de schokgolf die tegen de kern aan komt. En de stamper helpt voorkomen dat de kern uit elkaar vliegt, zodat het bereik wordt gemaximaliseerd.'

'Oké, Bobby, ik hoef geen lezing over alle kleine onderdelen.'

'Ik denk dat ik alleen maar wil nagaan of ik nog weet waarover ik het heb,' zei zijn broer een beetje zuur.

'Twijfel niet aan jezelf. Jij hebt er verstand van. Je bent een genie. Dat ben je altijd al geweest.'

'Oké, de explosieve lenzen vormen de buitenlaag. Je moet de lenzen kunnen zien. Als facetten van een voetbal. Het zijn zorgvuldig gevormde explosieve ladingen. Bijna een geometrisch kunstwerk. Zie je ze?'

'Ik zie ze.'

'Hoeveel?'

'Een heleboel.'

'Hoe zijn ze gerangschikt?'

'Bijna naadloos.'

'Geen hiaten?'

'Niet dat ik kan zien.'

Puller hoorde dat zijn broer zijn adem liet ontsnappen. 'Diegene wist wat hij deed.'

'Wat betekent dat voor mij?'

'Als het ze lukt de kettingreactie lang genoeg te comprimeren, neemt het bereik van de bom exponentieel toe, zoals we al hebben besproken. En als ik op je beschrijving mag afgaan, lijkt het erop dat ze een heel geraffineerde bom hebben ontworpen.'

Puller keek naar de timer. Die stond nu op negenenvijftig minuten en zevenentwintig seconden.

'Hoe zet ik dit ding uit, Bobby?'

'Je kunt het niet echt uitzetten.'

'Wat doe ik hier dan?' Puller blafte het zo hard dat Cole ervan schrok en bijna de zaklantaarn liet vallen.

'Er is eigenlijk maar één manier om het te doen,' zei Robert kalm. 'We moeten de detonatie verstoren. De lenzen zijn nu naadloos, maar als we de timing van de detonatie saboteren, kunnen we een sisser veroorzaken.'

'Hoe doe ik dat?'

'We verstoren de detonatiesequentie door er zelf een aan toe te voegen.'

Puller keek geschrokken op naar Cole. 'Je bedoelt dat we dit ding alleen kunnen verslaan door het tot ontploffing te laten brengen? Bedoel je dat?'

'Ja, daar komt het op neer.'

'Shit,' mompelde Puller. 'Is dat echt de enige manier?'

'Als er een andere manier was, zou ik het zeggen.'

'Als ik er nou eens gewoon op ga meppen?'

'Dan is de kans heel groot dat jij eraan gaat en dat er een paddenstoelwolk boven West Virginia komt te hangen.'

'Ik had de cavalerie moeten laten komen. Die hadden dit ding met een helikopter weggebracht en in de oceaan gegooid.'

'Dat hadden ze niet in een uur kunnen doen. En achteraf is het makkelijk praten.'

'Misschien hadden ze hier al kunnen zijn voordat de timer begon af te tellen. Dan hadden ze hem in een diep gat kunnen gooien.'

'Ook dat is achteraf gedacht.'

'Als dit ding afgaat, is het mijn schuld, Bobby.'

'Twee dingen, John. Als dat ding afgaat, kun jij je er niet meer druk om maken. Ten tweede: degenen die dat ding hebben gebouwd, zijn verantwoordelijk, niet jij! Nou, hoeveel tijd is er nog over?'

'Zevenenvijftig en een halve minuut.'

Puller keek op naar Cole en wees in de richting vanwaar ze gekomen waren. Hij vormde met zijn mond twee woorden: *Ga. Nu.*

Ze schudde haar hoofd en keek hem met een koppig gezicht aan toen hij opnieuw naar de uitgang wees. Toen hij het een derde keer deed, stak ze haar middelvinger naar hem op.

'John, ben je daar? Wat gebeurt er?' vroeg zijn broer.

'Niets. We hadden even een tactisch probleempje. Zeg, als je het over een sisser hebt, wat bedoel je dan precies?'

'Misschien een kracht van een halve kiloton, maar dat is alleen maar een schatting van mijn kant. De betonnen koepel zal het grootste deel van de klap opvangen.'

'Een halve kiloton?' zei Puller. 'Dat staat gelijk aan vijfhonderd ton TNT. Noem je dat een sisser?'

'Hiroshima werd getroffen door een bom met een kracht van dertienduizend ton, en daarvoor gebruikten ze maar zestig kilo uranium, waarvan maar zeshonderd milligram echt explodeerde; dat is ongeveer het gewicht van een dubbeltje. Ik weet niet hoeveel plutonium ze in dat ding hebben gestopt, maar we moeten rekening houden met het ergste geval. Die bom heeft vast niet zo'n klein bereik als die van Hiroshima. We hebben het over de kanonmethode in tegenstelling tot de implosiemethode, uranium in tegenstelling tot plutonium. Laten we er voor de zekerheid van uitgaan dat het een equivalent van miljoenen tonnen TNT is. De koepel vliegt dan de ruimte in en de straling wordt verspreid over minstens zes staten. En dan kun je West Virginia wel gedag zeggen.'

Er stond meteen vers zweet op Pullers gezicht. 'Oké, een halve kiloton lijkt me nu niet meer zo erg. Vertel me hoe ik een sisser moet maken.'

'We moeten de bom voortijdig laten ontploffen.'

'Ja, dat snap ik. Hoe?'

'Heb je de dingen meegebracht die ik heb genoemd?'

Cole keek naar Puller, die nu in zijn plunjezak groef en er twee staven dynamiet, draad, slaghoedjes en een timer uithaalde. Cole had dat alles voor hem meegenomen. Ze gaf ze aan hem terwijl hij de telefoon tegen zijn schouder hield.

'Ik dacht dat ik die spullen ging gebruiken om ergens een gat in te blazen. Als je me had verteld dat ik ze zou moeten gebruiken om de atoombom tot ontploffing te brengen, zou ik hier nu misschien niet zijn.'

'Natuurlijk wel,' zei Robert. 'Ik ken mijn broer.' Hij zei dat alsof het een grap was, maar Puller wist dat de man niet glimlachte. Hij deed alleen maar zijn best om zijn kleine broertje gerust te stellen. Hij probeerde, als dat mogelijk was, hem af te leiden van het feit dat hij op het equivalent van miljoenen tonnen TNT zat, een bom die ook nog eens een gigantische straling kon veroorzaken.

'Waar moet ik het leggen?'

'Als je recht voor de bom zit, wil ik dat je de staven ongeveer vijf graden naar links zet.'

'Waarom vijf graden?'

'Ik ben dol op het getal vijf, John. Altijd al geweest.'

Puller legde de staven daar neer en zei tegen zijn broer dat hij het had gedaan.

'Goed,' zei Robert. 'Nu stel je de timer van de dynamietstaven zo in dat hij eerder op nul is dan de timer van de bom. Als het dynamiet ontploft, is zelfs een milliseconde verschil al genoeg. De staven exploderen, maken een gat in de lenzen en veroorzaken een reeks explosies. Die gefaseerde explosies vernietigen de bol en verstoren de compressievolgorde. De kern perst zich door de gaten die zijn ontstaan, en het komt niet tot een kritisch en superkritisch stadium. Zonder kern kan het plutonium niet worden samengedrukt en zakt het hele ding in elkaar.'

'En dat is goed?' vroeg Puller.

'Ik zal je de drie scenario's schetsen, zoals ik ze zie. Als we veel geluk hebben, gebeurt er niet veel. Dan heb je alleen een vuile bom waarvan de ontploffing niets nucleairs heeft. In het ergste geval krijgen we een kleine ontploffing met een beetje straling, dat door een meter beton wordt tegengehouden. Dat is het gunstigste wat we kunnen krijgen. Het tweede scenario is ook nog niet het ergste. Dat houdt in dat we een sisser van een halve kiloton krijgen. Het komt natuurlijk goed uit dat je daar midden in de rimboe zit en dat er een betonnen koepel van een meter dik overheen staat. De bijkomende schade blijft binnen de perken.'

'Deze county zit vol mensen,' zei Puller, terwijl Cole hem aanstaarde van achter de zaklantaarn die ze in haar hand had. 'En ze hebben het allemaal moeilijk en leiden een rotleven. Dus het laatste wat ze kunnen gebruiken, is dat er in al hun ellende ook nog eens een paddenstoelwolk opduikt.'

'Het spijt me, John. Dat wist ik niet.'

'Hoe zou je het ook kunnen weten?' Puller haalde diep adem. 'En het derde scenario?'

'Dat houdt in dat mijn plan wel werkt, maar niet zo goed werkt, en dan krijgen we evengoed nog een kernexplosie.'

'En dat betekent?'

Robert zei eerst niets. 'Ik heb nooit tegen je gelogen, John, en dat ga ik nu ook niet doen. Dat betekent dat een groot stuk van waar jij nu bent volledig verdampt. Alsof er honderd orkanen tegelijk overheen razen. Tot kilometers in de omtrek blijft er niets over. Zo werkt het.'

'Oké.' Puller bedacht iets. 'Geef me een paar minuten,' zei hij.

'Wat?' vroeg zijn broer.

'Dit ding gaat hoe dan ook ontploffen, nietwaar?'

'Ja.'

'Geef me dan een paar minuten.'

Hij sprong overeind en rende weg. Cole rende achter hem aan.

'Puller, wat doe je?'

Hij kwam bij de vaten, bekeek ze nog eens, keek hoe hij ze kon vastpakken en koos voor de beste manier.

'Daar is de mijngang. Ik rol deze dingen zo ver mogelijk de gang in. Als de klap komt, stuwt de explosiekracht die dingen met een beetje geluk diep de rotsen in, zodat ze onder tonnen puin begraven komen te liggen. Dat is op dit moment onze enige optie.'

'Beter dan de lucht in,' zei Cole.

Met enige moeite liet Puller het eerste vat op zijn zij kantelen en rolde het vlug de mijngang in. Die helde enigszins omlaag en het vat rolde op eigen kracht de duisternis in. Puller rende naar de andere vaten terug en zag dat Cole er ook eentje probeerde te laten kantelen, maar daar was ze niet sterk genoeg voor.

'Schijn jij maar met de zaklantaarn,' zei hij. 'Ik lever de spierkracht.'

Een paar minuten later waren alle vaten in de mijngang verdwenen. Puller en Cole renden naar de atoombom terug en hij pakte de telefoon op.

'Ik ben er weer.'

'Wat deed je toch?' wilde zijn broer weten.

'Ik heb vaten met nucleaire troep naar een veiliger plaats gebracht.'

'O ja. Goed idee. Oké, ben je klaar?'

Puller zei: 'Denk je dat je geluk hebt?'

'Meer ter zake: denk jíj dat je geluk hebt?'

Puller likte over zijn lippen en keek Cole even aan. Ze stond daar alsof ze in steen was veranderd.

Hij legde de dynamietstaven en slaghoedjes op hun plaats en stelde de timer in op dertig minuten. Dat zou hun genoeg tijd geven om weg te komen.

Ze hoorden een kreungeluid.

'Roger wordt wakker,' zei Cole.

Haar zwager was inderdaad in beweging gekomen.

Puller zei: 'Maak hem los en leg hem uit dat we hier weg moeten...'

'Puller!' riep Cole uit. 'Kijk.'

Blijkbaar hoorde Robert dat. Hij zei: 'Wat gebeurt er?'

Puller gaf geen antwoord. Hij werd helemaal in beslag genomen door de timer van de bom.

Die was net van zevenenveertig minuten en acht seconden naar precies vijf minuten versprongen.

Ook een boobytrap, die misschien in werking was getreden doordat de bovenkant eraf was gehaald.

Puller stelde zijn ontsteker in op het enige mogelijke tijdstip.

Minder dan vijf minuten.

Hij sloot het deksel van de bom en Cole en hij renden naar Roger Trent toe. Puller gebruikte zijn KA-BAR-mes om hem los te maken, ze trokken hem overeind en renden uit alle macht naar de luchtkoker.

'John!' riep Robert Puller door de telefoon.

Zijn broer gaf geen antwoord. Hij had de telefoon naast de atoombom laten vallen.

Nu ging het er alleen nog om dat ze de Bunker uit kwamen.

Maar terwijl hij daar naast Cole rende en ze Trent tussen hen in op de been hielden, wist Puller één ding zeker.

Wij zijn dood.

90

Toen ze daar renden, zei een versufte Trent: 'Wat gebeurt er? Wie zijn jullie?'
'Hou nou maar je mond en bewaar je adem voor het rennen, Roger,' snauwde Cole.

Ze kwamen veel sneller door het filtersysteem dan op de heenweg, zelfs met Trent op sleeptouw. Ze renden de trap op, door het brandweergebouw en naar het betonnen pad aan de voorkant. Puller en Cole hadden geen tijd gehad om zich van hun Hazmat-pakken te ontdoen. Hun bezwete haar zat aan hun gezicht geplakt. Alleen omdat ze nog maar weinig vocht in hun lichaam hadden, zweetten ze nu heel wat minder.

Trent had een rood gezicht en haalde moeizaam adem. 'Ik denk dat ik een hartaanval krijg.'

'Doorlopen!' riep Puller. Hij trok zijn handschoen uit en keek op zijn horloge. Er waren bijna vier minuten verstreken. Ze hadden nog één minuut. Misschien werd het een explosie van vijfhonderd ton TNT. Zelfs met die betonnen koepel was het bereik van de explosie veel groter dan de afstand die ze in de volgende minuut konden rennen, al waren ze olympische atleten geweest. En als het een kernexplosie werd, zou er over vijfenvijftig seconden niets meer van hen over zijn dan een beetje damp.

Cole zag hem op zijn horloge kijken en een gezicht trekken. Puller voelde dat en keek haar aan. Al rennend keken ze elkaar in de ogen.

'Het was prettig met je te dienen, agent Puller.' Ze kon een zwak glimlachje produceren.

'Het was me een eer, brigadier Cole.'

Ze hadden nog dertig seconden te leven.

In die tijd lukte het hen nog eens tachtig meter verder te komen. De koepel verhief zich duidelijk zichtbaar achter hen. Puller keek niet eens op zijn horloge. Hij rende gewoon door. Hij voerde het tempo op. Cole deed dat ook. En Trent ook. De frisse lucht had hem verkwikt, en blijkbaar besefte hij nu dat ze letterlijk voor hun leven renden.

Puller vroeg zich even af hoe de schok zou aanvoelen. Daar zou hij gauw genoeg achter komen.

In de Bunker kwamen de dynamietstaven tot ontploffing.

Maar Robert Pullers methode werkte. De gefaseerde explosies, met telkens milliseconden ertussen, maakten een naad in de bol en de kern vloog daar recht doorheen.

Het kwam niet tot een superkritische explosie.

Nu werd het gewoon een bom.

Maar wel een grote bom. En Drake County had ondanks alle mijnbouw in de loop der jaren nog nooit zo'n klap als deze meegemaakt.

De aarde trilde onder hun voeten, maar ze voelden dat maar een seconde, de tijd waarin hun voeten nog met de aarde in contact bleven. Even later werden Puller, Cole en Trent zeven meter door de lucht gegooid. Ze smakten tegen de grond en rolden weg door de schokgolf die uit de Bunker kwam. Ten slotte bleven ze aan de rand van het bos liggen, bijna dertig meter verwijderd van de plaats waar ze voor het laatst hadden gestaan. Het scheelde maar een haar of Puller was tegen de stam van een den gedreund.

Het regende puin uit de hemel.

Puller, bebloed en versuft, rolde zich langzaam om. Op de een of andere manier was de MP-5 bij hem gebleven. De loop was tegen zijn gezicht geslagen toen hij op de grond was gedreund. Zijn wang was kapot en gezwollen. Zijn hele lichaam schreeuwde van pijn, zowel van de explosie die hem had getroffen als van de dreun waarmee hij op de grond was gegooid nadat hij zo'n eind was weggeslingerd. Toen een vliegend brok beton hem bijna onthoofdde, keek hij achterom naar de Bunker.

Die was er niet meer. Minstens een deel van de koepel was weg. Er vlogen nog steeds brokken beton door de lucht. Door het nieuwe gat in de Bunker stegen rook en nevel op. Een deel van de zijkant van de Bunker was ook weggeslagen. Dat moest de bron zijn geweest van de schokgolf die hen een eind had weggeslingerd. Het was net een door de mens gemaakte vulkaan, dacht Puller.

Hij hoorde geen kreten uit de omgeving, waar brokstukken op de huizen sloegen. In de voormalige personeelswoningen hadden zevenenvijftig mensen onderdak gevonden. Cole had eerder die avond haar agenten daarheen gestuurd om ze allemaal weg te halen. Ze hadden gezegd dat die mensen op verboden terrein waren en dat de county hen daar lang genoeg had gedoogd. Die mensen zaten nu in opvanghuizen in plaats van in die woningen, die nu verpletterd werden door een lawine van rondvliegende brokken gewapend beton. Op dat moment leek het een heel goede beslissing.

Hij wist niet of het spul dat door de Bunker werd uitgebraakt radioactief was, en op dat moment kon het hem ook niet schelen. Hij moest Cole vinden.

Hij vond Roger Trent eerst. Helaas was die met zijn hoofd tegen een boom gevlogen die veel harder was dan hij. De helft van zijn hoofd was weg. De financiële problemen van de mijnmagnaat waren voorbij, net als zijn leven.

Puller keek koortsachtig om zich heen. Een nieuwe explosie liet de grond schudden en joeg nog meer brokstukken door de lucht.

Toen zag hij haar eindelijk.

Cole was bijna vijftig meter bij hem vandaan. Ze deed verwoede pogingen om overeind te komen.

'Blijf liggen,' riep hij. 'Ik kom eraan.'

Hij rende door de lucht vol gruis en brokstukken, stukken beton ontwijkend die even dodelijk waren als .50-geschut. Hij was vijftien meter bij haar vandaan toen het gebeurde. Een brok beton ter grootte van een mortiergranaat trof Cole recht op haar hoofd. Ze viel op de grond terug.

'Nee!' riep Puller uit.

Hij rende nog harder, terwijl stukken beton, de bewapening daarvan en allerlei dingen die hij niet herkende om hem heen vielen. Het was alsof hij de dood weer probeerde te ontwijken in Kaboel of Bagdad.

Hij kwam bij haar aan en knielde neer.

Haar achterhoofd zat onder het bloed. Hij zag stukjes van haar schedel.

Hij draaide haar voorzichtig om.

Cole keek naar hem op. Haar ogen waren dof. Haar hersenen hielden ermee op. Hulpeloos stak hij zijn hand naar haar uit.

Haar ogen bewogen niet meer en haar blik bleef nog heel even op hem gericht. Haar lippen kwamen van elkaar. Hij dacht dat ze iets tegen hem zou zeggen.

Er ging nog één huivering door haar heen, één laatste ademtocht.

Haar ogen bewogen niet meer.

En Samantha Cole stierf.

Niet één keer had John Puller op het slagveld ooit gehuild om een gevallen kameraad. Niet één keer. En hij was vaak in de gelegenheid geweest om dat te doen. Puller-mannen huilden niet. Dat was regel één.

Maar toen Sam Cole hem verliet, liepen de tranen over zijn wangen.

91

De federale diensten vielen Drake binnen als een plunderend leger. En in zekere zin waren ze dat ook.

Ze sloten het stadje en vooral het terrein rond de Bunker helemaal af. Elke vierkante centimeter grond werd onderzocht door teams van experts in de allernieuwste beschermende kleding. Er werden tests gedaan met lucht- en bodemmonsters. Robots renden dag en nacht heen en weer naar het terrein van de ontploffing. Al die tijd werden de media in onwetendheid gehouden. De overheid was daar in de loop der jaren heel handig in geworden. Volgens het officiële verhaal had een zeldzame combinatie van methaangas en oude opslagvaten uit de Tweede Wereldoorlog dat deel van West Virginia een onverwacht vuurwerk bezorgd.

De besmetting van lucht en grond bleek veel minder ernstig te zijn dan gevreesd was. Er hoefde niet tot massa-evacuatie te worden overgegaan. Met behulp van de nieuwste imagingtechnieken werd zichtbaar gemaakt dat de vaten die Puller de mijngang in had gerold afdoende waren afgeschermd door miljoenen tonnen gesteente. De overheid wist niet of die vaten eruit gehaald moesten worden of dat ze daar moesten blijven liggen. Uiteindelijk had Pullers tactiek haar heel veel opslagkosten bespaard.

Restanten van de plutoniumkern en de bom waren gevonden en weggehaald. Het opruimproces begon en zou nog een tijdje in beslag nemen. Bij alles wat ze deden loog de overheid tegen de media en de bevolking van Drake. Dat gebeurde met veel aplomb en een enorm zelfvertrouwen.

John Puller had van een hele rits generaals en civiele autoriteiten bevel gekregen zijn mond te houden. Hij was soldaat en deed dus wat hem gezegd werd.

Op een dag zou dat misschien veranderen, zei hij tegen zichzelf. Alleen niet op die dag.

Robert Puller was de enige in de geschiedenis van de Verenigde Staten die een onderscheiding van zijn land kreeg nadat hij voor hoogverraad was veroordeeld. Aan de andere kant zou zijn vonnis onder geen beding worden gewijzigd. En de onderscheiding werd hem met strikte geheimhouding uitgereikt.

Puller ging niet naar Roger Trents begrafenis. Hij nam aan dat het een uitgebreide ceremonie zou worden; zijn weduwe Jean zou niet op de kosten kijken. Hij vroeg zich ook af of er wel iemand uit Drake zou komen. De man was niet medeplichtig geweest aan de poging een nucleaire catastrofe te veroorzaken, maar evengoed was hij nog steeds een klootzak geweest die met zijn bedrijven de hele regio en ook menig mensenleven had verwoest. Daarom was er Puller niets aan hem gelegen.

Maar er was een begrafenis in Drake waar hij wel naartoe ging.

Puller stapte in zijn gloednieuwe blauwe uniform uit de Malibu. Hij zag er goed uit toen hij hielp de kist uit de lijkwagen te tillen en naar het graf te dragen.

Dit was Sam Coles begrafenis, en niets zou hem daarvan kunnen weghouden.

De hele familie Cole was er, inclusief Randy, die een gloednieuw pak droeg dat Jean ongetwijfeld voor hem had gekocht om het hem op de begrafenis van zijn oudere zus te laten dragen. Hij leek meer een ontreddderd klein jongetje dan een rouwende man.

Jean was in duur zwart gekleed. Ze zag er verpletterd uit. Puller dacht onwillekeurig dat ze meer om haar dode zus dan om haar dode man rouwde. Ze was nu een erg rijke weduwe, maar ze had geen zus meer.

Samantha Cole werd in haar straatuniform begraven – niet haar gala-uniform, maar het uniform dat ze dagelijks droeg. Ze hadden een testament gevonden waarin daarom werd gevraagd. Dat leek erg passend voor het soort politievrouw dat ze was geweest. Tegelijk met haar werd haar Cobra begraven. Dat stond ook in haar testament, en Puller had respect voor de vooruitziende blik van de dame, en ook voor de aandacht die ze aan details had besteed. Haar huisje liet ze aan haar broer na.

Puller was eerder naar haar huisje gegaan om daar een briefje op de voordeur achter te laten: eenieder die probeerde iets uit het huis te plunderen, zou door het Amerikaanse leger worden opgejaagd en op gepaste wijze, zo nodig met extreem geweld, worden terechtgewezen.

Toen hij naar de kist liep, voelde Puller dat zijn keel en borst zich samentrokken. Het was benauwend heet en de zon schitterde aan de hemel. De luchtvochtigheid bereikte een nieuwe recordhoogte. Toch voelde Puller alleen de ijzige kou van de nabije dood. Hij streek even over het gladde mahoniehout, mompelde een paar woorden en liep toen weg met het gevoel dat hij volkomen tekort was geschoten, dat hij een minderwaardige Romeo voor de gedode Julia was geweest.

Ten slotte vermande hij zich en zei: 'Je was een goede politievrouw, Cole. Deze plaats verdiende jou niet.' Hij zweeg en deed zijn uiterste best om te voorkomen dat zijn emoties volledig met hem aan de haal gingen.

Ten slotte zei hij: 'Het was een eer om met je te dienen.'

Toen ze na de dienst naar de auto's terugkeerden, kwam Jean Trent naast Puller lopen.

'Wat is er werkelijk gebeurd?' vroeg ze. 'Niemand wil me iets vertellen.'

'Moet je het echt weten?'

Ze stoof op: 'Of ik echt moet weten waarom mijn man en zus zijn vermoord? Zou jij het niet willen weten als je in mijn schoenen stond?'

'De waarheid brengt ze niet terug.'

'Nou, je bent een grote hulp.'

'Ik geef je de beste raad die ik heb,' zei hij.

Ze bleef staan. Hij ook.

'Je was niet op Rogers begrafenis,' zei ze.

'Dat klopt. Daar was ik niet.'

'Maar je bent hiervoor teruggekomen, in je mooie pak met al je medailles. Waarom?'

'Omdat ik het aan je zus verplicht was,' antwoordde hij. 'Het is een kwestie van respect.'

'Je gaf om haar, nietwaar?'

Puller zei niets.

'Krijg je degene die haar heeft gedood te pakken?'

'Ja,' zei Puller.

Ze wendde haar blik af en perste haar lippen op elkaar.

'Ik weet niet wat ik moet doen.'

'Je bent rijk en vrij. Je kunt doen wat je wilt.'

'Van die rijkdom ben ik niet zeker. Het grootste deel van Rogers vermogen is verdwenen.'

'Je hebt je bed & breakfast, en een pientere dame als jij heeft vast wel ergens wat geld weggestopt.'

'Gesteld dat het zo is, wat zou je dan doen als je mij was?'

'Vraag je me dat echt?'

'Sam had een hoge dunk van jou. En ze was niet gauw van iemand onder de indruk. Als zij vond dat jij oké was, vind ik dat ook. En ik wil graag je advies horen.'

'Verhuis naar Italië. Begin daar een restaurant. Geniet van het leven.'

'O ja? Vind je dat ik dat moet doen?'

'Er is niets wat je nog hier houdt.'

'Mijn broer is hier.'

'Neem hem mee.'

'Randy? Naar Italië?'

Puller keek naar Randy Cole. Die zat in zijn eentje op een bank. Hij zag eruit alsof hij niet eens wist waar hij was.

'Hij is eindelijk naar een dokter gegaan, hè?'

Ze knikte. 'Hij heeft een hersentumor, maar het hoeft niet fataal te zijn. De artsen denken dat ze de tumor kunnen behandelen, of in elk geval de groei ervan kunnen afremmen, maar we weten niet hoeveel tijd hij nog heeft.'

'Dan denk ik dat jullie allebei een nieuw begin kunnen gebruiken. Veel succes.'
Hij begon weg te lopen.
Ze riep hem na: 'Puller, ik geef een receptie in het huis. Ik hoopte dat je kon komen.'
Puller liep door. Hij had geen tijd voor recepties.
Hij had een zaak die hij moest afmaken. En afmaken zou hij hem. Voor hemzelf.
Maar vooral voor Sam Cole.

92

De man stak zijn sigaret aan, zwaaide met de lucifer tot hij uit was en gooide hem op de vochtige keistenen van de straat. Hij droeg een donkerblauw jasje en een witte linnen broek en had zijn hoed laag over zijn voorhoofd getrokken. Er zat geen monogram op zijn overhemd, maar wel een aantal koffievlekken en een gaatje dat door een sigaret in de manchet was gemaakt.

Het had het grootste deel van de dag geregend en de wolken zaten nog vol nattigheid. De lucht was vochtig, maar ook kil, en hij huiverde enigszins.

Hij keek naar rechts en links en stak de straat over.

De bar had een neonbord dat sputterde bij elke minieme onderbreking van de onbetrouwbare elektriciteit. De deur van de bar was gehavend en pokdalig; het leek wel alsof er een boog van kogelgaten in zat. Dat vond de man niet erg. Dit was niet de eerste keer dat hij hier kwam.

Hij schuifelde door de menigte naar de tapkast. Hij sprak de taal vrij goed, in elk geval goed genoeg om iets te drinken te bestellen. Sommige aanwezigen hier kenden hem, zo niet van naam dan wel van gezicht. Het paspoort dat hij bij zich had, was vals, maar zag er zo echt uit dat hij hier wel kon reizen. Hij wist niet hoe lang hij zou blijven. Hij hoopte dat het niet zo heel lang zou zijn. Hij kreeg zijn glas, gaf de barman wat kleingeld, draaide zich om op zijn plaats en keek naar de bezoekers. De meesten kwamen uit de stad zelf, maar er waren ook toeristen bij, en weer anderen waren hier waarschijnlijk voor zaken. Hij keek nooit iemand recht aan, maar hij was er goed in geworden om te zien of iemand ongewone aandacht aan hem besteedde. Deze avond was er niemand die dat deed. Hij draaide zich weer om naar de tapkast, maar hij bleef de deur in de gaten houden. Als die openging, zou hij zich weer omdraaien om naar de nieuwkomers te kijken. Het gebeurde twee keer. Stamgasten en een toerist.

De vrouw kwam naar hem toe. Ze was jong en aantrekkelijk en had donker haar en een zwaar maar lyrisch accent. Hij had haar daar vaker gezien. Ze praatte graag met mensen. Ze had nooit eerder met hem gepraat. Meestal koos ze iemand van ongeveer haar eigen leeftijd.

Wilde hij dansen? vroeg ze.

Nee, zei hij tegen haar.

Wilde hij haar op iets te drinken trakteren?

Nee, zei hij tegen haar.

Mocht ze hem op iets te drinken trakteren?

Hij keek haar aan en liet zijn kin zo ver zakken dat ze hem niet goed kon zien.

'Waarom?' vroeg hij.

'Omdat ik eenzaam ben,' zei ze.

Hij keek naar de anderen in de drukke bar.

'Dat kan ik me bijna niet voorstellen. Ik heb je hier vaker gezien. De mannen zijn erg aardig voor je.'

Ze haalde een sigaret tevoorschijn en vroeg hem om vuur.

Hij haalde de lucifer tevoorschijn, streek hem aan en hield hem bij haar sigaret. Hij zwaaide de lucifer uit en keek haar weer aan.

Ze nam een trek en blies de rook naar het vlekkerige plafond, waar een ventilator met bamboebladen de wazige lucht langzaam van de ene kant van de bar naar de andere kant verplaatste. Het was hierbinnen warmer dan buiten. Hij voelde het zweet in zijn oksels.

'Je komt hier niet vandaan,' zei ze in het Engels.

'Dat weet ik. Maar jij wel?'

'Geboren en getogen. Waarom kom je hier?'

'Waarom komt iemand ergens?'

'Ik ben nooit ergens anders geweest. Ik zou hier graag weg willen.'

'Om weg te zijn.'

'Wat?'

Hij voelde de aandrang om met haar te praten; hij wist niet waarom. Misschien was hij ook eenzaam. 'Daarom ben ik hier. Om weg te zijn.'

'Weg te zijn waarvan?'

'Van het leven.'

'Was je leven zo erg?'

'Tamelijk erg. Maar ook tamelijk goed.'

'Dat is niet logisch.'

Hij ging rechtop op de barkruk zitten. 'Het is wel logisch. Als je het in de juiste context zet.'

Ze keek hem verbaasd aan. 'Context? Wat is dat, context?'

Hij dronk zijn glas leeg en stak zijn hand op om er nog een te bestellen. Dat kwam enkele seconden later en hij dronk dat ook leeg en veegde met de mouw van zijn jasje over zijn mond. Hij veegde ook zweet van zijn voorhoofd.

'Context is alles. Het is waarheid. Het is eigenlijk het enige wat telt.'

'Je praat raar, maar ik mag je wel.' Ze streek met haar hand door zijn haar. Haar aanraking en haar geur maakten iets in hem wakker.

Hij dacht dat hij nu begreep waarom ze in de bar naar hem toe was gekomen. Hij betaalde voor zijn drankje en toen ook voor het hare.

Ze hield haar hand op zijn schouder en liet hem toen naar de onderkant van zijn rug zakken. Hij hield zijn hand in de buurt van zijn portefeuille, maar hij was er vrij zeker van dat ze daar niet op uit was. Nou ja, in zekere zin toch wel.

Geld.

Voor diensten.

Hij verlangde naar die diensten.

Een halfuur later verlieten ze de bar. Ze liepen naar zijn hotel terug. Het was maar vijf minuten lopen. Het was het beste hotel in de stad, en het was evengoed een gribus. Maar hij zou daar niet blijven. In elk geval niet lang.

Ze gingen naar zijn kamer op de bovenste verdieping. Hij zette zijn hoed af, trok zijn jasje uit en liet beide op de vloer vallen. Ze maakte de knoopjes van zijn overhemd los en hielp hem met zijn schoenen. Toen hij zijn broek uit had, zei ze: 'Geef me een paar minuten de tijd om me op te frissen.' Hij legde zijn hand op haar aanzienlijke achterste en gaf er een kneepje in. Ze kuste hem in zijn hals. Zijn hand verdween onder haar rok en gleed over soepel vlees.

Ze kuste hem opnieuw, drukte haar tong tegen zijn wang, in zijn oor.

Zijn andere hand reikte naar haar borsten, maar ze was weg. Naar de badkamer. Om zich op te frissen. Hij ging in het donker op het bed liggen. De plafond-ventilator snorde. Hij keek ernaar, telde de omwentelingen en deed toen zijn ogen dicht, wachtend tot de badkamerdeur weer openging, wachtend tot hij haar silhouet zou zien. Misschien zou ze naakt zijn, misschien bijna naakt. Zijn leven was in heel korte tijd radicaal veranderd.

Het was tegelijk angstaanjagend en opwindend.

Toen zei een man: 'Hallo, Bill. Het wordt tijd dat we praten.'

93

Bill Strauss ging rechtop zitten zodra hij de stem van de man hoorde. Hij beefde. Het was een onmiddellijke, instinctieve reactie die verlammend was.

Hij zag het silhouet naar voren komen. De badkamerdeur ging open, en de
vrouw glipte door de opening en de kamer uit. Ze deed de deur achter zich
dicht.

Een val. Hij was erin gelopen.

Het silhouet werd een lichaam.

De man kwam voor Strauss staan en keek omlaag.

John Puller zei: 'Je bent ver bij Drake in West Virginia vandaan, Bill.'

Strauss staarde omhoog naar de veel grotere man.

Puller pakte een stoel, keerde hem om en ging tegenover Strauss zitten. In zijn
rechterhand had hij een van zijn M11's.

'Hoe wist je het? Het feit dat ik ervandoor ging?'

'Eigenlijk wist ik het al eerder. Je bent geen goede leugenaar. Ik kon je vrij gemakkelijk doorzien op de avond dat we naar je huis kwamen om je te vertellen
dat je zoon dood was. Bij Trent Exploration was je de nummer twee. Maar je
wilde een groter huis. Jij was het brein en Roger was de façade. Waarom zou hij
het leeuwendeel krijgen? En je verkeerde in de ideale positie om hem te bestelen. Niemand zou jou, de geldman, verdenken, want iedereen nam aan dat als
de onderneming naar de bliksem ging jij ook naar de bliksem zou gaan. Maar
dat zou niet gebeuren wanneer je al het geld al had. En de plattegronden van de
Bunker lagen in jouw kluis, Bill. Niet in die van Roger. Dat gaf de doorslag. Jij
wist alles van de Bunker. En je kwam erachter dat Treadwell en Bitner de plattegronden hadden ontdekt.'

Strauss liet zijn hoofd zakken.

'Concentreer je, Bill. Je moet je concentreren.' Puller sloeg de man op zijn
schouder en Strauss keek naar hem op.

'Ze hebben je zoon vermoord, Bill.'

Strauss drukte met zijn knokkels tegen zijn dijen en knikte. 'Dat weet ik. Je
weet dat ik dat weet.'

'Maar wat ga je eraan doen?'

'Wat kan ik doen?'

'Je vlucht is voorbij. Je zit de rest van je leven in de gevangenis. Maar je kunt
iets goedmaken. Die gelegenheid krijg je. Je kunt er op je eigen voorwaarden
uitstappen. Dat is tenminste iets.'

'Nee, dat kan ik niet. Dat kan ik niet doen, Puller.'

Puller kwam iets naar voren en bracht de M11 enigszins omhoog.

Strauss keek naar het wapen. 'Ga je me doodschieten? Ben je daarvoor gekomen?'

'Ik heb een lange reis gemaakt om je op te zoeken. En nee, ik ga je niet doodschieten. Tenzij je me daar een reden voor geeft,' voegde hij eraan toe.

'Ik vind het erg van Sam.'

'Ik ben hier niet om over Sam te praten. Ik ben hier om over jou te praten.'

'Hoe heb je me hier helemaal gevonden?'

'Ik hoefde je niet te vinden.'

Strauss keek verbaasd. 'Dat begrijp ik niet.'

'Ik hoefde je niet te vinden, want ik ben je nooit kwijtgeraakt. We wisten voortdurend waar je was. We volgden je helemaal hierheen.'

'Ik begrijp het niet. Hoe...'

Puller stond op. 'Ze hebben Dickie gedood. Ze schoten hem in zijn hoofd. Dat is nooit jouw bedoeling geweest, hè?'

Strauss schudde zijn hoofd. 'Zo had het niet moeten gaan.'

'Dwars door zijn hoofd. Hij reed op zijn motor, en toen boem.'

Strauss viel bijna van het bed toen Puller met zijn M11 schoot en de kogel zich in de muur boorde.

'Ze schoten hem dood,' ging Puller kalm verder. 'Ze knalden zijn hersenen overhoop. Ik was erbij; ik heb alles gezien. Hydrostatische druk op het hoofd van een supersonische geweerkogel. Een Lapua-kogel, Bill. Het was overdreven zwaar geschut. Ze wilden er zeker van zijn dat hij dood was. Hij maakte geen schijn van kans. Je zou je jongen niet hebben herkend, Bill. Hij had geen gezicht meer over.'

Strauss hees zich overeind en snauwde: 'Dat hoorde niet bij het plan. Ik wist niet... Niemand heeft me verteld dat Dickie...' Zijn stem stierf weg en hij begon te huilen.

'Je zult het wel erg vinden dat hij dood is,' zei Puller.

'Natuurlijk. Toen je naar mijn huis kwam en het me vertelde, was ik diep getroffen. Zijn moeder is helemaal overstuur.'

'Maar je vond het geen probleem om haar achter te laten,' merkte Puller op.

'Ik kon haar niet hierheen meenemen. Ik zou haar nooit kunnen uitleggen...' Hij haperde, drukte zijn vuisten tegen zijn ogen en huilde weer.

'En dus hield je je vrouw in onwetendheid.'

'Ik heb een rekening voor haar opgezet. Het zal haar nooit aan iets ontbreken.'

'Behalve aan haar man en zoon. En aangezien je haar hebt achtergelaten, kon je niet weten dat ze in leven zou blijven als de bom afging.'

'Ze zeiden... Ik bedoel, ons huis stond ver genoeg weg...'

Puller onderbrak hem: 'Maakte het je niet kwaad dat ze je zoon hebben vermoord?'

Strauss zei niets.

Puller stak zijn hand in zijn jasje en haalde er een foto uit. 'Ik heb hier een sectiefoto. Wil je je zoon zien? Wil je zien wat ze met hem hebben gedaan?'

Er liepen nog meer tranen over Strauss' gezicht. Hij deed geen enkele poging ze weg te strijken. 'Het was niet de bedoeling dat het gebeurde.'

'Nou, het is gebeurd, Bill. Wil je het zien?' zei Puller met nog meer aandrang. Hij hield hem de foto voor.

Strauss deinsde ervoor terug. 'Nee. Nee, ik wil hem niet zien... Niet zo,' zei hij zacht.

'Als iemand mijn zoon zoiets aandeed, zou ik het ze betaald willen zetten. Ik zou wraak willen nemen. Ik zou gerechtigheid willen.'

'Ik... Ik kan nu niets beginnen.'

'Natuurlijk wel.' Puller stopte de foto weer in zijn zak. 'Je kunt het goedmaken, Bill. Dat kun je doen voor je zoon.'

'Ik kan het niet. Mijn vrouw... Misschien doen ze haar...'

'Ze is al in beschermende hechtenis. Ze krijgt een nieuwe identiteit. Het is allemaal geregeld. Het is allemaal al gedaan. Jij hoeft alleen maar te doen wat goed is.'

Puller leunde achterover en stak de M11 in de holster.

Strauss zei: 'En ik? Kan ik...'

Puller onderbrak hem weer: 'Jij gaat naar de gevangenis, Bill. Je krijgt geen deal.'

'Dus als ik praat, ga ik toch naar de gevangenis?' zei Strauss bitter.

'Je blijft leven. Dat is veel beter dan niet leven.'

'Dus je gaat me doden? Als ik niet meewerk?'

'Dat hoef ik niet te doen.'

'Waarom niet?'

'De Amerikaanse overheid zal je executeren. Voor hoogverraad.'

Er gingen enkele momenten van stilte voorbij.

Ten slotte zei Puller: 'Ik moet een antwoord hebben, Bill. Er staat een vliegtuig te wachten. Afhankelijk van je antwoord, brengt dat vliegtuig je naar de ene in plaats van de andere plaats.'

Bill Strauss stond op.

'Laten we gaan.'

Puller stond op en pakte de andere man bij zijn elleboog vast.

'Goede keuze.'

'Voor mijn zoon.'

'Ja,' zei Puller.

94

Als Puller ging hardlopen, deed hij dat het liefst op afgelegen, eenzame paden. Hij kwam daar om te zweten en te denken, en het eerste hielp hem bij het laatste. En hij had niet graag mensen in de buurt als hij dat deed.

Hij stopte de dopjes in zijn oren, zette zijn iPod aan en begon hard te lopen. Acht kilometer later draafde hij naar zijn auto terug.

En toen bleef hij staan.

Hij zag zes mannen. Een van hen leunde op de motorkap van zijn Malibu. Vier anderen stonden op enige afstand. De zesde man stond bij het achterportier van de Malibu. Twee zwarte suv's stonden voor en achter Pullers auto, die daardoor klemgezet was.

Puller liep door. Hij haalde de dopjes uit zijn oren en nam zijn iPod in zijn rechterhand.

'Hé, Joe, hoe gaat het?'

Joe Mason kwam bij de Malibu vandaan. 'Puller, ik heb een tijdje niet van je gehoord. Ik dacht dat mijn instructies op dat punt duidelijk genoeg waren. Je zou aan mij rapporteren.'

'Nou, soms worden instructies verpest door de feiten in het veld en dan moet je ze veranderen.'

'O ja?'

'Ja, zo is het.'

'Nou, dat heeft niemand mij verteld. En het is altijd goed om iets uit de eerste hand te horen. Daarom ben ik hier.'

Puller kwam dichter naar hem toe. Hij zag dat de vier mannen die op enige afstand stonden ook dichterbij kwamen. Ze waren allemaal gewapend. En het waren dezelfde kerels die hem ooit hadden omsingeld in die parkeergarage in Arlington, kort na zijn gesprek met generaal Carson.

'Dus je bent hier omdat je wilt dat ik verslag uitbreng?'

'Ja.'

'Oké. Dat is geen probleem. Er zijn drie hoofdpunten. Toen Dickie was vermoord, zat me nog iets dwars en ging ik wat spitten. En toen vond ik het volgende. Bill Strauss en jij kenden elkaar. Jullie zijn samen opgegroeid in New Jersey. Ik ben dat nagegaan. Jullie hebben samen bij de mariniers gezeten. Strauss probeerde me in de maling te nemen door te zeggen dat hij nooit had gediend, maar hij wist wat OSG en OO waren. En hij liet zijn zoon in het leger gaan omdat hij dacht dat het leger hem van zijn seksuele geaardheid kon "genezen". Dat doe je niet als je niet zelf soldaat bent geweest.'

'Oké, dus ik kende hem. Ik heb met hem gediend. Er lopen veel mariniers rond.'

'Hij hield het daar niet lang uit, net als zijn zoon. Dickie werd eruit gegooid omdat hij homo was. Zijn vader werd eruit gegooid omdat hij een kruimeldief en drugsdealer was en het korps mariniers gewoon genoeg van hem kreeg. Nu is het interessant dat jij ongeveer in dezelfde tijd bij de mariniers wegging. Jij had niets negatiefs staan in je staat van dienst, zoals Strauss, anders zou je nooit bij een federale dienst en later bij Binnenlandse Veiligheid zijn aangenomen. Maar ik denk dat Strauss en jij met elkaar in contact bleven. En toen Dickie tegen zijn vader zei dat Randy Cole hem over een manier had verteld om in de Bunker te komen, en ook wat hij daar had gezien, belde Bill jou. Hij wist dat jij connecties had en dat er iets goeds uit kon voortkomen. Met iets goeds bedoelde hij veel geld, ongeacht de chaos en het verdriet die het zou veroorzaken.'

'O ja?'

'Ja, Joe, zo is het. Je kwam meteen naar Drake, en je ging de Bunker in en zag waar Randy Cole het over had gehad. Maar in tegenstelling tot hem begreep jij wat er in die vaten zat. Al die nucleaire koeken die daar maar wat lagen. Vergeten. Wat zou de waarde zijn? Miljarden?'

'Hoe zou ik dat nou moeten weten?'

'En het dossier over de Bunker dat je me gaf was echt. Tenminste, zo echt als een doofpotoperatie van het leger kan zijn. Het was ideaal voor jou. Het laatste wat je wilde, was dat iemand daar ging rondsnuffelen. Dus toen ik ernaar begon te vragen, haalde je gewoon dat rapport tevoorschijn en zagen we de Bunker niet meer als een geschikt doelwit van de terroristen.'

'Ga door.'

'Ten tweede moest je de bom maken. Strauss liet Treadwell een aantal onderdelen maken zonder hem te vertellen waarvoor ze werkelijk bestemd waren. Hij gaf hem alleen specificaties, die hij weer van jou had gekregen. Maar Treadwell en Bitner werden te nieuwsgierig en begingen de grote fout dat ze hun buurman Matt Reynolds erbij haalden. Die werkte voor de DIA. Dat kwam veel te dicht bij huis. Hij liet een bodemonderzoek doen. Ik durf te wedden dat het monster uit de buurt van de Bunker afkomstig was. Ik denk niet dat Reynolds wist dat er plutonium in de Bunker zat, maar misschien dacht hij dat het iets giftigs was wat mensen in handen wilden krijgen. En als hij echt op onderzoek zou uitgaan, viel jullie hele plan misschien in duigen. En dus moesten er zes mensen sterven, onder wie twee kinderen. Wie van je jongens heeft het gedaan, Joe?' Puller keek om en wees naar een van de mannen. 'Hij?' Hij wees naar een tweede. 'Die klootzak daar. Ik denk niet dat je het zelf hebt gedaan. De baas maakt zijn vingers niet vuil. Jij hebt alleen naar de videobeelden gekeken. De ouders werden doodgeschoten, de kinderen doodgeslagen. Had je niet de moed om de kinderen te laten doodschieten?'

Mason zei niets.

'En toen zagen jullie Larry Wellman, die op maandagavond dienst had. Een onervaren politieagent. Toen hij zijn ronde deed, gingen je mannen bij de achterkant van het huis naar hem toe, waar niemand het kon zien. Ze lieten hun legitimatiebewijzen zien. Federale goden. Wellman wilde maar al te graag helpen. Hij verzette zich niet. Stelde geen vragen. Hij nam je mannen mee naar binnen en ze knoopten hem op als een zij spek. Ze lieten daar snippers van een bonnetje voor een aangetekend stuk achter en reden weg met zijn auto.'

'Hoe zouden wij die brief dan te pakken hebben gekregen?'

'Het was niet de echte brief. Jullie wisten ervan omdat Wellman het aan Dickie had verteld, of anders had Matt Reynolds je verteld wat hij had gedaan, toen jullie hem ondervroegen. De brief lag niet in het huis en uiteindelijk hebben we hem niet gevonden. Je hoorde dat de brief niet was ontdekt, maar je wilde dat we op die ingeslagen weg verdergingen, omdat je wist dat die nergens heen leidde en alleen maar tijdverspilling voor ons was. En dus doodden jullie iemand alleen om een valse aanwijzing op de plaats delict te kunnen achterlaten.'

'Interessant,' zei Mason.

'Toen verzon je dat telefoonverkeer in het Dari om de schuld af te schuiven op oosterse figuren, die helemaal niet bestonden. Je zou nooit de aandacht op Drake hebben gevestigd, maar je moest wel vanwege die moorden. Je wist dat de CID een onderzoek zou instellen. En dus zorgde je meteen daarna voor dat telefoongesprek en liet je je mensen nog een telefoongesprek in het Dari voeren. Op die manier zette je mij op een geloofwaardig maar vals spoor, dat naar de gaspijplijn en kernreactor zou leiden. Je zei tegen me dat we drie dagen de tijd hadden, terwijl je wist dat de Bunker binnen twee dagen zou ontploffen. Strauss bedreigde Roger Trent met de dood om het geloofwaardig te maken dat hem iets overkwam, want Strauss zou van deze gelegenheid gebruikmaken om zich te ontdoen van Trent en van de financiële gegevens waaruit bleek dat hij geld had verduisterd. En dus werden Trent en de dozen in de Bunker gelegd. Er zou niets van hem en die papieren overblijven, behalve een beetje radioactief stof. De mensen zouden denken dat Trent ervandoor was gegaan, op de vlucht voor de geldproblemen die Strauss had veroorzaakt, of dat degene die hem die doodsbedreigingen had gestuurd hem eindelijk te pakken had gekregen. Jullie twee hadden een goed plan uitgedacht.'

'Ik heb nog niets gehoord wat mij ergens mee in verband brengt,' zei Mason.

Puller stak nu een derde vinger op. 'En daarom rapporteerde ik niet meer aan jou en ging ik op onderzoek uit. Jij was de enige die ik had verteld dat Dickie Strauss met mij samenwerkte. Belangrijker nog: jij was de enige die ik had verteld dat hij me die avond in het brandweergebouw zou ontmoeten. Zijn dood was niet iets spontaans. Je sluipschutter was daar al een hele tijd, klaar om in actie te komen. Jij was de enige die dat kon hebben georkestreerd. Niemand anders.'

'Zo herinner ik het me niet,' wierp Mason tegen. 'Het is jouw woord tegen het mijne.'

'En je hebt hem laten vermoorden omdat je bang was dat Dickie van gedachten zou veranderen. Hij was naar het huis gegaan en had Larry Wellman gevonden. Hij zag de lijken van de familie Reynolds. Hij wist dat Treadwell en Bitner ook dood waren. Hij was bang. Jullie hebben hem vast niet verteld wat het echte plan was, maar toen er mensen doodgingen, wist hij dat hij in iets verzeild was geraakt wat veel te ver ging. Misschien dacht hij dat hij maar het beste met de autoriteiten kon samenwerken. Maar dat kon jij niet toestaan. En dus liet je je scherpschutter zijn hoofd van zijn romp schieten.'

'Dat zeg jij. Daar heb je geen bewijs voor.'

Puller keek naar de andere mannen. 'Je bent ermee weggekomen, Joe. Je hebt de Bunker de lucht in laten vliegen. Je hebt je nucleaire brandstof in handen gekregen. Roger Trent is dood. De financiële gegevens zijn tot as vergaan. Dus waarom ben je nu hier? Je plan heeft gewerkt.'

Mason zei niets. Hij bleef Puller rustig aankijken.

Puller kwam een stap dichter naar de man toe. 'Misschien zat dat islamitische "telefoonverkeer" niet zo ver bezijden de waarheid, al heb jij het geënsceneerd. Misschien was je door de vijanden van dit land ingehuurd om een lading nucleair materiaal in West Virginia te laten ontploffen. Ik denk dat die vaten die je achterliet deel uitmaakten van die bom. En de mensen met wie je zakendoet, zijn er vast niet zo blij mee dat alles niet volgens plan is verlopen. En daarom ben je hier: om een beetje wraak op mij te nemen. En misschien ook om je die kerels met tulbanden van het lijf te houden. Hoeveel heb je betaald gekregen om je eigen land aan te vallen, Joe? Noem eens een bedrag.'

Mason schraapte zijn keel. 'Je hebt het niet helemaal goed, Puller. Ik ben een patriot. Ik zou mijn land dat niet aandoen. Ik wist wat ik daar had, maar ik ben niet betaald om het te laten ontploffen.'

'Onzin!' snauwde Puller. 'Jij bent geen haar beter dan die rotzakken van 9/11.'

Op kwade toon vervolgde Mason: 'Je weet niet waar je het over hebt, Puller.'

'Leg het me dan eens uit, Joe. Leg me eens uit hoe een ex-marinier een verrader werd.'

Mason praatte nu snel. 'Na al die jaren bij Binnenlandse Veiligheid had ik verstand van nucleaire bommen. En ik kon contact leggen met de mensen die ik nodig had om er een te bouwen. Als je eenmaal de brandstof hebt, is de rest niet zo moeilijk. De overheid zou nooit toegeven dat ze ergens kernbrandstof had achtergelaten. Ik kon het spul verkopen zonder dat iemand er ooit iets over te weten kwam. Toch maakte ik een grote fout: ik liet Strauss die idioot van een Treadwell de reflector en andere onderdelen bouwen. Dat brak me lelijk op.'

'Niets van wat je zojuist hebt gezegd, maakt enig verschil. Je bent nog steeds een verrader. Je hebt vaten met uranium- en plutoniumkoeken achtergelaten in de Bunker. Al dat materiaal had vijf of zes staten radioactief kunnen maken.'

'Die vaten waren leeg. Ik liet dat spul niet achter. Je hebt gelijk. Het was miljarden waard.'

'Je liegt,' zei Puller. 'Ik heb die vaten gezien. De bovenkant was in geen tientallen jaren open geweest.'

Mason grijnsde triomfantelijk. 'We hebben de ónderkant van die vaten opengemaakt, Puller. En daarna weer dichtgemaakt. Nadat we ze met aarde hadden gevuld. Je ziet, ik had overal rekening mee gehouden. Ook toen jij aan de bom kwam. Dat liet de timer verspringen.'

'Toch was het een nucleaire bom. Je wilde je eigen land met een atoombom te lijf gaan, klootzak.'

Mason snauwde: 'Ik wist wat ik deed. We gebruikten alleen een minimale hoeveelheid plutonium, genoeg voor een kleine knal en een beetje straling. En het was midden in de rimboe. Wat gaf het als Drake in West Virginia radioactief werd? Het was toch al dood.'

'Er wonen daar meer dan zesduizend mensen, Joe.'

'In het verkeer komen elk jaar veel meer mensen om. Elk jaar gaan er honderdduizend mensen in ziekenhuizen dood doordat er fouten worden gemaakt. In die context viel de bijkomende schade wel mee.'

'Maar je bent van plan nucleaire brandstof te verkopen aan onze vijanden. Die zullen hun bommen niet in dunbevolkte gebieden laten ontploffen, Joe. Die laten ze ontploffen in New York.'

'Ja, nou, ik ben bezig naar een ander land te verhuizen. Ik heb genoeg van dit land. Maar jij verpestte het voor me. Ik kan het spul nog steeds verkopen, maar nu wordt het lastiger. Daarom ben ik hier. Om jou dat betaald te zetten.'

Puller zei: 'Had je dat geld echt zo dringend nodig? Om je land aan terroristen te verkopen? Je bent uitschot.'

'Ik heb me dertig jaar voor mijn lánd uit de naad gewerkt. En bij de volgende bezuinigingen wilden ze me eruit gooien. Ik ben mijn land niets verschuldigd.'

Puller stak een vierde vinger op.

Mason zei: 'Je zei dat er maar drie punten waren.'

'Ik loog. We hebben Bill Strauss in Zuid-Amerika te pakken gekregen. Hij ging er natuurlijk vandoor voordat de Bunker de lucht in vloog. Hij bleef daar heus niet wachten om naar de paddenstoelenwolk te kijken, al nam hij niet de moeite zijn rouwende vrouw mee te nemen. Een geweldige kerel! O, heb ik je al verteld dat hij jou en al je mensen heeft verraden?'

'Dat kan niet,' gooide Mason eruit. 'Ik heb met Bill gesproken...'

'Ja, je hebt gisteren met hem gesproken, en vandaag weer. Ik zat bij hem in de kamer. De FBI heeft alles opgenomen.'

'Je bluft.'

'Hoe zou ik anders al die dingen kunnen weten die ik jou daarnet heb verteld? Ik ben een vrij goede onderzoeker, maar Strauss heeft ons een heleboel uitgelegd. Anders was ik er nooit achtergekomen.'

Mason staarde alleen maar voor zich uit.

Puller zei: 'Dus nu zit je met een heleboel nucleair materiaal dat je nooit kunt verkopen. Aan de andere kant heb je in de gevangenis ook niet veel geld nodig. Of als je voor hoogverraad wordt veroordeeld, krijg je een dodelijke injectie. Het is mij om het even.'

Puller keek om zich heen en zag dat Masons mannen nu tekenen van grote nervositeit vertoonden. Dat was zowel gunstig als ongunstig. Gunstig in de zin dat nerveuze mannen geen goede vechters waren. Ongunstig in de zin dat nerveuze gewapende mannen grillige dingen deden en dus moeilijk te voorspellen waren.

Maar hoewel het zes tegen één was, voelde Puller aan dat ze zelf het gevoel hadden dat ze in de minderheid waren.

Hij keek Mason weer aan. 'Ben je eraan toe om je over te geven, Joe?' vroeg Puller.

'Ik zal je vertellen waar ik aan toe ben, Puller. Dat zal ik je meteen vertellen.'

95

Mason keek naar de zesde man, die naast de Malibu stond. Hij liet hem naar voren komen. De man was halverwege de vijftig en droeg een licht windjack, hoewel het warm was en er geen zuchtje wind stond. Hij hield een SIG 9mm losjes in zijn rechterhand. Hij was vijf centimeter kleiner dan Puller, maar ongeveer tien kilo zwaarder, en hij zag er keihard en gemeen uit, bereid om iemand te doden.

Mason zei: 'Dit is Sergei, Puller. Hij heeft in het Sovjetleger gezeten. Hij is gespecialiseerd in pijn, dat wil zeggen, in het toebrengen daarvan bij anderen. Hij brengt je nu ergens heen en gaat dan met je aan het werk. Hij zal je een paar van zijn technieken laten zien. Hij is werkelijk de beste in zijn vak.'

Puller keek naar de andere man, die met een hooghartig gezicht naar hem terugkeek.

'Het Sovjetleger?' zei Puller. 'Jullie zijn vechters van niks. Jullie hebben je door een stelletje woestijnboeren uit Afghanistan laten verslaan.'

Sergei wendde zijn blik af. Zijn zelfverzekerdheid maakte plaats voor moordlust.

Mason zei: 'Volgens mij was dat niet je verstandigste zet, Puller.'

'Heb ik je gekwetst, Sergei? Was jij een van de kerels die niet het lef hadden om met een geweer rond te lopen? Hielden ze jou in de achterhoede om aan de kerels te werken die niet konden vechten?'

Sergei keek nog woester. Dat was Pullers bedoeling. Mensen die kwaad waren, maakten fouten. Puller kwam langzaam een stap dichterbij.

Mason zei: 'Ik zal je vertellen wat er gaat gebeuren, Puller. We brengen je naar een plaats waar Sergei je heel veel pijn zal doen terwijl ik toekijk. En ten slotte zullen we je voorgoed uit je lijden verlossen. Ik heb twee keer geprobeerd je met bommen uit te schakelen, en beide keren ging het mis. Maar hoe zeggen ze dat ook weer? Drie keer is scheepsrecht.'

Puller spreidde zijn armen en gebruikte die beweging om hun aandacht af te leiden en ongemerkt nog twee stappen naar voren te komen. Hij zei: 'Dus dat is het plan? Ik hoop dat je niet te lang bezig bent geweest om het uit te denken, Joe, want het is een plan van niks.'

'Ik vind het anders een prima idee. En ik heb nog meer plannen achter de hand, Puller. Die heb ik altijd. Of Strauss nu in de federale gevangenis zit of niet, ik maak dat ik hier wegkom. En probeer je maar niet te verzetten. Want dan schieten we je hier ter plekke neer.'

Puller haalde zijn schouders op. 'Nou, laat het dan maar achter de rug zijn. Ik heb vandaag nog meer te doen.'

Voordat Sergei zelfs maar zijn wapen omhoog kon brengen, sloeg Puller toe. De rand van zijn iPod was zo scherp geslepen als een KA-BAR-mes van de Rangers. Even later was de hele voorkant van Sergei's hals opengehaald. De Rus viel ruggelings tegen de auto, terwijl het bloed over zijn borst liep. Puller greep Sergei bij zijn kraag vast, draaide hem om en sloeg het wapen uit Masons hand. Hij liet de Rus op de grond vallen om hem te laten doodbloeden. In het volgende moment sloeg hij zijn arm om Joe Masons hals, draaide zich snel om, tilde de man van de grond en ramde hem met zijn hoofd dwars door de voorruit van de Malibu.

Mason lag languit op de motorkap, zijn hoofd een bloederige pulp. Puller wist niet of hij dood was of niet. En het kon hem niet schelen.

Hij boog zich dicht naar de man toe en zei zachtjes: 'Dat was voor brigadier Samantha Cole.'

Hij draaide zich om naar Masons overgebleven mannen. Ze richtten hun wapens op hem, maar waren verstijfd door de pure woestheid van zijn aanval.

Ze zouden niet lang verstijfd blijven.

Twintig Rangers doken in volledige camouflage-uitrusting op uit het niets en richtten hun MP5's op de vier mannen. Een verhouding van vijf tegen een. De vier maakten geen schijn van kans meer op een overwinning.

Ze lieten meteen hun wapens vallen.

Toen ze werden geboeid, Mason uit de voorruit was getrokken en Sergei in een lijkenzak was gestopt, kwam generaal Julia Carson het bos uit. Ze keek even bij Mason en liep naar Puller toe. Ze gaf hem een fles water.

'Je zult wel dorst hebben gekregen.'

'Ja, van het hardlopen. En bedankt voor de tijd die je me met Mason alleen liet zijn.'

'Nee, ik moet jou bedanken. Ik mocht er graag naar kijken.'

'Is Mason dood?'

'Nee. Hij heeft nog een hartslag. Maar die is wel zwak.'

'Zeg tegen de ambulance dat ze de tijd moeten nemen.'

Ze glimlachte. 'Begrepen.'

'Niet dat we het nodig hadden, maar ik neem aan dat je het allemaal hebt opgenomen?'

Carson hield een USB-stick omhoog. 'Je weet dat het Amerikaanse leger surveillance erg serieus neemt. Al denk ik dat we de beelden waarop jij de Rus en Mason uitschakelt wel kwijt kunnen raken. Wie hoeft daar nou iets over te weten?'

Hij glimlachte. 'Ik verwachtte niet zoveel nuancering van jou, generaal Carson.'

Ze beantwoordde de glimlach. 'Ik zit vol verrassingen. En het is buiten diensttijd, dus zeg maar Julia.'

'Oké, Julia.'

Ze keek naar de mannen die werden weggebracht. 'Het ging dus allemaal om geld.'

'Blijkbaar. Hoe zit het met die kernbommen?'

'Die zijn nog niet op de markt. We krijgen ze wel in handen. Het is het enige onderhandelingsmateriaal dat die kerels hebben, als ze nog aan de doodstraf willen ontkomen.'

Puller keek naar zijn beschadigde auto. 'Daar kan ik nu niet mee rijden.'

'Maak je geen zorgen. Ik geef je een lift.'

'Dank je.'

'En misschien kunnen we dan iets drinken.'

'Misschien wel.'

96

Puller zei: 'Je bent een held, Bobby. Je hebt een stadje en waarschijnlijk een hele staat gered.'

Hij zat tegenover zijn broer in de USDB.

Robert Puller deed kennelijk erg zijn best om niet te laten blijken hoe goed die woorden hem deden. Het was voor het eerst dat Puller een zekere mate van trots op het gezicht van zijn broer zag sinds Robert in de USDB zat.

'Hebben ze je de onderscheiding al gegeven?'

Robert knikte. 'Een primeur voor de USDB. Waarschijnlijk wisten ze niet wat ze moesten doen.'

'Vast niet.'

'Ik vind het heel erg van je vriendin Sam Cole.'

'En ik vind het heel erg dat ze je vonnis niet hebben veranderd.'

'Had je dat echt verwacht? Het leger komt niet op zijn besluiten terug. Dan zou het in feite toegeven dat het een fout heeft gemaakt, en dat doet het leger ook niet.'

Puller stak zijn hand uit en schudde die van zijn broer zonder zich iets aan te trekken van de woedende blik van de dienstdoende MP. 'Je hebt mijn leven gered.'

'Daar zijn grote broers voor.'

Gedurende het grootste deel van de vlucht naar huis keek Puller uit het raam. Toen het vliegtuig over West Virginia vloog, was de stem van de piloot te horen. Die vertelde hun waar ze waren en voegde eraan toe dat hij uit Bluefield kwam, volgens hem de mooiste plaats in het land. Puller haalde het tijdschrift van de luchtvaartmaatschappij tevoorschijn en sloot zich af voor de woorden van de man.

Hij haalde zijn gerepareerde Malibu van het vliegveld en reed naar zijn apparte-ment. Daar werd hij begroet door AWOL, en hij schonk de kat enkele minuten aandacht. Hij keek door zijn keukenraam naar de kleine binnenplaats. Daar-door moest hij om de een of andere reden denken aan Sam Coles perfecte ach-tertuin met zijn fontein en zijn schommelbank, waar ze samen op hadden geze-ten. Hij raakte zijn wang aan op de plek waar ze hem had gekust. Hij vroeg zich af of hij er verkeerd aan had gedaan om Sam Coles niet al te subtiele uitnodi-ging om in haar bed te komen van de hand te wijzen. Aan de andere kant ge-loofde hij dat het op dat moment de juiste beslissing was geweest voor hen beiden. Hoewel hij altijd had gedacht dat er nog andere gelegenheden zouden komen.

Maar hoe groot was die kans eigenlijk geweest? Dat hij in leven zou blijven en dat zij zou zijn gestorven? Dat brok beton had hem ook kunnen raken. Of een boom. Of een hert. Maar het had ervoor gekozen om op Sam Cole neer te komen en een eind aan haar leven te maken.

Je kon het verklaren door te zeggen dat het gewoon nog niet zijn tijd was. Dat had hij zelf gedaan als hij op het slagveld aan de dood was ontkomen. Andere jongens waren gestorven. Hij niet. Maar voor Puller was die verklaring niet afdoende. Deze keer niet. Hij wist niet waarom het in dit geval anders was, maar hij wist het gewoon.

Hij zette AWOL weg en meldde zich bij de CID in Quantico. Hij schreef zijn rapporten en praatte met de mensen met wie hij moest praten. Hij hoorde dat hij binnenkort een promotie kon verwachten waardoor hij twee sprongen omhoog in de militaire hiërarchie zou maken in plaats van één, een ongekende kans. Hij weigerde meteen.

Zijn SAC probeerde hem een hele tijd op andere gedachten te brengen.

'Anderen zouden daar een moord voor plegen.'

'Laat die anderen het dan hebben.'

'Ik begrijp je niet, Puller, echt niet.'

'Dat weet ik. Soms kan ik mezelf ook niet begrijpen.'

Hij had zijn bureau opgeruimd, een paar e-mails beantwoord, met enkele superieuren gepraat om hen op de hoogte te stellen, en daarna vond hij dat hij voorlopig klaar was met het leger. Hij had nog verlofdagen te goed. Die wilde hij opnemen. Er was geen officier in de rangen die dat verzoek van de hand zou hebben gewezen. Mensen die een nucleaire catastrofe op eigen bodem hadden helpen voorkomen, konden min of meer doen wat ze wilden.

Binnen het redelijke.

Per slot van rekening was dit het Amerikaanse leger.

Hij ging naar huis, pakte wat spullen en ook zijn kat, zette alles in de Malibu en vertrok. Hij had geen kaart, geen plan, geen bestemming. Het was iets van hem, een CID-agent die op weg ging met zijn trouwe kameraad AWOL. De kat zat op de achterbank alsof hij een auto met chauffeur had. Puller wilde die rol maar al te graag spelen.

Ze gingen om twaalf uur 's nachts weg. Puller reed het liefst in het donker. Hij vond een weg die naar het westen leidde en volgde hem. Tegen de ochtend had hij bijna zevenhonderd kilometer afgelegd zonder zelfs maar een sanitaire stop te maken. Toen hij eindelijk stopte om zich uit te rekken en te plassen, de tank vol te gooien, de grootste beker koffie te nemen die ze hadden en AWOL uit te laten, merkte hij dat hij in West Virginia was. Niet in Drake, maar in een ander deel van de staat. Hij had daar niets te zoeken; misschien was dat altijd al zo geweest.

Hij wilde de Bunker niet terugzien, of wat ervan over was.

Hij wilde de Trents en de Coles niet zien, of wat er van hen over was.

Hij zou Sam Cole in zijn herinneringen met zich meedragen zolang hij herinneringen had. Daar was hij zeker van. Doordat hij bij haar was geweest, was hij een betere onderzoeker geworden. En ook een beter mens. Hij zou haar de rest van zijn leven missen. Daar was hij ook zeker van.

Hij zou naar het leger terugkeren en zijn plicht doen: mensen te pakken krijgen die slechte dingen deden. Om de een of andere reden had hij het gevoel dat hij nu sterker was dan ooit. Dat was een goed gevoel. Hij geloofde dat hij dat ook aan Sam Cole te danken had.

Hij maakte het portier open en AWOL sprong weer in de auto. Puller ging achter het stuur zitten, zette de Malibu in de versnelling en zei: 'Rijden maar weer, AWOL?'

De kat miauwde instemmend.

Puller reed de weg weer op en trapte op het gaspedaal.

Soepel en met grote snelheid reed hij over de weg.

En toen was hij verdwenen, alsof hij er nooit was geweest.

Per slot van rekening wás het waar.

Je kon niet doden wat je niet op je af zag komen.

•Dankwoord•

Voor Michelle: de rit gaat verder.

Voor Mitch Hoffman, die me hielp het licht te blijven zien.

Voor David Young, Jamie Raab, Emi Battaglia, Jennifer Romanello, Tom Maciag, Martha Otis, Chris Barba, Karen Torres, Anthony Goff, Lindsey Rose, Bob Castillo, Michelle McGonigle en allen bij Grand Central Publishing die mij in alle opzichten hebben gesteund.

Voor Aaron en Arleen Priest, Lucy Childs Baker, Lisa Erbach Vance, Nicole James, Frances Jalet-Miller en John Richmond, omdat ze me stap voor stap terzijde hebben gestaan.

Voor Maja Thomas, de keizerin van de e-books.

Voor Anthony Forbes Watson, Jeremy Trevathan, Maria Rejt, Trisha Jackson, Katie James, Aimee Roche, Becky Ikin, Lee Dibble, Sophie Portas, Stuart Dwyer, Anna Bond en Michelle Kirk van Pan Macmillan, die me hielpen mijn hoogste oplagen ooit in Groot-Brittannië te behalen.

Voor Ron McLarty en Orlagh Cassidy, die hun voortreffelijke stem aan mijn verhalen gaven.

Voor Steven Maat van A.W. Bruna Uitgevers, die me nummer één maakte in Nederland.

Voor Bob Schule met zijn scherpe oog.

Voor Anshu Guleria, die me gedegen medisch advies gaf.

Voor de winnaars van de liefdadigheidsveiling: Matthew Reynolds, Bill Strauss en Jean Trent. Ik hoop dat jullie van jullie personages hebben genoten.

Voor de mensen uit Fort Benning die zo royaal waren met hun tijd en expertise: generaal-majoor Bob en Patti Brown, sergeant-majoor Chris Hardy, sergeant-majoor Steven McClaflin, luitenant-kolonel b.d. Selby Rollinson, Susan Berry, kolonel Sean McCaffrey, kolonel Terry McKenrick, Kolonel b.d. Greg Camp, luitenant-kolonel Jay Bartholomees, luitenant-kolonel Kyle Feger, luitenant-kolonel Mike Junot, luitenant-kolonel David Koonce, luitenant-kolonel Todd Zollinger, majoor Joe Ruzicka, kapitein Matthew Dusablon, adjudant Larry Turso, adjudant Jose Aponte, adjudant Shawn Burke, agent Joseph Leary, agent Jason Waters, agent Jason Huggins, sergeant Steve Lynn, sergeant-majoor Shawn Goodwill, Nora Bennett, Terri Panco en Courtland Pegan.

Voor Tom Colson en zijn kennis van de CID.

Voor Bill Chadwell, die me de finesses van het Pentagon uiteenzette.

Voor kolonel b.d. Marguerite Garrison, die hetzelfde deed.

Voor Michael Furey voor zijn waardevolle hulp.

Voor Christine Craig, die me over USACIL vertelde.

Voor Bill Colwell en schout-bij-nacht b.d. John Faigle, die me lieten kennisma-ken met de geweldige Army and Navy Club.

Voor generaal-majoor Karl Horst, voor een geweldig diner en gesprek.

Voor Dave en Karen Halverson, omdat ik hun achternaam mocht gebruiken.

Voor Timothy Imholt; hij weet wel waarom.

Voor Kristen en Natasha, omdat ik verloren zou zijn zonder hen.

Ik verwelkom Erin Rase, die zich bij het Columbus Rose-team heeft aangeslo-ten.

Ik wens Lynette en Art een geweldige pensioentijd toe en dank hen oprecht voor het goede werk dat ze hebben gedaan.

En ten slotte, maar zeker niet in de laatste plaats, dank ik Roland Ottewell voor zijn opnieuw geweldige editing.